'한국근대문학과 중국' 자료총서 ⑬

비평IV(1935.4~1940.4)

최창록·조영추 엮음

역락

『'한국근대문학과 중국' 자료총서』편찬위원회

위원장: 김병민

위 원: 이광일 최창록 최 일 장영미 박설매 김 강

편찬자 소개

김병민 연변대학교 조선언어문학학과 교수. 문학박사.

이광일 연변대학교 조선언어문학학과 교수. 문학박사.

최창록 남경대학교 한국어문학과 교수. 문학박사.

최 일 연변대학교 조선언어문학학과 교수. 문학박사.

장영미 연변대학교 조선어학과 교수. 문학박사.

박설매 연변대학교 조선언어문학학과 부교수. 문학박사.

김 강 연변대학교 조선언어문학학과 전임강사. 문학박사.

배 홍 연변대학교 조선언어문학학과 전임강사. 문학박사.

김은자 하얼빈이공대학교 조선어학과 전임강사. 문학박사.

조영추 연세대학교 국어국문학과 박사.

박미혜 성균관대학교 국어국문학과 박사과정 수료.

'한국근대문학과 중국' 자료총서 13

비평 IV

1935.4~1940.4

최창록·조영추 엮음

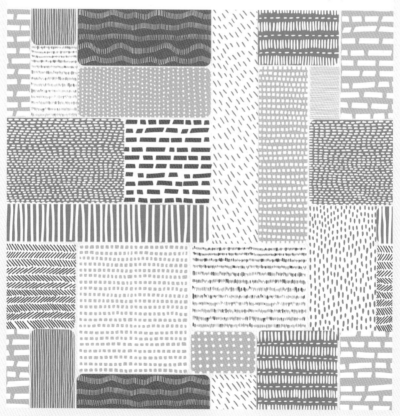

역락

한국근대문학과 중국체험서사
― 서문을 대신하여 ―

김병민

1. 중국체험의 의미

한·중 문화 교류는 수천 년의 유구한 역사를 가지고 있다. 특히 한국은 한자, 유·불·도, 각종 문물제도를 중국으로부터 수용함으로써 한(漢)문화권에 편입된 뒤 한(漢)문화를 중심으로 한 동아시아문화권의 형성과 발전에 중요한 역할을 하게 되었다. 따라서 한국문학의 발전 역시 중국문학 및 문화와 불가분의 관계에 놓이게 되었다.

한국문학의 발전에 있어서 역대 한국인들의 중국체험은 한국 한(漢)문학 전통의 확립에 결정적인 역할을 했다. 한국문인들의 중국체험은 다양한 양상을 보이고 있는바 최치원 등을 비롯한 문인들의 유학(留學)체험, 혜초, 의상 등을 비롯한 불교 문인들의 구도(求道)체험, 정도전, 허균, 김만중, 홍대용, 박지원 등을 비롯한 문인들의 사행(使行)체험 등을 들 수가 있다. 이들은 중국을 체험하는 과정에 중국의 문인들과 다양한 교류를 진행하게 되었고 한중 문학의 쌍방향적 영향관계를 밀접히 했다. 실제로 한국문학에서 굴지의 작가로 불리는 최치원, 이제현, 허균, 김만중, 박지원 등의 문학은 중국 문학 및 문화와 깊은 연관성을 보여주고 있다. 한국문인들은 중국체험을 통해 자신들의 창작을 전개해갔고 또한 창작을 통해 그들의 문화의식 즉 세계인식과 시대인식을 구축해 가기도 했다. 최치원의 한시가 『전당시』에, 이제현의 사가 『강촌총서』에 수록되었으며 김만중의 경우 중국체험과 중국문화 수용을 통해 세계적 영향을 지닌 『구운몽』을, 박지원의 경우는 사행체험을 통해 세계 기행문학의 백미로 불리는 『열하일기』를 창작했다. 최치원, 이제현, 김만중, 박지원의 문학이 세계적인 명작이 되기에 손색이 없다고 할 때, 한국문학 발전에 있어서 중국체험은 큰 의미를 가진다고 할 수 있다.

중국체험은 한국 문인들에게 시간과 공간에 대한 새로운 인식을 심어주었고 자아와 타자에 대한 새로운 인식을 불러일으키기도 했다. 예를 들어 18세기 후반기 '북학파'의 맹주들인 박지원, 박제가 등이 중국체험을 통해 전통적인 문화의식에서 탈피하여 자본시장의 형성과 과학문명에 대한 인식을 얻고 중세의 몰락과 근대의 여명을 확인한 것은 시대를 앞서나간 문화적 초월이라고 할 수 있다. 그것은 말 그대로 국가 간의 경계, 문화 간의 경계, 민족 간의 경계를 넘어설 수 있었던 탈경계 체험의 산물이라고 하겠다.

20세기를 전후하여 한국은 근대 식민지체계에 편입되기 시작하여 1910년 '한일합방'으로 일제의 식민지로 전락되고 말았다. 망국을 전후한 시기부터 중국은 한국독립투사들의 항일투쟁의 정치적 공간과 근대적 이민의 생활공간이 되기도 했다. 따라서 한국근대문학은 중국의 문학 및 문화와 더욱 밀접한 연관을 맺게 되었고 보다 더 새롭고 다양한 발전 양상을 보여주게 된다.

따라서 한국근대문학과 중국과의 관련양상에 대한 연구는 비단 한·중 근대문학교류사 연구뿐만 아니라 한국문학사 연구에 있어서도 지극히 중요한 가치가 있다고 할 수 있다. 현재까지 이에 대한 한국 학계의 연구는 대체적으로 한국근대문학의 공간적 이동이라는 시각에서 접근하여 중국에서 벌어졌던 한국문인들의 문학을 '이민문학' 혹은 재외 한국근대문학의 범주에 두고 고찰하였다. 반대로 중국 학계에서는 중국에 이주한 한국문인들의 문학을 '조선족문학' 혹은 그 전사(前史)로 범주화하고 연구를 해왔다. 이러한 연구는 한민족문학의 연구에서 극히 중요한 작업임이 분명하며 또한 현재까지 괄목할 만한 성과를 거두었다. 하지만 한국문학의 공간적 이동으로만 접근하게 되면 인적 교류, 이론과 사상의 유동 내지는 상상력의 탈경계 등 한·중 근대문학 교류의 보다 다양한 차원의 문제들을 간과하게 된다. 한 마디로 한·중 근대문학 교류는 문학의 공간적 이동의 시각보다는 탈경계 연구(Border—crossing studies)의 시각에서 접근하는 것이 더 효율적이라고 할 수 있다. 이른바 탈경계 연구는 민족, 국가, 언어, 문화, 이데올로기 및 윤리 등의 탈경계 그리고 그 과정에서 문화적 재건, 융합 및 가치창조를 밝히는 새로운 연구 시각이다.

근대 전환기 및 근대과정에서 이루어진 한국문학의 중국과의 교류는 고금의 인류문학사에서 보기 드문 문학적 현상이었으며 일종의 '증후성(Symptomatic)'을 가진 문학적 사건이라고 할 수 있는바 다음과 같은 특징을 띄고 있다. 우선, 교류의 지속시간이 길고 방대한 양의 텍스트를 형성하였다. 다음으로 그 교류는 일방적인 영향관계가 아닌 쌍방향적인 상호작용의 관계였다. 끝으로 그 교류는 '중심'과 '주변'의 관계가 아닌 '주변'과 '주변'의 관계였다. 그중 탈경계 서사(beyond boundaries narrative)로 특징지어지는 한국근대문학의 중국체험서사는 한국문인들의 중국을 매개로 한 전통, 근대 그리고 미래와의 대화였다. 바로 이러한 의미에서 한국근대문학과 중국과의 문학·문화적 대화는 지극히 생산적인 것이었으며 근대 동아시아의 정신적 가치를 보여주는 소중한 유산이라고 할 것이다.

한국문학의 근대화 과정에서 일본을 통한 서양문학사조, 유파, 관념, 형식 등의 수용이 큰 역할을 하였음은 분명하나 식민지 출신의 한국문인들에게 있어 식민 종주국 일본이 생산적 가치를 가진 이상적인 공간이 될 수는 없었다. 오히려 비슷한 운명에 처한 중국이 생산적인 정치·문화공간이자 생존·생활공간이 될 수 있었다. 중국에 대하여 느낄 수 있었던 시대적 동질감과 유대감은 일본이 갖추지 못한 요소들이었다. 따라서 한국인들은 중국을 독립투쟁의 전장, 근대문명의 '박물관', 평등한 대화와 교류의 장소로 인식하였던 것이다. 한국근대문학과 중국과의 교류는 한국문학의 근대화 과정을 이해하는 데 있어 중요한 가치가 있을 뿐만 아니라 나아가 오늘날 한국과 주변의 관계를 이해하는 데 있어서 상당한 현실적 가치가 있다고 해야 할 것이다. 이에 『'한국근대문학과 중국' 자료총서』는 한국문인들이 중국과의 교류과정에서 생산한 중국서사와 한국문인들에 의한 중국문학 번역과 소개 등 텍스트를 그 대표성과 중요도에 따라 선별적으로 수록하였다.

2. 저항과 항일체험서사

항일서사는 한국의 독립투사들이 중국에서의 반일활동에 근거한 탈경계 서사로서 의열단(義烈團), 한국애국단(韓國愛國團), 독립군(獨立軍), 유격대(遊擊隊), 조선의용대/의용군(朝鮮義勇隊/義勇軍), 한국청년전지공작대(韓國青年戰地工作隊), 한국광복군(韓國光复軍), 중국국민군(中國國民軍), 팔로군(八路軍), 항일연군(抗日聯軍) 등 항일부대의 활동과 밀접히 연관되어 있으며 소설, 시, 수필 등 장르를 포함하고 있다.

소설로는 중국에서 전개된 한국의 반일독립운동을 소재로 한 신채호, 최서해, 강경애, 심훈, 장지락 등의 작품이 있다. 우선 아나키즘계열의 항일투쟁을 반영한 소설로는 신채호의 「용과 용의 대격전」, 장지락의 「기묘한 무기」 등이 대표적이다. 신채호의 소설 「용과 용의 대격전」은 환상적인 구조 속에서 일제 침략자를 상징하는 미리와 한국 민중을 상징하는 드래곤 사이의 격전을 그리면서 민중의 승리를 확인하고 있다. 「꿈하늘」(1916)에서 신채호가 국민국가 상상을 보여주었다면 「용과 용의 대격전」에서는 무산민중 주체의 민족국가 상상을 보여주었다고 할 수 있다. 장지락의 소설 「기묘한 무기」는 1922년 김익상 등 한국의 반일지사들이 상하이 황포공원에서 일제 육군대장 다나카를 저격한 사건을 다룬 단편소설로 1930년 북경에서 창작된 작품이다. 이 소설에는 사회주의, 아나키즘, 인도주의 등 다양한 사상들이 혼재되어 있다. '만주'지역에서 전개되고 있던 독립투쟁을 소재로 한 소설로 최서해의 「해돋이」와 강경애의 「모자」, 「축구전」 등이 있다. 「해돋이」는 생활에 시달리다 독립운동에 투신한 주인공 만수의 형상을 통하여 '만주' 지역 한국 이주민들의 일제와 그 주구들에 대한 분노와 항거를 보여주고 있다. 강경애의 「모자」는 간도지역에서 벌어진 항일유격투쟁을 배경으로 하면서 희생된 남편의 못 이룬 뜻을 어린 아들로 하여금 이어가게 하겠다는 한 어머니의 불굴의 의지를 보여주고 있고 「축구전」은 일제의 주구들이 조직한 축구경기에 참가하여 경기는 졌지만 민중들에게 반일정신이 살아있음을 보여준 진보적인 한국 이주민 중학생들을 그리고 있다.

　　반일투쟁 승리의 강력한 의지를 표출한 시작품으로는 신채호의 「매암의 노래」, 이육사의 「청포도」, 김창숙의 「넋이여 돌아오라」, 이두산의 「당신은 의용의 전사래요」, 문정진의 「4명의 열사를 추모하여」 등을 들 수 있다. 이두산의 시 「당신은 의용의 전사래요」는 중국에서 활약하고 있는 항일부대 '조선의용대'의 영용한 모습과 필승의 신념을 노래하면서 항전의 승리와 조국 귀환의 절절한 정감을 읊고 있다. 김창숙의 시 「넋이여 돌아오라」는 중국

하르빈에서 독립운동을 지도하다 일경에 체포되어 옥사한 독립투사 김동삼을 기린 시로 일제에 대한 불타는 적개심과 구국의 염원을 노래했다. "신계(神溪)는 목 메이고/ 한수(漢水)는 슬픈데/ 한 치의 묻을 땅이 없어/ 다비(茶毘)에 부치더니/ 아, 나라 찾을 그날/ 다가오리니/ 넋이여 돌아오라/ 주저치 말고"라고 하면서 전편에 걸쳐 혁명동지에 대한 뜨거운 애도 그리고 원수격멸의 의지를 그려내고 있다.

이밖에 항일투쟁의 제일선에서 싸운 군인들의 실기, 수필 등은 실제적인 체험을 기록했다는 의미에서 상당한 가치를 가진다. 예를 들면 '조선의용대' 대원들이 창작한 「전선에서의 조선의용대」, 「중국 전장에서의 조선의용대」, 「화평촌통신」 등은 항일전장에서 조선인 대원들의 대적 무장선전, 중국 항일부대와의 협동작전, 민중교육 등 상황을 그려내고 있는바 한국 근대 독립투쟁의 역사와 한중관계를 조명함에 있어서도 중요한 가치를 가진다고 할 수 있다. 중국에서 전개된 한국인들의 독립투쟁을 반영한 작품 『청산리 혈전실기』, 「조선혁명일사」 등과 신채호의 수필 「단아잡감록」, 「조선의 지사」, 이두산의 연작수필 「억(憶)」(「산중 40일」, 「중국 항전에 참가하다」 등 11편) 등 작품들은 중국에서 한국 독립지사들의 투쟁과 생활 그리고 그들의 정신적 궤적을 반영하고 있다는 의미에서 높은 문학적 가치를 가진다고 할 수 있다.

3. 정착과 이민서사

한국근대문학의 탈경계 서사에서 가장 많은 비중을 점하는 작품은 한국 이주민들이 중국에서의 생존체험을 소재로 한 이민서사로 그 주제적 경향에 있어서도 다양성을 보이고 있다.

우선, 한국 이주민과 중국인들과의 갈등은 이민서사에서 가장 많이 보이는 소재이다. 토지의 주인인 중국인들은 '지주'의 신분으로 등장하여 민족·계급이라는 이중적인 갈등구조를 이룬다. 최서해의 소설 「홍염」, 강경애의 소설 『소금』 등이 대표적이다. 「홍염」의 중국인 지주 '은 서방', 『소금』의 중국인 '팡둥'은 토지의 주인이라는 절대적 우위를 이용하여 한국 이주민들을 억압하고 있고 극한적인 생존환경에 처한 한국인 이주민들의 자연발생적인 항거가 계급적 인식으로 나아가게 된다. 이런 의미에서 중국으로의 이주는 한국작가들로 하여금 계급적 대립에 의한 억압의 보편성을 확인할 수 있게 하였고 나아가 현실 인식에 대한 깊이와 정확도를 획득할 수 있게 하였다.

다음으로, 중국에서 새로운 삶의 터전을 건설하려는 정착의식을 그린 작품들이 많이 있다. 안수길의 「벼」, 「북향보」 등과 현경준의 「선구시대」, 이기영의 『대지의 아들』, 『처녀지』 등 소설이 대표적이다. 안수길의 「북향보(北鄉譜)」는 주인공 정학도를 비롯한 이주민들이 어려운 여건 속에서 '북향농장'을 운영하는 과정을 통해 '만주'에 뿌리를 내려야 한다는 정착의식 혹은 지역의식(locality)을 상징적으로 보여주고 있다.

하지만 '만주'의 실질적인 지배자가 일제였기 때문에 '만주'를 향한 정착의식은 '상상적인 탈식민'으로 흐르게 되고 자칫하면 '만주'에서의 일제의 식민주의 담론에 포섭되게 된다. 마약중독자들을 '만주국' 건설에 필요한 인재로 '갱생'시키는 과정을 그린 현경준의 「유맹」, '내부 식민주의'적인 시각에서 원시적인 초원에 사는 몽고인들을 '개량'하는 주인공의 노력을 그린 한찬숙의 「초원」 등이 대표적이다. 이러한 정착의식은 일제에 대한 철저한 순응으로 타락하는 경우도 있어 박영준의 「밀림의 여인」과 같은 노골적인 친일문학작품을 낳기도 했다. 그럼에도 이러한 작품들은 '태평양전쟁' 이후 일제의 전시총동원체제 등 특수한 시대적 상황 속에서 한국문학의 현실대

응의 다양한 예시를 보여준다는 점에서는 상당한 가치가 있다.

　중국 도시에서의 한국 이주민들의 삶을 그린 작품으로는 주요섭의 「봉천역식당」, 김광주의 「북평서 온 영감」, 「남경로의 창공」 등 소설이 있다. 주요섭의 「봉천역식당」은 화자가 봉천역 식당에서 우연하게 만난 한 한국 여인의 10년간의 변화를 그리고 있다. 처음 만났을 때 이 여인은 행복이 넘쳐흐르던 처녀였으나 점차 남성의 노리개로 전락하여, 나중에는 우울한 모습으로 목석처럼 변해버리고 만 비참한 운명을 그리고 있다. 김광주의 「북평서 온 영감」은 살 길을 찾아 '만주'와 북경 등지를 전전하다가 상하이에 온 한국 이주민의 정신적 소외를 보여준 작품으로서 식민주의와 봉건주의의 이중적 억압 하에 놓인 한국 이주민의 삶을 그리고 있다.

　한국 시인들의 중국체험도 주목되는 바이다. 백석, 유치환, 이용악, 서정주 등은 중국체험을 통해 상상력의 확장, 이미지의 다양화 나아가 민족적, 시대적 인식의 전환을 이루게 되었다. 백석은 「조당(澡堂)에서」란 시에서 목욕탕의 벌거벗은 중국인들을 보면서 이방인인 '나'와 중국인들 사이의 역사와 문화, 언어와 몸짓, 그리고 표정 등의 차이를 느끼다가 인간은 결국 벌거벗은 우스운 몸에 지나지 않는다는 초월적 인식에 이르고 있다. 서정주는 취직을 위해 8~9개월 간 중국에 있었던 체험을 바탕으로 "저 만치의 쑥대밭 언덕에서는/ 역시나 때 절은 靑衣의 한 滿洲國 아줌마가/ 누구의 것인가 새 棺널 하나를 앞에 놓고/ <끅! 끅! 끄르륵⋯⋯/ 끅! 끅! 끄르륵⋯⋯>/ 꼭 그런 소리로 울고 있었다./ 우리 단군할아버님의 아내가 되신/ 그 잘 참으신 암곰님처럼/ 씬 쑥과 매운 마늘 많이 자신 소리 같았다."(「만주제국 국자가(局子街)의 1940년 가을」) 등 살아서 숨 쉬는 이국 이미지를 창조했다. 또 이용악은 중국 '만주'에서 목격한 망국노의 슬픈 모습을 "울 듯 울 듯 울지 않는 전라도 가시내야/ 두어 마디 너의 사투리로 때 아닌 봄을 불러줄게/ 손때 수집은 분홍

댕기 휘 휘 날리며/ 잠깐 너의 나라로 돌아가거라."(「전라도 가시내」)와 같은 주옥같은 시구에 담아내고 있다. 그런가 하면 유치환은 중국체험을 바탕으로 대체로 여성적인 한국 근대 시단에서 「생명의 서」, 「바위」와 같이 단연 돋보이는 역동적인 시를 써낼 수 있었다.

4. 타자와 중국서사

한국문인들의 중국체험은 중국과 중국인을 소재로 한 다양한 문학작품들의 출현을 가능토록 하였다. 이러한 작품은 중국에서의 전통문화체험을 통한 동양문화의 가치에 대한 재인식, 자본주의적 근대체험을 통한 서양적 가치에 대한 비판, 반식민지 반봉건 사회체험을 통한 현실사회의 부조리에 대한 비판, 항일투쟁체험을 통한 한·중 연대의식 등 다양한 주제를 표현하고 있다.

우선, 전통문화체험을 통한 동양적 가치의 재발견을 보여준 작품으로는 정래동의 수필집 『북경시대』, 한설야의 수필 「연경의 여름」 등과 주요섭의 소설 「진화」, 「죽마지우」 등을 들 수가 있다. 정래동과 한설야 등은 수필창작을 통하여 중국 전통문화의 거대한 힘에 대하여 예찬하였고 주요섭은 소설 「진화」에서 중국문화의 전통성을 인정하면서 동양의 정신적 가치를 발견하려고 했으며 소설 「죽마지우」에서는 북경을 자신의 정신적 고향으로 묘사하는 등 다원적인 문화정체성을 보이기도 했다.

다음으로, 반식민지 반봉건 사회체험을 통한 현실비판을 보여준 작품으로 심훈, 피천득, 박세형 등의 시편들과 최독견의 「벌금」, 주요섭의 「살인」, 「인력거꾼」, 강노향의 「상해야화」 등 소설 작품들을 들 수가 있다. 심훈은 시

「북경의 걸인」에서 걸인의 형상을 통해 하층민에 대한 동정을 보여준 동시에 동등한 운명에 놓인 자기 민족의 고통도 하소연하고 있다. 피천득의 시 「1930년 상해」는 옷을 전당 잡혀 먹을거리를 사야 하는 현실과 곧 팔려갈 어린 생명을 시적 대상으로, 하층민들의 비참한 생활에 대해 공소하였고 박세영의 시 「북해와 매산」은 군벌혼전으로 피폐해진 북경의 암울한 현실을 비판하였다.

이와 더불어, 최독견과 주요섭은 소설 창작을 통해 제국주의 침략과 문화 헤게모니로 하여 식민지화된 상하이 도시문명의 가치결손에 대하여 비판함과 동시에 하층민들의 소외를 적나라하게 폭로하고 있다. 이러한 소설들은 참신한 시각과 심각한 문제의식을 보여주고 있는바, 최독견은 소설 「벌금」에서 중국옷을 입고는 공원으로 들어갈 수가 없는 현실과 서양 여인이 개에게 먹이던 빵조각을 고맙다고 받는 중국인 여성을 통해 굴욕적으로 살아가야 했던 하층민에게 연민의 정을 보이고 있으며 중국의 반식민지 사회현실을 신랄하게 비판하고 있다. 또한 강노향은 소설 「상해야화」에서는 조계지 프랑스인 집에서 노예살이를 하는 중국인과 프랑스 여인의 부정당한 관계 등을 통해 서양의 가치결손과 식민지 조계지에서의 남성의 소외 내지는 타락을 보여주기도 했다. 한편, 주요섭은 소설 「살인」에서 도시 최하층 기생인 우뽀의 형상을 통해 버림받고 소외당한 하층민들의 운명을 보여주면서 그들의 각성을 촉구하기도 했다. 작가의 다른 한 소설인 「인력거꾼」 역시 자본주의 문명이 최하층 인간에게 들씌운 불행에 대하여 묘사하고 있다.

이처럼 상기 다양한 소설작품들은 근대 도시인 상하이를 배경으로 그 속에서 살아가는 하층민들의 불행한 운명, 특히는 생존권을 박탈당하고 소외되어가는 인물들을 통해 식민주의의 죄행을 공소하고 있다. 물론 이러한 문제의식은 한국문인들의 중국에서의 근대적 도시체험에서 얻어진 것이라 해야 할 것이다.

또한, 유자명, 이두석, 이관용, 문일평, 이광수, 최남선, 주요섭, 김광주, 정래동, 강경애 등 쟁쟁한 한국문인들의 수백 편의 기행문들에서는 중국체험과 시대인식이 다양하게 보이고 있다. 즉 이러한 기행문은 중국전통문화와 서양문명에 대한 새로운 인식, 시국에 대한 인식과 비판, 망국 국민으로서의 애환, 민족에 대한 뜨거운 사랑, 민족독립에 대한 열망 등으로 일관되어 있다. 특히 이러한 기행문들은 근대 중국사회를 인식하는 역외시각(域外視角)으로서 귀중한 문헌적 가치가 돋보이는 바이다.

5. 가치 수용으로서의 번역과 비평

한국근대문학과 중국의 관련 양상은 중국근대문학에 대한 번역과 비평에서도 잘 드러나고 있다. 한국에서의 중국근대문학작품에 대한 번역은 주로 양건식, 정래동, 유수인, 이육사, 김광주 등 중국 유학경력이 있는 문인들에 의해 전개되었다. 소설로는 루쉰의 「아Q정전」, 「광인일기」, 「고향」, 궈모뤄(郭沫若)의 「목양애화(牧羊哀話)」, 딩링(丁玲)의 「떠나간 후」, 위다푸(郁達夫)의 「피와 눈물」, 린위탕(林語堂)의 「북경호일」, 샤오쥔의 「사랑하는 까닭에」 등이 있으며, 시작품으로는 후스(胡適)의 「등산」, 「11월 24일 밤」, 궈모뤄(郭沫若)의 「봄 맞은 여신의 노래」, 「죽음의 유혹」, 쉬즈모(徐志摩)의 「가거라」, 「우연」, 주즈칭(朱子淸)의 「잠자라, 작은 사람아」, 저우쭤런(周作人)의 「소하」 등이 있으며, 연극으로는 궈모뤄(郭沫若)의 「탁문군 삼경」, 톈한(田漢)의 「상상의 비극」, 어우양위첸(歐陽予倩)의 「반금련」 등이 있다. 그 외에도 루쉰 등의 산문이 번역 소개되었다.

이외, 중국근대문학과 관련된 비평으로는 양건식의 「호적 씨를 중심으로 한 중국의 문학혁명」(1920, 번역문), 김태준의 「문학혁명 후의 중국문예관」(1930), 정래동의 「중국 양대 문학단체 개관」(1931, 번역문), 「노신과 그의 작품」(1931), 「중국문단의 신작가 파금의 창작태도」(1933), 김광주의 「중국 좌익문예운동의 과거와 현재」(1931), 이육사의 「노신 추도문」(1936) 등이 있다.

이러한 중국근대문학 작품의 번역과 비평을 통해 한국 근대 문인들의 중국문학에 대한 인식과 수용 자세, 한국 근대에 있어서의 중국의 사회사상과 미학사상이 미친 영향, 나아가서 한국 근대 문학번역사와 문체의 변천과정도 이해할 수가 있다. 주지하다시피, 한국 근대 문인들은 대부분 일본을 통해 서구문학을 수용하였고 또한 서구문학에 대한 번역과 소개도 적지 않게 진행한 바이다. 그럼에도 프로문학 등 특수한 영역을 제외하고는 한국 근대 문단에서 일본문학이 별로 번역·소개되지 않았음은 주목이 필요한 대목이다. 이에는 식민지시기라는 특수한 시대적 상황 속에서 형성된 이질감과 거부감이 작용했을 것이다. 이러한 점을 염두에 둘 때 한국에서의 중국 근대문학의 전파와 수용은 근대 한국 문인들이 중국 근대작가들과 함께 20세기의 동아시아적 가치를 창출하고 공유하고자 한 시대의식과 무관하지 않을 것이다. 바로 이런 의미에서 중국근대문학에 대한 번역·소개와 비평은 한국근대문학과 중국근대문학, 나아가 중국과의 관련을 해명하는 데 불가결한 중요한 영역이기도 하다.

6. 편찬 동기와 총서의 구성

일찍 2014년 연변대학 통문화센터에서는 중국어로 된 『'중국현대문학과 한국' 자료총서』(1~10권)를 간행한바 있다. 베이징에서 열린 이 총서의 출판 기념 좌담회에서 중국의 근대문학 연구자들은 필자에게 『'한국근대문학과 중국' 자료총서』를 편찬할 것을 제안한 바가 있다. 이에 상기 자료집 편찬의 중요성과 절박성을 깊이 인식하게 된 나머지 편찬위원회를 묶어 총서의 편 찬사업을 시작했다. 한국근대문학과 중국 관련 자료는 이미 적지 않은 자료 집에서 수록되기도 한 바이다. 예하면 연변대학 문학연구소에서 편찬한『중 국조선족문학대계』, 북경민족출판사에서 편찬한『중국조선족 문학유산 정 리편찬』등에 수록된 적지 않은 작품들은 편찬자 나름의 시각에 따라 중국 조선족문학의 출발점으로 인식되어 중국 조선족문학 권역에 귀속시켰지만, 한국근대문학사에 있어서도 중요한 작가와 작품들이다. 물론 상기 자료집들 은 한국근대문학과 중국 관련 연구를 위해 정리된 자료 총서가 아니며 한국 근대문학과 중국과의 관련 양상을 살피기에는 전체적이지 못함도 짚고 넘 어가야 할 것이다.

　한국근대문학과 중국 관련 연구는 1990년대부터 학계의 주목을 받기 시 작하여 적지 않은 연구 성과를 내고 있다. 그럼에도 아직까지 중요한 자료들 에 대한 발굴과 정리가 진일보 요청되고 있으며 일부 연구들은 충분한 자료 적 검토가 확실하지 못한 점도 없지 않다. 이러한 상황은 한국근대문학과 중 국 관련양상의 전반적 검토와 연구의 심화에 장애로 작용하고 있으며, 이에 본 자료집은 그에 대한 극복을 목적으로 하고 있다.

　『'한국근대문학과 중국' 자료총서』는 편찬 의도를 구현하기 위해 작품 선 정에서 첫째로, 한국근대작가들의 중국체험을 바탕으로 중국의 시간과 공 간에서 벌어진 인물과 사건들이어야 하며, 둘째로, 중국인들의 생활 혹은 중 국에서의 한국인들의 생활을 소재로 해야 하며, 셋째로, 중국체험을 기반으 로 하는 동서양 관련 문화인식을 다룬 작품도 가능하다는 원칙을 지키고자 했다. 한편, 편찬과정에서 적지 않은 애로에도 봉착하였는바, 일부 작품들은 당시의 중국 경내에서 꾸려진 신문, 잡지들에 발표되었으나 신문과 잡지의 보존상태가 완전치 못하여 그 전모를 알 수가 없으며, 아울러 신문, 잡지의 경우 여러 곳의 도서관과 서류관에 분산되어 있었다. 또한 일부 작품들은 유고로서 분실된 것도 있었기 때문에 편집자들은 이러한 난제를 풀기 위해 국내외 도서관들을 찾아다녀야 했고 따라서 관련 인사들을 찾아 방문하기도 해야 했다. 비록 편찬자들이 많은 노력과 심혈을 기울였지만 아직 미비한 점이 적지 않다.

본 총서는 총 16권으로서 창작편 11권(소설 4권, 시 3권, 기행문 2권, 정론·실기·수필·희곡 2권)과 비평집 5권이다. 편집과정에서 편찬자는 발표 당시의 원본 형태를 그대로 보여주기에 노력을 경주하였으며, 섣불리 개정이나 첨삭을 시도하지 않았다.

본 총서는 편찬과정에서 국내외 많은 한·중 문학관계를 연구하는 전문가들의 열정적인 관심과 도움을 받았으며 특히 국내외 도서관, 서류관의 지지와 성원을 받은 바 있다. 총서의 편집에 도움을 주신 모든 이들에게 진심으로 되는 감사를 드리는 바이다. 앞으로 본 총서가 한·중 문학관계 연구자들과 독자들에게 도움이 되기를 진심으로 바라며, 미진한 점에 대해 전문가들과 독자들의 기탄없는 비평을 기대하는 바이다.

2020년 2월 1일

차례

1938년

1939년

일러두기

1. 본 총서는 1919년 중국의 '5·4운동' 전후시기부터 시작하여 1948년 남북한 단독정부 수립에 이르기까지 중국인 및 중국에서의 체험을 소재로 창작한 문학작품 중 문헌적, 문학적 가치가 높은 작품들을 수록하였다.
2. 본 총서는 총 16권으로 구성되었는바 소설(1~4권), 시(5~7권), 기행문(8-9권), 평론(10-14권), 정론·실기·수필·희곡(15-16권)으로 나누었다.
3. 초간본을 저본으로 하여 원본의 표기를 최대한 보류하는 것을 원칙으로 하였으나 일부 초간본을 확인할 수 없는 작품의 경우 초간본에 가장 가까운 판본을 수록하였다.
4. 독자들의 읽기와 이해를 돕기 위하여 표기법은 아래와 같은 원칙을 적용하였다.
    - 근대 모음을 현대 모음으로 바꿨다.

      예: ㆍ→ㅏ
    - 근대 겹자음을 현대 겹자음으로 바꿨다.

      예: ㅺ→ㄲ, ㅽ→ㅃ
    - 띄어쓰기는 현행 한국어 표기법의 기준을 따랐다.
    - 소설의 경우 문장부호를 현행 한국어 표기법의 문장부호로 통일하였다. 대화는 " ", 간행물과 단행본의 명칭은 『』, 기사와 작품의 명칭은 「 」, 음악작품의 제목은 < >, 연극작품은 ≪ ≫로 통일하였고, 명확하지 않으면 ⸨ ⸩를 사용하였다.
    - 기행문, 평론, 수필, 정론, 시가, 희곡의 경우 원본의 문장부호를 보류하였다.
    - 원본에서 판독이 불가한 문자는 □로 표시하고 판독 불가한 문자가 1행 이상일 경우에는 주해에 "이하 × 자 판독 불가"를 밝혔다.
    - 원본의 오탈자, 오식은 보류하고 해석이 필요한 경우에는 주해에 "편자 주"를 밝혔다.

      예: 1) "澌江"은 "浙江"의 오식 — 편자 주
5. 외래어는 원본의 표기를 보류하였다.
6. 인명, 지명 등 고유명사는 원본의 표기를 보류하였다.
7. 한자는 원본의 표기를 보류하였다.
8. 잘못된 인명, 작품명, 신문·잡지명 등과 한자들을 중국어 원문과 대조해 바로잡았다.

1935년 4~12월

文學 散步(발췌)[01]

盧春城

一. 中國의 新詩歌

中國文學은 우리와 關聯되는 바이 많다. 古代의 中國文學은 우리의 文化를 支配하였거니와 只今에 있어서 中國의 新文學도 우리의 關心을 사기에 넉넉한 바이 많다. 이제 몇 篇의 中國 新詩歌를 紹介하여 보자.

검은 하눌 수많은 별 中에
銀河 저 便——北斗七星의 그 별 하나가 곻아
아, 많은 사람 中 나의 어여쁜 별이여!
내 검은 밤을 네가 홀로 빛이고 있으렴.

수많은 江山 넓은 땅우에
亞細亞의 한복판 中華란 이 땅이 그리워
아, 이 地球우에 나를 품어주는 어머니시여.
이 한 몸 곱게 잘아 당신 몸에 꽃피오리다.

---

01 『新人文學』 제2권 제3호, 1935.4. 중국 근대시 소개 부분만 발췌하였다.

1935년 4~12월 27

아, 어여쁜 사람아, 너는 나의 별이다.
아, 즐거운 이 땅아, 너는 나의 *母胎*이니
이 품에 안겨 저 별 밑에 내가 잠자리!

이 詩는 「潮風[02]」이라는 詩集 中에 실리인 虞琰女史의 詩이다. 아름답고
뜨거운 젊은 熱情을 느끼기에 넉넉하다. 나는 原文의 뜻을 傷하지 안는 程度
에서 意譯하였다. 다시 다음과 같은 郭沫若의 詩를 읽어보자.

봄비가 나리자 나무마다 잎이 돗치네.
검은 눈물의 비는 이 땅을 여러 번 적섯거니
오히려 生命의 푸른 잎이 쌌트지 안는가?

바람이 불며 擾亂하드니 어여쁜 紅桃꽃——
송이송이 눈물지고 땅에 헤지네.
그러나 꽃진 뒤에 둥글둥글 커가는 즐거운 열매여.

검운 바람 이 땅을 많이 휩쓸렀거든
꽃 피지 않고 열매조차 없어……
아, 슬프다, 봄날조차 情이 없는가?

여름이 오고 풀은 樹陰이 날개를 버리자
어여쁜 새들은 노래를 부르거니…

02　'潮風'의 잘못이며 이 시집에서는 위의 시를 찾아 볼 수가 없다.

그러나 젊은 날의 이 땅이여
노래를 잊어버린 이 땅의 魂은
풀은 樹陰과 生命의 노래가 그리워라!

아, 여름이여, 너는 太陽의 빛난 熱을 가지고
이 땅의 心臟을 녹이고 태우라!
綠色의 樹陰 속의 中華의 새는 언제 우려노?

이 詩는 「新上海」誌에 실린 詩이니 아름다움과 씩씩한 맛을 兼하여 있다. 中國을 사랑하는 그네들의 熱情을 엿보기에 넉넉하다. 이 詩 亦是 不足한 漢文力을 가지고 意譯한 것이다.

枯木으로 둘린 山은 새로 꾸미자!
차라리 뿌리조차 태워버리고
아름다운 鬱金香을 심어 보옵세.

썩어진 머리, 낡은 細胞, 아, 生命없는 心臟이여
그 속의 불을 넣어 태워버리자.
新生의 고은 꽃을 심어 보오리.

긴 꿈의 찬 겨을도 지나섰거니
봄바람 鍾을 치며 가지 안는가?
世紀의 봄이여, 꽃피는 날이라네.

이 詩는 魯彦의 詩이다. 中國을 再生시키랴는 젊은 詩人의 熱情을 볼 수가 있다. 힘 있고 아름다운 詩이다. 다시 女詩人의 詩 一篇을 읽어보자.

봄날의 새는 窓밑에 울다 날아가거니
아, 아직도 내 귀에 남은 아름다운 노래여!
옛날의 그이 같은 고은 노래여라!

바람이 숲속에서 살낭살낭 속삭이거니
아, 부드럽고 수집은 고은 密語여!
옛날 江가에서 그가 주든 그 음섬인 듯…….

달빛이 窓을 새여 내 벼개를 비치거니
맘 없이 오는 달을 내 홀로 반기노라.
이 밤에 그 얼굴도 달이 되여 비치럼!

이 詩는 詩雜誌 「詩篇」에 실리인 沈香枝[03]女史의 詩이니 中國 女詩人의 아름다운 詩風을 볼 수가 있다.

(以上 全部 意譯)

---

03 확인되지 않는 이름이다.

中華民國의 現代文學 一瞥[01]

金鴨村

一九一六年 「新青年」派 胡適, 陳獨秀 等에 의하야 文學革命의 端緒를 發하얏다.

美辭麗句를 느러노와 古人의 形式을 模倣하는 在來의 領域에서 脫出하여 自由詩, 自然主義文學, 浪漫主義文學, 革命文學, 푸로레타리아文學의 現階段으로 거름을 옴기고 잇다.

文學革命이라 함은 即 從來의 古典 偏重의 文章體를 배척하고 口語體로 하자는 運動이니 舊套守株의 文人으로 著名한 林琴南, 章炳麟 一派와 新人派 即 白話運動家의 胡適, 陳獨秀의 間에 古文是非의 熱烈한 理論鬪爭이 잇엇다.

新文壇의 黎明期에 잇어서 一大 光明을 던진 것은 所謂 白話詩(口語 自由詩)이엿다.

北京大學을 中心으로 한 新潮派와 上海의 少年中國派는 近來의 詩壇을 支持하는 二大 支柱이다.

01　『日月時報』제3호, 1935.4.

一. 新潮派: 胡適, 周作仁, 劉半儂, 沈尹默, 康白情, 俞平伯, 錢玄洞[02].

一. 少年中國派: 郭沫若, 田壽翁[03], 宗白華.

그리고 조금 뒤에 떠러저 나온 女流詩人 中에 氷心女史가 잇다. 國語文學
의 提唱者 胡適이 一九一九年에 비로소「嘗試集」을 내노앗다. 지금으로 보
면 그다지 詩的 價値는 업다 하더라도「口語라도 詩를 훌륭히 지을 수 잇다」
는 것을 明示한 初期에 잇어서는 매우 갑시 잇는 것이다.

俞平伯의「冬夜」, 康白情의「草」, 郭沫若의「女神」, 이것은 詩壇의 三明星
의 稱이 잇는 詩集이다. 그 中에도 郭沫若의 劇詩「女神」은 가장 傑作品이니
詩壇의 榮冠를 代表함과 同時에 그는 浪漫詩人의 名을 博하엿다.

文壇의 第二期는 散文과 創作時代이다.

創作界는 自然主義文學과 浪漫主義文學의 對立的 發展으로 革命文學 擡
頭하기까지의 期間에 光彩를 發揮하엿으니 自然主義文學에는 文學研究會
의 魯迅, 鄭振鐸, 周作人 等에 依하야 占領되엿고 外國文學의 飜譯도 文學
研究會의 活動 以前에도 百 五十餘篇이 飜譯되엿으니 飜譯王의 稱으로 有
名한 故 林琴南이 잇다. 그러나 古文體로 譯하엿음으로 西歐文學의 精髓를
十二分 傳할 수 업섯다.

外國文學을 新文體로 飜譯하기는 亦是 周作文[04], 魯迅, 鄭振鐸 等이다.

이와 갓치 自然主義派는 外國文學의 飜譯에 가장 힘을 써스나 一九二三
年에는 文壇에 二大 收穫이라 하는 魯迅의「吶喊」, 周作仁의「自己的園地」
가 出版되여 靑年 間에 絶大한 好評을 迎하엿다.

---

02 '錢玄同'의 잘못이다.

03 '田壽昌'(즉 田漢)의 잘못이다.

04 '周作人'의 잘못이다. 아래도 마찬가지다.

魯迅은 漸次 自然主義派로부터 脫離하야 外國 푸로文學의 飜譯에 筆를 加하엿다.

今日의 文壇에 自然主義派의 代表的 作家는 葉紹鈞과 沈雁泳이다. 葉紹鈞은 小資産階級에 만이 題材를 取하야 性格描寫에 優하고 沈雁泳은 一九二九年에 「幻滅」, 「動搖」, 「追求」의 三部作으로 名聲이 文壇에 風靡하엿으나 左翼文壇으로부터 非常한 攻擊을 밧는다.

그것은 이 三部作이 革命에 對한 懷疑를 主材로 한 까닭이다.

藝術至上主義를 唱起한 一派는 創造社의 作家群이니 詩의 郭沫若, 創作의 郁達夫, 張資平, 文學理論에 成仿吾 等이 此派에 屬하다. 이 박게 張資平, 葉靈鳳, 葉鼎洛, 潘漢年, 金滿城, 錢古邨[05], 楊邨人, 龔氷廬, 洪靈菲 等 두 손가락으로는 헤아릴 수 업슬 만치 만은 作家가 輩出하엿으나 多部分은 左傾文學에 傾하엿다.

끗으로 新興 文壇의 明星에 蔣光慈가 잇다는 것만 말하고 以下는 畧한다.

(끗)

---

05 '錢杏邨'의 잘못이다.

中國 女流作家 丁玲에 對하야[01]

朴勝極

蔣介石을 領袖로 한 國民黨 軍閥은 中國 共産軍을 討伐하는 一方, 모든 左翼勢力을 掃淸하기에 全力하고 있다. 우리는 新聞을 通해서 이에 對한 許多의 事實을 알게 되는 것이다.

極히 未開한 手段인 테로 行動이 空然히 行해지고 있으며 파시스트 테로 團體인 「藍衣社」가 亦是 蔣을 首領으로 하야 公然이 存在해 있다. 그리하야 中國…………[02]員이 이 慘變을 當하게 되는 것은 두 말할 것도 없지만 其外의 數多한 사람들도 禍를 입게 되는 것이다.

一九三一年 二月 七日 龍華에서 中國作家 胡也頻, 李偉森, 鍾惠, 英夫, 和[03]柔石, 馮鏗(女) 等 六人이 生埋 當한 일은 世界的으로 衝動을 주었고 아직도 記憶에서 잊혀지지 않는 일이거니와, 一九三三年 六月 十八日 上海에서 胡適, 蔡元培 等과 같이 일컸든 急進自由主義者 楊杏佛이가 넘어간 것도

01　『朝鮮文壇』 제4권 제3호(총 23호), 1935.5.

02　숨김표로서 '共産黨'으로 추정된다.

03　'和'는 잘못 첨가된 내용이다.

全 中國뿐 아니라 멀리 바다를 건느고 山을 넘어서 世人의 一大 憤心을 산 것도 有名한 일이었다. 楊杏佛은 죽을 때까지 中央研究院 副院長, 人權保障 同盟 秘書長 等의 重責을 맡었으며 蔡元培, 宋慶齡과 함께 中國에 없지 못할 進步的 人物이었는 것이다. 그런데 楊杏佛이가 暗殺當하기 約 一個月 前인 五月 十四日에 上海 崑山路에서 丁玲, 潘梓年, 應修人 等 三人의 作家가 遭難 當한 事實이 또 있다. 丁玲과 潘梓年 兩人은 藍衣社 行動隊에게 誘拐를 當하야 自動車에 끌려들어가서 잡혀가 버리고 應修人 等은 그들과 格鬪하다가 죽어버렸다고 한다. 그 後 그들은 國民黨 秘密墓地에 埋葬되였다고 傳하는 바 이에 對하야 中國左翼作家聯盟에서는 勿論이오, 進步的 團體에서도 抗議하며 蹶起한 일이 있었다.

여기에서 나는 無慘히 最後를 마친 將來 有望한 作家 丁玲에 對하야 簡單히 알어 볼랴고 한다.

丁玲은 湖南省 臨豊縣[04] 出生이며 一九三一年에 生埋當한 胡也頻의 夫人으로서 中國左翼作家聯盟 機關紙(北斗)를 編輯하고 中國 左翼文壇의 前線에 서서 活動하던 優秀한 女流作家이었다.

그런데 지금 우리들은 不幸이도 그의 日常活動의 細細한 部分까지를 알 만한 能力을 갖지 못한 때문에 다만 이것저것의 出版物을 通하여 甚히 不充分하게 알 수 있을 따름이다. 그러나 우리들은 中國의 偉大한 女流作家 丁玲을 그만한 程度에서나마라도 알어 보는 것이 얼마나 뜻 깊은 일일까.

어느 뿌르조아 出版所에서 發刊한 「創作的 經驗[05]」이란 論叢 中 丁玲의 「나의 創作生活」이란 隨筆的 小論에도 써 있는 바와 같이 그가 처음 小說을

---

04 '臨澧縣'의 잘못이다.

05 天馬書店, 1933.

쓰게 된 原因은 그의 環境과 十分의 關係가 있었다고 한다.

어렸을 때 그는 몸이 弱해서 앓기를 잘했고 그의 아우도 病褥에 亦是 누어있기를 잘하였기 때문에 그의 어머니는 앓는 그들의 옆에 앉아서 民間說話라든가 古代說話라든가 自身의 經驗談 같은 것을 늘 해주었다고 한다.

十歲부터 十四歲까지는 叔父의 집에 寄宿하며 學校에 단였고 그 동안은 古代小說을 비롯해서 外國의 飜譯小說 大部分과 「小說月報」, 「小說大觀」을 읽었다.

이때부터 그의 어머니는 딸에 對하야 걱정을 하였다고 한다.

中學校 生活 때에는 五四運動의 餘濤로 數次나 學校를 옮아 다닐 만치 活動을 하였다. 이때에 詩 一篇을 創作해서 어떤 雜誌에 실린 일이 있으나 그런 創作生活보다는 좀더 큰 知識을 求해보고자 架空的 幻想에서 헤매였다. 그리다가 北京에 가서는 後日의 愛人인 胡也頻과 처음 交際하였다. 이곳에서 「夢珂」와 「莎菲日記」를 創作하기 시작했으며 邇來 專혀 作家로서 活動한 것이다.

그런데 그가 왜 作家로서 일하게 되였나는 그의 말을 빌어 보는 것이 더 똑똑할 것이다.

> 「왜? 나는 쓰기 始作하였을까. 寂寞한 感으로부터이라고나 할
> 까. 나는 社會에 對한 不滿을 가졌고 또 自身의 나아갈 바 運
> 路를 몰랐다. 내가 하지 않으면 안 될 말을 들어줄 사람도 보
> 이지 않고 무엇을 하고저 하는 나의 絶望的 慾求를 輕蔑이 여
> 기면서도 몸을 둘 곳이 없는 것 같은——」

이 말과 같이 그의 初期的 作品은 自身의 感想을 確實히 反映했으며 이

러한 生活을 그대로 써냈다. 그 때문에 何丹仁의 批評을 받은 일도 있었으나 그것으로는 끓는 젊은 女人 丁玲의 反省을 주지 못했다.

　그 뒤 그는 스스로 自己批判을 했으며 創作 「在暗黑中」이 멜랑콜리한 色彩가 있다는 것을 잘 알게 되었다. 이어 小說 「韋護」를 썼으며 一層 進步的 觀點에서 一九三〇年에는 「上海의 봄」,[06] 「田家冲」을 썼다.

　「韋護」는 五·四運動 以後의 典型的 人物의 活動을 테마한 것이오, 「田家冲」은 地主의 令孃이 革命運動 庫[07]營에 投入해서 일하는 것을 그린 作品이다.

　그동안 여러 가지의 苦難으로 말미암어 「三千字」 乃至 五千字式이나 쓰다가 그대로 둔 完成되지 못한 作品이 많다고 한다. 또한 「물」(水)이 「北斗」誌에 連載되었으나 그亦 滄猝 間에 쓰지 않으면 안되게 되었으며 「北斗」에는 長篇을 싫닐 餘裕가 없어서 곧 完結한 때문에 不滿이 많았다고 한다.

　何如튼 그는 여러 篇의 小說을 썼으나 늘 滿足지 못하였으며 또 自己의 作品을 좋와해 본 일도 없으며 다른 作家들이 自己 作品에 對해서 自負하고 자랑하는 것을 보고 놀랐다고 하는 말들을 보면 늘 自身의 活動을 滿足해 여기지 않고 더욱 더 奮鬪하고 있었든 것을 알 수가 있다.

　그러므로 偉大한 젊은 女流作家 丁玲의 將來는 더욱 더 囑望되는 것이다.

(끝)

— 舊稿 中 —

06　중국어 원제는 '一九三〇年春上海'이다.

07　'陣'의 오식이다.

中國文人 印象記[01]

丁來東

(一)[02]

序言

中國에 十餘年 동안 잇으면서 奇異한 才幹과 特殊한 精力을 가진 사람도 만히 보앗거니와 特히 文學에 注意하여 온 만큼 間或 보는 文士, 詩人의 印象은 더욱 깊이 印象되엇엇다.

筆者는 特別한 일이 없는 限에서는 누구나 面會하는 것을 꺼려왓엇으므로 個人으로 懇談을 하여본 文人은 極히 少數엿고 大槪는 學校 講堂에서 或은 講演席上에서 或은 學校의 모임에서 본 사람들이 만타. 只今 이 글을 쓸 때 回想하여 보면 왜 그 만흔 機會에 한번이라도 더 맛나보지 안헛든가 하는 後悔조차 난다.

그러나, 印象記를 쓰는 亦是 데에는[03] 그와 같이 當者가 特히 注意하지 안

---

01 『東亞日報』1935.5.1~5.5, 5.7~5.8, 석간 3면.

02 매회 연재분 표기로서 7회에 걸쳐 연재되었다.

03 응당 '쓰는 데에는 亦是'여야 하며 순서가 잘못되었다.

흘 때 새이로 솔곳이 보는 것이 더욱 그 사람 性格 特性 等을 잡어내는 데 方便하리라고도 생각된다. 筆者의 이 글은 恰似 漫畵家가 路上에서 暫瞬間에 보고 漫畵를 그려내는 것과 같이 쓰려 한다. 그러나 이 極히 쉽고도 어려운 일이 어느 程度까지 遂行될까는 다음의 本文으로 돌리는 수 밖에 없다.

中國과 같이 넓은 곳이라 都市 特히 文化 中心地인 北平으로 모여드는 사람 사이에는 各異各色의 사람이 많다. 假令 例를 大學의 敎授들에게 든다면 어떠한 學校에는 全部가 怪物이라고 할만치 그 態度, 言語가 奇異하며 또 어떠한 學校는 先生의 大部分이 『모ㅡ던·뽀이』와 같은 곳도 잇으며 或 國民黨 要人이 設立한 學校를 가보면 敎師의 大部分이 革命家요, 말마다 總理(孫中山)의 遺囑이며 中山先生 著書 中의 一句一節이다. 그 中에는 또한 千差萬別이 잇다. 이에 그 個人 個人의 特異한 것을 一一히 들 수는 없으나 讀者 諸氏가 그런 人物들이 敎壇에 서서 말하는 態度는 推測하드래도 大槪 그 實況이 聯想될 것이다.

또 中國의 政客, 軍閥에 精力家가 많은 것은 널리 알려저 잇는 事實이다. 新聞記者나 雜誌記者로도 敎鞭을 잡으니 또는 官吏를 兼任하느니 하야 말할 수 없이 奔忙한 사람도 만키는 하나 筆者의 親히 아는 사람으로는 이러한 靑年이 잇엇다. 筆者가 北京大學에서 聽講할 때 亦是 同校의 學生으로 어느 新聞社의 『副刊』(中國의 新聞에서는 學藝欄, 家庭欄, 國際欄 等等을 어느 團體 或은 個人에게 擔任시킨다.)을 맡아 보는데 거의 每日 新聞 한 頁의 三分之二 以上을 自己가 혼자서 써내는 것이엇다. 勿論 그 中에는 英文에서 飜譯한 것도 잇고 紹介도 잇으나 二十二, 三歲의 靑年으로는 容易한 일이 아니엇엇다. 또 大學 在學 中에 四, 五個 外國語를 中語로 能히 飜譯할 程度로 通하는 사람은 二, 三人만 아니엇엇다고 記憶된다.

그러나 이러한 것은 다못 한두 가지 例를 든 데 不過할 뿐이요, 그러한 것

을 다 一一히 들 수는 없다. 또 中國의 政客은 國民黨의 要人, 外交官, 舊式 軍
閥들도 公會席上에서 본 記憶과 特異한 印象을 준 것이 만키는 하나 이것은
다른 機會로 밀고 이곳에서는 다맛 文人에 關한 것만으로 局限할 수 밖에 없
다. 文人 中에도 特히 最近 新文學에 關與된 사람들만을 들어서 말하려 한다.

그러나 中國 新文學에 關與한 文人의 數는 거위 百으로써 헤이게 되는 中
筆者가 一見이라도 한 사람은 二十左右에 不過하고 또 그 中에서 紹介할만
한 必要를 느끼고 一般에 알려저 잇는 文人는 十餘人에 不過하다. 그러나 이
十餘名 中에는 創作家, 評論家, 詩人, 女流文士, 劇作家, 古典研究家 等等 方
面의 有名한 文人이 다 잇는 것을 僥倖으로 생각한다.

그러나 한 가지 遺憾이 잇으니 그것은 곳 創造社의 文人을 한 사람도 보
지 못하엿든 것이다. 創造社의 文人은 大槪가 上海에 만히 잇엇고 또 郁達夫
와 같은 創作家는 北京大學에서 『小說論』을 講하기로 決定까지 되고 時間
表까지 나붙엇스나 終乃 北方에는 오지 안헛엇다.

作品을 보고 그 作家를 보는 것은 퍽으나 興味잇는 일의 한 가지다. 北京
大學에 郁達夫의 時間이 돌아오면(實地에는 오지도 안흔 것을) 數百의 學生이 그
敎室로 몰려드는 것이엇섯다. 敎室을 세 번이나 더 큰 敎室로 바꾸엇 것마는
聽講할 學生을 다 容納할 수가 없엇든 것이다. 이것은 그 만흔 學生이 모두
다 그 『小說論』을 들으려 온 것이 아니요, 그 作品을 읽은 學生들은 그 作家
를 一見하겟다는 欲望에서 뫼여드는 것이엇다. 郁達夫의 『沈論』이란 處女作
은 大部分이 性에 苦悶한 靑年을 그린 것이엇으므로 一般 學生은 더욱 面對
하여 보고싶엇든 것이다.

이 같이 創造社의 郭沫若, 田壽昌, 郁達夫, 成仿吾 等 諸人은 그 中 한 사
람도 보지 못하게 되엇엇다. 그러나 보지 못한 사람의 印象記는 쓸 수가 없
는 일이요, 旣徃 한 번이라도 본 사람의 것은 될 수 잇는 대로 忠實하게 적어

볼가 한다.

　勿論 文人 印象을 主로 쓰려 하나 그 附帶로 各 文人의 作風, 文學上의 主張, 所屬된 文學團體, 그네들의 生活狀態까지라도 筆者의 아는 限에서 적어 볼가 한다.

(二)

才氣와 精力이 橫溢한 文人 또 學者인 胡適氏

　筆者가 胡氏의 넓은 大門을 두다린 것은 詩人 徐志摩氏가 飛行機에서 慘禍를 當한 數日 後이엇엇다. 門房에 暫間 기다리는 동안에 新聞의 配達되는 것이 數十種 되어 뵈엿엇다. 그 中에는 上海의 英字報도 잇거니와 北平의 『小報』(新聞紙 半張으로 하는 적은 新聞)도 적지 않엇엇다.

　庭園에는 꽤 커 뵈는 松樹가 아마 數十株 서 잇어서 松林을 이루다싶이 되어 잇고 家屋은 二層 洋屋으로 퍽으나 端正한 집으엇다. 詩人 徐志摩氏는 이곳에서 詩를 瞑想하엿으며 居處하엿다는 것이다.

　氏의 應接室에는 北平 古蹟의 寫眞이 數枚 걸려 잇엇고 마침 그해가 氏의 四十週年 生日이라고 祝賀하는 對聯이 無數히 걸려 잇엇다. 조끔 잇으니 二層에서 小兒가 나려 오는 것 같이 『통』『통』 하는 소리가 난다. 筆者는 그것이 胡氏가 나려오는 것이라고는 생각지 못하엿는데 門을 들어선 것을 보니 倭少하고 緊縮된 胡氏엿다.

　才士가 體少한 사람이 만흔 것은 東西가 一般이다. 그 前에 梁啓超氏도 퍽으나 몸이 적엇엇는데 이제 胡適氏도 그와 비슷하다.

　氏는 文士라기보다는 學者다. 氏의 最初 白話詩集 『嘗試集』은 中國 新詩

壇의 最初 詩集인 만큼 그 詩로서 內容은 何如間에 記念할만한 詩集이라고 말하지 안흘 수 없다. 그러나 氏의 哲學에 關한 諸著는 氏의 專門이요, 特長이어서 氏의 詩에 比할 배가 아니다.

또 氏는 中國에서 文學革命을 最初에 提唱한 분이어서 그 當時『新青年』誌에 發表된 諸 論文은 中國 新文學史上에 重要한 文獻이라 하지 안흘 수 없다. 그러나 氏는 文學評論家라기보다는 오히려 政論家에 가까웁다. 그러타고 하여서 氏가 中國 新文學에 貢獻이 적은 것은 아니다. 다만 純專한 文學家가 아니라는 것뿐이다.

氏는 키가 적으나 그 代身 몸이 탄탄하야서 恰似 돌로 다저노흔 것 같이 健康하여 뵈며 그 두 눈은 近視는 近視나 亦是 玲瓏한 品이 如干이 아니다. 흔히 才操는 눈에 잇다고 말한다. 胡氏도 그 눈에가 퍽으나 총기가 잇어 보인다. 氏의 交際에 對한 態度는 能한 편이며 氏의 音聲이 明確한 것은 더 말할 것도 없거니와 그 말은 한 마디 한 마디가 다 힘이 들어뵈며 決斷力이 나타나 보인다. 쓸데없는 말이 적다. 氏의 글을 읽어본 사람은 누구나 느끼는 바이지마는 恰似 자(尺)로 재고 대패로 깎아 논 것같이 쓸데없는 句節이 없다. 길고 어려운 點이 없다. 氏는 白話文을 第一 처음 主張한 者이며 알기 어려운『典故』를 쓰지 말자고 主張한 者인만큼 그 文章에서 이런 것을 避하는 點이 歷歷하게 나타난다. 氏의 말도 亦是 그 글과 비슷하다.

氏는 體少한만큼 輕快한 맛이 잇고 팔팔한 生氣가 넘친다. 朝鮮 字母音에 關하야 詳細한 것을 물어보며 朝鮮의 新文學에 關한 狀況도 묻고 朝鮮의 漢文字 發音은 어떠케 하느냐고 屢問한다. 筆者가 氏의『介紹我自己的思想』이란 一文을 朝鮮日報에 譯出한 일이 잇다 하니 氏는 퍽으나 기뻐한다.

氏는 獨逸 프로시아學士院의 會員이다. 東洋人으로서는 처음 일이라고 傳하며 米國에서『名學』이란 中國 論理學에 關한 論文으로 博士의 學位를 얻엇으며『프래그매티스트』인『쩨임스』의 弟子다.[04] 氏는 무엇에나 證據 없는 學說, 史實을 反對한다. 文學 方面에 잇어서도 附會한 解釋을 反駁하며 古籍의 眞僞에도 如干 愼重한 態度를 取하지 안는다.

그 態度는 中國 中古以來로 儒家들이 무엇이나 忠君愛國으로 解釋하고 忠孝로써 結論하는 데 한 反動으로 볼 수도 잇다. 氏는 安徽省 한 사람으로서 淸朝 考證學派에 對한 素養이 만타고 傳한다. 西洋의『實證哲學』과 中國의『考證學』은 그 方法에 잇어 共通된 點이 없다고 볼 수 없을 것이다.

氏는 特히 英語에 能하야 渡米하면 各地에서 講演은 勿論이요, 或 大學에서 中國哲學에 對한 專講도 한다고 한다.

이와 같이 氏는 文學, 哲學, 政論 等 各 方面에 獨特한 見地와 學說을 가지고 잇는 才士요, 精力家지마는 米國 留學 當時에는 農學을 硏究하려 하엿다는 것이나 그러나 그 植物 名詞의 기ㅡㄴ『스펠링』에 厭症이 나고 堪耐를 하지 못하야 方向을 哲學으로 轉換하엿다는 說이 잇다.

氏의 決斷力이 잇어 뵈인『입』은 가끔 各 方面에 問題를 많이 일으킨다. 文學에서 屈原의 虛無說과 紅樓夢의 考證 等은 만흔 反駁과 問題를 일으키엇으며 文學革命 當時에 古文學은 卽 漢文으로 된 文學은 그것이 唐宋 八大家의 것이거나 모도가『死文學』이라고 웨치엇으므로 當時 古文學家들의 反駁은 讀者 諸氏도 周知한 事實이라고 생각된다.

政論 方面에 잇어서 國民黨이 執政하면서부터 一般 人民에 對한 壓迫이 日甚하므로 氏의 所屬된『現代評論』派에서는『人權蹂躪』,『政權濫用』이라고 國民黨 政策에 反對한 論文을 多數히 發表하엿엇다. 後에『人權論文集』

04　정보가 잘못되었다. 후스의 박사 학위 논문은 『先秦名學史』이며 지도교수는 존 듀이(John Dewey)이다.

이란 單行本으로 나타낫엇으나 未久에 發禁이 되고 氏의 態度도 緩和되엇다고 볼 수 잇다.

氏의 著書로는 『中國哲學史大綱』, 『中國白話文學史』 各 上卷이 有名하며 그 外에 考證에 關한 諸 論文, 飜譯 等이 잇고 『胡適文存』이 第三輯까지 出版되어 잇다.

(三)

孤獨과 諷刺의 象徵인 지금은 左傾한 魯迅氏

筆者가 처음 北京에 갓을 때 魯迅은 北京大學에서 敎鞭을 잡고 잇엇으며 그의 短篇小說集 『吶喊』이 出版되어 그 名聲이 中外에 떨칠 때엇엇다.

『로만·로랑』의 『阿Q正傳』評을 『關于魯迅及其著作』이라 한 것이, 는 單行本에서 빼라고 魯迅이 말 퍽으나 異常하다고 그때의 『文壇센세이슌』을 일으키고 잇엇다. 만흔 文學靑年들이 魯迅의 周圍에 모여들엇든 것이다. 魯迅에게 親近히 다닌 某 文學靑年이 恒時 가치 가서 拜訪하자고 勸하엿으나 그때의 筆者는 겨우 中學을 卒業한 때라 文學에 關하야 아무런 知識도 없고 만낫자 別로 할 말이 없엇다. 또 한 가지 筆者의 決心이 그때에 잇엇으니 그것은 곧 中語를 流暢히 하여서 自己 意思를 充分히 發表하기 前에는 어떠한 中國 名流도 私私로 拜訪하지 안켓다는 것이엇다.

이러한 事情으로 因하야 魯迅은 보지 못하고 二三年이 지내 갓엇다. 그런 동안에 筆者의 中語는 初步의 會話쯤 하게 되엇으나 魯迅은 上海로 가고 北平에는 없엇다.

그 後로 中國에는 思想上 여러 變動이 잇게 되어 學界, 文學界에는 一大

混亂을 일으키엇나니 一九二五一六年 頃에 上海에서는 『革命文學』을 高唱하야 在來의 諸 文學派에 一大 攻擊을 始作하엿엇다. 各方의 화살은 魯迅에게로 모여들고 또 魯迅도 그 獨特한 諷刺로써 反駁하엿든 것이다.

魯迅은 그해 『여름』에 北京에 와서 講演을 하엿엇다. 筆者는 이 機會를 노처서는 魯迅을 다시 볼 機會가 없겟다고 쫓아 갓더니 발서 講堂은 大滿員이요, 魯迅은 발서 壇우에 서서 잇엇다.

魯迅의 作品을 본 사람은 누구나 그가 回憶的이요, 孤獨을 느끼는 사람이요, 부끄럼도 탈 것 같이 느끼어 질 것이다. 果然 그는 그러한 一面이 잇는 同時에 固堅한 決心이 잇는 사람이다. 그의 諷刺는 입가에서 나오는 淺薄한 것이 아니요, 어디까지든지 그가 體驗하고 經驗하고 痛感한 데서 울어난 것이다.

壇우에 서서 잇는 魯迅은 나무 겁질 같이 큰 주름살이 얽히여저 잇다. 이것이 그가 幼年 以後로 或은 父親의 病으로 因하야 典當舖에 가 衣服을 바꾸워다가는 藥을 지어오기도 하고 或은 家産이 蕩盡하야 他處로 移舍를 하는 等 千辛萬苦를 겪은 表徵으로 볼 수 잇다.

그는 말을 바삐 할 때는 좀 주서 섬기는 便이나 恒時 聽衆의 拍手하는 餘裕를 주워 가면서 講演을 하는 것이엇다.

그때 講演의 要旨는 全部가 革命文學家들을 謾罵하는 것이어서 聽衆은 그 말에 陶醉하엿든 것이다.

> 『上海의 繁華한 거리의 一層 洋屋에서 살면서 붓과 입으로만
> 은 無産大衆을 爲하야 글을 쓴다고…
> 이것이 될만인가?』

이러한 뜻의 말을 하고는 聽衆의 拍手하는 瞬間과 웃는 새이를 두고 壇우에 가만히 섯는 것이다. 그는 講演할 때 決코 조금도 웃지 안는다. 그 다음에는 이어서 아래와 같은 말을 하고 또 聽衆을 웃기는 것이엇다.

『말로만 하고 글로만 써서 무엇이 된다면 그네들이 하기 前에
바ー르서 우리가 다 하엿겟지…』

氏는 諷刺를 다만 講演의 要旨을 補充하기 爲하야 말하는 것이 아니요, 『諷刺』그 自身이 講演의 要旨가 되는 感이 없지 안타. 普通사람은 諷刺를 할 때에는 多少 態度가 異常하여지고 語勢가 달라지지마는 氏는 諷刺할 때의 態度, 語勢가 다른 말 할 때나 조금도 다름이 없다.

그때는 여름이라 氏는 모시 두루막에 壇우에는 낡은 『파나마』가 노여 잇엇고 머리는 오래 깎지 안어서 空中을 쑤시고 잇는 것이 恰似 病後의 外貌나 獄中에서 곧 나온 사람과 비슷하나 그 다믄 『입』이라던지 주름살 잡힌 『이마』, 양쪽 『광대뼈』에는 堅決한 內心이 나타나 뵈여서 雪中에 孤淸한 梅花 등걸과 비슷하엿다.

이와 같이 積極的으로 『革命文學』, 『左傾文學』을 反對하든 魯迅은 그後 未久에 그 方面으로 轉變하고 말앗다. 이 轉變한 데 對하야는 여러 가지 風說이 만다.

첫재는 魯迅의 性格이 領袖되기를 조하 하므로 그 主義의 內容에 共鳴한다는 것 보다는 近時의 一部 靑年이 左傾思想을 조아하므로 그 方面의 靑年을 끌기 爲한 것이라는 것이다. 여기도 一理 잇을지 알 수 없으나 그 年齡이 발서 五十歲엿엇고 學識이 잇는 者이므로 純全한 領袖慾이라고만은 볼 수 없고 現下 國民政府의 施設로는 自己 理想의 百分一도 實現될 可望이 없어

서 何如間 어떠케나 變하지 안흐면 안되겟다고 氏가 생각할 때 가장 쉬운 方面이 곧 그 方面이라고 氏가 推測하엿다는 說도 잇다. 이 두 說은 各各 다 一面의 理가 잇다고 볼 수 잇다.

그後로 氏는 創作이 없고 全部가 飜譯과 散文일 뿐이다. 氏의 著書로는 短篇小說集『吶喊』,『彷徨』과 小品 詩歌集『野草』와 其他 散文集, 隨感錄 等이 만히 잇다.

(四)

精密, 堅忍, 謙讓하고 終始 一如한 周作人氏

周作人氏는 魯迅의 實弟다. 勿論 그 얼골에 多少 共通點도 잇지마는 남을 暗裡에 諷刺하는 點에 더 만흔 共通點이 잇다고 볼 수 잇을 것이다. 魯迅은 敵에게 對하야 활을 쏠 때에는 팔을 걷고 고함을 지르며 自己가 활 쏘는 것을 一般에게 公開한 然後에 쏘지마는 周作人은 일 없는 사람같이 悠然하게 섯다가 톡 쏘는 性質이다. 같은 諷刺라도 이 點이 좀 다르다면 다른 點일지도 모른다.

魯迅은 키가 크고 얼골이 어글어글한 武士와 같다면 周作人은 얼골이 곱고 키가 작고 말이 적은 선비. 그 박박 깎은 머리라던지 對人을 하고도 늘 나려 깔고 잇는 눈이라던지 그 조용한 태도는 僧侶와 같은 點도 잇다.

그 眼鏡의 두께로 보아 氏는 甚한 近視이거나 甚한 老眼이다. 조그마한 卓子를 새이에 두고 앉엇는 筆者를 正眼으로 보는 때가 퍽으나 적고 말이 氏의 作品이나 氏에 關한 이야기에 미칠 때에는 늘 부끄러워하는 氣色이 보인다. 흔히 相當한 地位에 잇는 사람은 自己가 自己의 地位를 尊重하여 가면서 다른 사람을 對하는 例가 만타. 素脫하게 누구에게나 親舊와 같이 對하는 사람도 잇으며 또는 누구나 퍽으나 恭敬하면서 멀리하는 사람도 잇다. 그러나 周作人氏는 그 性格의 一面에 確實히 謙讓한 點이 잇고 부끄러워하는 一面이 잇다. 그러나 氏가 다른 사람과 論戰할 때의 態度를 본다던지 或은 自己 所信을 公開할 때의 態度를 보면 氏가 小年 時代에 海軍이 되려고 南京水師學堂에 다니든 軍人的 性格이 나타나 보인다.

두터운 眼鏡 속으로 작게 빤작이는 그 『눈』은 잘 사람을 正視는 하지 안흐나 그러나 『너의 뱃속까지라도 다 보고 있다.』하는 듯 銳敏한 眼光이 가끔 對方을 씻어간다. 果然 氏는 自己가 한번 쓴 글이나 말을 後에 取消하도록 輕率한 態度를 取하지 안는다.

氏의 글이나 말은 언제나 올타는 自信이 濃厚하게 나타나 보이거니와 그 一言一句는 屢次의 考慮를 經過한 痕跡이 뵈인다. 氏는 文學革命 當時에 新詩, 評論, 紹介 等을 써서 만은 貢獻을 하엿고 氏의 短文集 『自己的園地』는 只今까지도 한 文獻으로서만 價值잇을 뿐 아니라 만은 讀者도 잇으며 有數한 散文集이 되어 잇다. 이 『自己的園地』를 보드래도 氏는 無用의 雜語를 한마디도 쓰지 안흔 데 注意하게 된다.

過去 中國 詩客, 文人은 그 詩文 中에서 一字의 差誤, 誤用을 다투엇거니와 現今 白話文이 盛行하면서부터는 그러한 傾向이 없어지고 쓸데없는 引例, 浮華한 文藻가 橫行하게 되엇다. 이러한 때에 氏의 散文은 胡適氏의 論文과 아울러 白話文의 조흔 標榜이 되리라고 생각된다. 흔히 現代의 白話文이라면 알기 쉬웁고 容易한 것으로 생각하나 이는 一部分의 白話文이 그럴 뿐이오, 魯迅, 周作人 等의 白話文은 그것이 白話文이면서도 오히려 쉬운 古文 卽 漢文에 지지 안케 어려운 文章이다.

氏는 日本 留學生이엇든 만큼 日語에 能한 것은 더 말할 것도 없거니와

『에스페란토』, 『英語』, 『希臘語』에 能하다고 한다. 氏의 書齋에는 文學에 關한 書籍보다 社會科學, 文化에 關한 書籍이 더 만히 잇엇다고 記憶되며 大部分이 日語로 된 書籍이엇다. 勿論 다른 곳에 또 다른 나라 말로 쓰인 書籍과 文學의 書籍이 만히 잇을 것이나 筆者의 본 書齋에는 大概 우에 말한 것과 같엇다.

氏는 朝鮮의 小說을 中國語로 飜譯하라고 勸한다. 그 當時 筆者는 朝鮮新詩를 一學友와 飜譯 中이엇으므로 그 말을 하니 氏는 詩歌의 飜譯은 거의 不可能한 것이라고 말한다. 氏는 希臘의 小詩를 中語로 飜譯한 일이 잇엇는데 아마 自己 생각으로는 失敗한 것으로 생각한 貌樣이엇다. 朝鮮文學에 關한 것을 퍽으나 알고 싶다 하며 『九雲夢』과 같은 것은 中國 것을 題材로 한 小說이라면서 라고 묻는다. 『九雲夢』을 보지 못한 筆者는 그 對答에 困難하엿엇다. 그後 筆者는 水山의 『廣寒樓記』를 一本 갖다가 一覽하라고 맡기고는 그 評을 오래동안 듣지 못한 채 歸鄕하게 되엇었다.

中國 新文壇 成立 後 近 二十年 間에 思想上으로나 또는 다른 方向으로 轉變한 文人이 一二人일 뿐만 아니엇엇다. 손쉽게 그의 親兄이 左向함에도 不拘하고 氏는 如前하게 同一한 態度를 가지고 잇다. 勿論 『五四』 當時의 態度에 比한다면 그 銳利한 筆鋒이 鈍하여지지 안흔 바가 아니나 大體로 본다면 그리 큰 變遷은 없는 셈이다.

氏는 中國文學 團體로 重要한 任務를 遂行한 『文學硏究會』의 發起人으로서 만흔 活躍을 하엿으며 『新靑年』誌에 詩歌를 發表하엿엇고 氏의 小品文은 大概 『晨報副刊』에 發表하엿엇다. 그後 氏는 乃兄 魯迅과 孫伏園, 錢玄同, 林語堂, 顧頡剛, 章衣萍 等 諸氏와 『語絲』라는 刊物을 發行하야 數萬의 讀者를 얻었엇든 것이다.

氏의 著書 其他는 拙稿 『周作人과 中國新文學』(中央日報)를 參考하기 바랜다.

(五)

諧謔, 滑稽의 主將으로 談論 風發하는 劉復氏

사람이 嚴肅하면 그 사람을 敬慕는 할지언정 親近하기는 어려운 것이요, 또 恒時 웃음의 말이나 하고 滑稽한 表情이나 하게 되면 그 사람을 親近히 하기는 쉬우나 恭敬을 缺하게 되는 境遇가 만흔 것이다. 劉復는 正히 上記한 두『타입』中의 後者에 屬하기는 하나 그러타고 하여서 他人의 敬慕를 잃을 程度에 이르지는 안는 사람이다.

氏는 亦是 키가 퍽으나 작고 몸집이 탄탄한 便이며 길게 찌어진 그 눈매는 恒時 무엇을 뚤어 낼 것 같이 보인다. 氏도 文學革命 當時에는 그 健將의 一人으로서『古文學派』에 對하야 猛烈한 攻擊을 하엿든 것이다. 그 論文 中에『答王敬軒書』란 一文은 新文學 卽 白話文學을 反對한 王敬軒의 論文을 逐條 反駁한 것으로서 一般 靑年에게 준 그 影響은 퍽으나 컷든 것이다.

文學革命에 만흔 貢獻도 잇엇지마는 그보다도 氏는 言語學者요, 詩人이다. 氏는 文學革命 當時에 그와 같이 奮鬪를 하고 北大의 講師로 잇다가 다시 佛蘭西에 가서 言語學을 專攻하고 돌아와 專혀 그 方面에 注力하엿든 것이다. 氏의 詩集『揚鞭集』은 純專한 白話 或은 土話로 쓴 것으로서 有名하며 그 代身 外國人으로서는 難解의 詩歌다.

不幸히 昨年 夏期에 中國 西北 地方에 方言硏究 行脚을 다니다가 病을 얻어 逝去하엿다는 것이다. 氏의 中國 語音學에 對한 硏究는 他人의 開拓치 못한 方面을 發見하엿으며 그 發音을 測定하는 機械의 發明, 中國語의 四聲에 對한 硏究는 實로 價値잇는 것이다.

그러나 이 方面의 것은 此文에서는 暫時 不論하기로 하고 專혀 文人으로서의 氏를 말할가 한다.

氏의 特徵을 가장 잘 나타내는 때는 講演할 때와 人力車를 타고 다닐 때일 것이다. 普通 講演을 할 때도 勿論『言歸正傳』이란 舊小說體의 語套를 쓰면서도 퍽 점잔은 態度를 가지는 것으로써 聽衆을 웃기지마는 北京大學에서 開學式 같은 것을 할 때에는 그가 感想談을 하는 데서 빠지는 때가 없엇다고 記憶된다. 그럴 때마다 한 떼의『怪物』敎授들이 앞을 다투어 나와서 感想談을 하는 것이다. 여기서『怪物』이라 하는 것은 그 사람의 衣服, 態度, 言語가 普通사람과 다른 데서 말함이다. 그네들의 衣服이 先淸 때의 衣服과 같이 기다란 소매가 달려 잇는 것도 우습거니와 속은 말장하면서도 어리석은 것 같이 愚人 蠢物로 假裝하야 말하는 것이 더욱 聽衆을 腰絕케 하는 것이다. 氏는 衣服과 態度는 常人과 다른 點이 없으나 그 用語가 普通 쓰는 말이 아니라 舊小說의 一節이거나 舞臺 獨白의 一節임에 氏의 諧謔이 잇고 그런 우스운 말을 웃지 안코 小兒들이 점잔 내는 態度로 점잔케 말하는 데 氏의 滑稽가 잇는 것이다.

中國의 人力車는 中國 政客들이 흔히 말하는『分工合作』의 原理에 依함인지 타고 잇는 사람이 길 치라는『뻴[05]을 발로 울리는 것이다. 우리는 흔히 北京大學 近處에서 輕薄하고 요란하게 人力車의 뻴이 울릴 때 훌적 얼골을 들고 보면 氏가 人力車上에서 빙그레 웃는 때가 잇엇다. 그럴 때의 氏는 天眞한 小兒가 作亂으로 그런 것과 조금도 틀림이 없다.

그럴 때일수록 氏의 키는 더욱 작어 뵈는 것이엇다.

그와 같이 天眞하든 氏는 발서 故人이 되고 말앗다.

氏를 最後에 본 것은 昨年 春에 北平圖書舘에서『樂器戲曲展覽會』를 開催할 때엇다. 그때에 筆者는 그 前까지 다만 글자로만 보든 古樂器를 實物

05　‘』’가 누락되어 있다.

로 보는 데 만은 啓蒙도 받앗거니와 또한 氏의『四聲測定器』其他 器具의 精
妙한 데 더욱 驚歎하야마지 안엇든 것이다. 古戱曲 書籍을 氏가 만이 藏有한
것도 이때 처음 알앗으며 土耳其 帽子를 쓰고 素朴한 衣服을 입은 氏가 仔
細히 그 書籍 等을 閱覽하다가 或 잘못된 것이나 모를 것이 잇으면 圖書館
舘員을 請하여다 訂正도 하고 問疑도 하는 것이 그 學問에 對한 熱誠의 一
端을 엿볼 수가 잇엇다. 이럴 때의 氏의 얼굴은 퍽으나 嚴肅하고 조용한 것
이엇다. 筆者는 이때에 亦是 所感이 잇으니 그것은 곳 中國 戱曲, 詩歌가 英,
佛, 獨 等 語로 翻譯된 것이 퍽으나 만은 點이엇엇다. 朝鮮서는 直接, 間接으
로 數百年 或은 數千年 間 中國文物과 交涉이 不斷함에도 不拘하고 그 一部
도 完譯이 없는 데 慚愧함을 느끼지 안을 수 없엇다. 끝으로 氏의 性格을 如
實히 나타냇든 이야기나 하나 더하여 보겟다. 胡適의 四十歲 祝賀에 만은 사
람이 그에게『對聯』를 써서 보냇는데 劉氏의 것은 그 中 特別한 것 中의 하
나이엇엇다. 그 本文은 只今 記憶하지 못하나 그 大槪 뜻은『文學이나 硏究
하고 創作하지 멀하러 政治는 談論하는가?』이러한 것이엇다. 이것은 勿論
白話로 쓴 것이요, 그 글 中에는 亦是 諧謔도 잇고 忠告도 包含된 것이엇다.
文學革命에 參加한 人物 中에 魯迅, 周作人, 劉復와 같이 諧謔, 諷刺에 豊富
한 人物이 만은 것도 吾人의 注意할 點이라고 생각된다.

　氏는 字가『半農』이요, 江蘇 江陰 사람이며 파리大學의 文學博士다.
四十四歲에 作故하엿다.

(六)

新文壇 最初의 女詩人, 男子 氣品의 氷心女士

四十 左右에 達한 中國 女性으로서『紅樓夢』과 같은 舊小說에 興味를 느

끼지 안코 도리혀 『水滸傳』에 無限한 憧憬을 가진다면 그 性格이 過去 中國 女性과 좀 다른 것을 짐작할 수 잇을 것이다. 氷心女士는 山東省을 지날 때마다 『梁山泊』을 回憶하는 글을 發表하엿엇다. 女士의 詩歌를 읽어보면 아름답고 窈窕한 女子를 想像할 수 잇는 同時에 퍽으나 勇敢하고 前進的인 것도 推測할 수 잇다.

더군다나 女士의 말하는 態度를 본다면 女士는 조금도 연하고 보드랍고 간얇은 普通女子와 다른 것을 直覺할 수가 잇을 것이다. 筆者가 처음에 女士의 얼굴을 본 것은 女士가 米國에서 回國하야 米國 戲曲에 對한 講演을 할 때엇엇다. 첫재 注意되는 것은 女士의 體格이 男性에 가깝도록 健實하고 그 音聲이 男子의 音聲과 비슷한 點이다. 普通 말로 形容한다면 『선—모습애매 같은』 處女엿엇다. 그 衣服에 女子다운 아무런 修飾이 없는 데 더욱 男性다운 點이 잇엇다.

中國에 新文學運動이 일어난 後 自由詩, 白話詩를 主張하고 試驗하여 보앗으나 그것은 結局 過去 詩, 詞의 變態에 不過하엿엇고 참다운 白話詩는 퍽으나 적엇엇다. 이때에 『小詩』를 試驗하야 成功한 사람은 女士다. 女士의 詩는 印度 詩哲 『타고아』의 模倣이라고 흔히 말하기도 하고 或은 哲理詩라고도 말하지마는 亦是 女士의 獨特한 點이 잇으며 民衆詩에 가까운 點도 만타.

氷心女士의 詩集 『春水』가 出版되든 날 北京大學 門房에서 一日에 初版이 다 팔렷다는 것이다. 이 事實로만 보드래도 當時에 女士의 詩가 어떠케 一般 讀者에게 歡迎받은 것을 알 수가 잇다. 女士의 詩는 사람을 感動시키는 『힘』이 만타는 것으로 더 有名하다. 그러나 最近의 詩歌는 그前 『春水』, 『繁星』 時代에 比한다면 그 『힘』이 만히 減少되고 더욱 『텔리게트』하여젓으며 女性의 特色이 濃厚하여진 感이 없지 안타.

女士는 詩人인 同時에 小說도 쓰고 隨筆도 쓴다. 그러나 女士의 小說은

空想이 만코 實施가 적으며 自己의 理想을 吶喊하는 理想主義者라고 볼 수 잇다.

이제 陳西瀅의 『超人』(氷心女士의 短篇小說集)評을 보면 이러한 말이 잇다.

『『超人』 속의 大部分 小說은 學校門을 나서지 못한 聰明한 女子의 作品인 것을 척 보아 알 수가 잇다. 人物과 發展이 實際를 너무 멀리 떠러저 잇는 까닭이다.』[06]

詩人의 小說은 어떠한 作家의 것을 莫論하고 이러한 缺點을 느끼게 된다. 그러나 그런 作品은 그러한 點에 特色이 잇는 것도 事實이다.

女士는 그 말하는 態度가 如干 堅決하여 뵈지 안는다. 自己의 말한 말은 조금도 틀림이 없다는 自信과 勇氣가 나타나 뵈는 것이다. 흔히 學者들은 中和的 態度를 取하는 것이지마는 中國의 文人은 一般으로 自己의 缺點까지도 固執하는 傾向이 보이는지라 自己가 올타고 믿는 것쯤은 어디까지 固執할 것이 事實이다. 氷心女士도 亦是 이러한 氣質이 잇어 보인다. 그러나 女士는 亦是 女子의 本質, 女子의 特色이 남달리 더 濃厚하다.

『어머니! 당신은 연닢이고 나는 붉은 연꽃이여요. 心中의 비가 나리면 당신을 除하고는 누가 아무 가린 것도 없는 空中 밑에 채양(蔭蔽)이 되여 주겟서요?』[07]

(超人)

---

06   陳西瀅, 「新文學運動以來的十部著作」, 『西瀅閑話』, 新月書店, 1928.6.

07   氷心, 「往事(一)」, 『超人』, 上海商務印書館, 1923.5.

이 外에 女士가 滯米 中 通信體로 쓴『寄小讀者』는 母性愛, 童心 等을 表現한 作品으로 有數한 中에 드는 것이다.

女士는 本來 퍽으나 聰明하야 四歲 時에 글자를 배우기 始作하야 가지고 七歲 時에는 水兵들이 모여 잇는 軍艦에서『三國演義』를 이야기하엿다 하며 그 後로 西洋小說의 中譯 等과 中國 傳來의 小說 等도 無數히 읽엇고 梁啓超의『自由書』等도 읽엇다 한다.

女士는『文學研究會』會員은 아니나 文學研究會에서『小說月報』를 主編할 때 그 作品을 發表한 後로 中國 新文壇에 最初의 女流作家로서 名聲이 錚錚하엿든 것이다.

女士의 作品에 關하여는 筆者가『新家庭』誌上에 屢次 쓴 바가 잇엇고 또 金光洲氏의 女士에 關한 論著가 東亞日報 上에 發表된 바 잇엇으므로 더 詳論할 것이 없을 것이다.

(完)

新舊 東西 文學에 通한 文壇 幸運兒 鄭振鐸氏

研究한 方面에 따라 그 個人의 行動, 態度 甚至於 그 生活樣式까지 달라지는 것은 우리의 周知하는 바이다. 흔히 古典을 研究하고 整理하는 사람은 그 態度의 어디라고 집어서 말할 수는 없으나 大概 時俗을 떠나 古風을 좇고 普遍的 傾向을 떠나 特殊한 點이 만흔 것이 事實이다. 惟獨히 中國 學者, 文人에 이러한 保守的 傾向과 特異한 怪癖이 만타. 鄭振鐸氏는 中國의『元曲』, 明淸의『雜劇』等을 收集 研究하며 또한 創作으로서 世界에 最長의 評이 잇는 中國民間文學『彈詞』의 研究家로 有名하다. 이러한 研究 方面으로 본다면 氏는 나히도 만히 먹어 뵈이고 衣服도 소매가 기다란 淸時의 옷을 입고 얼굴은 여러 날 씻지 안허여 검버섯이 필 것 같이 생각히는 것이다.

그런데 氏는 이와 反對로 깨끗하고 『모—던』인 靑年學者가 아닌가. 筆者도 나의 想像하든 바와 너무 어긋나므로 놀래지 안흘 수 없엇다. 흔히 그가 쓴 글이나 筆蹟을 보면 그 사람의 相貌, 行動 等을 推測할 수 잇다고 말한다. 大槪는 이와 같은 豫測이 들어 맞는 것이지마는 鄭氏에 이르러서는 아조 딴판이다.

어느 해 여름에 北平에서는 名學者들의 長期 講演이 잇엇다. 그때는 마치 思想界에 大變動이 잇을 때여서 每講이 끝나면 質問, 謾罵, 騷音이 交響하엿든 것이다. 이때 氏는 『中國文學 資料의 最近 三十年⑺來의 整理 狀況』과 같은 意味의 專講을 하엿엇다. 講題가 報告에 가까운 만큼 問題도 일으킬 것이 없엇지마는 氏의 態度와 言語는 그와 같이 謹愼하고 溫和하여서 反駁할 餘地를 남기지 안엇엇다.

氏 體格이 俊秀하고 몸집도 후리후리하며 典型的 紳士엿엇다. 氏는 中國 古文, 新文學에만 能할 뿐 아니라 西洋文學의 精通다. 氏의 著『文學大綱』은 氏가 東西文學에 造詣가 깊은 것을 證明하는 것이며 氏는 中國 新文壇의 文學團體인 『文學硏究會』의 發起人이요, 新文學에 貢獻이 가장 만엇든 文學雜誌 『小說月報』 編輯으로 多年間 잇엇든 것이다.

文人으로도 그 生涯에 여러 가지 波瀾이 重疊한 사람도 잇으며 또 或人은 一時의 感을 이루엇다가도 卽時 沒落한 사람도 잇고 夭折한 文人도 적지 안타. 中國文壇의 魯迅과 같은 사람은 勿論 文壇의 幸運兒임에 틀림은 없으나 그 個人生活 環境에는 恒時 不安과 危險이 따라 다닌다. 이와 反對로 乃弟 周作人氏는 比較的 安穩한 셈이며 鄭氏에 이르러서는 아마 中國文壇에서 빠지지 안토록 個人的으로나 文壇生活로나 平穩 無事한 者일 것이다.

現代 中國 出版界에서 鄭氏를 安全瓣과 같이 끌어 단긴다. 그것은 氏가 國民黨 要人이어서 官界에 勢力이 잇는 것도 아니요, 또는 國民政府 出版系에 有力한 者도 아니다. 다만 누구나 氏를 穩健 無二한 學者로 公認한 까닭이다. 現在 文藝雜誌로 相當한 信望을 가진 『文學季刊』도 氏가 編輯人의 한 사람이요, 『生活書店』에서 發行하는 『文學』도 左傾하는 傾向이 잇다고 하야 거의 發禁이 된다고 盛傳하드니 編輯人의 한 사람에 鄭氏의 名儀가 걸리게 되고 繼續하야 出版 中이다.

이러타고 하야 氏가 學問에 그리 根據가 없는 것도 아니요, 文壇에 貢獻이 적은 것도 아니다. 그러나 考證에 熱中한 學者로서는 創作에 等閑하고 博識인 教授는 文學 한 方面 卽 詩, 小說, 戲曲 等에 精通한 사람이 적은 것과 마치 한가지로 氏 亦是 創作으로는 그리 高名하지 못하다. 그러나 上記한 『文學大綱』과 『中國文學史』는 實로 中國의 『센쓰뻬리』라고 말할 수 잇도록 鄭氏의 博學을 表示하는 作品들이다.

이 外에 『싸―닌』, 『海鷗』, 『新月集』 等 飜譯이 잇고 『山中雜記』, 『타고아傳』, 『希臘羅馬의 神話와 傳說』[08] 等 譯著가 無數히 만흐며 散埋된 中國 古典籍의 收集, 再出版한 것이 적지 안타.

氏의 音聲은 女子의 목소리에 가깝도록 潤滑하고 그 態度는 貴公子와 같은 點이 만타. 或은 그 生活의 關係인지도 알 수 없을 것이다. 氏는 歐洲의 諸 圖書舘에 다니면서 珍書를 만히 閱覽하고 硏究하엿다 한다. 그 生活의 餘裕 잇는 것을 推測할 수가 잇다. 貴公子와 生活問題의 말이 낫으니 氏의 背後를 推測할 수 잇는 揷話를 하나 말하고 이 글의 끝을 맺겟다. 郭沫若의 『創造十年』이란 册을 보면 『創造社』의 十年 間 裡面史를 알 수가 잇다. 그 中에

---

08 중국어 원제는 '希臘羅馬神話與傳說中的戀愛故事'이다.

創造社 諸人이『文學研究會』(이 두 文學團體는 서로 對峙되엇든 것이다.) 사람을 謾罵하게 되는데 自然 鄭氏도 攻擊한 모양이엇엇다. 그러는 中에 商務印書舘의『夢旦』氏(?)가 設宴하고 自己 婿郎 卽 鄭振鐸氏를 攻擊하지 말라는 付託을 하엿다는 것이다. 그中 詳細한 曲折은 記憶할 수가 없으나 何如間 이러한 意味가 包含한 句節이 잇섯다고 생각한다. 그 與否는 何如間에 일로써 氏의 出版界 背景이라던지 硏究할 餘裕가 豊富한 環境에 잇엇다는 것을 推測할 수 잇을 것이다.

氏는 筆名을『西諦』라고 하며 福建 永樂人이다. 現今 淸華, 燕京 兩 大學에서 敎授로 잇다.

(了)

文豪 魯迅의 人情 美談
- 死地에서 救해준 靑年을 爲하야, 碑文을 지어[01]

기자

年前 上海事變 發生 當時에 閘北 一帶가 불에 더피여 住民들이 死地에 든 일이 잇섯다. 中國 最大의 文豪 魯迅도 이 火災를 맛난 罹災民 中의 하나이어서 그 家族과 가치 阿鼻叫喚의 地獄에 彷徨하고 잇섯다. 그때에 이 文豪와 그 一家族을 □助해서 安全地帶에 避難식힌 사람이 잇섯는 그 사람은 當時 廿八歲의 靑年으로 上海 服田商店에 勤務하든 鎌田誠一君이엇다.

이 事件이 잇슨 以來 魯迅은 鎌田君에게 非常한 恩義를 느껴 種種으로 謝意를 表하고 잇든 바, 不幸히 鎌田君이 病으로 歸鄕하야 昨年 五月 十七日에 別世하얏다.

이것을 안 魯迅은 그의 生前의 恩義에 感激하야 손소 墓碑의 碑文을 짓고 써서 福岡縣에 잇는 遺族에게 보내엿다.

이것은 實로 戰爭과 文學과의 사이에 상가 最初의 國際 美談으로 中國 最大 文豪의 親筆의 碑文을 어든 嫌田君에서는 크게 感激하야 이번 十七日의 一週朞에 그 墓碑를 세우기로 되엿다.

---

01 『每日申報』1935.5.18, 朝刊 1면.

中國 兩大 文學團體 概觀(발췌)[01]

丁來東

『前言 數語』——中國은 新文學이 發生한 以後로 個人의 個別的 努力도 勿論 컸었다고 볼 수 있으나 文學團體의 努力이 더 컸던 것을 우리는 잊어서는 안될 것이다. 特出한 創作家가 된다든지 或은 稀世의 詩人이 되는 데에는 或 文學團體의 必要가 없을지 몰으거니와 外國文學을 組織的 體系的으로 硏究한다던지 或은 過去 自國의 文學을 整理하는 데에는 團體的으로 相互 硏究, 整理하는 것이 더 많은 效果를 낼 것은 筆者의 呶呶를 要치 않을 것이다. 또 새로운 文學運動을 이르키는 데에도 個人的 行動보다는 多數人의 有機的 行動이 오히려 많은 成果를 얻게 될 것도 여기서 더 말할 것이 없을 줄 안다.

中國은 「文學革命」이 있은 後 아직 二十一年의 歷史를 갖이지 못하였으나 저 같은 今日을 일운 것은 勿論 그네들의 豊富한 經濟力, 出版力이 있고 많은 人才가 있는 것에 많은 原因이 있었겠으나 一面으로 버면 그네들의 個人의 文學行動보다 團體的 文學行動이 더 많은 效果를 얻은 것을 알 수가 있을 것이다. 그中에서도 「文學硏究會」나 「創造社」의 功績은 中國文學 創設

01　『新東亞』 제5권 제6호(총 44호), 1935.6. 여기서는 서언만 발췌하고 번역문은 약하였다.

期에 있어 감감 수 없는 뚜렷한 *存在*일 것이다. 또한 中國 新文學을 硏究하는 데 있어 이 두 文學團體의 主張과 그 經過를 아는 것은 絶對로 必要한 일일 것이다. 이 두 文學體團 外에「狂飇社」,「左翼作家聯盟」等 其他 各地의 文學團體, 戲劇協會, 學藝硏究團體 等이 있으나 여기서는 爲先 略하기로 하고 다못 이 두 文學團體를 紹介하는 데 그치겠다.

以下 諸文은「中國新文學運動史」의 附錄에서 譯出한 것으로써 그 中에 詳細한 團體規則 等은 多少 冗長한 嫌이 없지 않으나 여긔에 全譯한 理由는 朝鮮의 文學團體에도 얼마간 叅考가 될까 한 데 不過하다.

屈原 研究(부분 결락)[01]

丁來東

第三章 屈原의 作品[02]

(A)『楚辭』란 무엇인가?

屈原의 作品을 論하기 前에 우리는『楚辭』란 무엇인 것을 알아야 할 것이다. 日本에 中國文學研究者 鹽谷温이는『楚辭라는 것은 楚國의 文學이다』라고 말하얐다. 果然 이 말은 楚辭의 字義를 잘 말하였다고 생각한다. 그러나 우리는 좀더 仔細히『楚辭』名稱의 發生을 究明할 必要가 있고『楚辭』가 包含하는 作家와 作品을 알 必要를 늣기며『楚辭』의 起源을 研究하고야 屈原의 作品을 推索할 수가 있으며 楚辭의 文學的 價値들 評할 수가 있을 것이다. 그러나 楚辭의 起源에 關하야는 複雜한 問題가 만흠으로 다음 項에서 論하기로 하고 여긔서는 楚辭 名稱의 發生과 楚辭 作家를 드는 것으로써 目標를 삼겠다.

---

01 원본 수집의 한계로 여기서는『新朝鮮』제11호(1935.6), 제12호(1935.8), 제13호(1935.12)에 게재된 제3장, 제4장, 제6장만 수록한다.

02 연재분 표제이다.

『楚辭』라는 名詞가 或은 屈原 當時에 있다는 사람도 있고 或은 西漢 武帝, 宣帝 時에붙어, 있었다는 學者도 있고 或은 劉向이 屈原의 作을 編集하야 十六卷을 만들엇다고 해서 劉向의 때에 楚辭라는 名辭가 發生하였다고 하나 以上 諸說은 所信할 바가 못되고 楚辭 章句를 지흔 王逸의 때붙어 이 名詞가 있었다는 것이 比較的 可信할 說이라 한다. 이 說을 說明한 者로는 宋人 黃伯思를 드는데 그는 王逸이가 『楚辭』라는 名詞를 붗인 것을 이러케 말하얐다.

> 『屈原[03]諸騷, 皆書楚語, 作楚聲, 紀楚地, 名楚物, 故可謂之楚辭. 若『些』, 『只』, 『羌』, 『誶』, 『蹇』, 『紛』, 『佗』, 『傺』者, 楚語也. 『悲壯』『頓挫』, 或韻或否者, 楚聲也. 沅, 湘, 江, 澧, 修門, 夏首者, 楚地也. 蘭茝, 荃藥, 蕙若, 芷형[04]者, 초[05]物也.』(翼騷序語)—
> 鄭賓于『 中國文學流變史』에서 引用——

以上의 畧記한 것으로써 우리는 초辭 名詞의 起源을 알게 되였으니 다음에는 『초辭』가 包含한 作家와 篇名을 歷史的으로 考察할 必要가 있으며 그것을 究明하는 것으로써 屈原의 作品이 自然 露出하여질 것이다.

陸德明 著 經典釋文의 記錄된 것을 보면 초辭에 屬한 文章이 左와 如하다.[06]

---

03 '屈宋'(즉 굴원과 송옥)의 잘못이다.

04 한자로는 '蘅'이다.

05 한자로는 '楚'이다.

06 여기서부터 아래『초사집주』의 목록에 이르기까지는 모두 梁啓超의 「楚辭」에서 초역한

篇名	篇數	作者	篇名	篇數	作者
離騷	一篇	屈原	大招	一篇	屈原或景差
九歌	十一篇	屈原	惜誓	一篇	賈誼
天問	一篇	屈原	招隱士	一篇	淮南小山
九章	九篇	屈原	七諫	七篇	東方朔
遠遊	一篇	屈原	哀時命	一篇	嚴忌
卜居	一篇	屈原	九懷	九篇	王褒
漁父	一篇	屈原	九歎	九篇	劉向
九辯	十一篇	宋玉	九思	九篇	王逸
招魂	一篇	宋玉			

右擧의 目錄으로 보면 『惜誓』 以下 諸篇은 다 漢人이 지흔 것을 알 수가 있다. 그럼으로 그 前에는 초辭라고 하야도 초國 時의 作品만을 갈으친 것이 아니요, 그 文體가 同體일 것 가트면 모도 다 초辭라고 한 것을 알 수가 있다.

그 後에 宋儒 朱熹는 그의 『辭초辯證[07]』에서 말하기를

『七諫, 九懷, 九思, 九歎雖爲騷體, 然其詞氣平緩, 意不深切, 如無所疾痛而强爲呻吟者. 就其中諫, 歎猶或粗有可觀, 兩王則卑己甚矣. 故雖幸附書尾, 而人莫之讀.』

이와 같이 하고 그의 著作 『초辭集注』에는 四家 三十四篇을 刪去하고 賣

것이다.

07 '楚辭辯證'의 오식이다.

生[08]의 『弔屈文』과 『鵬鳥賦』를 補充하였다. 그의 目錄은 如左하다.

卷一: 離騷經

卷二: 離騷九歌

卷三: 離騷天問

卷四: 雜騷九章

卷五: 離騷遠遊, 離騷卜居, 離騷漁父

──以上 七題 二十五篇 皆 屈原 作

卷六: 續離騷九辯, 宋玉

卷七: 續離騷招魂, 宋玉; 續離騷大招, 景差

卷八: 續離騷惜誓, 賈誼; 續離騷弔屈原, 賈誼; 續離騷服賦[09], 賈誼; 續離騷哀時命, 嚴忌.

朱熹의 撰에도 亦是 漢의 作家 가誼 것이 包含된 것으로 보면 초辭는 文體 即 朱熹의 말 『騷體』(?)로써 撰한 것이요, 決코 초國이라는 國別로 난우지 안한 것을 알 수가 있다. 그러나 嚴格한 制限으로써 초辭놀 極限한다면 초辭에 屬하는 作家는 亦是 초時의 作家 屈原, 宋玉, 唐勒, 景差 이 四人을 들 것이요, 賈誼 以下 諸人은 초辭의 模倣 作家로 보는 것이 妥當하다 한다.

上列한 朱熹의 篇目에 注意할 것은 每篇上에 『離騷』 或은 『續離騷』를 붗이고 離騷 一篇에는 『離騷經』이라 한 것이다. 이것은 朱熹의 創意가 아니고 洪興祖 補注에 그러케 쓴 것을 多少 改訂한 것이라 한다. 이것으로 因하야 或者는 『離騷』와 『초辭』를 同一視하나 이 見解는 差誤된 것으로 밖에 볼 수

---

08 '賈生'의 오식이다.

09 '續離騷鵬鳥賦'의 잘못이다.

없다. 왜 그런고 하니 『離騷』는 屈原의 作맵[10] 中 한 篇名이요, 『초辭』는 초時代의 賦體 全部를 包含한 까닭이다.

다음에 注意할 것은 屈原의 作品 『離騷』의 文體에 關한 것이다. 上例 中의 朱熹는 『騷體』라고 特別히 文章 體裁 中의 一体로 네기나 그러나 離騷는 一篇의 篇名이요, 離騷의 文體는 亦是 『賦』인 것을 알아야 할 것이다. 처음에 이 差誤를 犯한 者는 蕭統이요, 다음에는 六朝 時의 文學批評家 劉協이라 한다. 劉協은 그 著 『文心雕括[11]』에서 『辨騷』一篇으로써 초辭를 全部 槪括하고 따로 『詮賦』篇을 두워 가지고 『騷』와 『賦』를 區別하얏다. 그러나 이것은 다 篇名과 文体들 混沌한 데서 나온 差誤일 것이다.

(B) 屈原 作品의 篇數

우리는 上段에서 초辭의 範圍를 硏鑽하얏고 따라서 屈原의 作品이 초辭 中에 重要한 地位를 占한 것을 알았으며 屈原 作品의 大槪를 一覽하얏다. 그러나 여긔서 問題되는 것은 屈原 作品의 關한 篇數 問題다.

발서 屈原은 二千餘年 前의 사람이요, 그 自身에 有無까지 疑心하게 될 形便이니 그의 作品에 疑問이 없을 수가 업슬 것이다.

屈原 作品의 篇數를 鑑定하는 것은 屈原의 文學的 價値와 그의 思想을 左右하는 問題임으로 퍽 重要한 일이며 따라서 學者 間에 議論이 紛紛일 뿐만 아니라 아즉까지도 屈原의 作品이 멧 篇이란 것이 決定되지 못하얏다. 筆者는 古籍에 暗昧하고 本來 考古에 興味가 없음으로 어느 說에도 加擔할 수가

---

10 '맵'은 한자 '品'의 오식이다.

11 '文心雕龍'의 잘못이다.

없고 大槪 只今까지 討論된 經過와 各家 意見을 畧記함에 근치겠다.

漢書 藝文志에 屈原의 作品이 二十五篇이라 하얏는데 只今에 와서는 초辭 中 어느 二十五篇이 屈原의 作인가가 疑問으로 되여 있다.

胡適氏 같이 極端을 主張한 學者 外에는 이『二十五篇』이라는 數目에는 아무 疑議를 가지 안코 다못 어느 二十五篇인가만을 問題로 할뿐이다.

鄭賓于[12] 著『中國文學流變史』에서 所學한『漢書藝文志』의 二十五篇의 篇目을 抄하고 다음에 梁啓超의 推料하는 二十五篇을 列擧한 後에 自來로 問題된 篇目을 記錄하야 問題의 所在點을 明確히 하는 것으로써 이 節을 맛추겠다.

第一篇: 離騷

第二篇: 東皇太一(九歌 第一篇)

第三篇: 雲中君(九歌 第二篇)

第四篇: 湘君(九歌 第三篇)

第五篇: 湘夫人(九歌 第四篇)

第六篇: 大司命(九歌 第五篇)

第七篇: 少司命(九歌 第六篇)

第八篇: 東君(九歌 第七篇)

第九篇: 河伯(九歌 第八篇)

第十篇: 山鬼(九歌 第九篇)

第十一篇: 國殤(九歌 第十篇)

第十二篇: 禮魂(九歌 第十一篇)

第十三篇: 天問

---

12 '鄭賓于'의 오식이다.

第十四篇: 惜誦(九章 第一篇)

第十五篇: 涉江(九章 第二篇)

第十六篇: 哀郢(九章 第三篇)

第十七篇: 抽思(九章 第四篇)

第十八篇: 懷沙(九章 第五篇)

第十九篇: 思美人(九章 第六篇)

第二十篇: 惜往日(九章 第七篇)

第二十一篇: 橘頌(九章 第八篇)

第二十二篇: 悲回風(九章 第九篇)

第二十三篇: 遠遊

第二十四篇: 卜居

第二十五篇: 漁父

以上 二十五 篇目은 鄭氏의 것이요, 以下 二十五 篇目은 梁啓超의 것이다.

離騷: 一篇

九辯: 一篇

九歌: 十篇

卜居: 一篇

漁父: 一篇

天問: 一篇

招魂: 一篇

遠遊: 一篇

九章: 八篇(惜誦, 涉江, 哀郢, 抽思, 思美人, 橘頌, 悲回風, 懷沙)

梁氏의 右表는 民國 十四年 十二月에 出版된 『要籍解題及其讀法』에 依한 것이요, 民國 十一年 十一月에 東南大學에서 講演한 原稿에는 九辯 一

篇이 없고 九章에『惜往日』一篇을 依古 加入하얏으나 時日로 보아서 民國 十四年의 것이 後임으로 後者를 取하기로 하얏다.

上列 兩氏의 例나 或은 其他 諸氏(胡適 除外 以下 別論)의 說을 보드래도 問題되지 안한 篇은 離騷, 卜居, 漁父, 天問, 遠遊 等 篇이요, 其外에 問題되는 것은 招魂, 九歌, 九章 等 篇이요, 梁氏가 九辯 一篇을 새로 加入식히는 것은 좀 特異한 說이며 九章은 古說에도 九篇이라고 하고 近代 學者들도 九章 九 편에는 別 異議가 없는데 이亦 梁氏의 特說이라고 하겠다.

招魂은 王逸이 以後로 宋玉의 作이라고 하는 學者가 만흐나 梁氏는 史記 의 說에 依하고 또 초辭 中에『最酣肆最深刻之作』이라 하야 屈原의 作이라 고 主張한다.

그러고 보면 다음에 問題되는 것은 다못『九歌』의 篇數 問題다. 九歌는 黃文煥, 林雲銘의 注한『초辭』에『九歌』는 應當 九篇이라야 한단 說을 主張 하야 九歌 中의 後 三章 山鬼, 國殤, 禮魂 等을 一篇으로 만들었으나 多數의 學者가『九』字는 꼭『九篇』이라야 하는 것이 아니요, 다못 數의 甚多者를 意 味한 것임으로 꼭『九』라는 것이 아니며 離騷에『啓九辯與九歌』라는 句가 있는 것으로 보드래도『辯』과『歌』는 古代에 그런 韻文이 있는 것이 確實하 다 하야 그 例證이 만하나 여긔서는 約한다.

또한 梁氏가 九歌를 十一篇이 아니고 十篇이라고 主張한 것은 九歌 末篇 의『禮魂』一篇은 다못 五句뿐이여서 每篇의 後念으로 쓴 것이요, 決코 獨立 한 一篇이 아니란 것이다. 이 說은 梁氏의 特說이 아니요, 王船山의『초辭通 釋』에도 이와 같은 說을 主張하였다.

上記 諸論과 같이 漢書 藝文志의 二十五篇이란 數目을 鐵則으로 믿는다 면 大槪 問題되는 篇이『招魂』,『九辯』, 九章 中의『惜往日』等 三篇이요, 이 外에 우에서 討論하지 안한 篇으로『大招』一篇이 있으니 合 四篇인 셈이다.

이 『大招』一篇에 關하야는 近來에는 그리 問題示하지 안한 것 같으나 附帶로 이篇에 關한 諸說을 畧設하겠다. 王逸은 이 一篇을 屈原의 作 或은 景差의 作이라 하나 劉向은 이 篇이 先秦의 作이 아니라 하야 屈原의 作品에서 除外하고 梁啓超 亦是 屈原의 作이 아니란 것을 主張하며 同時에 景差의 作도 아니라 한다. 그 理田는 篇 中에 『小腰秀頸, 若鮮卑只』라는 『鮮卑』一言은 大槪 東漢 時에 中國에서 通用된 말임으로 屈原, 景差와 時代의 差가 있음으로 이 篇은 漢人의 作이라는 것이다.

(C) 屈原 作品의 眞僞問題

以上에서 屈原 作品의 篇數를 討論하는데 或者는 그 篇數를 增補하며 或者는 그 篇數를 削減하는 것이 모도 다 그 作品의 眞僞와 直接 問題되는 것이지만은 이 項에서 論하려 하는 所謂 眞僞問題는 屈原 作品을 全部 懷疑的 態度로 臨하는 極端論者의 意見이다.

몬저 屈原 否認論者로 廖季平, 胡適 兩氏를 들었는데 廖氏 文獻는 詳細한 것을 보지 못하얏거니와 그 否認하는 理由 中에

『離騷首句云, 『帝高陽之苗裔今[13]』는 秦始皇의 自序요, 今世에 屈原의 所作이라고 하는 만흔 文章 中 太半은 다 秦博士의 所作이다.』

이러한 語句가 있는 것으로 보면 屈原의 作品을 一篇도 是認하지 안한 것

---

13 '今'은 '兮'의 잘못이다.

같다. 그러나 離騷의 首句가 秦始皇의 作이란 說의 根據가 어듸서 나온 것인
가를 아즉 보지 못하얐으니 討論하기가 어려운 일이다.

　다음에는 胡適의 意見을 畧記하야 보겠다. 胡適도 亦是 屈原 傳說을 全部
否認하는 만큼 傳來하는 屈原의 作品을 屈原의 作이라고 할 理가 萬無하다.
胡適은 屈原의 傳說 田[14]來를 說明하면서 이러한 말을 하얐다.

> 『大槪 초懷王이 入秦不返한 것은 南方 民族의 傷心하는 일이
> 엿을 것이다. 그럼으로 當時에 『초雖三戶, 亡秦心[15]초』라는 歌
> 謠가 있는 것이다. 그 後에 秦을 亡한 義兵은 끗끗내 南方에서
> 일어나고 말았다. 그러고 項氏가 起兵을 할 때에도 結局은 초
> 懷王의 看板을 가지고 人心을 號令한 것이다. 當時 을허히 초
> 懷王의 故事 或은 神話가 民間에 流傳하엿을 것인데 屈原도
> 大槪 此種 故事의 一部分일 것이다.……그런데 초懷王의 神話
> 는 漸々 作用을 일허 뻐리고……傍役이든 屈原이 正役이 되엿
> 을 것이다.』

胡氏는 다시 그의 論調를 초辭에 돌여서

> 『초辭의 前 二十五篇은 決코 一個人의 作은 아니다.』

라고 斷言하고 그의 例證을 들엇다. 胡氏의 說을 反駁하는 者도 不少하지

14　'由'자의 오식이다.

15　'心'은 '必'의 오식이다.

만은 또한 초辭 硏究者로서 胡氏의 說을 傍證하는 材料도 不少히 收集하얏음으로 二十五篇에 對한 胡氏의 說을 紹介하야 보겟다. 그는 二十五篇을 左와 如히 決定하고 그의 獨特한 說을 主張한다.

離騷: 一, 九歌: 九, 天問: 一, 九章: 九, 遠遊: 一, 卜居: 一, 漁父: 一, 招魂: 一, 大招: 一.

胡氏는 九歌, 九章을 九篇으로 하며 大招를 엿는 것이 좀 다르다.

그는『天問』은 文理가 不通하고 見解가 卑陋하야 조금도 文學價値가 업습으로 이 篇은 後人이 雜集한 것이요,『卜居』,『漁父』는 主名한 著作이여서 見解와 技術이 다『초辭』進步가 最高한 時期를 代表한다.『招魂』은『些[16]字를 쓰고『大招』에는『只』字를 쓰는 것이 다 變體다.『大招』는 [17]招魂을 模倣하는 것 같고『招魂』이 宋玉의 作이라면『大招』는 決코 屈原의 作이 아니다. 九歌와 屈原의 傳說과는 아무런 關係가 업고 仔細히 보면 이 九편은 大槪 最古의 作이여서 當時 湘江 民族의 宗敎 舞歌이다. 다음에 남은 것은『離騷』,『九章』,『遠遊』인데『遠遊』는『離騷』를 模倣한 것이요,『九章』亦是『離騷』를 模倣한 것이다.

──우리가 萬若 屈原의 傳說을 바리기를 願하지 안한다면 或『離騷』는 屈原의 作으로 볼 수 잇고『九章』中의 一部分도 屈原의 作으로 볼 수 잇다.

이것이 胡適의 屈原 作品에 關한 慨評이다. 胡氏도 屈原을 否認하는 確實한 證據는 업고 다못 屈原의 傳說(卽 忠君의 思想)에 不滿을 가진 結果 意識的

---

16 ‘』’가 누락되었다.

17 ‘『’가 누락되었다.

으로 屈原을 否認하려는 자최가 뵈이며 作品에 關한 言論으로 보면 屈原의 作이라고는 『離騷』와 『九章』의 一部分뿐인 것을 알겟다.

胡氏의 초辭 二十五편의 先後表를 보면 이러하다.

⑴ 最古의 南方民族 文學 九歌.

⑵ 稍晩——屈原? 離騷, 九章의 一部分?

⑶ 屈原 同時 或은 稍後 招魂.

⑷ 稍後——초 亡後, 卜居, 漁父.

⑸ 漢人 作 大招, 遠遊, 九章의 一部分, 天問.

筆者는 더 다시 屈原 作品에 對한 討論을 摘記 抄翻하지 안코 最近 研究의 概論을 記錄하야 複雜한 것을 避하겟다.

一. 九歌 이 편에 關하야 南方 古代의 民歌라는 것은 王逸이도 大槪 暗示한 말이 잇고 朱熹도 屈原이 『更定其詞』하엿다는 말을 하얏고 最近에 陸侃如의 詳細한 例證이 잇음으로 九가는 純全히 屈原의 創作이 아닌 것이 事實같다.

二. 天問은 호適氏가 漢人의 作이라고 하나 徐炳昶, 游國思[18] 等 諸氏의 反駁이 잇고 大槪 屈原 賦 中에 離騷보다 몬저 지흔 作이란 것이 事實인 것 같다.

三. 招魂은 或은 後人의 作이라고도 하고 梁啓超氏 等은 屈原 作이라 하나 大部分은 後人의 作이란 者가 만타.

四. 卜居, 漁夫, 大招, 遠遊는 古來로 屈原이 作이 아니란 說이 만으며 最近에는 그러한 傾向이 잇다.

그러고 보니 아무 問題가 업이 正말 屈原의 作이라고는 『離騷』와 『九章』

18　'游國恩'의 잘못이다.

박게 남지 안한다.

그러나 이것은 最近까지의 硏究의 報告에 不過하고 참으로 그의 眞僞에 關하야는 만흔 荒蕪地가 남어 잇으며 今後의 硏究는 屈原을 엇더케 決定하며 屈原의 作品을 몃 篇으로 決定할 것인가는 아즉까지 未知數라고 하지 안할 수 업다.

屈原 作品의 內容에 關하야는 다른 題目下에서 起草 中임으로 여긔서는 略하겟다.

(續)

第四章 屈賦[19] 解釋의 新傾向

여긔서 屈賦라고 하는 것은 楚辭 中 屈原의 作品 二十五篇(?)만을 가으친 것이다. 屈原의 作品에 關하야는 그 篇數, 眞僞만이 問題되는 것이 아니라 그 作品의 內容 解釋에 여러 가지 異說이 있으니 實로 이 作品이 解釋 如何는 屈原의 思想, 屈原 作品의 評價를 左右한 것임으로 屈原에 關한 問題 中의 가장 重要한 問題일 것이다.

過去의 屈賦 解釋者는 無數히 만흐나 漢의 王逸과 宋의 朱熹를 代表的으로 헤일 수 있다. 漢의 時에도 淮南의 王 安이 『離騷章句』를 지었고 東漢의 班固, 賈逵의 解釋이 이있없으나 그들은 다못 離騷에만 限한 解釋이였다. 宋의 時에도 洪興祖의 補注가 있없으나 이미 우에서 말한 것과 갈이 漢의 王逸, 宋의 朱熹가 各各 다른 解釋을 하얏으로 그들 解釋의 思想的 背景과 解

---

19 '屈賦'의 오식이다.

釋의 演變하야 온 經過를 말한 後에 現今의 解釋 傾向을 말하겠다.

王逸의 『楚辭章句』 十六卷에는 非單 屈原의 作品뿐만 아니라 그 外의 作品도 있다. 一般으로 보면 王逸은 『忠君愛國』의 思想으로써 屈賦를 全部 解釋한 것이 그의 特色이다. 그럼으로 그는 屈賦 中의 모든 物名을 或은 君子로 解釋하고 或은 小人으로 解釋하야 本文에 아무 關係도 없는 것까지 牽强附會한 것이 그 解釋의 大部分이다.

이제 그 解釋의 一例를 들어보면 如下하다.

> 『離騷之文, 依詩取興, 引類比喩. 故『善鳥』『香草』, 以配忠貞, 『惡禽』『臭物』, 以比讒佞, 『靈修』『美人』, 以媲於君, 『宓妃』『佚女』, 以譬賢臣, 『虯龍』『鸞鳳』, 以託君子, 『飄風』『雲霓』, 以爲小人.』

이와 같이 屈賦를 解釋한다면 屈賦는 一篇 儒家의 政論에 不過할 것이요, 조금도 詩歌로써 意義를 가지지 못할 것이다. 本來 漢의 時에는 國內가 安定되고 百家의 說은 漸漸 衰落하야 儒敎가 昌盛하얏음으로 모든 學術이 儒敎로 偏重하얏든 것이 事實이며 따라서 詩經의 抒情詩까지 君臣, 後妃의 迂腐한 解釋을 産出하게 되고 屈原의 楚辭 亦是 그의 厄을 免치 못하게 된 것이다.

王逸의 解釋의 固陋함에 不滿을 가지고 일어슨 사람은 宋時의 朱熹다. 그는 九歌 中의 『湘夫人』, 『少司命』, 『東君』, 『國殤』, 『禮魂』 等 篇을 解釋할 때 조금도 屈原의 忠君愛國의 傳說을 附會하지 안코 될 수 있는 대로 原詩의 眞意를 捕捉하려 하얏고 따라서 王逸의 註를 아래와 같이 反駁하얏다.

以上에 든 王逸의 解釋에 對하야

『今按逸此言, (逸은 王逸)——有得失[20]. 其言『配忠貞』,『比讒佞』,
『靈修』『美人』者, 得之, 蓋卽詩所謂比也. 若『宓妃』『佚女』, 則便
是『美人』,『虬龍』『鸞鳳』, 則亦『善鳥之類耳, 不當別出一條, 更
立他義也.『飄風』『雲霓』, 亦非『小人』之比, 逸說皆誤.

이라고 『逸說皆誤』라 하얏으며 朱熹는 九歌 諸篇을 解釋하면서 舊說(王逸
의 解釋)과 補注(洪興祖 著)이 說을 아래와 같이 反駁한 것이 確實히 一步를 進
하얏다고 하지 안할 수 없다.

『東皇太一』[21] 舊說에는 『原(屈原[22]意謂人盡心以事神, 則神惠以福, 今竭忠
以事君, 而君不見信, 故爲此以自傷.』이라고 하얏고 補註에는 또 『此言人臣
陳德義禮樂以事上, 則上無憂患.』이라 하얏으며 雲中君을 舊說에는 『事神已
訖, 復念懷王不明而太息憂勞.』라 하얏고 補註에는 또 『以雲神喩君德, 而懷
王不能, 故心以爲憂.』라고 하얏는데 朱熹는 『皆外增贅說以害全篇之大旨, 曲
生碎義以亂本文之正意.』라 하얏고 또 말하기를 『湘君一篇, 情意曲折, 最爲
詳盡, 而爲說者之謬爲尤多, 以致全然不見其語意之脈絡次弟, 至女[23]卒意猶
以『遺玦捐袂』爲求賢, 而『采杜若』爲好賢之無己, 皆無復有文理也.』라고 하야
過去 王逸, 洪興祖의 解釋에 大改革을 加하고 될 수 있는 대로 『全篇의 大
旨』를 害하지 안코『本文의 正意를 不亂하고』[24] 文理을 따라서 解釋할러 하

---

20 주희 원문은 '有得有失'로서 여기서는 '有'자가 누락되었다.

21 '』'가 누락되었다.

22 ')'가 누락되었다.

23 '女'는 '其'의 잘못이다.

24 '』'의 잘못이다.

얏다. 그러나 朱熹도 完全히 屈原의 傳說을 버서나지 못하야 其餘의 四篇 解釋에는 舊 陳腐의 說을 □用하였다.

以上 二家의 說에 不滿을 가지고 屈原에게 新生面을 開拓하러 한 것은 現時 學者의 一致한 態度라 하겠다. 이에 二三家의 主張을 紹介하야 보면 如下하다.

胡適은 그의 『讀楚辭』 末段에서

> 『우리는 屈原의 傳說을 推翻하고 一切 村學究의 舊註를 打破하고 楚辭 本身上으로붙어 그의 文學興味를 차저 내고야 楚辭의 文學價値는 恢復할 希望이 있다.[25]

라고 하였으며 梁啓超는 말하기를

> 「사람의 情感은 萬端인데 「忠君愛國」을 除하고는 그 情을 쓸 곳이 없겠는가? 萬若 王注와 같이 解釋한다면 屈原은 한 虛僞者나 或은 鈍感者가 되고 二十五篇은 다 方頭巾家의 政論이 되고 말 것이요, 다시 文學價値를 말할 무슨 건덕이가 있겠는가?[26]

라 朱熹의 解釋이 一步를 進하였단 것을 말한 後에

---

25 ‘』’가 누락되었다.

26 ‘」’가 누락되었다.

「……나는 楚辭를 研究하려 한 者는 諸家의 注에 對하야 다못 그 物名訓詁[27]만 取할 뿐이오, 그 作者의 主旨를 敷陳한 것은 다 바리고 볼 것이 못 된다고 생각한다.[28]

하얐으며 그의 「屈原研究」는 屈原 作品에 新解釋을 試한 好作이라 하겠다. 그러나 너무 長皇하야 여긔서 그 例를 들게 되지 못한 것은 遺憾이다.

이外에 徐炳昶, 游國恩, 陸侃如 等 諸氏도 다 같은 見解를 가지고 各々 屈原의 作品을 解釋한다. 그러나 以上의 二氏의 主張과 大槩 同一함으로 例擧의 繁을 省略하려 한다.

一言으로써 屈賦 解釋의 新傾向을 結論하자면 忠臣이엇는 屈原을 詩人으로서의 屈原으로 끄집어 나리고 儒家의 政論으로서의 屈賦를 抒情詩로 끄집어 나리자는 것이다.

楚辭의 起源

楚辭는 南方의 文學이라고 하야서 그의 起源을 南方의 文學에 求하는 派와 此[29]方 文學 即 詩經 歌謠에 求하는 學派가 있다. 爲先 記述의 便宜를 爲하야 楚辭 起源을 南方에서 求하는 說을 말하겠다. 이 說을 主張한 者로는 日本의 鹽谷溫氏인데 그는 「支那文學槪論講話」에서

---

27 '名物訓詁'의 잘못이다.

28 '」'가 누락되었다.

29 '此'는 '北'의 오식이다.

「……詩經의 十五 國風 中에는 「楚風」 即 楚國의 歌謠라고는
볼 수가 없고 그 文學이 있기는 참으로 戰國의 時 即 詩聖 屈
原으로붙어 始作□었다.[30]

하았고 또 楚辭의 起源을 말하면서

「大凡 物이 發生되는 겄은 各々 原因이 있는 것이다. 楚辭와
같이 雄大 宏麗한 文學이 突然히 發生할 리가 없고 꼭 鬻子가
數百年 前에 뿌린 種子가 오래동안 胚胎 醞釀하야 文敎가 漸
々 開發되고 左右 倚相 等에게 培養되야 끝々내 屈宋과 같은
大文豪가 낟다.[31]

그는 곳 楚辭를 鬻子의 著에서 胚胎 醞釀되었다고 主張한다. 그러나 그것
도 다못 推測에 不過하고 確實한 證實은 말치 못하얐다.
中國 方面에서는 過去에 이런 起源 같은 것을 具體的으로 硏究한 것이 없
었는지 古籍에서는 그 起源을 推溯하는 文獻이 퍽 적은 셈이다. 그러다가 鹽
谷溫氏가 이런 說을 主張함으로 因하야 中國의 斯界 學者들은 만흔 刺戟을
밧고 最近에 와서는 그 起源에 關한 硏究가 不少하니 例를 들건데 游國恩의
楚辭의 起原이 있고 鄭賓干[32]의 鹽谷溫氏를 反駁한 感情約語句가 그의 「中
國文學流變史」 中에 적혀 있다.

---

30 '」'가 누락되었다.

31 '」'가 누락되었다.

32 '鄭賓于'의 오식이다.

中國 學者들은 屈原의 楚辭 起源을 研究하면서 詩句의 用例와 文學의 相似点과 文體의 異同으로붙어 始作하야 一方面으로는 詩經에서 그 例를 求하고 一方面으로는 楚 當時이 歌謠 研究에 着手하얐으니 大凡 研究의 道徑으로 보아 正當하다고 아니할 수 없으며 그 成績으로 보아서 首肯되는 点이 만타.

詩經은 本來 北方의 詩歌集이라고 하지만은 그 中의「二南」과「陳風」은 大槩 南方의 詩歌라는 것이 斯界의 共通되는 說이다. 그러면 二南의 文體는 어떠한가?

「麟之趾
振振公子
于嗟麟兮」

——周南

「摽有梅
其實七兮
求我庶土
迨其吉兮」

——召南

여긔서 注意할 것은 語助詞의『兮』字에 關한 것이다. 屈原의 作品도 全部가 이『兮』字를 쓴 것이니 여긔서 一一히 그 例 들 必要가 없고 이『兮』字를 쓰는 것이 共同点이라고 하지 안할 수 없다.

그리고 屈原의 무作이라고 定評이 있는『天問』을 보면 擧皆가 四字一句

인 것 더욱 詩經의 四字詩와 共通되는 点이다.

이外에도 詩經에『兮』字를 쓴 例는 無數히 있으며 그의 文體가 相似한 것이 不少하다. 一一히 引例를 抄할 것이며 屈原이 初期에는 詩經의 形式을 愛用하다가 漸漸 詩經의 單調한 形□을 버서나서 自由自在한 詩形을 取한 踵跡이 있는 것은 事實이라고 볼 수 있다.

다시 詩經 以外의 歌謠를 보면 楚辭와 彷彿한 詩歌가 적지 안타. 歌謠의 例를 들기 前에 屈原을 前後하야 當時에 民間에 頒布된 詩歌를 살피여 볼 必要가 있다.

春秋 戰國 時에 楚에는「接輿歌」(論語, 莊子·人間世),『滄浪歌』, [33]孟子),『松柏歌』,『易水歌』[34]史記)가 있었고 魯에는『孔子去魯歌』,『龜山操』,『獲麟歌』,『成人歌』等이 있었고 齊에는『飯牛歌』,『投壺歌』,『萊人歌』等이었고 吳에는 [35]佩玉歌』,『漁夫歌』等이 잇섯고 晉에는『士蔿狐裘賦』,『優施暇豫歌』, 鄭에는『輿人誦』, 宋에는『城者謳』,『築者謳』等이 잇섯스며 戰國 時에 齊에는『攻狄謠』,『禳田祝』, 趙에는『趙人謠[36]』,『皷琴歌』, 魏에는『鄴民歌』, 楚에는『三戶謠』等이 잇섯다.

此 歌謠은 直接 間接으로 楚辭 淵源에 關係가 잇으며 或 地域의 遠近으로 別 影響이 없다고 하드래도 楚辭의 起源을 硏究하는 조흔 參考材料가 될 것이다.

楚詩로 最古한 者는 劉向의『說苑』에 잇는 子文歌와 楚人歌다고 한다. 이

33　'（'가 누락되었다.

34　'（'가 누락되었다.

35　'『'가 누락되었다.

36　'趙人歌'의 잘못으로 보인다.

時는 楚辭와 關係가 密接함으로 以下에 抄錄하여 보겠다.

『子文之族,

犯國法程.

延理釋之,

子文不應.

恤顧怨萌,

方正公平.』

——子文歌

『薪乎萊[37]乎

無諸御己

訖無子乎

萊乎薪乎

無諸御己

訖無人乎![38]

——楚人歌

그러나 以上 二詩는 楚辭와 比較的 時代가 멀다. 游國恩의 假定에 依하면 大槪 西歷 紀元前 六百 五十年 左右일 것이라 한다.

다음에는 屈原과 年代도 그리 差가 만치 안하고 詩로 보아서 楚辭와 彷彿

---

37 '萊'는 '菜'의 잘못이다. 아래도 마찬가지다.

38 '』'가 누락되었다.

한 例를 二三 들어 보겠다.

「今夕何夕兮, 搴舟中流.

今日何日兮, 得與王子同舟.

蒙羞被好兮, 不訾詬恥.

心幾煩而不絶兮, 得知王子.

山有木兮木有枝, 心悅君兮君不知.」

——越人歌

이 노래는 本來 越人歌인데 楚語로 翻譯된 것이라 하며 中國에서 譯詩로
는 矯矢라 한다.

이 詩가 出世하기는 楚康王 十五年 中임으로 紀元前 五五○年이라 하는
데 屈原의 生年과는 大槩 二百年의 前이나 된다.

이 詩와 同時하야 徐人歌가 잇는데 漸漸 楚辭와 接近하는 痕跡이 잇고 그
後 約 五十年에 接輿歌가 나고 그와 同時하야 楚의 孺子歌와 吳의 庚癸歌가
낫섯는데 거의 楚辭와 相似하다고 할 수 잇다.

孺子歌(滄浪歌)

「滄浪之水清兮,

可以濯我纓.

滄浪之水濁兮,

可以濯我足.」

此歌는「漁父」의 末段에 있는 노래다.

庚癸歌

「佩玉蘂兮,

余無所繫之,

美酒一盛兮,

余與褐之父睨之.」

以上의 諸 例는 우리의게 楚辭의 起源이 멀리 詩經의 民歌와 古代 楚의 民歌에 잇다는 것을 말하는 것이다. 그럼으로 楚辭의 起源은 屈原 前의 楚國의 歌謠와 屈原 當時의 民間歌謠에 잇다는 것이 正當한 것 같다. 우리는 「屈原 作品 眞偽問題」 項內에서 屈原의 作이라고 하는 九歌 一篇이 當時의 民歌를 修改하얏다는 說과 完全히 民歌라는 說을 參考한 적이 잇다. 그러한 諸說도 確實히 楚辭가 民間 題謠에 그 起源을 두웟다는 것을 傍證하는 適例가 될 것이다.

(續)

第六章 終 楚辭의 文學的 特徵

楚辭는 발서 오래 전붙어 歐洲서는 硏究한 模樣이다. 그리하야 只今 와서는 英, 佛, 獨의 翻譯이 있다 하며 梁啓超는 中國人이 楚辭만 欣賞할 能力을 가져도 中國에 虛生하지 안한 셈이라 하고 또 招魂의 思想은 「꾀테」의 「파우스트」와 相似하다 하얏고 또 世界文學 作品에서 「딴—테」의 「神曲」을 除하고는 屈原의 作品과 比較할 作品이 없다 하얏으며 鹽谷溫은 「호—머—」의 詩를 읽은 感이 있다고 하얏다. 果然 屈原의 作品은 過去의 儒家의 曲解 捏說을 除한다면 그 想像力의 豊富한 것이랄지 그 音律의 調和랄지 그 描寫의 妙를 어든 것이 非但 中國의 詩史뿐만 아니라 世界의 詩史에도 罕見하는 作品일 것이다. 屈原의 作品에 硏究가 未到한 筆者로서 敢히 그 文學的 特徵을 말할 바가 못되지만은 先進 諸家의 評 綜合하고 楚辭 發生의 環境을 記述하야 楚辭의 文學的 特徵과 聯結함으로써 一章을 매즈려 한다.

屈原 當時의 楚國은 一種 蠻夷로서 華族의 文化를 輸入한 지가 二百 五十 年 可量이 된다 한다. 그 前에 楚國으로 말하면 만흔 幻想을 가지고 만흔 虛無 理想을 가지고 或은 鬼神을 崇拜하고 或은 空想에 耽溺한 民種들이 살았다 한다. 그럼으로 王逸의 楚辭章句에는 이러한 말이 있다.

> 「昔楚國南郢之邑, 沅湘之間, 其俗信鬼而好祠. 具[39]祠必作歌樂鼓舞[40]以樂諸神.」

□일로 보면 그들은 生活이 얼마나 詩的인 것을 알 수가 있으며 그들은 鬼神을 찾는 만콤 非現實的이며 神秘的인 것을 알 수가 있고 노래 불으고 舞跳한 것으로 보면 그들은 日常生活을 藝術化한 것을 알 수가 잇다. 그너다가 華民族의 現實的, 直觀的 思想과 接觸하게 되니 自然 新藝術이 發生하지 안할 수가 없을 것이다. 그 發生한 新藝術은 곳 屈原의 楚辭이니 그의 思想에

---

39 '其'의 오식이다.

40 '舜'은 '舞'의 오식이다.

는 神秘的 要素가 豊富하고 凡人의 생각하지 못할 만흔 幻想을 가지게 되였다. 이것이 곳 屈原 作品에 想像的 要素가 豊富하다는 것일 것이다. 우리가 그의

> 「製芰荷以爲衣兮,
> 集芙蓉以爲裳.」

이러한 詩를 보드래도 그가 얼다나 自然을 사랑하고 新穎한 것을 생각하였는가를 알 수 잇다. 마람닙을 뜨더서 옷을 맨들고 연닙을 뜨더 두루막을 맨들어 입고는

> 「飄風長[41]其相離兮,
> 率雲霓而來御.」

구름을 타고 나라간다는 것은 現實을 主觀으로 하는 中國詩에서는 볼 수 없는 名作이다.

普通 人類의 性質을 말하는 者가 北方의 人은 堅實 素朴하고 南方의 人은 熱情 浮化하다고 한다. 이제 楚國의 地形을 본다면 黃海 沿岸에 比較하야 南方이며 따라서 그의 氣候 風土가 달을 것이요, 習慣 性質이 달을 것은 事實이다. 屈原은 이러한 地方에서 産生하고 이러한 環境에서 자라낫다. 그가 終時 現 社會와 妥協하는 것을 꺼리고 惡劣한 世俗에 젓지 안코 끗끗내

---

41 '長'은 '屯'의 잘못이다.

「舉世混濁而我獨淸,
　衆人皆醉而我獨醒.」

　이라고 한 것은 潔白을 조와하고 正義를 熱愛하는 熱情에서 나온 것이 안이겟는가? 그는 그리하야 무엇을 願하엿는가? 찰하리 이 世上에서 迫害를 밧는 것보다는 어듸로 뚝 떠난 것이 조치 안나 하고

「悲時俗之迫阨兮,
　願輕擧以遠遊.」

—游遠

　라고 하얏으며 그러나 그는 多血兒요, 熱情兒였다. 그래서

「忽反顧以流涕兮,
　哀高丘之無女.」

—離騷

　라고 하얏다. 그의 意志는 얼마나 高潔하며 그의 感情은 얼마나 熱烈한가!

　楚辭는 그 前身이 「民衆의 歌謠」란 것을 우리는 前篇에서 말하얏다. 普通 소리를 내서 노래를 하려면 音樂的 要素를 가지지 안코는 안될 것이다. 屈原의 作品은 歌唱하는 것인가? 안인가?에 對하야는 아즉 만흔 異說이 잇지만은 何如間 屈原의 「九歌」, 「漁父」 等 篇은 읽어 나려갈사록 노래와 같은 點이 만타. 또한 「漁父」의 末句에 漁翁이

「滄浪之水淸兮,

可以濯我纓.

滄浪之水濁兮,

可以濯我足.」

이라고 노래하얏다는 겄으로 보드래도 적어도 그의 全部 或 一部分은 노래한 것인 것을 알 수가 잇다. 여긔서 問題 삼으려 한 것은 노래하고 노래하지 안한 問題가 아니라 그의 詩句가 音律的이란 것만을 말하야 두면 그만이다.

우리가 그의 詩形을 볼 때 한 가지 注意된 것은 長短句를 쓴 것이다. 詩經 三百篇은 大槪가 單調 素朴한 四言詩임과 反하야 楚辭는 어듸까지던지 字數에 잇어서 自由自在인 것이다. 이 長短句를 쓰는 것은 一方面으로 自己 생각을 充分히 表現하는 便利가 잇슬 뿐만 아니라 또한 外界의 描寫를 精密 周到하게 하는 便利가 잇는 것이다.

詩 三百篇도 勿論 그의 特色이 잇지만은 複雜한 心思와 優美한 自然을 그리는 데는 單純한 四字 詩形으로는 到底히 할 수가 없는 것이요, 楚辭와 같은 自由 詩形이 아니면 안될 것이다. 여긔서 나는 梁啓超의 三百篇과 楚辭를 比較한 것을 抄하야 되겠다.

「……最古之文學作品, 三百篇外, 即數楚辭. 三百篇爲中原聲[42],

楚辭即南方新興民族所創之新體, 三百篇雖亦有激越語, 而端[43]

---

42 梁啓超 원문은 '中原遺聲'으로서 '遺'자가 누락되었다.

43 梁啓超 원문은 '而大端'으로서 '大'자가 누락되었다.

皆主於溫柔敦厚, 楚辭雖亦有含蓄語, 而大端在將情感盡情發

洩. 三百篇爲極質正的現實文學, 楚辭則富於想像力之純文學.」

以上에 말한 楚辭의 特徵을 槪括하야 말하자면 大槪 이 四點을 敷衍한 것
이다.

(A) 想像的 要素의 豊富한 것.

(B) 熱情的인 것.

(C) 音律의 爛熟한 것과 描寫의 精練된 것.

(D) 詩形의 自由스러운 것.

이에 對하야는 더 詳說할 것이 만흐나 다른 機會로 미루고 여긔서는 屈原
과 楚辭에 關한 導言을 試한 것으임로 이로써 足할 줄로 밋는다.

—끝

—六月 六日

注朱[44]楚辭

史記屈賈列傳

胡刻文選

讀楚辭, 胡適

屈原研究, 梁啓超

---

44 '朱注'의 잘못이다.

國學月報·楚辭號

要籍解題及其讀法·楚辭, 梁啓超

中國文學流變史, 鄭賓于

中國文學史, 曾毅

支那文學槪論講話, 鹽谷溫

──以上

中國 現代 女流作家 白薇女士의 文學生治[01]

丁來東

一

백미(白薇)녀사는 중국 여류작가 중에서 비교적 연영이 많은 자로서 현재 삼십 여세나 된다 하며 녀사의 과거 경역은 다른 녀류작가보다 풍부하다는 것이다. 그 풍부하다는 것은 물론 생활의 여유가 있어서 세계 유벽을 하였다 던지 하는 종유가 않이고 가장 고생을 많이 하얏스며 가장 불리한 환경을 자기가 찾어서 경험하였다는 것이다.

여사의 작품으로는 「임려」(「琳麗」, 詩劇), 「량이」(「娘姨」), 「귀신탑을 나와서」(打出幽靈塔), 「꾀꼬리」(鶯) 등 희곡이 있고 「애망」(愛網)과 장편소설 「작탄과 정조」(炸彈과 征鳥) 등이 있다.

여사는 중국 녀류문단에서 희곡을 쓰는 유일한 작가이다. 그 생활이 반항적인 만콤 그 작품에도 신녀성이 구사회와 분투하는 내용을 가진 것이 많다.

여사는 몸이 약하고 그 관계로 얼골이 항시 창백하며 그리 웃지도 않고 혹 웃는 일이 있드래도 그것은 고소(苦笑)하는 모양이라고 전한다.

——女作家印象記에서[02]

---

01 '治'는 '活'의 오식이다. 『新家庭』 제5권 제7호, 1935.7.

02 堅如, 「女作家印象記」, 樂華編輯部, 『當代中國作家論』, 樂華圖書公司, 1933.

二

그는 이십 여세가 되도록 문학과는 아무 관계가 없었고 도리혀 문학같은 것은 유한 마담의 심심소일로 녀겻다는 것이다.

어려서 가장 좋와한 것은 보통 여자의 하는 일이 않이였고 그림이였다 한다. 여사는 여섯 살 되었슬 때 나러단인 박쥐(蝙蝠)를 보고 어머니의 화필로써 그것을 그려 보왔다 한다. 그 모친은 그런 것을 기꺼하지 않고 그 조모가 이런 것을 사랑하야 그 후로 그림을 더 가르처주고 자긔를 지도할 사람이 없는 것을 탄식하였다 한다. 그 모친은 그림을 그리지 못하게 하고 일반 여자의 보통하는 일을 가르치며 혹 몰래 자긔가 하고자하는 그림을 그리다가는 더러 들키여서 얻어 맛기도 하였스나 이 마음에서 소사나는 히망만은 엄숙한 그 모친도 엇찌할 수가 없엇다는 것이다.

십세 좌우에 되얏슬 때에는 발서 그림 잘 친다는 소문이 나서 여사다려 그림을 그려달라는 친척과 친구가 많어졌다 한다. 그때는 초산(硝酸)으로 그림 그린 것이 유향이였는데 수건, 침대폭, 주렴 등에 그림을 그려달라는 것이 많어서 오래동안 초산을 갖이고 그리게 되얏슴으로 기관, 눈, 손까락이 초산에 중독이 되야 그 약한 몸이 더욱 누래지고 다른 사람들은 오래 살지 못하겠다고까지 말하였다 한다.

열세 살 때에 녀사는 그 심신의 발육을 방해하는 그림을 포기하고 그 양친과 큰 충돌이 있슨 후 끝끝내 자긔 부친이 설립한 소학교에 입학하였었다.

그 부친은 일본 유학생이여서 신사상을 전파하고 과학을 주중하였다 한다. 그 학교에서 이년이 다 되지 못하야 그만 두고 그 부친의 병을 간호하면서 일본에 망명하여 있는 「중국국민당동맹회」(中國國民黨同盟會)의 각종 서적을 속속히 보고 「신민총보」(新民叢報)를 더욱 자미있게 보았스며 혁명자의 비장한 일을 볼 때에는 기꺼 날뛰고 그들의 액운을 볼 때에는 눈물을 흘였다는 것이다.

> 「추근(秋瑾), 오월(吳樾), 진천화(陳天華), 송교인(宋敎仁)의 죽엄은
> 나의 눈물을 얼마나 흘리게 하였는지 알 수 없다.」[03]

고 여사는 말한다. 「음빙실문집」(飮氷室──梁啓超 著)을 읽다가 「나란부인」
(羅蘭夫人)의 죽엄을 보게 되고는 비분한 끝에 오래동안 울다가 그의 화상을
그려서 벽에 붙이기까지 하였다는 것이다. 녀사는 그 부친에게서 「중국외교
실패사」[04] 등을 배우고 퍽 많은 자극을 받았다 한다.

녀사의 소학 사범학교 시대의 성적은 도화, 리과가 다 만점이었고 재봉,
수공, 창가 외에 각 과목은 구십점 이상이였다 한다.

녀사는 중국의 약한 원인이 문을 중히 녀기고 무를 경히 한 데(重文輕武)
있스며 과학을 경시한 데 있다고 생각하였슴으로 문학을 퍽으나 경시하였
스며 고문학을 더욱 실허하였다는 것이다.

三

여사가 「제삼녀사범」(第三女師範)에 있슬 때에는 영수의 자격으로 나히가
적고 기민한 동창을 뫼아서 선생에게 요구하기를 세계대세를 쓴 신문장을
강하고 백화문을 읽게 하여 달래서 학교 내에 신구 충돌의 풍파를 일으켰다

---

03 白薇, 「我投到文學圈里的初衷」, 鄭振鐸·傅東華 編, 『我與文學』, 上海: 生活書店, 1934.7,
11쪽.

04 상기 白薇의 글에 의하면 『近世中國外交失敗史』이다.

는 것이다. 제일사범에 있을 때에는 무생명한 고문(古文), 고증(考證)을 읽는 것을 거절하였었고 사(詞)를 짓는 것과 시를 짓는 것을 거절하였다는 것이다.

여사는 절대로 소설을 보지 않고 잡지 보기를 좋와 하였스며 더욱이 「민권해방」(民權解放), 「부녀해방」(婦女解放)의 문장을 관심하였다는 것이다.

원세개가 황제 되면서붙어 녀학교에 영어를 취소하고 잡지를 보지 못하였슴으로 녀사의 정역[05]을 쓸 것이 없었었는데 그 동창들은 시 짓고 사 짓는 것 등을 권하였스나 그런 것은 일소하여 뿔고 그림 그리는 데 골몰한 외에는 부득이 자서(子書)와 좌전(左傳)을 읽고 매일 일이편의 고문과 「조명문선」(昭明文選) 중의 좋은 문장을 외이였었다 한다. 이것이 여사의 독서 방면의 한 전변이 되였든 것이다.

四

이하에서 여사가 일본 유학 가든 경로와 그 후의 생활과 문학과 접촉하든 동기 등을 써볼까 한다. 일본을 가서도 여사의 그림을 배우고자운 마음은 붓으로 그려 낼 수가 없다는 것이다. 그러나 미술은 두 사람의 학비나 가저야 배울 수 있는 것인데 단지 자긔에게 육원 밖에 없고 동창의 도움으로 겨우 일본으로 도망 온 녀사로는 도저히 미술을 배울 수가 없었다는 것이다. 녀사는 미술을 배우지 못하게 된 것이 애인을 열사람 일흔 것보다 더 상심되였었다고 한다.

가정의 허락이 없이 동경으로 도망을 갓었는지라 그 가정에서는 「가정혁

---

05 '정열'의 오식이다.

명이니 부자혁명이니 대역불도의 반도(大逆不道의 叛徒)이니……」하고 속히 회국하기를 요구하였으나 녀사는 「동경여고사」의 「리과」(理科)에 입학하였다는 것을 후둔으로 그 부친의 명영을 저항하였었다 한다.

그 후로 여사는 박물학자가 되려고 하였으나 우연히 이소유(易漱瑜)여사와 동거하게 되면서 중국 희곡가 「전한」(田漢)과 알게 되야 문학에 취미를 갖이게 되엿다는 것이다.

「전한」과 알게 된 것은 영어를 배우게 되면서 「입센」의 「노라」를 그 독본으로 쓰게 되면서부터라고 한다. 그러나 그때도 문학에 대하야는 이렇다는 흥미를 느끼지 못하였고 현미경 밑에 낱아나는 미려한 세계에 도취하였었든 것이다.

그러나 생활의 곤난과 금전의 부족으로 인하야 여사의 연구한 방면을 계속할 수가 없었고 따라서 「인정」, 「사회」에 대하야 회의를 하게 되고 원한을 품게 되얐었다 한다. 여사는 점점 사람들이 갖이고 있는 보편적 「허위」(虛僞)를 증오하게 되고 가장 충실하고 천진하고 사랑그럽고 의지할 곳 없는 사람을 헐어가는 사람의 흑암면을 통한(痛恨)하게 되고 더욱이 이렇게 타락한 사람들이 그저 흑암의 세력을 따라 나어가는 것을 비탄하였다 한다.

여사는 이러한 사회의 흑암면을 경험하게 되자 그 실험실의 해부도로 이 인류사회를 해부하여 보려 하였스나 해부도는 다못 물건을 시험한 데 불과한 것이었고 인류사회에는 아무런 실험도 하여볼 수 없는 것을 알게 되얐다 한다.

그러면 인류사회가 이렇게 된 원인은 어듸에 있는가? 여사는 두 가지로 난우워 보았다는 것이다, 첫제는 「구제도의 죄악」이요, 둘제는 「금전세력의 죄악」이라는 것이다.

이에 대하야 선전할 무기는 무었인가? 여사는 문학을 학습하는 것이라고 생각하였든 것이다. 그러나 이십 여세가 된 여사로는 문학으로 재출발하는 것을 퍽으나 주저하였다 한다. 그러나 과거의 경험에서 얻은 분한은 연영을 생각할 여유가 없이 폭발되였든 것이다.

그래서 다시 입센의 「노라」를 한 권 사가지고 또 한 번 「전한」에게 감사를 표하고 계속하야 「해상부인」(海上夫人), 「국민의 적」(國民之敵) 등을 독파하였다 한다.

그 후로 「톨스토이」, 「체코―프」, 「투루겐엡프」, 「또쓰트엡흐스키」의 소설, 「와일드」의 소설, 희곡, 「꾀―테―」의 시와 극, 「하이네」, 「빠이론」, 「셀리」, 「키―쓰」의 시, 「졸라」, 「모파상」, 「플로벨」의 불란서 소설, 일본 당대 작가의 작품을 무질서하게 읽고 「회람독서회」에 들어서 매월 십 권씩을 독파하였다 한다.

그러자니 학교의 과정은 점점 등한하여지고 문예에 기호를 가진 선생과 동창들이 자연 친하게 되였다는 것이다.

어느 날은 음학 선생이 빙그레 우스며 그 아름다운 목소리로 「당신 문학을 좋와하지요?」하고 물었다는 것이다. 그 음악 선생은 「중촌길장」(中村吉藏)의 부인이였슴으로 자연 그와 알게 되야 처음으로 「골스워디」의 「은갑」(銀匣), 「투쟁」(鬪爭) 등의 사회극에 접하게 되였다 한다.

여사의 문학에 대한 소양을 가지게 된 것은 이상에서 말한 경로와 원인을 가졌다는 것이다.

五.

여사의 분투한 과거와 처참한 생활을 좀더 인상 깊게 하기 위하야 여사의 회억적 자서를 축조[06], 역출하야써 이 글을 매질까 한다.

1. 묘령의 적은 처녀가 부친의 앞에 업대여 울면서 부끄럽게
「아버니, 저는 어떠한 일이 있드래도 시집은 가지 않고 공부
를 하겠서요.」
「아, 이 애야! 남의 독생자가 그렇게까지 병이 드러서 혼인
을 하지 않고는 구원할 도리가 없는 것을 알아야 한다. 우리
예의 있는 명문에서 부모의 말을 드러야 하지 않니.」

2. 흉악하기로 유명한 과부가 부친의 딸을 주먹으로 치고 입으
로 물어서 눈이 상하고 다리가 물녀서 피가 왼 낯에 가득하
고 흘러서 따에 가 떠러지는데 흉부와 아들은 그 여자(여사)
의 의복을 다 찢고 그의 가슴과 등에 시퍼런 멍을 들리고 또
도끼로 찍으려 한다. 부친의 딸은 하는 수 없이 몸을 벗고
피와 눈물을 흘리며 강으로 뛰여 드러가 피난을 하였든 것
이다.
부친은 딸의 상처를 치료하고 모친은 화가 나서 피를 토하
며 부친에게 이렇게 말하든 것이다. 「딸 말대로 그 지옥에서
버서나게 해요. 참말이지 여자는 좋은 물건이 않이니까 딸
을 위해서 공부를 하게 해요. 모자가 연합하야 딸을 학대한
다는 말을 들으면 화가 나 죽겠서요!」
「그렇게 급해 낼 것이 뭣 있서! 딸 하나 따려 죽이게 하면 설

---

06 '축소'의 오식이다.

마 또 딸 하나 보내서 따려 죽이게 할까바서 딸을 그들과 관계를 끈케 해! 우리 예의 명문에서 그런 말을 내게 한단 말이야!」

(이곳에 과부와 아들이란 것은 녀사와 약혼이나 한 집의 말이거나, 먼 처의 말인 모양이다.——譯者)

3. 과부는 칼과 줄을 부친의 딸 앞에 느러 노코 한 가지 길을 개리라고 핍박하는 것이였다.

어둔 밤 눈 오고 바람 부는 때 딸은 원한을 품고 지옥의 문을 나섯섯다. 모든 것에 석별의 느낌을 가지고서. 「다시 보자, 고향아! 다시 보자, 세계야!」 그는 눈물을 흘리며 속으로 말하였든 것이다. 묘망하고 어두운 산과 강을 향하야 도망하면서.

4. 딸은 죽지 않고 몇 백리 되는 사범학교로 다라 났었다. 동창들은 그가 남장을 하고 머리를 깍고 초췌하며 이상한 형용이 말할 수 없음으로 모다들 그를 조소하고 냉소하야 가정에서 바려뿐 수에도 들지 못할 패류로 알았든 것이다.

몇일 후에 그의 작문은 백이십 점을 맛고 도화는 모범으로 내걸리게 되자 동창 중에 자만하든 사람은 울고 질투하며 추세한 자는 겨테 와서 에워싸는 것이였다. 부친의 딸은 다시 동창의 냉소나 조소를 받지 않게 되고 소위 인정 사회를 접촉하기 시작하였었든 것이다.

5. 부친은 딸이 졸업을 하고 도망을 갈까바 특별이 천리나 되는 고향에서 성안으로 와 그 딸을 직히고 몇 백 원을 허비하야 학교의 교직원에게 한 턱을 내고 그들의게 딸을 잘 직히여 도망을 가지 못하게 하여달라고 부탁을 한 것이였었다.

과연 졸업한 둘재―ㅅ날 사람들이 학교들 에워싸고 교장, 학감이 대문을 감시하므로 딸은 학교를 도망하야 유학 갈 계획이 루설된 것을 알고 조급하야 담을 넘어뛰고 창을 넘어뛰려하였스나 사면팔방에 다 사람이 직히고 있었든 것이다. 교장은 그를 불러다가 권하는 것이었다. 「나는 본래 성(省)의 공비로 너를 유학 보내려 하였스나 너의 부친은 예교의 충실한 신도이니까 너는 역시 너의 부친을 좇어서 삼종사덕(三從四德)을 근수하여라!」

6. 부친은 그 딸이 변소 처내는 묵은 구멍으로 학교를 도망한 것을 알지 못하였었다. 두 손에는 육원 밖에 없었는데 장사(長沙)에서 한구(漢口)로 가는 기선에 올랐었다.

배에서 우연히 학교의 늙은 여복을 맞나게 되였었다. 그는 자기의 손을 끌면서 「아가씨, 이렇게 달아왔구만이요! 이렇게 빈손으로 다라와서 어떠케 하신단 말슴이요?」 그는 눈물을 흘리며 돈 이원을 내여 쥐워 주면서 「아가씨, 받으세요. 내가 시방 몸에 돈이 많지 못하지만은 상해에 가게 되면 더 도와드릴 수도 있습니다.」 그는 (여사) 그 늙은이에게 감격되야 두리 서로 안고 울었었다.

여복은 이 표랑의 처녀를 데리고 대식당으로 가서 그의 주부를 보게 하고 담소로써 그 수심을 있게 하려 하였든 것이다. 그 주부가 대번에 여복을 아래와 같이 나무랄 줄이야 누가 생각이나 하였스랴.

「이같이 집에서 쫓겨난 천한 것을 데리고 와서 우리 있는 곳을 더럽이지 말아!」

창밖에서 이 이야기를 듯고 있든 표랑인은 가슴이 불타는 것 같지만은 다른 방법이 없었다.

7. 횡빈에 도착하니까 이십 전 밖에 남지 않하야서 동경에 있는 벗의 누나에게 와서 마저 달라는 서류 편지를 하고나니 돈은 다 없어졌었다.

이 누나는 퍽으나 재주 있기로 유명한 부잣집 아가씨였었다. 그는 아무 것도 가진 것이 없고 또 특별하지도 않는 표랑인을 보고는 맞은 후로 멸시하는 점이 없지 않하였스나 그래도 그는 좋은 섬이어서 하녀(下女)의 직업을 찾어 주웠었다. 하녀라는 직업이 이 가련한 신분을 결정하였었다.

고귀한 누나는 더욱 그를 경시하고 심지어 그 출신이 청백지 못하는가까지 의심하게 되얏스며 그가 도적질이나 불양한 행위가 있는가 하고 의심하였든 것이다.

유력자에게 경시한 바가 되니까 그 풍설이 밎는 곳에는 냉전이 나라드는 것이였다(冷箭如飛). 참으로 청백한 영혼으로 하여금 웃지도 못하게 하고 울지도 못하게 하였었다.

또 한 가지 풍문이 있었다. 「호남」⁰⁷(湖南) 여자가 동경에 유
랑하야 와서 참으로 중국의 수치를 폭로한다!」고.

8. 이 하녀가 일본 여자의 최고 학부요, 또한 가장 드러가기 어
려운 리과를 시험 봐 드러가게 되고야 게우 한사람으로 인
정되였었다. 그러지많은 하늘에서 나린 대재난은 일로부터
시작되였었다.

부친에게 쫓겨나온 동생이 와서 고녀(孤女) 신세의 벗에게
가담하야 동경에 유학을 왔슴으로 그의(여사) 관비를 잠시
공용하게 되얐었다. 얼마 되지 않하야 동생은 병이 들어 수
술을 받게 되얐스나 아무도 그 생사나 일푼의 금전을 생
각하여 준 사람이 없었다. 그는(여사) 서적, 의복을 있는 대
로 팔고 또 주림을 참고 두워달 동안이나 쌀, 채소, 기름, 장
을 맛보지 못하고 그저 감자와 콩물로 연명을 하여 가며 돈
을 검약하야 동생을 구원하였든 것이다. 고생하고 주린 결
과 그는 병이 들어 일 년이 넘고 또 복발하야마지 않함으로
관비도 받지 못하게 되야 빈민 의원에 드러가게 되얐었다.
이때에 누가 그를 돌보와 줬겠는가? 누가 그를 보와줬겠는
가? 누가 부친에게 편지를 하야 돈을 보내서 그를 구원하도
록 하여 주윘겠는가? 늙은 방주인은 그가 말을 하지 못하게
되자 칠팔 번이나 그 동생을 더려 오려 하였스나 누가 와서
그가 의원에 드러가는 것을 돌보와줬겠는가? 참으로 참담

---

07   이 홑낫표는 잘못 기입된 것이다.

하기가 초상난 집 병든 개와 같었었다.

9. (이러한 중에) 부친의 편지에는 이러한 말이 있었든 것이다.
「정도 없고 의도 없는 너는 몇 달 동안이나 너의 동생과 누
나를 가보지 않하였고나.」 그리고 같은 편지 속에 누나에게
보낸 편지에는 이런 말이 있었다. 「총명하고 현혜한 너는 장
래에 복이 적지 않을 것이다.」 동생에게는 이렇게 말하였었
다. 「우선 육백원을 보내준다.……」[08]

우리는 이상의 단편 단편의 기사로만으로도 여사의 처참한 과거를 알 수
가 있거니와 그 후 회국한 후로도 자긔 애인과 한 달도 동거한 행복을 가진
일이 없었다고 전한다. 최근은 시인 양소(楊騷)와 동거한다는 말도 있기는 하
지만은.

─女士의 「我投到文學圈裏的初衷」에서

08　白薇, 「我投到文學圈里的初衷」, 鄭振鐸·傅東華 編, 『我與文學』, 上海: 生活書店, 1934.7,
　　　15~19쪽.

中國 現代 小說家 郁達夫 評傳[01]

丁來東

一. 氏의 文壇上 地位

　中國 新文學 發生 後로 많은 創作家가 낫섯지만은 그 中에서 比較的 作家的 地位를 保全하는 者는 퍽으나 적엇섯다.「文學硏究會」의 作家로는 魯迅, 葉紹鈞, 王統照, 落華生, 氷心女士, 廬隱女士 等이 다 일홈 잇는 作家들이요,「創造社」의 作家로는 郁達夫, 郭沫若, 張資平, 周全平, 倪貽德, 馮沅君女士 等이 잇고 그 後로는 劉大杰, 蹇先艾, 許欽文, 馮文炳, 王魯彦, 黎錦明, 胡也頻, 楊振聲, 王以仁 等이 當時에 新進으로 일어 섯스며 最近까지 繼續하야 創作을 發表하며 或은 새로운 新進으로 나온 사람이 許多히 많다. 이제 그 일홈만을 들면 矛盾(沈雁氷), 巴金, 老舍(舒慶春), 丁玲女士, 陳衡哲女士, 綠漪女士, 凌叔華女士, 謝冰瑩女士, 穆時英, 張天翼, 蔣光慈, 錢杏邨, 洪靈菲, 楊邨人, 魏金枝, 戴平萬, 葉靈鳳, 羅西, 施蟄存 等의 多數에 達하고 最近 雜誌에 散見한 新進作家로는 沈起予, 郭源新[02], 墨沙, 黑嬰, 歐陽山, 沙汀, 王文慧[03],

---

01　『藝術』제1권 제3호, 1935.7.

02　실은 鄭振鐸의 필명이다.

03　실은 巴金의 필명이다.

艾蕪, 蔣牧良, 漣淸 等 亦是 無數히 많다.

　그러나 아즉까지 中國에서 小說家로 누가 相當한 무게가 잇느냐고 물을 때에는 이 많은 中에서 五六人을 헤인데 不過하게 될 것이다.

　中外에서 다 알게 된 魯迅을 처음 곱는 다음에는 누구를 곱게 될 것인가? 이것은 評家에 따라 各各 다를 것이나 數年 前 周作人氏의 말에 依하면 郁達夫氏가 될 것이라고 하는 것이다. 勿論 魯迅과 郁達夫氏는 그 小說 題材가 判然히 다르다. 魯迅의 作品은 누구나 話題로 삼는 데 아무 꺼릴 것이 없고 더구나 그 作品에는 女子를 取扱하는 場面이 적고 或은 없음으로 一般 道德을 그 批評의 標準으로 하는 사람도 比較的 高價로 評하며 特히 中國의 國民性, 地方色이 濃厚하므로 外國에서도 好奇心으로 歡迎한 것이엿다. 여기서 郭沫若氏의 말을 비러서 魯迅의 「阿Q正傳」을 評한다면 中國 舊式의 章回小說을 模倣한 것에 不過한 것이지만은 그러나 郭氏의 此 評은 純專히 感情을 떠나서 接受할 수 없는 말이다. 그는 如何間에 郁達夫氏의 作品은 讀者나 評者가 忌避할 點이 많은 作品이다. 첫재는 一般이 重大視는 하면서 말하기를 꺼려하는 「性」 問題를 取扱한 까닭이요, 둘재는 作品 全體에 明朗한 將來와 目的을 成就한 理想이 없는 것이요, 셋재는 作品에 頹廢的 氣分이 濃厚한 까닭이다. 그러므로 郁氏의 作品을 惡評한 者도 많거니와 或은 小說로는 高級에 屬한 것을 是認은 하나 그 作品을 云謂하기를 꺼려하고 그 反面에 靑年 讀者層에는 不知不識 間에 많은 讀者와 歡迎을 얻게 된 것이엿다.

　이와 같이 郁達夫氏의 作品은 不利한 條件이 많으므로 外國에도 그렇게까지 紹介되지 못하엿스나 中國文壇에서는 발서 老大家로 相當한 地位에 잇스며 現今까지도 그 作家로서 活動을 繼續하고 最近 氏의 散文은 그 小說에 지지 않게 重要視되며 잇다.

二. 氏의 略歷

　氏는 浙江省 富陽縣에서 出生하엿다. 집안은 貧寒한 便이요, 일즉 父親을 잃고 氏의 長兄도 日本 留學生이며 家庭은 比較的 敎養 잇는 便이다. 氏는 어려서 才能이 出等한 셈이며 다른 中國文人과 같이 中國 古詩文에 對한 素養이 많은 模樣이다. 어려서 부끄럼이 많고 性의 發育이 比較的 鈍하엿고 當時 小學 時代에는 年齡이나 體格이 全校에서 第一 적엇다 한다. 그때 小學校에는 年齡이 많은 者는 三十 左右나 되엿다 하며 氏는 年末에 成績이 좋와 一年을 뛰여 올라갓다 한다. 그때의 逸話로 滋味잇는 것이 잇스니 이것은 곧 그 家庭이 貧寒한 것을 推測할 수도 잇스며 後日 氏의 性格과 作品에 많은 影響을 밎이게 한 것 같이 생각된다. 學校에서 一年을 뛰여 올라가니 少年의 마음은 如干 기쁘지 않하야 學校 制服 밑에 가죽 「구두」를 퍽으나 신고 자워서 寡婦인 自己 母親의게 사달라고 졸랏다는 것이다. 그러나 一二元이면 사는 「구두」지만은 그 母親의게는 一二元도 없어 商店을 돌아단이며 외상으로 달라고 하면 다 고개를 내흔들엇다는 것이다. 그 母親은 집에 돌아와 그 아들의 所願을 채우기 爲하야 衣服을 꾸려가지고 뒤ㅅ門으로 나가는 것을 郁氏는 뛰여가서 그 母親의 손을 잡으며

　「어머니, 어머니! 가지 마세요! 저는 신지 않겟서요. 구두를 신지 않겟서요!……」하고 울엇다는 것이다. 두 母子는 大聲痛哭을 하게 되자 이웃에서 사람들이 나와 그 內幕을 다 알게 되엿다는 것이다. 그 母親이 衣服을 꿀여 가지고 앞門으로 나가지 못하고 뒷門으로 나가는 것은 無論 전당포로 가렷든 것이다. 이 風波가 잇는 後로 氏는 구두를 신지 않을 뿐 아니라 衣服이나 用工를 새것을 쓰려 하지 않고 熱心으로 工夫를 하엿스며 同學 中에 貧困者와 서로 往來하고 돈 잇는 者와 商人을 仇視한 것도 이때부터 始作되엿다는 것이다. 그때 十一二歲에 不過하엿지만은 이 風波를 격근 後로는 宛然히 어

룬같엇섯고 現在까지 이 怪癖한 性格을 고칠 수가 없다는 것이다.

——氏의 自傳 「書塾과 學堂」篇에서

小學을 卒業하든 十四歲 時에 異性의 그리움을 깨달엇다 하며 杭州의 中學校에 入學하엿다가 嘉興中學으로 또 다시 杭州中學으로 돌아와 在學 中에는 「怪物」이란 別名을 가지게 되고 퍽으나 孤獨하게 지냇다는 것이다. 그때 「滄浪詩話」, 「白香詞譜」의 影響으로 詩詞에 趣味를 가지되엿스며 이때부터 新聞에 投稿를 하야 發表도 되엿다는 것이다.

이때는 正히 淸末의 崩壞期에서 悲忿 感慨한 事實과 消息을 恒時 듣게 되야 氏의 文章에나 姓格[04]에 밋인 바 影響이 적지 않하엿다는 것이다.

一九一一年 十七歲 時에 日本으로 留學을 가서 翌年에 東京弟[05]一高에 入學한 後로 郁氏는 西洋文學과 接觸하게 되고 露西亞, 獨逸 作家의 作品을 四年 동안에 一千 餘部를 讀破하엿다 한다.

氏는 一九二一年에 中國 全國 靑年을 震動식힌 「沉論」을 創作하엿섯다. 이 作品은 우에서 말한 것과 같이 氏의 傾向을 表示하는 것이며 많은 惡評과 辱說과 歡迎을 받은 作品이다. 「完全히 病態의 靑年의 센치멘탈한 性의 苦心을 描寫한 것이여서 中國의 舊禮欷[06]에 猛烈한 炸彈을 던진 것이엿다. 作者의 大膽 無畏한 것이 當時 靑年의 熱愛를 받엇스며 「情慾의 憂鬱」을 描寫한 一部 典型 作品이다.」[07]

---

04 '性格'의 오식이다.

05 '第'의 오식이다.

06 '舊禮敎'의 오식이다.

07 凌梅, 「郁達夫小傳」, 賀玉波 編, 『郁達夫論』, 上海光華書局, 1932, 2쪽.

一九二二年에 日本에서 도라와 郭沫若, 張資平, 成仿吾, 王獨淸 等으로 創造社를 創辦하야 「創造週報」, 「創造孝刊[08]」 等을 出版하고 많은 文章을 發表하엿스며 一九二三年에 「蔦蘿集」을 出版하엿다.

그 後의 作品도 擧皆 「沉淪」과 같은 傾向을 가진 것이며 或은 自己의 實感, 自己의 身邊事를 描寫한 것이엿다.

一九二三年 北京大學에서 教鞭을 다잡은 일이 잇스며 一九二五年 武昌大學에서 教授로 지내고 廣東大學에서 教授한 일도 잇섯다.

郁氏는 本來 舊式 婚姻의 蔽害를 입은 者이나 現代 舊式 婦女의게는 도리혀 그네들 自身의 허물이 아니라고 同情의 態度를 가지며 一九二六年—— 一九二七年에는 王映霞女士와의 變愛 歷史를 記錄한 日記를 「日記九種」이란 題下에 出版하고 그 後로 氏의 精神上에도 多少 光明이 빛인 것 같다는 것이다.

氏는 「創造月刊」, 「洪水」, 「大衆文藝」 等을 編輯한 일이 잇고 革命文學에 加擔한 일도 잇섯스나 根本的으로 革命文學 集團에 參加할 可能이 없어 끝끝내 退出하엿든 것이다. 一九二八年에는 魯迅과 「奔流」라는 雜誌를 編輯한 일도 잇섯다.

氏는 現在 三十七八歲라고 한다.

三. 氏의 著作表

「達夫代表作」(短篇小說選)

---

08 '創造月刊'의 잘못이다.

「日記九種」

「迷羊」(長篇)

「蜃樓」

「寒灰集」——內容「茫茫夜」,「秋柳」,「采石磯」,「春風沈醉的晚上」,「零餘者」,「十月初三⁰⁹」,「小春天氣」,「薄奠」,「給一個文學的青年的公開狀」,「烟影」,「一個人在途上」.

「鷄肋集」——「沉淪」,「南遷」,「銀灰色的死」,「胃病血液¹⁰」,「蔦蘿行」,「還鄉記」,「還鄉後記」.

「過去集」——「過去」,「淸冷的午後」,「風鈴」,「中途」,「孤獨」,「懷鄉病者」,「靑烟」,「秋河」,「落日」,「離散之前」,「海上通信」,「一封信」,「北國的微音」,「給洙¹¹若」,「寒宵」,「街燈」,「祈願」,「南行雜記」.

「薇蕨集」——「二詩人」,「故事」,「逃走」,「紙幣的跳躍」,「在寒風裡」,「燈蛾埋葬之夜」,「感傷的行旅」,「楊梅燒酒」,「十三夜」.

「地¹²是一個弱女子」(長篇小說).

「小說論」

「奇雲集」

「敝帚集」

「文學槪論」

「戲劇論」

09　'十一月初三'의 잘못이다.

10　'胃病」,「血液'의 잘못이다.

11　'洙'는 '沫'의 오식이다.

12　'她'의 오식이다.

「拜金藝術」(飜譯, 싱클레야 著)

「小家之伍」(飜譯, 歐米小說選)

「履痕處處」(散天[13]集)

四. 氏의 作品에 對한 批評

氏의 作品은 그 傾向이 우에서 말한 것과 같이 特別하므로 그에 對한 批評도 여러 가지엿스며 中國 新文壇의 初期이엿스므로 藝術의 範疇가 狹限되고 各異하야 惡評, 好評이 沸騰하엿든 것이다. 그러나 「沈論」이 出版되자 惡評을 하는 者가 大部分이엿고 오즉이 周作人民[14]만이 「沈論」은 確實히 藝術 作品이라고 評하엿든 것이다. 四面八方에서 「淫藝한 文字」이니, 「精神病者의 獨白」이니 하고 毒評을 받다가 周作人氏의 了解잇는 評을 받을 때 氏는 퍽으나 感激에 넘첫든 것이다. 그러므로 氏의 代表에는 그 頭面에 自己의 作品에 對하야 好意로 批評한 周作人氏의게 바친다는 意味의 말이 적혀 잇다.

以下에서 몇 評家의 그 作品에 對한 評論의 重要 部分을 摘出하기로 하며 첫재로 周作人氏의 「沈淪」評의 要點을 들어 보겟다.

> 「이 集(沈淪) 안에 描寫한 것은 靑年의 現代的 苦悶이라고 하는 것이 더 確實할 것 같다. 生의 意志와 現實의 衝突은 一切 苦悶의 基本이라. 사람은 現實에 滿足하지 않으며 또 空虛에 逃

---

13 '散文'의 오식이다.

14 '民'은 '氏'의 오식이다.

避하는 것을 기꺼하지 않고 亦是 이 堅冷한 現實 中에서 그 얻지 못할 快樂과 幸福을 찾는 것이다. 現代人의 悲哀와 傳奇 時代의 것과 같지 않은 點은 곧 여기에 잇다. 理想과 實社會의 衝突은 本來 苦悶의 한아이다. 그러나 그는 完全히 憂[15]獨立할 수가 없음으로 「南歸」의 主人公과 「沈淪」의 主人公의 鬱病[16]은 結局 한가지 것이 아니라고 나는 생각한다. 著者가 이 描寫에 잇어서는 차므로 成功하엿다. 所謂 靈肉의 衝突은 原來 情欲과 迫壓의 對抗이요, 決코 靈이 優하고 肉이 劣하다는 批評의 意思를 包含한 것은 아니다. 實情을 말하자면 超凡入聖의 思意은 도리혀 우리 凡夫의게는 조금 距離가 머—ㄴ 것이여서 十分 理解할 수가 없다. 例를 들면 中古詩 中의 「푸라톤닉 러부」를 우리는 性의 崇拜라고 解釋하지 않으면 自欺한 飾詞라고 疑心하지 않을 수 없다. 우리가 이 小說의 藝術的으로 써낸 衝突을 鑑賞할 때에 그 어느 一面이 勝利하엿다던지 그 寓意를 指摘할 것은 없는 것이다. 그의 價値는 無意試[17] 中에 自己를 展開하고 藝術的으로 昇華한 色情을 描寫한 데 잇고 이것이 곧 眞摯과 普通의 所在이다. 所謂 猥褻한 部分에 이르러서는 文學의 價値를 損傷하는 것이 아니다.」

——「沉淪」(周作人)에서[18]

---

15 '憂'자가 잘못 기입되었다.

16 '憂鬱病'의 잘못이다.

17 '無意識'의 잘못이다.

18 仲密,「沉淪」,『晨報副鐫』 1922.3.26.

다음에 氏의 長篇小說 「迷羊」에 關한 評論을 一二節 翻譯하야 氏의 作品에 對한 觀察을 하기로 하자. 迷羊은 比較的 後期의 作品이여서 亦是 많은 讀者를 가젓든 것이다.

「作者가 「迷羊」 안에 써낸 것은 「迷羊」 以前의 作品에서 발서 다 써낸 것이다. 情感은 以前의 情感이요, 作風도 以前의 作風이다. 千遍一律이여서 조금도 다른 것이 없다. 「沉淪」을 읽으나 「秋柳」를 읽으나 「迷羊」을 읽으나 그 前後를 分別할 수 없고 새것을 區別며 수가 없다. 우리가 文學家에 對한 要求는 時時로 우리에게 新生命의 作品을 달라는 것이다. 「迷羊」은 新生命의 表現이 아니요, 舊情感의 遺留이다.

「迷羊」에서 우리는 社會의 缺陷 或은 滿足을 볼 수가 없고 또는 人類의 苦悶과 歡樂를 볼 수도 없다.

兩性의 或은 階級의 鬪爭을 表現한 것도 없고 또는 舊道德의 或은 權威의 反抗을 表現한 것도 없다. 新舊 時代의 衝突도 아니요, 理意과 衝突도 兩 世界가 서로 容納할 수 없는 葛藤도 아니다. 六七萬字의 「迷羊」은 作家의 表現하려 한 것이 무엇인가를 알 수가 없다. 庸碌한 「迷羊」 中의 王先生은 「迷羊」의 藝術價値와 조금도 다름이 없다.」

——劉大杰氏의 「郁達夫와 迷羊」에서[19]

「迷羊」은 그의 最近 著作의 一篇 小說이다. 以前의 「蔦蘿集」,

---

19 劉大杰, 「郁達夫與迷羊」, 『寒鴉集』, 啓智書局, 1928, 35쪽.

「沉淪」兩篇에 比較하면 큰 進步가 잇다. 왜 그러냐하면 前 兩篇은 다못 孤身의 悲哀, 女性의 渴慕 戀情을 爲하야 난 病狀과 瘋狂態度를 그려낸데 不過하엿스나 後者는 放蕩한 愛情生活 中의 兩大兩[20]机를 顯出한 것이여서 前 兩篇과 合한다면 一部 퍽으나 完全하고 美好한 大作品이 될 것이다. 이 一篇 小說이 暗示하는 兩大 危机는 곧 (一) 兩性 愛情이 美滿한 中의 生活問題, (二) 兩性 愛情이 美滿한 中의 性慾의 節制問題이다. 이 小說의 男主人公이 生活問題와 無節制한 性慾으로 因하야 그 愛人이 不得不 辛酸함을 참으면서 그를 떠나 自己의 獨立 生活을 꾀하고 兼하야 그(男子)의 生命을 救濟하려 하는 것이다. 그들의 이런 結局은 얼마나 不幸하고 苦痛스러운 것인가. 「迷羊」의 讀者여, 당신들은 이곳을 注意하고야 차므로 그의 背景을 了解한다고 말할 수 잇슬 것이다」.

——邵洵美氏의「迷羊」에서[21]

---

20 ‘危’의 잘못이다.

21 정보가 잘못 되었다. 賀玉波, 「郁達夫與『迷羊』」, 賀玉波 編, 『郁達夫論』, 上海光華書局, 1932. 139~139쪽.

中國의 隨筆文學[01]

丁來東

今日에 隨筆文學이라고 할만한 作品이 中國에는 어느 時代붙어 잇섯는 가? 이에 對하야는 여러 가지 說이 잇다. 或은 先秦 諸子의 短文을 드는 사람 도 잇고 或 周作人과 같은 「옛세이스트」는 魏晉의 散文에서 비로소 情感이 包有된 散文을 發見할 수 잇다고도 말한다. 그러나 隨筆文學이 가장 發達한 것은 亦是 明末의 『公安』, 『竟陵』 兩派에 依하야서이고 그 後로는 中國 現 文壇의 隨筆文學일 것이다.

現代中國의 隨筆文學이 外國의 隨筆에 影響받은 것은 더 말할 것도 없지 만은 隨筆은 詩歌와 마치 한가지로 그 用語에 洗練이 없이는 그 目的을 達할 수 없는 것이여서 自然 中國의 傳來하여 온 古文의 長點을 吸收하지 않고는 現今에 잇서 到底히 成功할 수 없는 것이다.

그러므로 現代의 中國 隨筆家는 大部分이 中國 古文學에 素養이 깊은 者 들이여서 中國文學의 妙味를 能히 鑑賞할 수 잇는 者이며 或은 能히 그와 같 이 模作할 수 잇는 者들이다. 現代의 中國 隨筆이 白話이면서 容易하게 白話

01   『新朝鮮』 제12호, 1935.8.

化하지 못한 原因은 完全히 白話의 簡潔과 深奧한 妙味를 아즉 發見하지 못함에 잇스리라고 생각한다. 生動한 感情을 死枯한 古文만으로 表現할 수 없거니와 平板한 白話만으로도 表現할 수 없음으로 現代의 隨筆은 自然 그 中間을 거러나가는 것이다.

여기서 古來의 隨筆文學을 槪論할 수는 업거니와 現在의 隨筆家의 特徵과 그 槪畧을 叙述하여 볼까 한다.

以下는 『中國新文學運動史』[02]에 依據하야 譯述하려 한다.

新文學 初期의 散文 作家는 魯迅과 그 弟 周作人으로써 代表할 수 잇다. 魯迅의 隨筆은 冷嘲와 詼諧로 特色이 잇고 周作人은 『휴머』, 淸俊한 것이 그의 長點이며, 그네들 兄弟의 隨筆은 大槪 『語絲』와 『晨報副刊』에 發表하엿섯는데 一般人의 歡迎을 받앗섯스며 이 一派 文体의 風氣를 開拓하게 되엿섯다. 그 後로 俞平伯, 朱自情[03], 孫福熙, 徐志摩, 林語堂, 瞿秋白, 章衣萍, 鄭振鐸, 葉紹鈞 等이 나와 다 一集 或은 數集이 出版되엿스며 各各의 獨特한 作品을 가지고 잇으나 大体로 보다면 周氏의 兄弟에 比하야 多少 遜色이 잇는 셈이다. 以下에 重要한 散文 作家를 分論하기로 하겟다.

魯迅——魯迅의 散文集으로는 『熱風』, 『華蓋集』, 『而己集』, 『三閒集』 等이 靑年의 가장 愛讀하는 作品들이다.

그의 筆鋒은 譏諷을 띄게 되고 그 속에는 血淚가 包含되여 잇다. 그 態度는 퍽으나 冷峻하나 그 冷峻한 가운데 同情이 잇다. 氏는 한 醫師가 『老大中國』의 宿病을 詳細하게 診察하는 것 같이 그의 銳利한 眼光은 사람의 肺腑를 드려다 보는 것이다.

02　王哲甫, 『中國新文學運動史』, 北平杰成印書局, 1933.9.

03　'朱自淸'의 오기다.

氏의 作品은 冷刻하고 銳利하면서도 一種 滑稽한 諷刺를 띠게 된다. 그 文体는 歐米化한 筆体이여서 中國에서는 實로 特創이다. 此種 文字는 보기에 平淡한 것 같으나 實은 深刻하고 詼諧한 것 같으나 實은 莊嚴하다. 每字 每句가 다 深刻하게 人心에 浸入하는 文章이다. 氏는 巧比善喩의 方法과 精切 有力한 成語를 그 散文에 쓰는 것이다.

周作人――氏는 乃兄과 같이 散文上에 有名하다. 氏의 散文集『自己의 園地』,『雨天的書』,『談龍集』,『談虎集』,『澤論集[04]』等은 그 筆致가 平淡輕妙하야 따로 一種 風格을 이루고 잇다. 또 處處에서 氏의 人道主義의 情調를 流露하고 잇다. 氏의 散文集 中에는 文藝短評, 隨筆 等 類의 文章이 잇는데 이 것은 다 氏의 課務 外에 쓴 것이다.

氏의 創作目的은 무엇인가? 氏의 著『自己의 園地』序 中에는 이러한 말이 잇다.

> 『이 五十篇 散文은 決코 무슨 批評이 않이고 그저 紙上에 쓴 談話에 不過하다.……나는 이런 글을 다른 사람의게 用處가 잇거나 或은 多少의 快悅을 줄 수 잇다고 생각하지는 않고 그저 凡庸한 自己의 一部分을 表現하려 하는데 不過하다. 이外에는 다른 目的이 업다.』

이 말은 謙遜한 말이겟스나 그가 抒寫한 것은 그의 心靈 中의 吐露한 말이여서 조금도 억지로 自己를 表現한 것이 않인 것은 否認할 수 업는 것이다. 氏의 作品은 많이 敎材로 選擇되여 잇다.『사람의 文學』,『平民의 文學』,

---

04 ‘澤瀉集’의 잘못이다.

『地方과 文藝』,『古文學』,『讀京華碧血錄』等은 다 思想이 高尙하고 文辭가 優美한 文章들이다.

俞平伯——氏는 詩人이요, 또 散文 作家이며 또 散文集으로는『劍鞘』가 잇고『雜拌兒』,『燕知草』等이 잇고 이外에 여러 사람과『我們의 七月』,『我們의 六月』을 出版하엿는데 그 속에도 적지 안은 散文이 잇다. 俞氏의 文章은 簡潔하고 流利하며 그 筆鋒의 銳利한 點은 魯迅과 비슷하나 魯迅과 같이 滑稽치 않다. 遊記 方面에는『西湖 六月 十八日 夜』,『雪晚歸船』,『陶然亭의 雪』等이 가장 有名하고 文藝 方面에는『文藝雜論』,『讀毁滅』이 見解가 超越하고 文筆이 淸利하다.

朱自淸——氏와 俞平伯은 深密한 友誼가 잇고 創作上에도 氣息이 相涌한 點이 많다. 朱氏의 散文集에 蹤跡, 背影 等 書가 잇는데 文筆이 精練되야 俞氏의 것과 近代에 보기 드문 美文이다.

이 外에 孫福熙의『山野掇拾』,『大西洋의 濱』,『歸航乎05』,『北京乎』等은 다 美麗한 文章이며 瞿秋白의『新俄遊記』,『赤都心史』等이 觀察의 深刻한 것으로 일홈이 잇다.

書信体 散文으로는 氷心의『寄小讀者』, 郭沫若, 田漢, 宗白華와의 合著『三葉集』, 蔣光慈와 宋若瑜의『紀念碑』, 朱謙之와 楊沒累의『荷心』等이 或은 文藝를 論한 것이며 或은 愛情을 抒寫한 것이여서 散文 中에 相當한 勢力을 佔하고 잇다.

——以上은『中國新文學運動史』에서 大部分 抄譯한 것이며 最近의 散文에 關하야는 다른 機會로 미루기로 한다.

---

05 '歸航'의 잘못이다.

文壇 肅淸과 外國文學 輸入의 必要[01]

丁來東

(一)[02]

文壇도 사람이 모여서 運轉하는 것인지라 恒時 騷音이 날 것은 勿論이겠으나 現今과 같이 定期 出版物이 墮落하고 作品이 低級化하고 쓸 데 없는 것으로 서로 相爭하는 때는 아마 드물 것이다. 나는 以下에 肅淸되어야 할 것을 몇 가지 적어 보려 한다.

흔히 文學을 一面的으로 解釋하여서 그에 벗어난 種類의 作品, 批評은 그저 덮어노코 異端과 같이 알며 文學 以外의 것으로 밀어내려고 한다. 그러나 文學의 範圍는 그러케 極限된 것도 아니며 또한 그러케 極限되어 잇으려고도 하지 안는 것이다. 이러한 主張을 가진 사람은 흔히 文學을 統制하야 自派의 專用物로 私有하려고 努力하며 文人을 兵卒과 같이 一人의 軍呼下에 體操를 시키려 한다. 그러나 多方面한 人生을 表現하는 文學은 決코 一面的 觀察에만 滿足하지 안코 恒時 막히어 잇는 『울』을 벗어나가는 것이다. 이러한 境遇에 文壇에는 大論戰이 일어나게 되며 派別이 잇게 된다. 朝鮮文壇에

---

01 『東亞日報』 1935.8.2, 8.4, 8.6~8.7, 석간 3면.

02 매회 연재분 표기로서 4회에 걸쳐 연재되었다.

도 過去 二三年과 같이 이러한 派別이 甚하지는 안흐나 暗暗裡에 全然 없다고 볼 수도 없다. 그러나 現今에 이르러서는 理論은 枯渴되고 現實의 觀察은 淺薄하여서 귀를 기울일만한 論爭 主張은 없어지고 한갓 騷雜한 亂音에 不過하다. 今後 朝鮮文壇에는 自然 內容이 없고 感情에 흐르는 此等 騷音이 淸肅될 것이며 淸算되어야 할 것이다.

다음에는 現在 刊行되며 잇는 文藝誌 或은 其他 月刊誌에 大淸潔을 할 必要가 있다. 勿論 雜誌의 全部가 그런 것은 아니겟지마는 大部分은 每月 作品 아닌 作品이 실리거나 그러치 안흐면 現實이 달라진 幾年 前 作品을 再錄하는 것이다. 勿論 單行本으로서 그 前 作品을 整理하는 것은 贊揚할 바이겟으나 실을 作品이 없고 雜誌 販賣의 政策으로서 名人의 作品을 羅列하기 爲하야 過去의 作品을 再錄한다는 것은 唾棄할 바이다. 作家의 力量으로 본다면 現下 二三 文藝誌를 維持할만은 하다. 그럼에도 不拘하고 相當한 作品을 실지 못한 것은 作家에게 의례히 하여야 할 待遇 問題를 等閑히 한 것과 編輯子의 狹量으로 因하야 各方의 作家를 抱擁할 힘이 없는 까닭일 것이다. 이러한 事實을 알지 안흠이 아니겟지마는 現在 文壇의 雰圍氣는 그런 것을 痛擊할 處地에 서지 못한 모양이다. 그러나 朝鮮文學에 조금이라도 關心한다면 忌憚없이 이러한 傾向을 排擊하여야 할 것이다.

旣成作家 或은 中堅作家까지가 그러한 雜誌에 실는 作品은 無責任하게 쓴 것이 적지 안타. 우리는 作家에 따라서 作品을 評價할 수가 없고, 雜誌에 따라서 作品을(同一한 作家의 것이라도) 評價하게 될 만콤 作品의 優劣이 잇다. 우리는 이러한 것을 볼 때에 作家의 良心問題도 疑心하지 안흘 수 없거니와 또한 作家, 作品에 對한 出版業者의 待遇問題에도 그 原因이 없다고 볼 수 없다.

우리는 創作欄을 볼 때 흔히 이 作品들은 同一한 水準의 것이라고까지는 생각지 안치마는 그래도 어떠한 水準以上의 것이거니 하고 豫測한다. 그러나 그 中에는 돌만 한 무더기 잇는 수도 잇지마는 間或 玉石이 섞여 잇는 때가 만타. 이것은 編輯子의 不注意도 잇겟으나 新進作家의 選拔을 너무나 自己 知己 中에서 고르는 까닭도 잇을 것이며 或은 編輯者 自己의 駄作 或은 未熟品이 끼어 잇는 것을 볼 때에는 苦笑를 禁할 수 없는 境遇가 만타.

評壇에 잇어 그 不振한 것은 더 말할 것도 없거니와 間或 잇다 하드래도 今日에는 甲派의 理論을 抄襲하고 明日에는 乙派의 主張을 宣傳하야 自己 撞着을 일으킨 것은 항 다반 보는 바며 『過去의 差誤를 淸算한다』는 一語는 그런 評家의 自己 無知를 掩護하는 唯一한 符語가 되어 잇다.

(二)

또 文學 各 部門을 나누어 본다면 亦是 論評하고 肅淸할 點이 만흐나 그 동안 各 誌紙의 小評에서도 指摘한바 만헛으므로 ――히 例擧하는 것을 畧하고 以下에 그 肅淸할 수 잇는 具體的 方法을 들까 한다. 勿論 以上의 諸點을 匡正하는 데는 文壇에 關係한 諸氏가 各各 注意하는 外에 別道가 없을 것이다. 그러나 이것은 漠然한 말이요, 筆者의 意見으로는 評家의 公正한 批評이 不斷하게 發表되어 無責任한 作家, 出版業者, 未熟한 作品에 一大 斧鉞을 加하는 것이 가장 效果的일 것이며 一般 紙面은 그네들에게 公開되어야 할 것이다. 한때의 論戰으로因하야 모든 發表 機關이 封鎖된다던지 或은 自我의 意見이 잇음에도 不拘하고 發表할 紙面이 없어 抹殺된다던지 하는 일이 잇어서는 文壇 進展을 爲하야 가장 不幸한 일이다. 이러한 것은 中國文壇에는 퍽으나 自由스럽다고 볼 수 잇다. 中國의 紙誌는 모든 反對되는 意見을

同一한 紙誌에서 取扱하야 讀者에게 그 判斷을 바라는 例가 만타.

　現下 朝鮮文壇은 그 散亂하고 墜落된 部分을 肅淸하지 안코는 이러타는 進展을 바랄 수 없다.

　筆者는 首題에 말한 것과 같이 目下의 急務로 文壇의 不純한 雰圍氣를 肅淸할 것과 『外國文學 輸入의 必要』를 들엇다.

　『文壇肅淸』에 關한 것은 不充分하나마 大槪 우에 말한 것으로써 끝을 맺고 以下에서는 主로 『外國文學 輸入의 必要』를 말하는 中 一般으로 外國文學 輸入의 必要와 그 部門을 畧論하고 끝으로 中國文學의 輸入할 必要가 잇는 것에까지 言及할까 한다.

　外國文學 輸入은 一般으로 自國의 文學이 落伍한 까닭에 必要한 것 뿐만 아니다. 그 顯著한 例로서는 英, 佛, 米, 獨 等 國文學이 其他國의 文學에 遜色이 잇서서 輸入하여 들인 것은 아이다. 그러타고 하야서 英, 佛, 米, 獨의 文學은 그 全部가 其他國의 것보다 낫다고 말하는 것은 아니다. 一般 水準이라던지 文學遺産이라던지 現在의 作家, 作品이 다른 나라보다 優秀하고 多量이라는 말이다. 文學作品은 嚴格한 意味에서 말한다면 다른 作家의 作品을 比較하야 그 優劣을 判斷하기가 極難하다. 어떠한 水準以上의 것은 그 優劣을 判斷한다는 것이 不可能한 일이다. 現代 朝鮮作家의 것도 다른 나라 作家의 名作, 傑作 以外의 作品보다 優秀한 作品도 잇을 것이며 또한 그 名作, 傑作에 遜色이 없는 作品이 없다고 말할 수도 없다. 中國은 新文學에 잇어 其他國에 떠러지는 便이지마는 그래도 몇 作品은 世界文學의 水準에 훨석 벗어난다는 것은 누구나 다 公認하는 바이다.

　以上의 理由만이 外國文學을 輸入하는 主要原因은 아니다. 外國의 文學도 여러 方面으로 서로 關係가 깊으며 普通으로 世界 各地의 人情, 社會, 情勢를 아는 데도 도음이 만흘 것이다.

더구나 朝鮮과 같이 過去의 文學遺産이 豊富치 못하고 그 傳統이 現 文學에 寄與되지 못한 이때에 잇어 또한 現代 朝鮮作家의 私淑한 作家가 擧皆 外國作家임에야 그 必要는 더 말할 것도 없을 것이다.

그러나 그 輸入하는 方法에 잇어 過去의 것은 그리 效果가 적은 것이엇다고 말할 수 잇다. 過去의 外國文學 輸入은 簡單한 紹介의 程度를 벗어나지 못하엿다. 우리는 長篇의 創作을 飜譯하여 들인 것이 거의 全無하고 그저 梗槪나 쓰고 再紹介하는 데 그첫을 뿐이다. 또 우리 文壇에서는 말하자면 創作만이 永久性이 잇고 評論이나 批評은 一時 一時의 군소리나 하고 漫罵나 하는 것으로 여기는 傾向이 잇다. 그러나 評論, 批評도 創作과 同一하게 重要性이 잇는 것이다. 이러한 意味에서 外國 評論家의 評論을 全譯할 必要가 잇다. 外國 評論界의 用語에 對하여도 우리는 아즉까지 確然한 譯語조차 없는 것이 적지 안흐며 그 理論의 核心을 捕捉한 紹介조차 퍽으나 적엇엇다.

(三)

그런데 不幸히 朝鮮文壇에서는 外語로 書籍을 보는 것을 便利하게 생각하고 外語로 創作을 쓰고 論評을 하고 紹介할 수 잇도록 外語에 能한 것을 希望하며 그 水準이 높은 것으로 생각하는 傾向이 잇다. 이러한 傾向은 外國文學을 輸入하는 데 利益되는 反面에 또 큰 妨害가 되엇다.

우리는 흔히 外語로 表現할 수 잇는 것을 朝鮮말로는 알지 못하는 것이 만흐며 따라서 外語로 읽을 수 잇는 書籍을 朝鮮말로 飜譯할 能力이 없는 學者, 作家가 만타. 또한 過去의 惡譯은 一般에게 飜譯에 對하야 『難解』, 『不通』하다는 豫感을 가지게 하여서 飜譯을 阻止케 하는 例가 적지 안타. 따라서 一般 誌紙 出版界에서는 飜譯物을 嚴禁하다싶이 되어 잇고 그저 外國에서 紹介된 것을 盜用한 것 或은 그 問題의 中心點을 捕捉치 못한 橫說竪說로 紙面을 채우고 잇다.

이러한 傾向은 確實히 文學方面에 잇어 그 進展을 阻止하는 큰 原因이 된다. 飜譯은 外國文學 輸入의 全部 條件은 아니나 가장 重要한 任務를 띠고 잇는 것이다. 朝鮮文壇에서는 外國文學의 조흔 飜譯이 出現하기 前에는 조흔 作品이 出現할 수 없다고까지 斷言하고싶다.

이에 對하야 中國의 文壇을 볼 때에는 模倣할 點이 퍽으나 만타. 어느 나라를 勿論하고 文學이 旺盛한 나라는 外國文學에 가장 만히 關心한 나라일 것이다. 손쉽게 例를 든다면 日本의 文壇을 들 수 잇으며 過去 及 現在에 잇어 그 飜譯運動의 旺盛한 것은 오늘날 文壇의 現狀을 나타나게 한 主要原因이 될 것이다. 中國文壇에 잇어서도 朝鮮文壇에서보다는 飜譯을 퍽으나 重要하게 녀긴다. 그네들은 外國文學 輸入의 必要를 痛切하게 느낄 뿐 아니라 그것을 實行하고 잇다. 그네들은 飜譯을 紙誌에서 容納할 뿐만 아니라 어떠케 飜譯할 것을 論議한다. 그네들은 重譯, 三重譯을 辭하지 안흐며 惡譯을 指摘하는 데 게을리 하지 안는다. 中國文壇에는 飜譯이 만흔 만큼 誤譯도 不少하다. 그러나 出版物이 만흔 그네들은 創作이나 評論이나를 勿論하고 現在인 文人으로서는 그 만흔 紙面을 채워갈 수가 없으므로 自然 未熟한 飜譯物이 登場하게 되는 理由도 잇다.

朝鮮의 一般 讀者는 外國 名作의 飜譯보다는 創作이라고 이름 부치기조차 어려울 程度의 創作을 더 歡迎하며 價値잇게 안다는 傾向이 잇다고 말한다.

中國에서는 過去 新文學運動이 일어난 後로 歐米 諸國의 名作을 飜譯하여 드리는 데 汲汲하엿엇다. 小說, 戱曲, 評論 等 長篇, 難解의 것을 莫論하고 大槪 飜譯하여 드렷다. 萬若 朝鮮에서 現今 아리스토틀의 詩論을 飜譯하야

文藝雜誌 或은 一般雜誌에 실린다면 퍽으나 우습게 알 것이다. 그러나 中國에서는 그 譯文이 正確한가 正確하지 못한가를 問題삼을 뿐이요, 時流인가 아닌가는 그리 問題삼지 안는다. 創作 飜譯도 亦是 그러하다. 萬若 朝鮮 誌紙에서는 十七, 八世紀의 作品 特히 現代에 流行하지 안는 作家의 것을 譯載한다면 一般 讀者도 唾棄하려니와 그 몬저 『쩌날리즘』의 末稍만을 取하는 데 怜悧한 編輯者는 실지 안흘 것이다. 이러한 傾向은 外國文學 輸入에 支障이 되지 안는 바 아니다.

現在 中國 出版界에서는 一般 誌紙만이 飜譯物을 多量으로 실을 뿐 아니라 『譯文』이란 純全한 飜譯만을 실은 日刊誌[03]까지 잇다. 朝鮮에 잇서도 飜譯을 多量으로 실를 수는 없다 하드래도 조흔 飜譯을 拒否하여서는 안될 것이며 讀者도 따라서 飜譯의 重要性을 再認識하지 안흐면 안될 것이다.

飜譯은 外國 것을 朝鮮말로 移植하는 것만 必要할 뿐 아니라 朝鮮 것을 外國語로 譯出하는 것도 여러 가지 意味로 必要한 것이나 이것은 本題의 問題 以外의 것이므로 여긔서는 그만두고 以下에서는 外國文學 輸入의 必要한 一例로서 中國文學 輸入의 必要를 말할까 한다.

(四)

一般으로 外國文學을 輸入하는 데는 그 態度가 同一할 것이나 朝鮮에서 中國文學을 輸入하는 데는 그 歷史가 길고 中國의 情勢가 朝鮮과 비슷한 點이 만흔 만콤 여러 가지 注意할 點이 만흘 것이다.

---

03 이 잡지는 1934년 9월에서 1937년 6월까지 발간된 월간지이다.

첫재, 外國文學을 輸入하는 때는 部分的으로 正確하고 深奧한 것도 必要하나 또한 槪括的이요, 그 全面的 狀況을 等閑히 하여서는 안될 것이다.

過去 朝鮮에서 中國文學을 輸入할 때에는 그러한 弊害가 만하엿섯다. 思想方面에 잇서서도 半面의 것을 輸入하야 思想界를 偏狹케 하엿섯고 文學에 잇어서도 亦是 그리하엿섯다. 이러한 弊害는 外國文學을 無批判하게 輸入한 까닭이다. 外國文學을 輸入하여 드릴 때 重要 條件은 一般學說을 輸入하여 드릴 때와 같이 그 全貌를 그대로 틀림없이 紹介한 後 그 學說, 作品에 批評을 加하고 다른 것과 比較研究를 할 必要가 잇다. 最近에도 外國文學을 輸入할 때 盲目的으로 無批判하게 받아드리므로 朝鮮社會 情勢와 判然히 다른 것을 억지로 合理化시키는 例가 不少하엿섯다.

이런 것은 한 文學理論에 對한 理解가 不足하고 批判的 態度를 取하지 안하엿슴으로 因하여서일 것이다.

우리는 特히 中國文學을 輸入할 때 以上의 諸 點을 特히 注意할 必要를 느낀다. 過去 數百年 間 朝鮮에서는 漢文을 文學上 用語로 쓰게까지 中國文化의 影響을 받앗든 것이 事實이다. 現在에 잇서 過去의 業蹟을 본다면 部分的이엇고 修辭學的이잇으며 盲從的이엇엇다. 그러므로 中國의 『詞』, 『歌謠』, 『戲曲』 같은 것은 間或 輸入은 하엿으나 極히 少數엇엇고 文學史를 無視하엿음으로 中國文學에 對한 系統이 없엇다. 그리고 中國의 『詩』는 朝鮮에 잇어 그저 模倣한 데 끄첫을 뿐이요, 獨創이 적엇섯다. 過去 朝鮮에서는 中國文學을 崇拜하엿을 뿐이며 模倣하는 것으로써 能事를 삼앗고 그것을 輸入하여서 自己 文學의 糧食으로 쓰지를 못하엿엇다. 現在의 우리는 中國文學을 輸入할 때 그러한 態度를 取하여서는 안될 것이다. 다른 어떠한 나라의 文學을 輸入할 때에도 過去 朝鮮에서 取하여 오든 盲目的 輸入은 警戒하여야 할 것이다.

歐米 諸國의 文學은 벌서 그 自體內에서 評價가 거의 確立되고 批判이 잇으므로 輸入하는 데 多少 便利한 點이 잇겟으나 中國은 新文學을 除하고는 아즉 整理되지 못하엿으며 그에 對한 批評이 아즉 缺如되어 잇으므로 中國 古代, 近代의 文學을 輸入할 때는 二重의 努力이 必要하다. 그리고 過去에 잇어서는 部分的 鑑賞에 끄첫엇고 道德的 批評에 極限되어 잇엇으므로 現 今의 우리는 그 作品의 中國文學史上의 地位와 다른 作品과의 比較를 게을 리 하지 안하여야 비로소 그 作品의 正當한 面貌를 接하게 될 것이다.

中國 新文學은 그 社會的 背景이 朝鮮과 相似하므로 우리는 그 文學作品 에 잇어 서로 배워야 할 點도 만흘 것이며 서로 共同된 點도 만타. 그럼에도 不拘하고 中國의 다른 方面의 缺點은 文學에까지 그 影響이 밋어서 中國文 學을 等閑히 보고 價値 없는 것으로 보는 傾向이 없지 안타. 그러든 中, 歐米 에서 中國文學의 硏究熱이 甚하여지고 日譯이 漸漸 나면서부터 그러한 傾 向이 減少는 되어가나 아즉도 過去 漢文 文學을 憎惡하든 感情은 只今까지 남아 잇다. 그러나 우리는 이러한 것을 全部 一掃하고 새로운 立場에서 科學 的 方法으로 過去의 態度는 다르게 中國 新舊文學을 輸入할 必要가 잇다고 생각한다.

中國 新文學을 輸入할 때에도 玄海 건너의 出版物에는 亦是 片面的 紹介 가 不少하다.

紹介人의 耆好는 다르겟나 그 種類 文學의 全文壇的 地位와 評價를 달리 하여서는 亦是 過去 盲目的 輸入과 조금도 다름이 없는 效果를 내게 될 것이 다. 우리는 좀 더 具體的으로 全面的으로 體系잇게 外國文學을 輸入하는 것 이 目下 朝鮮文學을 進展케 하는 一大 時急한 問題라고 하지 안을 수 없다.

(了)

新興中國의 映畵[01]

저자 미상

『姉妹花』
上海 明星影片公司 作 톨키―

梗槪

桃哥 夫婦는 그의 안해 大寶의 어머니와 함께 시골에 살고 잇섯다. 大寶에는 누이가 하나 잇섯는데 數年 前 그이 아버지를 따라 他國에 가 잇섯다. 土匪의 襲擊을 避하기 위하야 그들의 一家는 다시 거리에 이사를 가서 夫 桃哥는 木手가 되여 勞働을 하여서 얼마 안되는 收入으로 그날 그날을 사라가고 妻 大寶는 一家를 도읍기 위하야 某 督軍의 第七夫人의 乳母로서 일을 하고 잇섯다.

어느 날 不幸히도 桃哥는 일을 하다가 失手를 하여 그만 놉흔 데서 떠러저서 몸에 重傷을 바덧기 때문에 大寶는 남편의 治療費를 求하기 위하야 主人에게 給料의 一箇月 分을 前借하기를 請하엿다. 그러나 모든 것이 拒絕을 當하고 말엇다.

01　『三千里』 제7권 제8호, 1935.9.

아무리 생각하여 보아야 별도리가 업든 그 녀자는 자긔 남편의 危急을 救하기 위하야서는 하는 수 업시 자긔가 마타 기르고 잇는 어린 아해의 몸에 걸여 잇는 금노리갯 줄(金鎖)을 도적질하고야 말앗다.

大寶의 어머님은 사랑하는 딸이 竊盜의 罪名을 쓰고 監獄으로 붓들여 가게 된 것을 알고 미칠드시 놀나며 法廷으로 달여갓다.

거긔에는 老年의 法官이 이섯다. 이 사람이야말로 밤낫 이치지 안튼 오랫동 行方衛 不明이 되엿든 大寶의 아버지 그 사람이엿다.

그리고 督軍의 第七夫人은 또한 多年間 찻고 잇든 참말의 누이동생이엿다.

이러케 父母와 子息, 姊妹는 서로 意外의 맛남에 깁붐에 넘치면서 여긔에 悲喜劇의 大團圓이 버러진다.

『漁光曲』
上海 聯華公司 作

梗概

詩의 바다 東支那海에서 勞働을 하는 만흔 漁夫들 가운데는 徐福이라고 하는 가난한 家族이 살고 잇섯다.

그들 夫婦 사히에는 쌍둥이 어린것이 잇섯다. 하나는 小猫, 하나는 小猴라고 하야 모다 慈愛스러운 가운데 길니워 나고 잇섯다.

어느 때 暴風이 일어남으로 해서 徐福의 탓든 배는 沈沒되여 그는 溺死하여 버리고 말엇다.

남편을 일흔 그의 안해는 두 어린것들을 길으기 위하야 할 수 업시 어떤 집 乳母로 들어가고 말엇다.

그런지 十八年의 歲月은 흘너가 小猫와 小猴는 한사람의 靑年이 되여 돌아간 아버지의 業을 이엇다.

그들의 어머니가 乳母로서 어린 때부터 길너 낸 何子英 靑年은 水産學 硏究를 目的하고 外國에 留學을 가게 되여 떠나기 即前에 그들에게 만낫다. 小猫와 小猴의 兄弟는 決心하고 눈먼 어머님을 모시고 故鄕을 떠나 上海로 나와 街頭藝人으로써 活動하고 잇는 伯父의 집에 머물너 잇스면서 두 사람은 每日 거리에 나와 伯父의 營業을 도와주엇다.

그들이 부르는 뱃노래(船歌)는 언제든지 만흔 사람들에게서 喝采를 바덧다.

多年의 硏究를 마친 何庚年[02]은 上海에 돌아와서 自己 故鄕으로 돌아가든 途中 自働車 가운데서 小猫들의 부르는 뱃노래를 듯고 두 사람에게 만나 百도루의 돈을 주엇다.

身分에 넘치는 만흔 金額의 돈을 가지고 잇기 때문에 小猫와 小猴는 强盜犯의 嫌疑로서 捕縛을 當하엿고 한편 그의 伯父는 不幸히도 流彈에 마저 失命되고 마럿다.

이 悲報를 알아 듯고 狂人처럼 날뛰든 눈먼 老母는 遇然히도 이러난 火災 때문에 猛火의 犧牲이 되여 버리고 마럿다.

小猫와 小猴에 대한 疑雲은 白日下에 볏겨지고 放免이 되여서 그들은 何子英과 가치 다시금 漁業에 從事하엿다.

그러나 小猴는 病에 걸어서 呻吟하면서 猫의 부르는 슬픈 뱃노래를 들으면서 세상을 떠나버리고 말엇다.

『歡喜寃家』
上海 天一影片公司 作 톨키

梗槪

北平의 名女優 白桂英은 여러 번의 波難 만흔 戀愛의 거츤 물결을 박차버리고 마츰내 注[03]督辨과 結婚하엿다.

그 녀자에게는 일즉이 林子實이라는 戀人이 잇섯다.

汪은 職務 怠慢이라는 理由로서 馘首되여 失職하게 되니 新婚의 두 사람은 남편의 故鄕인 농촌으로 가서 簡素 生活을 하기로 決心하엿다.

그 녀자는 告別을 하기 위하야 自己의 어머님을 차저 갓슬 때 거긔에는 뜻박게도 전날의 戀人이든 林을 만나게 되엿다.

그는 그 녀자의 境遇에 同情의 視線을 던졋다. 어머님의 간곡한 勸言에 움즉여진 桂英의 마음은 두 번 다시 華麗하든 舞臺生活로 돌아가기로 決心하고 말앗다.

汪은 안해의 冷情한 態度에 참을 수 업서 다만 혼자서 쓸쓸하게 故鄕으로 돌아가 버리고 말엇다.

그러나 때는 어느듯 桂英으로 하야금 다시금 覺醒식히고 말엇다.

자긔의 남편의 所在를 안 그 녀자는 그의 뒤를 따러 다시금 幸福스러운 田園의 家庭을 이루웟다.

---

03 '汪'자의 오식이다.

『女人』
上海 藝華公司 作

梗槪

性格과 行動이 各各 다른 王惠芳[04], 金玲, 梁玉芳[05]이란 세 사람의 女性이 잇섯다.

王은 世事, 人情에 通한 女子이고, 金은 意志가 强한 女子이다. 그러고 梁은 술과 색에 그날그날을 보내는 淫蕩하고 虛榮에 날뛰는 婦人이엿다.

그들의 세 女性은 그 生活이 서로 다른 거와 가치 各自의 運命도 또한 그러하엿다.

玉芳[06]은 靑年 會社員 洪小亭이와 結婚하여 딸자식까지 나엇스나 여러 友人을 모와 노코는 밤낫 賭博에 날가는 줄도 몰낫다. 남편 洪은 어떤 酒場의 딴사―와 사랑을 맷게 되여 每月의 給料도 대개 그리로 기우려트러 마츰내 會社에서 免職이 되엿스나 失業 뒤에도 物品을 入質하여서까지 遊興費를 만드러 가지고 情交를 이여가고 잇섯다.

남편에게 점점 거리가 머러진 玉芳은 그때에 某 富豪의 愛妾이엿든 王意芳을 차저 가서 그 女子의 紹介로 엇던 土地會社의 支配人 附秘書로써 일을 보게 되엿스나 어느 사히에 벌서 支配人과 關係를 맷게 되여 愛慾의 滿足을

---

04 '王意芳'의 잘못이다.

05 '梁玉芬'의 잘못이다.

06 '玉芬'의 잘못이다. 이하도 마찬가지다.

채우기 위하야 늘 홋투[07]로 出入하며 不義의 快樂에 醉하고 이섯다.

어느 날에 不幸히도 그 녀자의 집에서는 불이 이러나서 혼자 남겨저 잇든 그 녀자의 어린 딸은 猛火에 싸혀 타서 죽고 마럿다.

남편의 無情과 愛兒의 不意의 慘死를 슬퍼하고 더욱이 자긔가 戀人과 가치 自出入하고 잇는 홋텔에 뽀—이로 잇는 아버지에게 자긔의 醜行을 알니게 된 그 녀자는 마츰내 自殺하여 버리고 말엇다.

金玲을 말하엿다. 玉芳도 또한 모다니즘이 나흔 犧牲이라고.——

---

07 '홋텔'의 오식이다.

現代中國을 代表하는 作家 郭沫若論[01]

李達

(一)[02]

小傳

郭沫若은 四川 嘉定府人으로 일즉 福岡帝國大學 醫科를 卒業하얏다. 學生 時代부터 文學研究에 全力하얏다. 創作『女神』,『星空』等은 當時의 力作이다. 大學 卒業 後 全혀 文藝運動에 注力하야 成仿吾, 郁達夫, 張資平 等과 創造社를 組織하고『創造日』,『創造週報』,『創造季刊』等을 主編하야 中國 新文藝運動의 新紀元을 開關하고 創造社出版部의 成立과 同時에『創造月刊』을 發行하야 當時 全國 思想界를 震動시겻다. 當時 氏는 思想에 잇서서 一個 藝術至上主義者이고 行動에 잇서서는 一種의 浪漫主×[03]文藝運動이엿다. 一九二六年에 氏는『創造月刊』에『革命과 文學』一篇을 發表하야 氏 自身의 藝術至上主×的 主張을 打破하고 革命文學을 提唱하얏다. 이때

01 『朝鮮中央日報』1935.10.26~27, 10.29, 4면.

02 매회 연재분 표기로서 3회에 걸쳐 연재되었다.

03 '義'다. 아래도 마찬가지다.

廣東革命軍의 北伐 出師를 開始하엿다. 氏는 곳 革命 洪流에 投身하여 實際 투쟁을 展開하엿다. 革命軍이 武漢을 占領할 때 氏는 革命軍 總政治府 副主任의 重要한 地位에 잇섯스나 不久에 國共이 分裂되자 곳 政治 漩渦 中에서 뛰여나와 다시 文藝 生涯를 繼續하며 또 中國 古代社會研究에 沒頭한다. 氏는 일즉 上海學藝大學 敎務主任[04]과 大夏大學 詩歌敎授와 廣東 中山大學 文藝敎授를 歷任하엿다.

創作一覽

小說: 1. 落葉(長篇), 2. 나의 幼年(長篇), 3. 反正前後(長篇), 4. 創造十年(長篇), 5. (塔短篇集)[05], 6. 橄欖(短篇集), 7. 漂流三部曲(短篇集). 戲劇: 8. 女神及叛逆的女神(短篇集). 詩歌: 9. 沫若詩全集(全集). 隨筆: 10. 山中雜記(合集). 論集: 11. 文藝論集(上), (下). 雜集: 12. 水平線下(短篇集).

3. [06]思想轉變

五四運動 以後 全國 軍閥은 거의 擧國一致로 學生運動을 强壓하엿다. 그래서 一般靑年의 心理上 分野가 생겻스니 一切 壓迫과 犧牲을 不拘하고 始終 如一히 抗爭하는 一派와 外部의 壓迫으로 因하여 意志가 頹廢되고 灰心 絶望하는 消極的의 一派가 곳 그것이다. 現代 中國 創作界에서 以上 두 方面의 精神的 表現을 볼 수 잇다. 前者를 代表한 作家가 곳 氏이다. 氏의 精神은

---

04 정보가 잘못되었다. '文科主任'이었다.

05 '塔(短篇集)'의 오식이다.

06 '3.'은 잘못 기입된 내용이다.

向上的이다. 諸 作品은 確實히 偉大한 反抗力을 表現하엿다. 이러한 反抗的 精神은 氏의 어떠한 作品에서든지 볼 수 잇고 따러서 이 反抗的 精神의 發育은 社會的 壓迫과 正比例로 된다. 그럼으로 氏의 作品에서 또 重大한 意義를 發見할 수 잇스니 곳 一貫한 反抗精神의 表現 中에서 思想轉變에 關한 印象이다. 이 轉變 過程을 分析하랴면 氏의 創作 生活을 二期로 分하는 것이 가장 適當하다. 一九二四年을 二期의 分界線으로 하고 또 前期를 二個 時代로 分하면 回國 以前의 詩人 時代와 回國 以後의 經濟苦悶 時代이다. 後期도 二期로 分하면 意識覺醒 時代와 第四階級 文藝創作을 開始한 時代이다.

(二)

이것을 다시 三階段으로 노코 보면 一切에 對한 不滿足으로 一切에 對하야 反抗하든 渾沌 時代와 生活上 壓迫과 自由의 渴求로서 現狀을 否定하고 人類의 幸福이 업슴을 覺悟한 過渡的 黎明期와 意級을 把握한 現在이다. 以上 思想轉變의 事實은 創作에서 더욱 明瞭하게 表示하얏다. 回國 以前 『女神』 産生時代는 生活上 多少 艱苦하며 社會의 萬惡을 늣기엿스나 아즉 種種의 希望이 잇고 또 回國 後 生活의 理想과 詩人의 꿈이 잇섯슴으로 이 時期의 諸 作品은 何等 生活上 窮迫의 表現이 업섯스나 歸國 後에 비로소 事情업는 現實아페 一切의 理想이 打破되고 經濟的 苦悶과 社會的 苦悶을 痛感케 되엿다. 이 經濟的 苦痛을 重心한 『橄欖』이 곳 이 時代 後期의 代表作이다.

『女神』은 現代中國 詩壇의 最高峯의 一部 詩集이다. 『女神』은 첫재 靈感이 豊富하다. 少數의 戰篇을 除하고는 모다 作者의 幾富한 想像과 神秘한 詩眼을 볼 수 잇스며 둘재로는 詩에 蘊藏된 一種의 偉大한 힘(力)이다. 이것을

概括的으로 分析하야 보면 廿世紀의 힘의 表現, 震動의 表現, 奔馳의 表現, 紛亂의 表現 等等이다. 셋재는 情緖가 健全하다. 詩人으로서 病態를 띄지 안흔 者 過去 中國詩壇에 업섯스나 氏만은 그러하지 안타. 少數의 몃 首를 除外하고서는 모다 情緖가 狂暴하고 健全하다. 넷재는 狂暴의 表現이다. 勇猛, 反抗, 狂暴의 精神을 表現할 뿐 아니라 同時에 이 精神과 對稱의 狂暴的 技巧이다. 大部分의 詩는 다 狂風暴雨와 가티 사람을 感動식히고 技巧와 精神도 또한 震動的이며 咆哮的이며 海洋的이며 電閃雷霆的이다.『女神』은 歷史的 地位가 穩固한 永久性이 잇는 創作이다.『女神』은 社會에 對한 呪咀, 社會에 對한 憤慨, 反抗精神의 表現, 原始的 生活의 渴求, 光明의 創造의 時代를 代表한 偉大한 一部 詩集이다.

　『三個叛逆的女神』은 가장 重要한 一部 戱劇이다. 表現된 思想은 女性의 反抗이다. 歷史的, 因襲的 舊道德——三從主義에 對한 反抗이다. 同時에 또 一種의 力量을 暗示하얏다. 即 自己 運命은 自己가 開拓할 것과 萬惡의 根源인 現 經濟制度 打破의 必要와 被壓迫者에 對한 同情이다. 이 作品의 特色은 人物의 動態를 描寫함에 잇서 一般 戱劇과 相異하야 小說的 風味가 包含되어서 讀者로 하야금 特殊한 情調를 느끼게 하며 同時에 詩的 意趣가 濃厚한데 잇다.

　『橄欖』은 作者 自身의 牧歌生活의 回憶의 永久한 記錄이며 同時에 現 制度下에 處在한 作者 家眷의 殷殷한 血淚의 結晶이다. 그만치 이 短篇小說集 『橄欖』은 作者의 一生 中 過去에 잇서 가장 重要한 代表作이라고 볼 수 잇다.『橄欖』에 表現된 精神은 두 方面이나 其中 社會에서 輕視와 嘲笑를 밧는 文人의 生涯를 深刻하게 表現한 一面의 片印만을 삷히기로 한다. 社會는 天才作家이고 아닌 것을 全혀 不關한다.

(完)

　그럼으로『橄欖』의 詩人! 主人翁은 極端의 壓迫과 艱苦 속에서 무엇이 文藝이고 무엇이 名譽이냐? 뉴아페는 오즉 죽엄의 幻影이 잇슬 뿐이라고 부르짓는다. 社會는 文化를 需要한다. 그러나 目前 世界에 需要되는 것은 一部 特殊階級의 文化이다. 世界는 富者에게 屬하고 一切의 壓迫은 窮人에게 專有한다. 그럼으로『橄欖』의 詩人은 始終 妻子와 가티 困苦한 生活과 싸워 血과 涙가 그들의 日常 食料가 된다. 詩人은 自己 生活을 憤慨한다. 그는 말한다.『우리의 生活은 實로 慘酷하다! 우리는 꼭 牛馬와 갓다.[07] 우리는 幸福에서 遺棄된 사람이다. 無涯의 苦痛은 곳 우리에게 賦與된 世界이다.……우리는 소와 말만 못하고 개와 도야지만도 못하다. 牛馬는 오히려 悠悠히 놀 때가 잇고 泰然하게 잘 때가 잇스나 우리는 자나 노나 或은 밤이나 낫을 莫論하고 늘 기픈 憂慮의 습격을 바더 悲愁의 바다에 떠잇다. 우리가 모든 心血을 짜는 것은 대체 그 무엇을 爲함인가?(略) 그들로 하야곰 우리의 運命의 舊轍을 重踏케 하기 爲하야서이다.』[08]라고.

　이 詩人은 生活壓迫이 絶頂에까지 達하니 곳 生에 對한 倦怠를 가지게 된다. 그래서 그이는『死』를 希望한다.

　『橄欖』은 作者가 얼마나 貧窮과 奮鬪하얏는지? 一般 窮寒靑年에게 어느 意味의 暗示를 주며 타는 듯 熱意를 가진 各 個人의 心胸 속에는 그 무엇을 색여노핫다.

07　郭沫若,「十字架」,『橄欖』, 創造社出版部, 1926.9. 41쪽.

08　郭沫若,「十字架」,『橄欖』, 創造社出版部, 1926.9. 44쪽.

五. 結論

郭沫若은 中國 現代文壇의 가장 貴重한 存在이다. 創作, 飜譯을 勿論하고 그 比가 업는 놀날만한 成績은 現代 文藝發展에 잇서 크다라한 貢獻이 아니 될 수 업다. 氏의 反抗的 精神은 暗黑 속에 타는 불꽃과 갓다. 一般 靑年 더 욱이 文藝를 愛好하는 靑年의 마음은 氏의 强烈한 情熱에 吸引된다. 氏는 時 代의 先頭에 서서 不撓不屈히 모든 困苦와 奮鬪한다. 氏의 反抗的 精神은 思 想方面에서 表現되어 數次의 轉變을 經過하얏다. 最初에는 封建勢力과 鬪 爭하고 文藝運動에 從事한 後로는 一切에 對하야 不滿을 느끼고 一切는 氏 로 하야금 强烈한 反抗을 引起케 하얏다. 그래서 初期의 氏의 思想은 英雄主 義的 色彩가 濃厚하얏고 또 一個 空想的 浪漫主義的이엇섯스나 不久에 氏 는 自己 錯誤를 認識하고 곳 思想轉變을 斷行하얏다. 氏는 新興文學의 重要 性을 高調한다. 氏는 詩人인 同時에 또 戰士이다. 아프로 力作이 잇기를 새 로운 中國은 바란다.

(끗)

新興中國의 大文豪 郭沫若氏 訪問記[01]

東華通信 金文若

郭沫若氏라고 하면 朝鮮서도 그의 이름을 잘 알겠지오. 朝鮮의 李光洙氏나 日本內地의 菊池寬氏 같이 中國文壇에 있어서는 斷然 他의 追從을 不許하는 빛난 存在를 가졌읍니다. 一九三一年 上海日報에서 「中國의 人氣人物」을 投票할 때에 二八五七票의 多數로써 第一位를 点한 분이니 이만하면 그의 中國에 對한 人氣를 可히 짐작할 것입니다. 그러나 그의 作品을 읽어보면 大概 짐작하겠지 만은 그의 思想은 左傾的이어서 國民政府로부터 監視를 받는 사람입니다.

中國이란 아직 整頓되지 못한 社會라 어느 方面이나 不安이 없는 곳이 없지만은 文筆에 從事하는 文藝家의 뒤에도 恒常 黑手가 따릅니다. 그래서 그들은 候鳥와 같이 때때로 자리를 옮깁니다. 一定한 住所가 없고 또는 一定한 住所가 있다고 하여도 그의 住所를 알리지 않습니다. 그래서 나는 처음에 郭氏의 住所를 알기에 매우 苦心했읍니다. 多幸이 ○○日報 記者 陳君의 紹介로 그의 住所를 알었지오. 그러나 그의 住所에서는 맞나기 어렵다는 郭

---

01 『新人文學』 제2권 제8호, 1935.11.

氏의 回示에 依하여 上海 四馬路 華錦茶店에서 約 三十分 間 맞나기로 그의 承諾을 얻었읍니다.

八月 廿四日이었읍니다. 나는 午前 열시부터 華錦茶店 한구석에서 郭氏가 나타나기를 기다렸지오. 한 三十分 기다렸드니 中國 便服에 麥稿 帽子를 쓴 郭氏가 나타났읍니다. 나는 陳氏의 紹介로 郭氏와 握手하고 자리에 앉았읍니다.

寫眞은 여러 번 보았지만 막상 눈앞에 對하고 보니 매우 날카로운 사람입니다. 얼굴이 갸름하고 광대뼈가 나오고 가재 수염이 나고 그리고 좀 수척한 얼굴, 얼른 보아 文人임에 틀림이 없었읍니다.

『분주한 時間에 이렇게 와주서서 實로 感謝합니다.』하였드니

『千萬에 나도 愉快히 맞나 뵈오니 기쁨니다.』하고 氏는 對答하는 것입니다.

우리는 커피를 한잔 式 앞에 놓고 마시면서

『오늘은 先生님께 여러 가지로 失禮의 말을 물어보겠습니다.』

『失禮될 것이 뭐 있읍니까? 생각나시는 대로 물으시지오.』

이리하여 問答은 繼續되었읍니다. 그러나 一定한『풀란』을 가진 問答이 아니오, 생각나는 대로 묻고 對答한 雜談이었읍니다.

『先生은 中國文壇에 巨頭라시니 最近 中國文壇의 傾向을 말슴해 주십시오.』

『요새 中國文壇은 沈滯라고 할까, 彷徨이라고 할까. 迷路에 있읍니다. 一九三〇年度까지는 퍽이나 左翼文藝가 活潑했지오. 그러나 上海事變을 치루고 그 뒤를 이어 國民政府의 彈壓이 甚하기 때문에 文藝運動은 漸漸 岐路로 드는 것 같습니다. 當局에서는 國粹文藝, 國民文藝를 獎勵하나 그 方面은 何等 進步가 없고 左翼文藝가 아직도 潛行的 發展을 하고 있읍니다. 그러나 一便으로 軟文學도 擡頭하기 시작합니다.』

『中國文人들은 生活苦가 없읍니까?』

『웨 없겠소? 그러나 相當한 作品을 하나만 내여도 밥 먹을 걱정은 없게 되지오.』

『아, 그렀읍니까?』

나는 놀란 눈으로 郭氏를 한번 바라보고

『그러면 失禮오나 先生의 一個月 收入은 얼마나 됩니까?』

『뭐 收入이 一定치 않습니다. 文人들의 收入을 어데 計算할 수 있읍니까? 그러나 單行本 印稅와 其他 稿料를 合하면 約 一個月에 二千圓 가량은 될 듯합니다.』

『그러 면 二三年만 지내시면 큰 富豪가 되시겠는데요.』하였드니 郭氏는 허허 웃으며

『돈푼도 얼마간 貯金했지오만은 大槪 收入은 어려운 無名文人들에게 난호아 주고 妻子들에게 보내고 뭐 남는 것이 있읍니까』하고 다시 차를 한 목음 마십니다.

『그렀읍니까? 그러면 家庭이 계시군요?』

『杭州에 妻子가 있읍니다. 딸 하나, 아들 둘 이렇게 있지오.』

『先生은 웨 文藝方面으로 出發을 하섰읍니까』

『무엇보다도 文藝를 좋아하고 文藝를 사랑하는 까닭이겠지오. 내가 첫 번 日本에 留學할 때에 國本田獨步氏의 「牛肉と 馬鈴薯」라는 冊을 처음 보았지오. 그때 어찌도 그 冊이 滋味있든지 그 冊을 二讀 三讀하고 그 다음에는 그때 日本文人들의 作品을 많이 읽었읍니다. 그래서 次次 文藝에 滋味를 붙이고 따라서 文藝로써 立身한 後 文藝로써 新中國 사람의 머리를 再生시키자고 엉뚱한 野望을 가졌섰지오. 이것이 내가 文學을 始作한 動機입니다.』

『그러면 先生이 쓰신 處女作은?』

『만두집 風景』이라는 短篇인데 申報 學藝欄에 發表했지오. 아마 그때가 一九二〇年인가 봅니다.』

『그러면 先生의 代表作은?』

『뭐 代表作이 있읍니까? 黑猫, 創造, 十年[02] 等이 좀 낫다고 할까요.』

『黑猫는 몇 版이 나갔읍니까?』

『아마 十二版이 나갔지오. 그러나 여기 한가지 이야기할 것은 中國서는 한 版에 五千部도 하고 或은 萬部도 합니다. 黑猫가 아마 六萬部는 나갔지오.』

『그 굉장합니다그려. 놀라운 데요.』

『中國서는 조곰 評判만 있어도 四五萬部는 나갑니다.』

『中國의 有望한 作家는 누구입니까?』

이때 郭氏는 한참 생각을 하드니

『글세요. 그저 내 생각 같애서는 張天翼氏와 沙汀氏를 말하겠읍니다.』

『中國에 文藝誌는 大槪 몇 部 式이나 나가며 그 수효는 얼마나 되고 또는 代表誌는 어느 雜誌입니까?』

『中國의 文藝誌는 그 代表誌가 六萬 四千部가 나갔다는 말을 들었읍니다. 代表誌로는 암만해도 現代, 文藝月刊 等을 치겠지오. 그리고 中國의 文藝雜誌는 적어도 六十種은 되겠읍니다. 내 손에 있는 것만 해도 二十六種은 있으니까요.』

『참 훌륭합니다. 中國은 文藝의 王國인데요. 저도 文藝月刊과 現代를 愛讀합니다.』

나는 차를 한잔 마시고 郭氏를 바라보았읍니다. 郭氏는 담배를 피우면서

---

02   '創造十年'의 잘못이다.

『金先生은 내 作品을 읽어본 일이 있읍니까?』

反問하시는 것입니다.

『네. 저도 先生의 愛讀者입니다. 山中雜記도 읽었고 塔, 橄欖도 읽었읍니다.』

『그렇읍니까?』

『그런데 先生은 이후 어떤 作品을 쓰시렵니까?』

『네. 무엇보다도 힘 있는 人間, 산 人間을 그려보렵니다. 中國人은 氣運이 없어요. 또는 精神이 없어요. 산송장이 많단 말이요.』

郭氏는 나를 中國人으로 아시는 모양이다.

『文藝란 中國人에게 必要할까요?』

『암, 必要하고 말고요. 中國人에게는 어느 나라 사람보다 더 必要합니다. 中國人은 一般으로 너무 單純하고 또는 利益과 돈만 아는 사람이 많거든요. 이런 國民에게는 좀 理想을 주고 自己가 보지 못한 여러 종류의 사람을 文藝로써 뵈여주워야 하지요.』

『中國은 옛날부터 文化國이니 만치 將次 大文豪가 많이 나겠지오.』

『네. 中國의 文壇은 有望합니다. 四億萬 讀者가 있으니까요.』

『先生은 戀愛해 본 적이 있읍니까?』

나는 좀 體面없는 鐵面皮의 소리를 하였다. 그러나 郭氏는 빙그레 웃으며

『日本 있을 때 政子라는 女子와 좀 사랑을 속삭여 보았읍니다. 그러나 전혀 풀라토익 러브입니다. 그때 받고 주든 편지도 只今 내 書齋에 있거니와 그이가 사랑하든 薔薇만 봐도 그이 생각이 나두군요.』

『中國서는 없읍니까?』

나는 밧작 막거섰다.

『네 中國서도 한두 사람 있지오.』

氏는 빙그레 웃으시며 무엇을 생각한다.

『先生은 讀者한데 片紙를 자주 받습니까?』

『네. 자조 옵니다. 滋味있는 편지두 오지오. 아마 只今까지 二千通은 받았을 걸요.』

『아, 굉장하구려.』

나는 입을 버렸드니 郭氏도 웃으신다.

『그러면 讀者에게서 온 滋味있는 선물도 있읍니까?』

『있지오. 創造十年을 發刊하였을 때에는 菓子, 果實 等이 오고 더욱이 南洋에서는 孫氏라는 분이 「망고」라는 珍貴한 果實까지 보내셨두군요.」

『先生은 무슨 꽃을 사랑하십니까?』

『水仙花와 薔薇를 좋아합니다.』

『動物은요?』

『고양이를 좋아하지오.』

『先生이 좋아하시는 風景은?』

『廬山입니다. 中國人으로는 자랑할 만한 좋은 곳입니다.』

『先生은 崇拜하는 文豪가 있읍니까?』

『꼴키와 앙드레 짓드를 崇拜합니다.』

우리는 뽀이가 가저 온 洋酒를 한잔 式 마시고 좀 氣分을 돌려서

『先生은 가고 싶은 곳이 없읍니까?』

『日本을 가고 싶읍니다. 거기는 내가 좋아하는 日光과 또는 아는 親舊도 많으니까요.』

『그러면 만나고 싶은 사람은?』

『아까 말슴드린 政子라는 女子입니다. 한번 보고 싶어요. 그러나 그이는 벌서 結婚하여 아이를 넷이나 낳었다니까 所用있읍니까?』

『그러면 先生은 하고 싶은 일은 없읍니까?』

『돈이나 몇 億圓 있다면 世界文人村이나 만들고 有名한 사람에게 좋은 집과 그外에 몇百萬圓 式 주어서 中國에 와서 살게 하고 싶소. 그리고 大文藝運動도 일으키고 싶소. 그러나 이런 空論이야 해서 무얼합니까.』

郭氏는 좀 진저리가 나는지 머리를 들고 하품을 한다. 나는 좀 미안하여 氏에게 洋酒를 한 컵 따러주며

『좋은 말씀 많이 들었읍니다.』하고 고개를 숙였다.

文學 十字路(발췌)[01]

盧春城

中國 女詩人의 詩 二篇

最近 上海서 發行하는 「文藝」에 發表된 巴金女史의 詩 一篇 「小花」라고
題하고

꽃 한 포기 시들다 내 마음같이
아, 가엾은 마음아, 그대의 무릎에
오히려 빛난 별이 비치지 않는가?

적은 꽃을 손에 들고 하늘을 보네.
아, 힘없이 돌고 있는 구름 한 송이
사랑은 애닯다, 시드는 꽃같이……….

이 外에 梅汀이라는 別로 이름을 듣지 못한 女詩人의 詩 한편—落葉이란

---

01 『新人文學』 제2권 제8호, 1935.11. 여러 나라 문학작품을 소개하고 있으나 여기서는 중
국문학과 관련된 부분만 발췌하였다.

題下에

　　梧桐잎은 시들어 窓밑에 떨어지네.

　　자다가 깨여보니 우수수 슬픈 소리

　　누구의 자최인가 窓을 여니 落葉일레

　　(意譯)

　　달빛은 窓에 들고 落葉만 울어

　　기럭이 어제 울고 오눌은 소리 없네.

　　어차피 밤은 깊어 그 사람은 안오리.

　　(意譯)

（濱野修의 글에 依함）

魯迅의 말[01]

廉尙燮

上海漫遊 中의 詩人 요네·野口氏의 魯迅會談記는 자미 잇섯다.

『가엽슨 것은 一般民衆이지만 一面으로는 그들이 政治와 全
然 無關係한 것이 幸福하다. 主權者가 누구이거나 거긔에 無
關心으로 개미처럼, 벌떼처럼 生活해 간다. 民衆이 政治와 無
關係한 存在임은 開國 以來의 일로서 設使 支那가 亡할지라도
國家는 滅亡하야도 民族은 永遠히 亡치 안는다.』

고 한 魯迅의 말에 뒤달아서 요네·野口는
『印度에서의 英國人과 가티 엇던 國家를 家政婦처럼 雇傭하야 政治를 맛
겻스면 一般 民衆은 좀 더 幸福하지 안켓는가?』고 提議(?)하야 보앗다.
　이에 對하야 魯迅 曰
『於此於彼에 搾取되 량이면야 外國人보다는 自國人에게 搾取되고 십

01　『每日申報』1935.11.7, 조간 1면.

다. 他人에게 財產을 빼앗기는 것보다는 子息이 난봉을 피우는 便이 나흐니까──結局에 感情問題다.』고.

野口氏의 家政婦的 國家란 어느 나라를 指稱한 것인지 또는 漠然한 雜談'인지는 모르겟스나 설마『리─쓰로쓰』가 南京政府의 家政婦로 自任하고 登場한 것은 아니겟지마는 요새의 新聞을 보고는 요네·野口의『家政婦』라는 말이 妙하게 들리기도 한다. 그러나 魯迅의 말이 아닐지라도 난봉자식의 遊興費로 빼앗기는 限은 잇드라도 가튼 搾取일 바에야 自國民에게 搾取를 當하겟다는 것은 그럴듯한 말이니『리─쓰로쓰』가 아모리 家政婦로 드러안고 십허도 孤出婦 格이나 될는지 米國의 二億萬元 借款說이라는 것이 新聞記者式『요다』가 아니지량이면 이번에는 持參金 附의 孤出孤가 不請客이 自來로 나 한목 보자고 나서는 것이니 아조 主婦 업는 집안도 아니요, 病은 骨髓에 들엇다 하야도 家政婦, 孤出婦가 압門, 뒷門으로 제 各其 主婦인 체하고 드나드러서야 한 風波 업슬 수 업는 것, 如干 똑똑한 家丈 아니고야 솜씨 잇는 操縱을 難期. 國亡民不亡이란 迅의 心境을 다시 두다려 보고 십다.

또 한 대문 野口, 魯迅 應酬의 자미 잇는 것은 現下 支那에서 文筆로 먹을 수 잇느냐는 問題이다. 原稿料로 生計가 서느냐고 요네·野口가 質問하니까 엽헤 잇든 某 書店主가 代辯 曰

『文學者가 自動車를 타고 가는 것을 出版業者가 보앗다 할지경이면 出版業者는 그에 對빼하야『君은 自動車를 탈만하니 原稿料 가튼 것은 必要 업지 안흐냐』고 핀잔을 줄 것이다. 支那에서는 强盜라도 할만한 勇氣가 업시는 아무 것도 못할 것이다.』고 하니까 魯迅은『올흔 말이다!』하며 다시 註하야 曰

『옛적부터 支那의 成功者는 强盜나 類似强盜이엇다……』고 答하얏다. 支那의 成功者가 馬賊이엇든지 强盜이엇든지 間에 原稿 搾取와 强盜는 넘우 왕청 뛴 比較이거니와 朝鮮의 文學者가 月給푼이나 먹으면

『자네야 原稿料쯤 그만두면 엇더켓나.』하고 덤비는 우리 事情과 엇저면 그러케도 한 어머니 뱃 속에서 나온 듯한가 하야 微苦笑가 저절로 나오는 것이다. 事實 우리 조선에도 高陽밥 먹고 楊州 구실하라는 따위 잣단 搾取者는 수두룩한 것이다. 그 엇전 연고인지는 모르지만.

現代中國 受難期의 劇作家 田漢과 그의 戲曲을 論함[01]

上海에서 金光洲

(一)[02]

現代中國의 新劇運動 乃至 戲曲界를 말함에 첫손으로 꼽어야 할 受難期의 劇作家 『田漢』의 重要 作品을 通讀할 機會를 가진 것은 筆者의 最近의 조고마한 기쁨의 하나이다. 今年度 春間에 이르러 그가 數年 동안 避身生活을 하다가 中央黨部에 被捕되여 南京으로 護送되자 그의 著書의 大部分이 發賣禁止의 處分을 받게 된 까닭으로 그의 作品을 하나도 빼지 안코 얻어 보기는 甚히 困難할 뿐만 아니라 거이 不可能에 가까운 일이엿다. 이러한 關係로 本文 中에서 말해보고자 하는 것은 『現代書局』 刊行의 『田漢戲曲集』 第一, 二, 三, 五集과 『田漢戲曲選集』[03], 『湖風書局』 出版의 『田漢戲曲別集』(『暴風雨中的七個女性』) 等에 收集된 作品들이다. 어느 한 作家를 論함에 그의 作品의 全部를 말해야 한다는 法은 없을 것이나 可能한 程度안에서는 한 篇이라도

01　『東亞日報』 1935.11.16~17, 11.19, 11.21~11.23, 11.26~11.27, 11.29, 석간 3면.

02　매회 연재분 표기로서 9회에 걸쳐 연재되었다.

03　이러한 제목의 출판물은 찾아 볼 수가 없다. 田漢의 희곡집인 『咖啡店之一夜』, 中華書局, 1924 혹은 『回春之曲』, 普通書局 1935.5 중의 하나일 것으로 추측된다.

더 求讀해 보랴 햇지만 數年 間에 各種 刊物에 分載된 그의 戲曲을 一時에 얻어 보기 어렵고 또 그에 關하야 參考할만한 硏究論文 等도 아직은 찾어볼 수 없고 하야 本稿를 草함에 잇서서 이것만으로 劇作家『田漢』의 全貌를 如實히 말함이 되리라고는 생각지 안는다. 또한 무슨 作家硏究니 하는 定型的 態度로 이 글을 讀者 앞에 내놀랴지도 안는다. 다만 위에 擧出한 作品集에 間或 빠진 作品이 잇다 하더라도 그의 重要品의 大部分이 收集되여 잇는 만큼 이것을 基礎로 그의 中國 新劇運動上의 業跡과 作品에 關한 것을 그 要領만을 草하야 中國劇壇의 巨匠『田漢』의 片貌나마 그려보고자 한다. 그릇된 觀察이나 事實과 相反되는 點이 잇다면 中國劇壇에 關心을 가진 분들의 忌憚없는 指摘과 敎示를 바란다.

글의 順序를 따라 爲先 그의 畧歷을 말해보면 그는 本名을『壽昌』이라 하고 一八九九年 湖南『長沙』에서 나아서 當地 師範學校에서 少年時代를 보낸 다음 十八歲 때에 渡日하야 東京高師에서 學業을 繼續하다가 中途에 退學하고 二十五歲 때에 歸國하야 上海 中華書局 編輯部長의 職을 二年 未滿에 던저 버리고 新劇運動에 直接 參加하야 當時의 唯一한 新劇團體『南國社』를 組織하고 活躍하는 一面 國立暨南大學, 大夏大學, 復旦大學 等의 戲劇敎授를 兼任해 오던 中 一九三○年에 이르러 中國 未曾有의 文化上의 專制的 彈壓의 旋風이 일어 當時의 爀爀한 勢力으로 全中國을 風靡하든 左翼 文化運動의 各 部分이 自由를 일케 되자『田漢』도『中國左翼作家聯盟』의 主將 格이든『魯迅』과 함께 이 受難期의 不運을 避하야 今年까지 隱匿生活을 하고 잇다가 南京으로 被送케 된 것이다. 最近에 新聞紙의 報道는『田漢』의 釋放說을 傳하고 一部에는 暗暗裡에 그의 轉向說을 傳하는 識者들까지도 잇다. 그의 思想的 態度의 轉向 與否는 아직도 未知數이나 그가 어느 程度까지 自由의 몸이 된 것만은 事實이므로 이 數年 동안에 獨裁政治의 戰慄할

旋渦 속에서 慘酷히 最後를 마친 作家들과 中國文化線上의 人物들을 回顧하여 볼 때 現年이 三十六 밖에 안되는 그의 前途를 爲하야 多幸히 생각함은 非但 筆者 한 사람만이 아닐 것이다. 如何間 그의 一擧一動이 中國 文化運動에 關心하는 識者들의 注意를 惹起하고 잇는 것은 決코 筆者 個人의 漠然한 誇張은 아니라고 믿는 바이다.

여기서 다시 뒤거름 처서 廣汎한 外面的 意味에서 『田漢』이라는 劇作家를 생각할 때 그는 對內는 勿論 對外 더욱이 日本 等地에까지 所謂 一般이 부르기 즐기는 『進步的 作家』乃至 『左翼作家』라는 極히 漠然한 時代 風潮的 語句로 紹介되여 잇으며 決定받고 잇다. 우리는 所謂 『進步的 作家』라는 이 한 말이 劇作家 『田漢』을 規定하는 第一 첫재 말이 됨을 是認하고 또 이러케 評價하는 것이 至極히 妥當한 態度임을 否定하지는 못한다. 그러나 筆者는 여기서 日本 等地에서 이미 그의 作品이 多數히 紹介되엿음에도 不拘하고 그를 依然히 『져너리즘』이 부치기 즐기는 一種 流行的 『左翼作家』라는 한 말로 規定해 버리고 잇다는 것을 指摘하지 안흘 수 없다. 『田漢』하면 『中國의 左翼劇作家』거니 하는 이러한 漠然한 規定이 完全히 그릇되엿다 함은 아니나 우리는 그보다도 먼저 그가 『努力의 人』이엿고 『實踐의 人』이라는 것을 저바려서는 안된다. 이 말은 위에서 한 말과 一見 何等의 關係를 가질 性質의 말 같지 안으나 事實에 잇어서 舞臺上의 實踐을 떠나서 戲曲만을 가지고 『田漢』을 論할 수는 없는 일이다. 어느 意味에서 본다면 『田漢』은 劇作家로서보다도 中國 新劇運動 黎明期의 優秀한 演出家로서 한 個의 實際 運動家로서 特異한 存在를 가지고 잇다고 할 수 잇는 것이다. 이런 意味에서 筆者는 먼저 『田漢』의 中國 新劇樹立運動에의 努力과 業跡의 重要 時分인 『南國社』運動을 먼저 말한 다음 簡單히 그의 作品에 言及하랴 한다. 이것은 한걸음 더 나아가서 오직 『田漢』一個人의 事業에만 끄칠 것이 아니요, 中國

新劇運動史의 빼놀 수 없는 重大한 한 頁를 窺知함이 되리라고 믿는다. 아직도 前途가 洋洋한 그이니 만큼 그가 將來에 中國劇壇을 爲하야 보담 더 큰 貢獻이 잇을는지 이것은 지금에 잇어서 推測할 수 없는 일이나 『田漢』을 말할 때 『南國社』를 생각지 안흘 수 없고 『南國社』를 생각함에 『田漢』을 저바릴 수 없으리 만치 이 劇社의 中國 新劇運動에 남긴 足跡은 『田漢』의 一生을 通하야 特記해야 할 事業이라 해도 過言이 아닐 것이다.

(二)

一九二二年의 雜誌 『南國半月刊』을 發行하는 한便으로 『南國社』의 運動을 일으키기 前의 『田漢』은 『少年中國學會』(이 『少年』은 朝鮮의 『青年』이란 뜻에 該當할 것이다.[04]와 當時의 唯一한 文學研究團體』[05]創造社)[06] 두 團體의 會員으로 잇엇다. 『少年中國學會』는 그 當時의 그들의 宣言으로 推測해 보면 『科學的 精神을 根本 삼고 새로운 青年中國을 爲하는 社會的 活動에 從事하자.』는 것이 그 重要 宗旨엿다. 다시 말하자면 進步的 青年을 網羅해 가지고 歐米 資本主義의 侵畧과 民族精神의 無秩序한 動搖아래에서 呻吟하는 當時의 中國社會를 改革하야 科學的 新精神으로써 光明의 길로 引導해 보자는 것이 그들의 情熱이엇다. 熱烈한 正義感에 불붙던 『田漢』이 이 團體에 一員으로 加入한 것은 至極히 마땅한 일일 것이다. 그러나 이 團體는 이러틋 科學的 精神을 目

---

04 ‘』’는 소괄호 ‘)’의 오식이다.

05 ‘『’의 잘못이다.

06 ‘』’의 잘못이다.

標로 내세웟음에도 不拘하고 事實에 잇어서 嚴格히 말하면 一種 感情的 結合을 爲主로 한 모딤에 지나지 못하엿다. 急迫한 社會 情勢는 그들에게 安穩히 團體의 看板만을 지키고 잇게 하지 안헛다. 急進分子들의 朦朧한 感情的 結合을 淸算하고 團體의 根本的 主義를 規定하자는 데 이르러서 이 會는 解消의 悲運에 빠지고 만 것이다. 基本主義 規定 可否 問題에 對한 決裂, 政界 參加 主張 可否에 對한 兩派의 對立, 마즈막으로 第四階級을 爲하야 活動하자는 一派와 絕對 反對派들의 衝突 等으로 이 會는 그 統一과 秩序를 읽고 解散되어 버렷다. 이 時代에 잇어서 『田漢』은 確乎한 思想的 態度를 表明한 일도 없엇고 何等 注目할만한 活動도 없엇으나 오히려 이 한 時期에서 그는 中國 現 社會를 내다보는 또렷한 眼光의 基礎를 닦엇다고 할 수 잇을 것이다.

後者 『創造社』는 朝鮮에도 이미 紹介된 바와 같이(『新東亞』 三五年度 六月號——丁來東氏 『中國兩大文學團體 槪觀』) 한 말로 얼른 말하자면 日本系統의 作家 例하면 『郭沫若』, 成仿『吾』[07], 『張資平』, 『郁達夫』 等 諸人으로 結成된 新文藝 建設을 目標로 한 文學硏究團體로 當時에 잇어서는 中國文壇의 先覺者들의 結合이엇엇다. 그러나 그들의 根本 態度를 살펴보면 何等 特殊한 目的이나 組織을 가진 團體라고는 할 수 없다. 이 社團의 刊物 『創造季刊』 第一卷 第二期의 『郭沫若』의 編輯後記의 一節을 보면 이러한 말이 잇다. 『…우리는 團體의 組織을 가장 壓惡하는 者이다. 한 團體는 곧 一種의 暴力인 까닭으로……우리의 이 조고마한 모딤은 固定한 組織도 없고 規約도 없고 特別한 機關도 없으며 劃一的 主義도 없다. 우리들은 몇몇 동모들의 意思에 合致되는 대로 모여진 者이다. 우리들의 主義, 우리들의 思想은 서로 같지 안타. 또한 서로 一致되기를 强制로 要求치도 안는다. 우리들의 서로 共通되

---

07 『成仿吾』의 오식이다.

는 點은 單只 內心의 要求에 依하야 彼此의 文藝活動에 從事하자는 것 뿐이다…」[08] 이 簡單한 말은 當時의『創造社』의 全面目을 말하고도 남음이 잇을 것이다.『少年中國學會』의 會員으로 잇는 一方 郭沫若의 紹介로『成仿吾』,『郁達夫』等 諸 作家와 알게 되어 이러한 主旨아래에서 集合된『創造社』의 文藝運動에 參加하야 活動하던 當時의『田漢』은 思想上으로 彷徨期에 處해 잇엇다고 볼 수 잇다. 그러나 二十年代의 情熱이 넘처 흐르는 그는 언제까지나 이러한 朦朧한 雰圍氣 속에 머므러 잇을 수 없엇다. 드디여『創造季刊』의 第四期를 내노앗을 때 則 一年 未滿의 歷史를 남기고『成仿吾』와의 意見 不合으로 이 社團에서 脫退하고 마럿다. 前後 兩者를 勿論하고 이 두 團體 時代의『田漢』은 中國 文化運動線上에 何等 뚜렷한 頭角을 나타내지는 못햇으나 이 한 時期는 그가 後日 劇作家로서 또는 演出家로서 씩씩한 거름을 내놋는 土臺를 築成하엿다는 意味에서 잊어 바릴일 수 없는 準備 時期라 하겟다.

이 두 團體와의 關係가 解消된 卽後 그는 斷然 그의 個人的 立場과 見解 아래에서 夫人『漱瑜[09]』女士와 合力하야『南國半月刊』을 出版하고 文學活動을 爲主로 戲曲의 創作을 始作하는 一面 主로 演劇, 映畵 等에 關하야 새로운 意見과 批判을 發表하고 잇엇다. 이 時期에 發表된 戲曲 中에서 比較的 好評을 받은 것으로『咖啡店之一夜』,『午飯之前』,『獲虎之夜』等 三篇을 들 수 잇다. 內容에 關한 것은 뒤에 따로 말하겟거니와 爲先 이 作品에 나타난 當時의『田漢』의 思想的 傾向이나 藝術에 對한 態度 乃至 意見을 보면 이때까지도 그는 第四階級을 爲하야 싸워야 한다는 것은 一種의 漠然한 觀念에 지나지 못햇고 依然히 濃厚한 藝術至上主義的 氣分에 支配받고 잇엇든 것을

---

08 郭沫若,「編輯餘談」,『創造』季刊 제1권 제2기, 1922.8, 21~22쪽.

09 '漱瑜'의 잘못이다. 아래도 마찬가지다.

알 수 잇다. 『……沉悶 中에 빠저 허덕어리는 中國文壇에 一種의 淸新하고 芳烈한 空氣를 鼓動시키고 싶다.』[10]라고 한 『南國社』의 當時 宣言 中의 一節에서 우리는 이런 模糊한 態度를 歷歷히 찾어낼 수 잇을 뿐더러 때마침 印度의 詩人 『타골』이 中國에 來訪함을 따라 中國文壇의 作家들이 두 派로 分立되어 左翼運動線上에서 活躍하고 잇든 『劉仁靜』과 『鄧中夏』 等이 雜誌 『中國靑年』에 『타골』의 藝術에 反旗를 높이 들엇을 때 『나는 그들의 社會運動에 對하야는 無限한 同情을 表示하지만 그들의 藝術에 對한 이러한 態度는 讚成할 수 없다. 『타골』의 藝術에는 『타골』의 獨自的 價値가 잇는 것이다.』[11]라고 그를 擁護하든 그때의 『田漢』의 態度는 後日 그 스사로 小市民的 文學 見解에 不過햇다고 是認하고 잇는 바이다. 또렷한 理智와 知識分子的 眼光이 새 時代 靑年의 나갈 길을 指示해줌에도 不拘하고 軟粉紅빛 藝術塔에 未練을 끈치 못하고 苦悶하든 것이 이 時節의 『田漢』이엇다. 이와 같이 初期의 『南國社』는 中國 小資産階級 靑年들의 代言者로서 그들의 彷徨的 心理와 一種의 靑春期的 感傷을 反映한 데 不過하엿지만 그 反面에 잇어서 當時의 腐敗된 社會相에 對한 그들의 熱烈한 反抗的 精神을 否認할 수는 없을 것이다.

(三)

一九二三年에 이르러 夫人 『漱瑜』女士의 病死와 함께 그는 外部的으로

---

10 田漢, 「我們的自己批判」, 『南國月刊』 제2권 제1기, 1930.5.20에서 수정된 내용을 인용한 것이다.

11 田漢, 「我們的自己批判」, 『南國月刊』 제2권 제1기, 1930.5.20.

나 또는 內部的으로나 時代的 苦悶의 度를 더하엿다. 때마침 中國國民黨은 共産黨의 組織方法을 採用하고 이 一派가 勢力을 잡게 되자 『少年中國學生會』안의 左傾分子들도 이에 加入하야 反帝思想을 鼓吹하고 民衆革命의 길을 바로 잡으랴 햇다. 田漢은 『南國半月刊』을 『南國特刊』으로 改名하는 一方[12] 이 情勢에 共鳴을 表示하야 辛亥年의 廣州事變을 題材로 民族精神을 鼓吹한 『黃花岡』이라는 史劇을 發表하야 一時 物議를 일으켯고 때가 때인 만큼 一般의 歡迎聲도 높엇엇다. 그러나 이 作品을 發表한 『田漢』은 冷靜히 自己批判을 해볼 때 그것이 極히 漠然한 一個 愛國主義의 宣傳者의 態度에 不過함을 깨닫게 되자 그의 社會運動과 藝術運動에 對한 二元的 見解는 動搖와 煩悶을 일으키지 안흘 수가 없게 되엇다. 또 한便으로는 그가 當時 敎鞭을 잡고 잇던 上海의 大夏大學에도 左右 兩派의 對立이 激烈化하야지고 그의 超然한 態度는 到底히 그 以上 支持해 내려갈 수가 없게 되엇다. 여기서 그는 經濟的 貧乏, 思想上의 煩悶으로 因하야 二十 餘期를 出版한 『南國特刊』까지 停刊의 悲運에 빠트리고 말엇다.

이와 같이 左右 兩難之境에서 彷徨하든 그에게 큰 힘이 된 것은 露西亞의 初期 革命小說家 『피리냐크』(Boris Piriniake[13])의 中國來訪이엇다. 『피리냐크』의 『同路人』(朝鮮의 同伴作家의 뜻에 該當할 것이다.)的 態度는 當時의 『南國社』의 우리들의 態度를 說明해 주엇다——라고 그 스사로 告白한 일이 잇는 것과 같이 그에게서 받은 影響은 『田漢』의 思想上의 基礎는 될 수 없다 하드라

---

12 정보가 잘못되었다. 田漢은 1928년 8월 29일 『醒獅周報』 문예부간으로 『南國特刊』을 창간하였으며 『南國半月刊』은 1924년 4기로 정간되었다가 1928년 8월 4일 복간하여 5기를 낸다.

13 'Pilnyak'의 오식이다.

도 彷徨期에 處해 잇던 그에게 커다란 衝動을 일르켜준 것은 否認치 못할 事實일 것이다. 여기서 새로운 힘을 얻은 그는 民衆에게 가장 接近하기 쉬웁고 다른 어떤 藝術形式보다도 大衆性을 가진 것이 電影(映畵)이라는 것을 認識하고 이 새 形式으로 自己의 괴로운 心境을 反映하는 同時에 한 거름이라도 民衆의 앞으로 닥어서고자 하엿다. 이런 意圖의 具體的 實現이 곳『南國電影劇社』의 創立이엿다. 그는 數十圓에 不過하는 基金으로 一年 동안을 活動한 結果『到民間者**14**』(民衆 속으로──Go Among the people)라는 映畵를 내놓앗다. 이 貴重한 試驗을 世上에 묻(問)자 一般의 歡聲도 컷엇지만 反面에는 日本『武者小路實篤』의『理想村』建設을 흉내낸 것이라는 非難도 받엇섯다. 事實에 잇어서 이 時期의『田漢』의 藝術運動은 그 動機가『피리냐크』의 影響된 바이며 傳統의 罪惡을 認識하며 自己 階級의 特權을 抛棄하고 理論과 實際 두 方面으로 農民生活을 硏究하고자 하던 一八七〇年代의 露西亞 智識階級 靑年들의 그것과 같이 一種의 糢糊한 國民思想의 提唱에 지나지 못한다는 批判도 一理가 잇는 觀察이라 하겟다. 그러나 우리는 여기서『田漢』의 이 한 作品이 비록 偉大한 成功은 얻지 못햇으나 當時의 幼稚하던 中國 映畵藝術에 새로운 企圖와 表現을 보혀 준 一面的 功跡을 저버릴 수는 없다. 더욱이 이 作品에 잇어서 特記해야 할 것은『피리냐크』스사로 한 役을 맡어가지고 出演한 것과 當時 前進的 作家로 그 文名을 海內 海外에 떨치고 잇던 露西亞 出身의 作家『蔣光赤』(或은『蔣光慈』)의 出演이다. 그밖에 우리에게 또 다른 意味에 잇어서 興味를 가지게 하는 것은 이 映畵의『스토리』를 構成한 演出者 田漢의 態度이다.

이 映畵는 主演이 없는 作品으로 조고마한『카페』안에서부터 事件이 展

---

14 '者'는 '去'의 잘못이다.

開된다. 數만흔 中國의 大學生들이 어느 『카페』에 모히여서 露西亞에서 온 한 革命詩人을 歡迎하고 잇엇다.(이것은 곳 『피리냐크』를 『모델』로 삼엇슴에 틀림없을 것이다.) 이 詩人은 이 자리에서 東方을 遊歷한 感想을 말하고 中國改造의 情熱이 가삼에 꽉 찬 靑年學生들은 그에게 對하야 各各 그네들의 抱負를 披瀝하엿다. 階級鬪爭을 經過한 後에 社會主義 國家를 建設하자는 靑年도 잇엇고 階級鬪爭의 過程을 버리고 그대로 共産主義社會 建設을 目標로 民衆 속으로 파고들어가자는 急進的 分子도 섞여 잇엇다. 그러나 이 露西亞의 詩人은 그들의 甲論乙駁에 對하야 아모런 可否를 表示치 않코 이 『카페』에서 靑年들의 寵愛를 한 몸에 질머지고 잇는 女王 『美玉』의 손을 잡으면서 『누구이냐! 그대들 가운데에서 참으로 中國改造의 目的을 達할 사람이? 그는 이 아름다운 女王을 차지할 수 잇을 것이다.』라고 할 뿐이엿다. 이 조고마한 作品 構成의 一部分을 드려다 보더라도 이 運動이 小資産階級 靑年들의 漠然한 正義感 乃至 情熱과 一種의 幻想的 末路를 反映하고 잇다는 批判도 根據없는 罵倒는 아니엿으나 何如間 藝術의 一切 優秀한 表現과 形式을 빌어 中國靑年의 時代的 苦悶을 呼訴하는 同時에 赤裸裸한 社會現實을 暴露하자는 그의 態度도 이 時代에 와서 그 싹이 자라기 始作햇고 第四階級을 爲한 藝術에 對한 認識도 더 한 층 明瞭해 갓다고 할 수 잇을 것이다.

　여기에 와서 새로히 그의 앞을 가로막는 것은 政治와 藝術의 問題엿다. 여태까지의 『田漢』는 말하자면 政治와 藝術과의 關係를 그다지 重大視하지 안햇다. 藝術運動이란 것이 政治의 힘을 떠나서 唯獨히 存在할 수 없다는 것은 어느 程度까지 是認하고 잇엇으나 政治가 藝術을 支配하는 힘이 偉大하다고는 생각지 안헛다. 藝術家는 어떠한 政治勢力 아래에서 그의 工作에 從事하던지 그의 自由와 尊嚴이 保存되어야 한다는 見解를 가지고 잇엇다. 그러나 『郭沫若』이 文筆과 廣東大學의 敎鞭을 던지고 政治鬪爭의 舞臺로 나

서고 政府가 南京과 武漢 두 곳으로 갈러서게 되자『田漢』도 마즘내 中國의
民族으로 北伐의 大業을 破壞할 수 없다는 認識과 함께 殘惡無比한 中國民
族의 公敵인 軍閥을 打倒해야 된다는 正義感, 그리고 自己의 藝術運動을 좀
더 大衆的으로 움즉여 보자는 情熱, 여기서 그는 斷然 舞臺를 上海에서 옴
기여 南京 總政治部의 一員으로 參加하엿다. 當時 一部의 大小 新聞들은 그
筆鋒을 가치하야『田漢은 國民政府 藝術顧問의 職에 나아갓다. 그는 政府의
基本政策에 立脚하야 映畫脚本을 募集하고 잇다 하니 그의 主義나 主張이
那邊에 잇는가를 疑心케 한다.』는 意味의 攻擊을 퍼부엇엇다.

(四)

　　그러나『田漢』은 結局 藝術로서의『田漢』이엿고 政客으로서의『田漢』은
아니엿다. 派閥과 黨派 싸움 속에서 混亂되여 잇는 政治運動이 그를 오래 머
므러 잇게 하지 못햇고 同志 間의 葛藤, 自私自利的 政客들 틈에서 앞잡이가
되여 貴여운 生命만을 犧牲하고 마는 同志들, 地盤을 利用하야 小資階級的
戀愛至上主義로 다름질 치는 同志들, 映畫와 演劇을 革命運動의 第一線에
내세워 民衆의 뜻을 바로잡고자 하던 그의 企圖가 幻滅의 悲哀로 變할 때 그
는 政治 全體를 疑心하게 되엿고 腐敗한 그네들의 精神에 對한 憎惡感만이
度를 더하엿을 뿐이엿다. 그의 政界 參加를 오로지 個人의 功利를 爲한 政治
에의 阿諛이라고 하는 觀察은 너무 燥急한 批判이엿다. 그는 各界의 注視의
焦點 아래에서 그의 政治的 職을 辭하고 다시 上海의 옛 舞臺로 도라왔다.
　　南京서 도라온 後의 그는 確實히 커다란 幻滅期에 빠젓섯다. 그러나 이
幻滅 속에서 오히려 그는 그의 나아갈 方向을 다시 한 번 認識하엿던 것이

다. 實로 그의 『南國社』運動은 이러한 過程을 土臺 삼고 여기서부터 活潑한 거름을 내노케 되엿다고 할 수 잇다. 이때가 벌서 一九二七年이엿으니 이해부터 一九三○年代까지의 그의 實際運動은 그가 各 方面의 經驗 아래 『自身의 力量으로 自身의 運動을 展開하자!』는 굳세인 標語를 세우고 그 밑에서 再出發한 燦爛한 工作이엿다.

그는 먼저 『上海藝術大學』의 敎鞭을 잡는 一便, 靑年學生들을 網羅하야 文學, 繪畵, 音樂, 映畵, 演劇 等을 聯合하야 한 個의 새로운 藝術戰線을 結成하고 따로히 映畵와 演劇 部門의 活動을 目的으로 『魚龍會』라는 團體를 組織하고 每週 一次씩의 小規模의 公演을 하엿다. 當時의 演劇으로 그가 創作 上演한 『生之意志』, 『江村小景』, 『畵家與其姉妹[15]』, 『蘇州夜話』, 『名優之死』 等은 中國 新劇運動史上에 저바릴 수 없는 새로운 試驗이엿다. 이外에 이 『魚龍會』에서 注目할만한 다른 한 가지는 同校 內에서 때때로 擧行되는 『文藝談話會』이다. 이 談話會를 싸고도는 사람들로 詩人 『徐志摩』를 爲始하야 小說家 『郁達夫』, 劇作家 『洪深』, 『歐陽予倩』 等 知名의 士들이 잇엇고 그들은 이 모딤에서 藝術의 理論——더욱이 演劇에 關한 理論을 熱烈히 討究하엿엇다. 中國의 新劇과 舊劇의 問題가 繼續 不斷的으로 論議된 것도 이 時期요, 『洪深』이 『戲劇協會』 實際運動家의 一員으로 『입센』의 『노라』를 移植 紹介한 것도 이때엿다.

다음으로 그는 一九二八年에 이르러 藝術運動의 平民化를 目標로 하고 南國社運動의 一部로 『南國藝術學院』을 일으키엿으니 이것은 當時의 缺陷만흔 中國 敎育制度에 對한 注目할만한 挑戰이라고도 할 수 잇다. 官立學校

---

15 「姉妹」의 잘못으로 보인다. 이 작품은 1921년 발표된 「午飯之前」인바 『田漢戲曲集1』, 現代書局, 1933에 수록되며 제목이 변경되었다.

는 靑年들의 自由를 너무 拘束하야 將來의 官界의 人物을 産出하기에만 沒
頭하고 私立學校는 美國의 『모던이즘』을 輸入하야 通俗 低流의 文化人을
培成하는 데 지나지 못하든 各 大學敎育의 精神에 反旗를 든 것이 이 學院
創立의 動機엿다.

> 『돈이 없다고 天才가 없는 것은 아니다. 우리는 우리 손으로
> 글도 읽을 수 잇고, 그림(繪畫)도 배울 수 잇고 音樂도 工夫할
> 수 잇다.』[16]

이러한 『田漢』의 精神은 『南國社』의 實際運動을 新劇運動의 本格的 길
로 展開하는 同時에 私學的 精神을 主張하고 無産 靑年들을 指導함에 적지
안흔 效果를 거두엇다. 또한 이 時期에 와서 그의 思想的 傾向도 相當한 成
熟을 보이고 從前의 人道主義 乃至 唯美主義的 傾向도 克服되어 갓다. 當時
그의 門下에 모인 靑年들은 大部分이 藝術的 情熱에 넘치는 新進 作家群들
이엿으니 『田漢』은 그들에게 『藝術』보다도 먼저 『生活』을 또렷이 把握시키
자는 것이 첫 目的이엿고 詩人, 小說家, 音樂家, 劇人 等 各 方面으로 優秀한
人材들을 輩出시켯다. 一言으로 當時의 支配階級意識에 充滿한 『官學』에 對
한 그의 反抗的 精神은 크다 아니할 수 없다. 學生의 風紀紊亂이라는 口實을
내세우고 道學者的 敎育者들이 그에게 던지는 沒理解와 罵倒, 이 暴風雨 속
에서도 그는 依然히 그의 一貫的 主張을 끝고 中國 新劇 樹立이라는 重大한
使命을 저바리지 안헛던 것이다.
이리하야 그는 一九二八年에 이르러 『名優之死』, 『生之意志』, 『蘇州夜話』

16　田漢,「我們的自己批判」,『南國月刊』제2권 제1기, 1930.5.20, 79쪽.

以外에『湖上的悲劇』을 改作하여 가지고 上海에서 新劇運動團體로서의『南國社』의 第一回 正式公演을 試驗하엿으니 上海는 勿論 멀리 廣州, 南京 等地에서까지 靑年들의 反響이 높이 올럿다. 그것이 비록 民衆 全般的 움직임이 될 수는 없엇다고는 하겟으나 적어도 新興藝術 더욱이 戲劇藝術을 等閑視하는 이 나라에서 悲慘한 虐待를 받고 잇든 舞臺藝術이 가장 民衆에게 接近하기 쉬웁고 어느 藝術形式보다도 普遍性과 大衆性을 가춘(具) 것이라는 새로운 關心을 주기에 成功하엿다. 勿論 이 時期에 잇어서 中國의 新劇運動團體가『南國社』하나 뿐은 아니엿고 一九二二年에『應雲衛』,『谷劍塵』等 劇人으로 結成된『戲劇協會』가『洪深』,『歐陽予倩』等 優秀한 演出家를 얻어 對立的 形勢를 보이고 잇엇으나 大衆的 援聲과 支持에 잇어서『南國社』에 미칠 바이 못되엇다. 이때부터 그는 隱然中에 方向轉換의 確然한 態度를 表明하고 漸漸 表面化하야 가는 左翼文化運動에 直接 加擔하고『中國左翼作家聯盟』의 一員으로 活躍하는 一面『南國社』의 公演을 거듭하야 그의 作劇 中 重要한 作品은 거이 다 上演하다싶이 하고 一九三〇年에 이르러 客觀的 情勢로 이 運動을 持續해 나갈 수 없게 되자 그의 工作도 停頓을 免치 못하고 沈默과 避難 속에서 四五年을 보낸 다음 今年에 이르러 被捕된 것이다.

(五)

여기서 다시 上述한 그의 藝術運動을 더듬어 올러가서 總括的 생각해 보자면 그의 運動은『彷徨』에서 始作되어『彷徨』으로 終結되엇다고도 할 수 잇을 뿐만 아니라 더욱이 一部에는 小資産階級 靑年의 一種 溫情主義와 時代的 幻滅을 反映한 데 不過하다고 斷言을 내린 批評家들도 잇다. 勿論『田

漢』은 속일 수 없는 小資産階級 出身의 創作家이니 우리는 이러한 見解의 一面的 正當性을 是認하지 아니치 못할 것이다. 그리고 筆者 亦是 決코 그에게 漠然한 讚辭나 擁護를 드리고자 하는 바도 아니나 要컨대 어떠한 立場이나 見解 아래에서 冷酷한 批判을 내리더라도 그의 『南國社』運動의 中國 新劇運動에 잇어서의 다음 몇 가지의 貢獻을 否認치는 못할 것이다.

一. 藝術과 生活의 不可分離的 密接한 關係를 意識시킨 것.

二. 虐待 받던 中國 舞臺劇으로 하여금 文化運動에 잇어서 새로운 水準을 獲得시켯으며 單只 陶醉的 要求를 떠나 大衆을 爲한 劇藝術의 樹立에 努力한 것.

三. 映畵, 劇 各 方面으로 人材를 輩出시킨 것.(現今의 中國劇壇이나 映畵界에서 活躍하는 人物 中에 『南國社』 出身이 만흘 뿐더러 가까운 例로 最近 中國映畵界에서 最高 人氣를 占領하고 잇는 『金燄』君도 『南國社』의 演員 中의 한 사람이엇고 『唐叔明』女士, 『左明』 等 諸人도 모두 그의 門下에 잇엇던 사람들이다.)

以上으로 演出로서 또는 實際 運動家로서의 그의 活動과 思想 等에 關하야 그다지 詳細치는 못하나 그 槪括的 輪廓은 그려진 세음이다. 다음으로 아래에서 章을 달리하야 그의 戲曲을 말해 보기로 하자.

우리는 『田漢』의 戲曲을 말할 때 明確한 思想的 轉換을 表示하기 以前 卽 一九三〇年을 境界線을 삼고 前後 兩期로 分하여 볼 수 잇다. 前期의 作品을 또 다시 取材의 內容과 思想 或은 表現形式 等에 잇어서 共通點을 가진 것들을 한데 추려보면 大約 다음의 八種類로 나눌 수 잇다.

一. 反戰과 軍閥의 罪惡을 主題로 한 作品──『蘇州夜話』, 『湖上的悲劇』, 『姉妹』, 『江村小景』.

二. 唯美主義 乃至 藝術至上主義 傾向의 作品──『名優之死』.

三. 感傷主義的 序[17]情劇——『鄕愁』, 『南歸』, 『古潭之聲音』.

四. 一般 社會生活을 取扱한 作品——『拉圾桶』, 『珈琲店之一夜』, 『第五號病室』, 『獲虎之夜』.

五. 女性心理를 描寫한 作品——『Piano之鬼』

六. 喜劇——『生之意志』.

七. 舊家庭 制度의 矛盾을 諷刺한 作品——『顫慄』.

八. 其他——『落花時節』.

그러나 이것은 完全히 筆者 個人의 獨斷的 分類이고 반드시 이리해야 된다는 儼然한 分類는 아니다. 그의 作品을 보는 各 個人의 見解에 따라 觀察하는 方法도 달라질 것이고 또 그의 作品의 取材가 몹시 多方面이고 社會問題를 取扱한 作品 속에도 多分히 抒情的 部分이 包含되어 잇고 抒情劇 속에도 輕視치 못할 社會問題가 숨어잇는 만큼 이것이 儼然한 決定的 分類가 될수는 없다. 單只 叙述의 便宜를 爲하야 共通性을 가진 作品을 추려본 것에 不過하나 그다지 無理는 없으리라고 생각한다.

첫재로 『田漢』을 말할 때 一般이 말하는 作品이 곳 『蘇州夜話』다. 勿論 이한 篇의 獨幕劇을 가지고, 『田漢』의 全 藝術을 決定的으로 云謂한다는 것은 無理이지만, 戲曲 本身上으로나, 演出의 效果上으로나, 注目할만한 作品임에 틀림없다. 그의 題目이 明示하고 잇는 것과 같이 中國 名勝地 中의 하나인 蘇州를 背景삼고 北方에서 南方으로 흘러 온 어느 老畫伯의 父女 奇遇의 事實을 빌어 戰爭과 貧窮의 人生에 對한 影響이 얼마나 크다는 것을 表現한 作品이다. 좀더 詳細히 말하면 藝術境에 陶醉햇던 한 畫伯이 軍閥의 싸움으로 家庭을 잃고 사랑하는 妻子를 잃고, 南方으로 流浪하다가 弟子를 거느리고 山

---

17 '抒'의 오기다.

水의 美를 찾아 蘇州에 왔다가 버리고 온 어린 딸을 꽃 파는 게집아이로 發見한다는 것이 이 戲曲의 重要 內容이다. 上半部에 잇어서는 學生들의 生活을 輕快한 喜劇的 手法으로 表現하는 一面 主人公 畵伯의 美를 探求하야마지안는 情熱을 말햇고 後半部에서는 딸과 相逢하는 場面으로 反戰을 暗示하면서 悲劇的 手法으로 終結을 지엇다. 이 戲曲의 重要 骨子는 꽃 파는 게집아이의 다음 같은 對話 속에 表現되어 잇고 또한 이 表現은 軍閥의 罪惡을 너무나 또렷하게 알면서도 입조차 버리지 못하던 當時의 中國 民衆에게 어느 程度의 속크를 줄 수 잇는 힘 잇는 表現이엇든 것을 否認치 못할 것이다.

> 『……이곳에서도 몇 해 동안 工夫를 햇답니다. 그 다음에는 밥도 먹을 수 없는데 어데 돈이 잇어서 工夫를 하겟습니까. 꽃을 팔면서 女學校 문앞을 지날 때 그 속에서 『피아노』 소리가 울려 나오고 『테니스』를 치면서 노(遊)는 女學生를의 그 活潑한 모양을 볼 때 새(鳥)모양으로 變하야 그 속으로 날어 들어가지 못함이 얼마나 분한지 몰랏세요. 어떤 때는 精神 잃고 멀거니 서서 듣고 보느라고 얼마나 꽃 팔 時間을 노처버린지 모른답니다. 그래도 그 다음부터 저도 모든 것을 똑똑히 알엇셔요. 저는 꽃 파는 게집아이이요. 그런 福많은 아가씨들 허구는 두꺼운 壁이 가리워저 잇다는 것을, 그래서 그 後부터 다시는 그 앞을 지나지 안키로 햇지요.……』
>
> (『蘇州夜話』[18], 頁二三)

18　田漢, 「蘇州夜話」, 『田漢戲曲集4』, 現代書局, 1932. 아래도 마찬가지다.

『……저의 원수말이지요? 저의 怨讐? 저의 怨讐는 하나는 戰爭이고, 또 하나는 貧窮입니다. 萬一, 戰爭이 아니엿던들 우리 한 집안 사람들이 왜 이렇게 散散히 허터젓고……』

(同上, 頁三〇)

(六)

또한 作者는 主人公 畵伯의 입을 빌어 다음과 같이 이 戲曲의 中心思想을 表現하엿다.

『그러타! 사람은 自然의 主人이 될 수는 잇다. 그러나 主人이 되려면 먼저 그를 充分히 알어야 한다. 그리고 充分히 안 다음에는 그를 充分히 사랑해야 한다.』

(同上, 頁九)

『하……한 藝術家가 그의 藝術을 完成하기 爲하야 얼마나 苦痛을 받는지 아는가. 마치 그대들 女子들이 美貌를 爲하야 苦心하듯이……』

(同上, 一一頁)

『……나는 『長江萬里圖』를 그린 古人의 뜻을 배워, 半生의 精力을 기우려서 우리 民族의 偉大한 氣魄을 象徵하는 『萬里長城』이란 한 幅의 그림을 그리려 햇소.……그래 이 그림을 五年

동안이나 그려가지고 곧 그 咀呪스러운 內戰을 만낫구려! 한 軍閥과 다른 軍閥이 北京을 빼앗으려 싸웟소. 北京城 밖이 그들의 싸움터가 돼버린 것은 말할 것도 없고 나의 집(家), 나의 아름다운 畵室까지도 그들의 砲火의 目標가 돼버렷구려.…… 나는 집안사람들의 勸告도 듣지 안코 砲火 속에서도 泰然히 그림을 그리고 잇엇소. 그러나 하로는 어둔 밤중에 잠잠이 깨우니 兵丁들은 벌서 槍뿌리로 우리 집을 드리치는 판이구려. 나는 깜작 놀라 일변 안해더러 딸을 데리고 먼저 달아나게 하고 나는 나의 畵室을 지키고 잇엇소.……아! 畵室은 나의 生命이엇소.……』

(同上, 一六頁[19])

　勿論 이 戱曲의 主人公을 作者 自身이라고 斷定할 수는 없으나 當時 作者의 藝術至上主義的 傾向은 이런 反帝的 作品 속에서도 穩然中에 나타나 잇는 것도 注意할만한 곳이다. 中國의 劇評家 中에는 이 戱曲이 『南國社』에서 처음 上映되엇을 때 反戰이라는 果然 어떠한 戰爭인지가 朦朧하다는 것을 指摘하고 이 藝術至上主義的 傾向을 一種의 藝術的 幻想에 지나지 못한다고 말한 사람도 잇으나 이 點이 도리혀 이 作品의 特殊한 魅力이 아닌가 한다. 軍閥의 싸움에 藝術을 犧牲 當한 젊은 藝術家가 中國靑年 中에는 얼마나만흘 것인고? 一言으로 이 한 幕의 簡單한 戱曲은 父女相逢 等에 不自然한 곳이 잇고 動作을 저버리고 空虛한 對話에 흐른 感이 없지 안흐나 『田漢』의 初期作品을 代表하는 佳作이라고 보는 것도 決코 過讚은 아닐 것이다.

───────────

19　실은 15~16쪽이다.

이 作品과 同一한 傾向을 가진 後者『湖上的悲劇』은 그 背景도 같은 南方일 뿐더러 劇을 構成한 形式이라던지 人物의 性格이라던지 前者와 類似한 곳이 많다. 前者의 主人公이 畫家인데 對하야 이 戲曲의 主人公은 詩人이지만 이것은 名稱上의 差異뿐이요, 亦是 外部의 迫害에 藝術을 破滅 當한 한 詩人의 悲慘한 追憶을 말하야 로맨스와 現實의 綜錯과 靈과 肉에서 分裂되는 生活의 苦惱를 表現하랴 한 作品이다. 이 作品에 關하야는 筆者의 拙譯(『朝鮮文壇』 所載)이 잇기로 劇의 詳細한 內容을 여기 쓰지 않기로 하며 前者에 比하야 더 한층 感傷主義的 作品으로 一般이 그 根本 意圖가 軍閥의 罪惡과 反帝를 말하랴 함에 잇다고는 하지만 그보다 한 幕의『로맨틱』한 詩劇이라고 이름 부처줌이 妥當하지 안흘까 한다.

以上 두 作品에서 暗示된 反戰思想이 露骨的으로 한 거름 더 進展된 作品으로 곧『姊妹』와『江村小景』두 篇의 獨幕劇을 들 수 잇다.『江村小景』은 故鄕을 떠나 北方으로 流浪하다가 北方 軍閥의 兵士가 되어 南閥의 一兵으로 歸鄕한 兄과 故鄕에서 老母를 모시고 南軍에 加擔한 同生과 서로 格鬪 끝에 兄이 同生의 槍끝에 쓰러지고 나갓던 어머니가 돌아왓을 때 겨우 親兄弟임을 알게 된다는 事件을 描寫햇다. 劇의 進展이 몹시 簡單하고 마치 가지(枝)를 버리고 줄거리(幹)만 取한 듯한 感이 잇으나 生活때문에 軍閥과 軍閥의 싸움에 生命까지 犧牲 當하는 中國靑年들의 心境을『蘇州夜話』보다 훨신 具體的 事實을 들어 表現한 作品이다. 劇의『크라이막스』에 이르러서 二三 重要한 對話와 動作이 削除는 當하엿으나 다음 같은 母子의 對話는 現代 中國靑年들의 가슴에 非常한 刺戟을 줄 수 잇을 것이다.

　　　長子:『……그러나 그 다음부터는 그저 싸움뿐입니다그려. 가
　　　　는 곳마다 土匪요, 논과 밭이 잇어도 무엇 하나 심어먹을 수가

잇어야지요. 그 老人도 土匪를 치러 드러온 兵丁들에게 맞어
죽엇지요. 저는 그때 벌서 열여듧살이엿읍니다. 때마츰 兵丁
을 뽑는다기에 드러가 버렷지요. 山東, 北京, 奉天 어데 안 간
곳이 잇나요. 처음에는 吳佩孚 部下로 張作霖이를 치고 그 다
음에는 張作霖의 部下로 吳佩孚를 치고……』

母: 『얘야! 왜 그러케 一定한 主張이 없단 말이냐?』

長子: 『主張이요? 어머니도 저 같은 無識쟁이가 무엇을 主張
합니까. 그저 먹을 게 잇으면 먹고 싸움이 잇으면 싸울 뿐이지
요. 글세 제 얼골에 이 커다란 숭자죽을 보세요. 이게 바로 第
一次 奉直戰爭에서 다친 곳이랍니다. 이 손꾸락도 없어지지
안헛세요. 이건 두 번째 奉直戰爭에서 다친 것이랍니다.』

母: 『아이구 얘야! 그럼 뭘 하러 또 兵丁노릇을 하러 간단 말이
냐?』

子: 『兵丁노릇을 안하면 먹을게 없지 안습니까.』

(『江村小景』[20], 頁八)

다음으로 『姉妹』는 『江村小景』과 大同小異한 作品이면서도 特히 外來 資
本主義의 侵入과 手工業에 對한 機械工業의 侵畧 等 問題를 말한 곳에서 前
者와 區別되는 特色을 가지고 잇다고 할 수 잇다. 맛아들을 兵丁으로 내보
내어 일어버린 老母와 女工인 딸과의 對話로 이 戲曲은 始作되어서 革命工
作에 參加한 둘째아들을 잡으러 드러온 兵士들의 行動과 對話로 中國 軍士
들의 無力과 沒廉恥를 暴露시키고 母親의 臨終과 團長에게 反旗를 든 兵士

---

20   田漢, 「江村小景」, 『田漢戲曲集4』, 現代書局, 1932. 실은 7~8쪽이다.

들의 革命軍에의 加擔으로 끝을 삼엇다. 『革命軍은 왓다! 우리는 團長을 찔러죽이고 革命軍에 몸을 던지자!』라고 외치는 兵士들의 마지막 말이라던지 『갑시다! 革命軍을 따러갑시다.』하는 맛딸의 말이라던지 똑같이 漠然한 中國式 標語, 口號的 傾向에 흐른 곳이 잇으나 이것을 一條의 光明을 表現하랴 한 作者의 情熱이라 解釋해 주는 것도 無妨할 것이다.

(七)

그러면 以上 諸 作品에서 取扱하고 잇는 所謂 反戰이라는 戰爭에 對하야 作者『田漢』은 어떠한 見解를 가지고 잇는가? 우리는 『蘇州夜話』公演 當時에 反戰問題에 對한 作者 自身의 答辯 中의 一節을 보는 것도 그의 思想의 一部를 窺知함에 無益하지는 안흘 것이다.

> 『……이러한 戰爭은 疑心할 것도 없이 軍閥戰爭이다. 中國 封
> 建 餘毒의 所產의 破壞에 對하야 一切의 軍閥戰爭은 當然히
> 『復仇』를 받어야 된다. 그리고 이『復仇』의 手段은 물을 것도
> 없이『義戰』에 訴하는 길이다. 卽 被壓迫階級이 聯合하야 일
> 어나서 自己解放을 爲하야 싸우는 데 잇다. 不幸히 나의 이런
> 意思가 劇本 中에서 똑똑히 웨처지지 못한 까닭으로 誤解를
> 일으킨 것이다.……』
>
> (『南國月刊』第七期, 頁一一七[21])

---

21   田漢, 「我們的自己批判」에서 인용되었다.

『名優之死』는 그 題名이 말하고 잇는 거와 같이 名優와 名優의 愛人과의 三角關係를 描寫하야 藝術과 사랑, 物質과 勢力의 葛藤을 그린 三幕 悲劇이다. 作者가 그의 戲曲集 序文 中에서 이 作品은 舞臺上에서 最後를 마춘 淸末의 舊劇界의 名優 『劉鴻聲』의 죽엄에서 힌트를 얻엇고 悲壯한 그의 죽엄은 當時의 作者의 藝術至上主義的 頭腦에 커다란 衝動을 주엇다고 말하고 잇는 만큼 그의 許多한 戲曲 中에서 이런 傾向이 가장 濃厚한 作品이다. 二幕이 女優의 私生活을 描寫한 것을 除하면 一幕과 三幕은 다 같이 舊劇의 化粧室에서 일어난 일이다. 背景 저편에서는 『唱戲』라는 所謂 中國 舊劇을 演出시키고 前面에서 일어나는 일을 新劇的 手法으로 處理한 新舊劇 折衷의 表現方法도 滋味잇는 試驗이고 技巧을 輕率히 보는 그의 作品 中에서는 比較的 洗練된 作品이라 하겟다. 物質과 勢力으로 女優의 肉體를 낙시질하랴는 劣紳 物力 앞에 스승(師)이오, 愛人인 男子를 背叛하랴는 女子의 마음, 自己의 藝術을 爲하야 舞臺에서 最後를 마치는 主人公. 『우리들이 먹고 잇는 것은 舞臺 위에서 생기는 밥이다. 목숨도 重要하지만 우리의 일은 목숨보다 더 重要한 것이다.』하는 主人公의 웨침은 作者 自身의 웨침에 틀림없을 것이다. 이 作品은 技巧的으로 洗練된 만큼 上演 效果도 相當히 거두엇다. 『魚龍會』에서 『顧夢鶴』, 『左明』, 『唐叔明』女士 等 諸 劇人의 出演으로 처음으로 이 戲曲의 面目을 나타내인 以後 廣東, 南京 等地에서도 非常한 歡迎을 받은 作品이다.

　感傷主義에 屬하는 抒情劇 『鄕愁』, 『南歸』, 『古潭之聲音』 等 三篇의 獨幕劇 中에서 筆者에 印象이 남은 作品은 『南歸』이다. 이 戲曲은 一見 未完成된 作品 같이 보히나 어데인지 全篇에 充滿된 詩와 눈물이 『田漢』의 다른 한 風格을 말해준다. 南方에 사랑하는 處女를 두고 北方으로 流浪하다가 도라 온 한 不遇의 詩人이 故鄕을 찾어 다시 도라 왓다가 이미 다른 男子와 結婚하게 된 愛人을 發見하고 다시 放浪의 길을 떠난다는 몹시 『로맨틱』한 情景을 그린 作品이다. 一般 評家들은 이 作品을 가라처 現實을 逃避하랴는 無政府主義的 個人主義의 所産이요, 그다지 取할만한 곳이 잇는 作品이 아니라고 하며 筆者 個人의 意思로도 特別히 推擧할만한 作品은 아니로되 『田漢』의 戱曲을 말함에 그대로 덮어버리지 못할 一面性을 가지고 잇는 作品이다. 그밖에 『古潭之聲音』은 『古池ヤ! 蛙飛込む水の 音』라는 日本 芭蕉翁의 名句에서 暗示를 받고 쓴 作品이라고 作者 스사로 말하는 現實에서는 容納하기 어려우리 만치 神秘主義的 氣分이 充滿한 作品이다. 潭上의 한 亭子를 背景삼고 現實에서 厭症이 나서 깊고 깊은 古潭의 聲音에 誘惑되여 投身 自殺하는 女人, 『古潭아! 萬惡의 古潭아! 내 너를 때려부스리라.』하며 愛人의 뒤를 따라 물속으로 들어가는 詩人. 幻想에서 빚어낸 詩劇이라고 보는 것이 適當할 것이다. 남어지 한 篇 『鄕愁』는 作者의 日本遊學 時代의 回憶을 가장 淡泊한 表現으로 叙述한 作品으로 上演보다도 읽기를 爲主로 하고 씨워진 戱曲인가 한다. 將來의 中國의 新建設의 理想을 품고 愛人을 데리고 東京에서 藝道를 닦고 잇는 靑年, 中國의 各省을 流浪한 남어지 日本까지 흘러온 동모, 이 세 사람이 東京 郊外의 풀밭에 앉어서 蒼然한 暮色을 바라보며 鄕愁에 젖은 對話를 주고 받는 것이다.

戱曲的으로 特히 論할만한 作品은 못된다. 그 나라(國)를 ××²²하면서도 그 나라의 文化를 吸收하고 배우지 아니치 못하는 中國靑年들의 心境을 隱然中에 찾어내일 수 잇는 獨幕劇이다.

『拉圾桶』(쓰레기통), (咖啡店——카페), 『第五號病室』, 『獲虎之夜』 等 四篇은 各各 다른 社會生活을 取扱한 作品으로 表現된 바 特徵도 各異한 맛을 가

---

22 '嫌惡'로 추정된다.

지고 잇다. 이 中에서 特別히 우리의 注目할만한 作品은 『咖啡店之一夜』이
니 이는 그의 初期 作品 中에서 出衆한 戯曲일 뿐더러 一般이나 作者 自身
이나 共認하는 그의 出世作으로 從前의 感傷主義를 克服하고 새로운 生活
의 光明을 찾으랴 努力한 作品이다. 그의 處女作으로는 일즉이 『少年中國』
誌에 發表되엿던 『瓛珖璘與薔薇』가 잇으나 이는 問題視할만한 作品이 못되
고 『田漢』으로 하여금 劇作家로서의 움즉일 수 없는 地位를 얻게 한 첫 作品
이 바로 이 戯曲이다. 不幸한 環境 때문에 離別한 愛人과의 再建을 期待하
며 女給生活을 하고 잇는 『白秋英』이라는 女子를 싸고 도는 어느 『카페』의
情景을 描寫한 것이다. 거기에는 時代的 幻滅 속에 빠저서 岐路에서 彷徨하
는 靑年이 잇다. 因襲的 結婚에 不滿을 품고 人生을 悲觀하는 靑年學生이 잇
다. 敎員 生活에서 墮落하야 술과 게집을 일삼는 紳士가 잇다. 生活과 名譽
를 爲하야 옛날의 戀書를 돈으로 사는 靑年이 잇다. 作者는 이 中國 知識階
級의 各異한 環境과 性格의 所有者들을 登場시켜 그들의 戀愛, 結婚, 人生觀
等 諸 問題를 解剖하고 女主人公의 諷刺的 口調로 靑年들의 墮落面을 말하
고 社會와 人生을 말하엿다.

(八)

『첫재로 當身네 서방님네들은 무엇 때문에 工夫들을 안하시고
이런 곳에 와서 기를 쓰고 술들만 마시시는지 알 수 없습니다.』

(『咖啡店之一夜』[23], 頁一五)

---

23 田漢, 「咖啡店之一夜」, 『田漢戯曲集(第三集)』, 上海現代書局, 1932. 아래도 마찬가지다.

『그들 輕薄한 손님들은 나 같은 사람은 單只 性慾을 더듬는 對象으로 여길 뿐입니다. 어떤 때는 甚至於 참을 수 없는 侮辱을 줍니다.……이런 生活 속에서는 金錢과 飮料의 交換, 그리고 이 두 가지의 交換에서 생기는 웃음을 除하고는 아모 것도 볼만한 『人生』은 없습니다. 무엇이 芳烈한 카페입니까? 이곳은 分明히 荒凉한 沙漠이외다. 이 沙漠이 어찌 카페 한곳뿐이리까? 왼 社會가 모다 한 個의 커다란 沙漠과 같습니다.……』

(同上, 頁一九)

이 女主人公은 確實이 作者의 理想을 담어부은 女性이다. 그러나 自己의 生活을 또렷이 認識하고 淪落의 거리에서 몸을 빼내일 覺醒잇는 女性이 中國의 現實 속에 果然 몇이나 잇을 것인고? 中國의 矛盾된 苛酷한 現實은 하로에도 數없는 女性들을 人肉市場으로 몰아너코 잇지 안는가? 一言으로 이 作品은 作者의 理想의 表現에 不過하겟으나, 다음과 같은 그의 人生觀의 一部는 充分히 알 수 잇는 作品이다.

『우리는 그래도 살어갑시다. 사람으로 태어난 以上 煩悶이란 것을 免할 수는 없읍니다. 그러나 生活慾이 旺盛치 못하면 煩悶도 또한 深刻할 수 없읍니다. 그럿습니다. 우리는 深刻하게 살어갑시다. 이 機會에 우리는 모든 淺薄한 生活과 미지근한 生活과 告別합세다. 아! 나의 生活意識은 또 다시 끌어오릅니다. 全身의 힘이 용소슴칩니다. 우리는 함께 生活의 深刻으로 들어갑시다.』

(同上, 頁四七)

『拉圾桶』은 쓰레기통 속에 버려진 嬰兒를 中心으로 하고 封建性을 아즉도 完全히 淸算하지 못한 中國 資産階級의 子女를 사랑하면서도 또한 極端으로 迫害하는 矛盾된 心理와 먹을 것에 쪼들리는 乞人의 子息을 사랑하는 두 階級의 心理를 對立시킨 三場의 『스켓취』式 小劇이다. 序文을 보면 이 作品은 舞臺工作을 하는 一面 舞臺 後面에 앉어서 短時間에 쓴 것이라 하는 만큼 技巧 方面을 너무 疎忽視햇고 實感이 薄弱한 作品이나 封建思想에서 나온 守節의 그릇됨과 사랑하는 子息에게 專制의 結婚을 주어 도리혀 前程을 暗黑에 빠트려주는 有産階級을 罵倒하랴 한 作者의 意圖는 찾어낼 수 잇다.

『第五號病室』은 『南國社』의 第二期 公演 基本으로 相當히 歡迎받은 作品이다. 이 亦是 一幕劇으로 病院이라는 特殊한 社會에 反映된 여러 人生의 姿態를 그린 作品이다. 肺病과 失戀에 울다가 自殺하는 女性, 철없이 浪漫的 꿈을 더듬고 잇는 典型的 新女性, 밝는 날의 죽엄을 앞두고 看護해 줄 사람도 없이 呻吟하고 누은 革命靑年, 病이 없으면서도 看護婦의 美貌에 醉하야 退院치 안는 서방님, 病이 잇으면서도 入院치 못하는 少女, 入院한 女性의 사랑을 獨占하랴고 서로 싸우는 醫師들, 이런 形形色色의 人物들을 登場시켜 現 社會制度下의 病院制度를 打罵하는 一方 輕快한 筆致로 女性心理를 描寫한 作品이다.

以上의 三篇을 除한 外에 그의 初期 作品 中에서 特히 異彩를 發揮하고 잇는 作品으로 『獲虎之夜』가 잇다. 『南國月刊』 第二期에 發表되여 一時 文壇의 注目을 끌엇고 上海 學生劇團에서 數十次를 上演한 外에 日本의 谷崎潤一郎이 上海에 왓을 때 激讚한 作品이라고 傳한다. 그 眞非나 激讚의 程度는 여기서 何等 特記할 것이 아니로되 事實에 잇어서 이 獨幕劇은 貧弱한 中國 劇作界에서 記憶해 주어도 조흘만한 作品이라고 생각한다. 『長沙』東鄕의 어느 山中을 舞臺로 하고 所謂 名門으로 딸을 出嫁시키랴는 한 獵師를

主人公으로 삼고 洞里에서 못난이라 일컷는 無識하고 純朴한 情熱 밖에는 없는 放浪靑年의 사랑을 그려 結婚에 따르는 階級問題를 提示한 作品이다. 處處에 幼稚한 感傷이 보히고 靑年의 自殺로 終結을 지은 것을 흔히 이 作品의 缺點이라고 한다.

남어지 四篇 中에서 女性心理를 描寫한 『Piano之鬼』는 小資産階級의 三姉妹의 對話를 中心으로 하고 맛兄이 工場生活을 視察하고 집에 돌아와 感動된 바 잇어 自己의 生活을 改革하고 生命이나 다름없이 貴重히 여기든 피아노를 버리고 女王[24]들의 生活을 따러간다는 不自然한 構成의 作品이요, 『生之意志』는 新舊思想의 衝突을 取扱하야 子女들의 浪漫的 行動에 激忿한 嚴格한 老父가 新生命의 威嚴앞에 屈服한다는 簡單한 一幕 喜劇이며 『落花時節』은 春雨에 落花가 날어 들어오는 어느 雜誌 編輯室에서 社員들의 주고받는 對話로 一種의 人生의 寂寞感을 表現한 것이니 作者의 『中華書局』編輯部長 時代의 回憶을 敍述한 作品인 것 같으나 두 篇이 다 같이 그다지 깊은 感銘을 남겨주는 作品은 못되고 比較的 一般에게 더욱이 靑年들에게 歡迎받은 作品은 遺産의 罪惡과 禍害 속에서 私生兒로 태여난 한 神經病者의 心理를 表現한 『顫慄』이다. 財産과 權力으로 사랑을 掠奪하는 舊家庭 制度가 나은 悲劇 그 속에서 나온 私生兒의 서름, 一夫多妻主義가 가저오는 罪惡이 亦是 中國靑年들의 깊이 考慮할 社會問題임은 重言을 要치 안흘 것이다.

母: (窓밖을 바라보며) 밖이 저러케 어둔데 어떠케 간단 말이냐?
子: 아니요. 어머니! 밖은 어둡기는 하나 이 집안보다는 훨신 밝읍니다.(어머니에게 인사를 하고 나서 兄에게) 자! 안녕히 게시

---

24 '女工'의 오식이다.

오.(맛兄 멀거니 바라볼 뿐)

母: (울면서) 얘야.

―幕―

（『顚慄』[25], 頁一九）

(九)

이것은 곳 이 戱曲의 主人公이요, 私生兒인 神經病者가 나는 自然의 아들 이외다, 自由人이외다, 遺産도 일없고 姓도 일없는 光明한 未來의 사람이라 고 웨치며 腐敗한 家庭을 박차고 나가는 마즈막 場面이다.

이 한 場面은 舞臺에 올럿을 때 觀衆들 더욱이 正義感에 불붙는 靑年들에 게 不知中 두 주먹을 불끈 쥐게 하엿다고 하나 一部 評家들이 『社會組織이 改造되기 前에야 腐敗한 家庭이나 外部 社會나 結局 暗黑한 世界가 아니냐? 이는 小資産階級의 漠然한 自由主義的 行動을 表現한 데 不過한다.』고 말하 는 것도 一理가 잇는 觀察이라 하겟다.

前期에 잇어서 이러케 多作이던 그는 後期 卽 一九三〇年으로 들어서면 서부터 위에서도 여러 번 말한 바와 같이 不可避한 客觀的 情勢아래에서 新 劇運動의 工作이 停頓됨에 따라 執筆의 自由도 自然 일케 되엿다. 그러나 그 는 이런 環境에 處해서도 오히려 劇作의 붓을 完全히 던저버리지는 안코 陰 으로 陽으로 甚至於 匿名까지 하고 從前에 比하야 한 거름 進步된 境遇를 開拓하면서 數篇의 力作을 내노핫다. 一方으로 從前의 感傷主義와 人道主

25 田漢, 「顚慄」, 『田漢戱曲集』(改訂本), 現代書局, 1934.

義者的 藝術觀을 克服하기에 힘쓰면서 社會와 人生에 對한 觀察의 視野를 넓히엿으니 이 時期의 作品 中의 重要한 것으로 階級과 環境에 對한 人生의 觀點 問題를 取扱한 三幕 社會劇『天²⁶之跳舞』, 그의 作品 中에서 한 特殊한 領域을 보혀준 歷史悲劇『孫中山之死』, 五三十事件을 題材로 한『顧正紅之死』,『九一八』事件에서 取材한『姉妹』以外에 封建的 資産階級과 革命的 小資産階級의 女性을 對照的으로 取扱하야 現代 中國女性들의 社會觀과 藝術觀을 反映한『暴風雨中的七個女性』과 베스會社의 罷工을 描寫한『一九三二年的月光曲』等 五六篇이 잇고 三五年度에 匿名으로 내노흔 近作으로도 今年 一月『上海舞臺人協會』에서 上演한『回春之曲』,『水銀燈下』等 두 篇이 잇으나 이는 다음 機會에 中國劇壇에 關하야 稿를 달리하야 言及코자 하며 龍頭蛇尾의 感이 잇으나 上記한 後期의 諸作에 對해서도 더 詳細한 內容은 省畧키로 한다. 이러케 함은 勿論 論者로서 不誠實한 態度요, 一一히 劇의 進展을 說明하야 各 方面의 效果와 反響을 究明해야 할 것이로되 筆者의 私生活이 그런 餘裕를 許諾지 안흐니 上述한 中에 慌唐히 넘어온 곳은 讀者의 諒解를 바랄 수밖에 없고 題目과는 억으러진 感이 잇으나 一面 紹介者의 立場에서 讀後感 乃至 解題를 叙述한 것으로 읽어주면 多幸인가 한다.

最後로 그의 面貌을 밝히는 一部의 參考로 이곳 戲劇 評論界의 權威『馬彦祥』氏의『現代中國戲劇』이라는 一文 中의『田漢』에 關한 評文 中의 一節을 引用하고자 한다.

『……田漢은 戲劇이라는 것이 當然히 民衆的이여야 하며 民衆을 爲한 부르짖음이여야 할 것을 明白히 알면서도 時代와

---

26 '火'의 오식이다.

는 距離가 極히 먼 作品을 썻고 새로운 時代가 이미 開始되엿
음을 잘 알면서도 오히려 그의 抒情的 時代에 沈迷하고 잇엇
다. 그러나 이는 田漢만을 怪異하다 할 수 없으며 田漢의 個性
의 表現에만 끄칠 것이 아니라 事實에 잇어서 時代의 反映이
라 하겟다. 지금 우리의 時代는 矛盾이 그 極點에 達한 時代임
은 누구나 否認치 못할 것이다.……」

(『現代文學評論』, 第九頁 上段[27])

何如튼 『田漢』은 아즉도 前途가 遼遠한 新興中國 戱劇界의 重鎭이다. 그
가 將次 어떤한 形式으로 무엇을 부르짖고 나설는지? 이는 우리의 中國에 對
한 關心과 똑가치 期待와 興味를 아울러 갖게 하는 바이다. 끝으로 이 拙稿
를 끝냄에 잇어서 直接 間接으로 도음을 입은 『上海美專』의 『王白淵』, 『高中
立』, 『田漢』氏 令弟 『田洪』 等 諸氏에게 紙面으로 感謝의 뜻을 表示해 둔다.

(了)

---

27 馬彦祥, 「現代中國戱劇」, 『現代文學評論』 제2권 제3기, 1931. 실은 8-9쪽이다.

反動文學의 寵兒『矛盾[01]三部曲』解說[02]

李達

現代 中國文壇의 第一流 作家 矛盾은 沈雁冰의 筆名이다. 五四運動 때부터 作家生活을 시작하야 伊來 新文藝를 提唱하고 일즉이 北平에서 鄭振鐸, 周作人 等과 文學研究會를 組織하여 創造社(郭沫若, 郁達夫, 成仿吾 等이 組織한 一個 文學團體)와 對立하엿다. 그 後 上海에서 小說月報를 編輯하면서 自然主義를 鼓吹하고 海外文壇 消息을 紹介하여 當時 中國 新文學의 啓蒙運動에 全力하엿다. 一九二四年에 小說月報社를 나와서는 革命工作에 投身하여 武漢에서 政治部 宣傳 職務를 擔當하고 活動하다가 武漢政府 分裂 後 다시 上海에 돌어와 杜門 三個月만에 當時 一般의 歡近[03]을 밧든 이『三部曲』──幻滅, 動搖, 追求 三篇(通稱 矛盾 三部曲)──을 發表하엿다. 그後로도『野薔薇』, 『虹』等의 力作을 繼續 發表하고 最近年에는『三人行』과『子夜』等 長篇을 發表하엿다. 그는 三部曲 解說로도 알 바와 가티 政治的으로 反動에 屬하는

---

01 '茅盾'의 오기다. 아래도 마찬가지임.

02 '中國文學 紹介', 『朝鮮日報』 1935.12.23, 4면. 이 글은 중국 근대 문인 賀玉波의 「茅盾創作的考察」(『讀書月刊』, 제2권 제1기, 1931년)을 초역한 것이다.

03 '歡迎'의 오식이다.

作家다. 그를 紹介하는 것도 그다지 必要하다고는 생각되지 안는다. 그러나 지금 中國社會의 一部에서는 果然 어떠한 藝術을 要求하고 잇는가? 新興 氣分으로부터 後退된 中國社會가 거긔에 如實히 反映되야 잇슬 것이 아닌가? 矛盾이 지금 中國文壇의 寵兒노릇을 하는 것도 無理는 아니다. 더구나 그의 寫實的 技法의 그것은 讀者를 끌기에 足하다. 何如튼 우리 文壇은 넘어나 中國文學에 對하야 等閑하다. 그럼을 생각하야 中國 現 文壇의 傾向을 紹介코자 위선 矛盾의 三部曲에 對한 멧 마듸 解說을 쓰고자 한다.

『三部曲』은 矛盾의 初期作인 만치 作品의 意識과 技術에 잇서 勿論 最近作『子夜』에 比하야는 훨신 低價로 評價하는 것이 事實이다. 그러나 一九二七年 頃 中國 動亂時期를 背景으로 한 이『三部曲』이 어느 程度까지 時代性을 把握한 作品인가 그 內容을 通하여 넉넉히 엿볼 수 잇다. 『三部曲』은 完全히 戀愛를 外皮로 하여 當時 中國 革命時代의 社會現象과 革命 後의 幻滅, 動搖, 悲哀를 表現하엿다. 그리고 靑年男女의 戀愛心理를 分析하엿다. 그러나 描寫한 戀愛心理는 大槪 感傷的이고 病態的이다. 『三部曲』의 女主人公은 거의 世紀末的 頹廢思想에 陶醉된 女性의 典型이다.

一. 幻滅의 槪要

먼저 그 槪要부터 더듬어보면 S[04] 大槪 이러하다. 靜은 上海 S大學에 在學한 一 女學生이다. 그의 女友 慧는 海外에서 도라 와서 곳 靜을 訪問하엿다. 慧는 이미 愛情의 辛酸을 體驗한 女子로서 男子의게 對하야 極端의 不信任을 가지고 一種의 『玩弄報復』政策으로 一般 男性을 對한다. 靜은 不知不覺

---

04 오식이다.

에 慧의 影響을 바덧다. 靜의 男子 同窓 抱素가 第一次 靜을 訪問하고 동무들의 捏造한 謠言(戀愛)을 利用하여 靜의 態度를 알어 보려고 하엿다. 그러나 靜은 오히려 抱素에 對하여 愛情이 업는 것을 表示하엿다. 抱素는 一個 虛僞的 戀愛狂으로 女子의 歡心을 사려고만 애쓰는 靑年이엇다. 慧는 就職치 못한 것과 또 其他의 事情으로 靜의 宿所로 옴겨와서 靜과 同住케 되엿다. 抱素가 靜의 處所에 往來하며 慧를 사랑하엿다. 그들은 短時間의 三角戀愛의 風波를 일으켯다. 抱素는 畢竟 靜을 바리고 慧와 追逐하엿다. 그러나 慧는 始終 自己의 主張를 堅守하고 抱素에 對하여 好感을 表示치 안는다. 그러다 抱素도 同時에 慧의 以前 秘密을 探問하고 곳 慧와 決裂되는 同時 慧는 突然히 靜을 作別하고 上海를 떠낫다. 抱素는 또다시 靜의게 사랑을 옴겨 繼續 進攻한 바 巧妙한 言辭와 手段에 征服된 靜은 畢竟 自己의 貞操를 抱素에게 맛겻다. 그러나 누가 알엇스랴. 靜은 抱素의 手帖에서 抱素의 秘密를 發見하엿다. 抱素는 原來 愛人이 잇는 것을 바리엇고 또 軍閥의 密偵이다. 여긔에서 靜은 幻滅의 悲哀에 빠젓다. 抱素의 詰難을 廻避키 爲하여 假病으로 入院하엿더니 入院한 翌日 靜은 果然 病――猩紅熱――이 낫다. 病院에서 S大學 同窓 史俊, 李克, 趙赤珠孃 等을 맛나 史俊의 慫慂으로 同窓들과 가티 武漢으로 가서 革命運動에 投身하엿다. 靜은 여긔에서 또 慧를 맛나 彼此 同志的 關係로 往來하엿다. 靜은 여긔에서 政治人物의 醜態를 窺察하고 또 自己 工作에 不滿을 가지게 되엿다. 뒤에 慧의 紹介로 傷兵醫院의 看護婦가 되여 이곳에서 年少한 强連長을 알게 되엿다. 强連長은 ――[05] 未來主義者이다. 戰爭을 爲하여 戰爭한다. 靜은 强連長과의 熱戀에 빠젓다. 그들은 廬山으로 密月을 가서 그곳에서 强烈한 肉的 生活에 陶醉하엿다. 이박게 靜은 또 새로운

---

05 두 번째 '―'은 오식이다.

憧憬이 잇다. 그러나 强連長은 軍籍을 脫離치 못하엿슬 뿐 아니라 武裝同志의 邀請을 바더 戰場으로 나아갓다. 그러므로 靜은 또 깁흔 구렁에 빠젓다. 靜은 여러 번 憧憬을 追求하엿스나 結果는 幻滅뿐이엇다.

本篇은 作者의 自白과 가티 題目이 幻滅이고 描寫한 主要點도 또한 幻滅이다. 果然 그러하다. 幻滅이 讀者에게 준 印象은 오즉 幻滅뿐이다. 作者는 一個 小資産階級의 女子를 小說의 主人公으로 내세워 가지고 小資産階級의 革命에 對한 幻滅의 心理를 描寫하엿다. 一九二七年 後 中國 革命 渦中에 잇서 幾次의 政治的 變化가 잇서 一般으로 意志 堅强치 못한 靑年은 革命에 對한 懷疑를 가지고 이 懷疑의 結果로 因하여 그들은 岐路에 徘徊하고 正當한 進路를 認識치 못하엿다. 그러므로 그 表現한 바도 全혀 意志 薄弱한 靑年의 革命 渦中에 잇서서의 流難와 幻滅의 心理이다.

作品의 技巧에 일으러서는 全篇을 十四章으로 分하여 第一章으로부터 第八章까지 靜의 學校生活을 描寫하고 第九章으로부터 第十四章까지는 靜의 革命生活을 描寫하엿다. 그中에 側面描寫寓에만 注意한 것과 或은 情理에 不合한 것과 揷入의 不必要한 部分 等의 缺點이 업지 안흐나 人物의 個性描寫와 政治的 態度를 諷刺한 것과 佈局의 適當한 點에 잇서는 可謂 成功한 作品이라고 볼 수 잇다. 더욱 人物 個性描寫에 잇서 靜의 嬌羞, 溫柔, 無主見한 性情과 慧의 比較的 老練하고 決斷性이 잇고 또 世情에 밝어서 男子에게 속지 안는 것과 抱素의 虛僞, 卑劣과 小資産階級 女子의 懦弱한 心理의 描寫 等 作者 第一流의 手法이 완연히 露顯되엿다.

二. 動搖의 槪要

全篇의 槪要를 略述하면 아래 갓다.

(가) 劣紳 胡國光에 關하여. 國光의 家庭의 醜態, 妾의 卑劣 行爲, 子 胡炳의 不肖, 國光 自身이 當地 商民協會에 潜入하라는 投機情形, 『王榮昌』店主 王泰記의 承認을 어더 同店 名義로 商協의 委員 一席을 取하랴다가 一般의 反對로 結局 成功치 못한 것, 其後 또 店員의 加俸運動을 利用하여 一 革命分子로 假裝하고 特派員 史俊의 推薦을 바더 縣黨部 常務委員이 된 것, 縣城에 大混亂을 일으켜 人民을 極度의 恐慌에 모러너은 것, 뒤에 또 敵軍과 暗通한 것 等等.

(나) 方羅蘭에 關하여. 方은 縣黨部 委員 兼 商民部長의 重職을 가지고 잇스나 何等의 才能이 업는 것. 그의 證據로는 첫재 그가 店員 罷業에 對하여 何等의 定見이 업는 것과 또 政治 工作에 잇서서도 非常히 危險한 動搖를 일으켜 胡國光과 갓흔 投機分子로 하여금 黨部에 混入하고도 이것을 制裁하지 못하는 것과 둘재로는 自己 妾으로만 滿足을 느끼지 못하는 그는 婦女協會의 孫舞陽이란 女子의게 野心을 가젓스나 이 眞情을 自己 妻의게 說破한 勇氣가 업서 卽時로 家庭風波를 일으키는 것. 그러나 孫은 一個 浪漫的 性格의 女子임으로 비록 肉體를 方의게 맛겨 抱擁하나 誠心으로 그를 사랑치 안는 것과 이것을 看破한 그는 곳 孫에 對한 野心을 바린 것 等等.

(다) 孫舞陽에 關하여. 孫은 幻滅 中의 慧와 同一한 模型인 것. 孫은 婦女協會에 잇스나 革命工作에 對하여서는 何等의 能率을 내지 못하고 異性을 誘惑하는 데는 오히려 十分 露骨的인 것. 그는 方羅蘭을 사랑하나 方의 그 妻와의 離婚을 反對하는 것. 張과 劉의 二個 女子는 婦女部의 一種의 裝飾品으로 둔 것 等等.

(라) 史俊과 李克에 關하여. 史와 李는 省의 特派로서 該地에 二次나 派遣되여 前次는 店員 罷業을 解決키 爲한 것, 後次는 胡國光派에 依하여 主動된 農協의 紛亂을 解決키 爲한 것. 史俊은 一個 無見職한 者임으로 胡國光을 縣

黨部 常委로 推薦한 것. 李克은 史와 反對로 紛糾를 解決한 後 곳 胡國光에 對하여 斷乎한 處置를 主張하다가 畢竟 毆打까지 當한 것 等等.

一九二七年은 確實히 中國革命의 變化無常한 時期이엇다. 그때의 運動은 그 轉向에 잇서 或左 或右의 混亂狀態를 呈示하여 이 時期에 處한 靑年은 事實로 左右 兩難의 苦痛을 當하며 同樣으로 一般 黨務 政治工作에 從事하는 사람까지 이러한 危險을 느끼게 되엿다. 여긔에서 그들은 革命에 對하여 動搖와 幻滅이 잇섯다. 本篇에 描寫된 것이 이 動搖이다.

本篇의 技巧 方面을 삷혀보면 戀愛와 革命 두 事件을 題材로 한 만큼 그 結構가 複雜하고 附屬된 事件도 甚히 만타. 作者는 이러한 廣大한 題材를 處理하는 方法에 不少의 破綻이 잇슴을 免할 수 업섯스나 人物의 個性描寫에는 讀者의 滿足을 주고 남는다.

三. 追求의 槪要

全篇을 八章으로 分하야 革命生活에 對하여는 幻滅이 잇스나 墮落지 안코 오히려 各自 追求하는 靑年의 一群을 描寫하엿다. 첫재 王仲昭는 新聞事業의 改革에 努力하여 그것으로써 愛人의 歡心을 사랴고 하엿다. 그러나 그의 改革 計畫은 맛침내 失敗에 도라가고 말엇다. 이것은 王의 事業上 追求의 失敗이다. 그 다음에 張曼靑은 敎育事業에 努力하여 敎育으로써 紛亂한 社會問題 解決을 主張하고 同時에 自己의 理想的 愛人으로 미덧든 章秋柳에게서 缺點을 發見하고 最後로 女敎員 朱近女와 結婚하엿스나 그는 또 新夫人도 自己의 理想에 不合함을 알엇다. 事業과 戀愛 兩 方面의 追求에 그는 完全히 失敗하엿다. 셋재로 章秋柳는 一個 放從한 神經質의 女子이다. 그는 强烈한 肉的 刺戟을 要求한다. 그의게는 現在가 잇슬 뿐이고 明日을 不關이다. 그는 『幻滅』 中의 慧와 『動搖』 中의 孫舞陽과 同一한 性格의 所有者이엇다. 그는 異樣의 刺戟을 찾기 爲하야 舞跳場으로 기어들어 男性과의 發狂的 抱擁으로 肉的 快感을 엇는다. 그는 또 好奇心에 驅使되여 自殺未遂의 頹廢 靑年 史循를 사랑하엿다. 自己의 肉體로써 史循을 頹廢 中에서 救出하랴 한다. 그러나 그들의 兩次 狂歡 後 史는 暴疾로 다시 오지 못할 길을 가고 말엇다. 여긔에서 章秋柳의 追求도 結局 失敗하엿다. 이 박게 그리 重要치 안흔 卽 史循의 自殺, 張曼靑 等의 三角戀愛의 情節이 잇다.

『追求』는 悲觀 色彩가 極히 濃厚한 一部 小說이다.

作者는 모든 것이 空虛임으로 幻滅의 길을 밟는다는 것을 말하엿다. 全篇의 人物은 모다 殘酷한 運命의 咀呪를 밧는다. 그들 中 或은 事業에 努力하고 或은 强烈한 生活의 快樂을 追求한다. 그러나 그 結果는 如何한가? 모다 運命의 神의게 끌여 幻滅의 길에 올으고 말엇다. 作者는 다만 人生의 悲慘한 一面만 보고 光明의 一面은 疎忽하엿다. 假令 人生이란 果然 作者의 描寫와 가티 全혀 幻滅과 失望뿐이라면 우리는 새로운 憧憬을 가질 必要가 업는 것이다. 一切를 運命에만 맛기고마는 수 박게 他道가 업다. 그러나 事實은 이와 反對로 人生이란 如何히 쓰린 것이라고 하드라도 恒常 光明을 向하고 奮鬪한다. 여긔에서 失敗가 잇고 同時에 成功이 잇다. 그리고 이러한 奮鬪에서만 비로소 人生은 漸次 그 意義를 찾는 것이다. 陰鬱하고 幻滅的인 思想의 種子를 靑年 讀者의 머리에 뿌려노흔 것이 作者의 失敗이다.

(完)

1936년

中國文學의 特徵 - 中國文學을 研究하려는 분에게[01]

丁來東

一

中國 新文學이 勃發할 時에는 中國 古文學을 全部 否認하는 態度도 있었으나 그것은 一時的 氣分이었고 그 後로는 「國故整理」의 熱도 자못 높았었으며 그의 眞價도 再發見하게 되었다.

胡適과 같은 學者는 用語로써 中國文學의 優劣을 決定하며 周作人, 郭沫若 等 諸氏는 文學 作業의 內容으로써 그 優劣을 決定하자는 意見을 가지고 있다.

그러므로 中國文學의 特徵을 말하기도 퍽으나 困難한 点이 많다. 그러나 文學作品을 西洋 諸國의 文學과 比較할 때 그 長短을 發見하는 点도 不無하다. 以下에서 그 느끼는 바 몇 가지를 大概 적어볼가 한다.

二

中國文學의 表現 器具인 中國文字의 特点을 느끼기는 가장 쉬울 것이다. 記者文字보다 意象文字가 그 意味의 深長한 点으로 보아 훨신 優秀한 것은

더 말할 것도 없다.

　그러므로 中國文字는 그 音의 如何를 爲先 莫論하고도 그 意味만 안다면 그 眞意를 鑑賞할 수가 있고 그 字數는 簡單하드래도 意味의 深長한 것은 더 말할 것도 없다.

　中國에 詩歌가 特別히 發達한 理由도 그 文字에의 意味가 深長하고 簡單한 데 있다고 볼 수 있다.

三

　西洋에 있어서 最古의 價値있는 作品을 들려면 「호—머」의 二作을 들게 되는데 그것은 「敍事詩」에 屬한 것이지만은 中國의 것은 「詩經」을 들게 된다. 詩經은 敍情詩의 彙集이다.

　이 点이 東西上 古文學에 있어 相異点이며 中國 上古文學의 特色이라고도 볼 수 있다. 中國文學史上에는 敍事詩가 퍽으나 적다. 或은 「孔雀東南飛」 等을 들기는 하나 그 後의 作品으로도 敍事詩가 적을 뿐만 아니라 西洋 諸國의 文學에서와 같이 長篇 敍事詩는 찾을 수가 없는 것이다.

　近來 新文學運動 以來로 파묻혔든 民間文學을 收集하고 再發見하면서 民間劇, 「彈詞」 等을 퍽 重視하기는 하나 彈詞가 小說에 屬할 것인가 長篇 敍事詩 或은 敍情詩에 屬할 것인가는 아즉 問題 以外에 있다.

四

中國文學 中에 가장 發達한 것은 宮中文學이다. 中國 中上古의 文人들은 大概 두 種類가 있으니 其一은 富貴를 등지고 浪漫的 生活로 흐르는 者들이요, 其二는 宮中의 寵愛와 顯達을 爲하야 一生을 奉仕하는 것이었다.

그러므로 「忠」, 「孝」의 思想을 根據로 한 作品이 非常히 많고 甚至於 民間作品에까지 그 思想은 瀰漫하야 政治가 整頓될 때에는 忠孝를 根本으로 하지 않은 作品은 全部 埋葬을 當하였든 것이다. 그 反面에 「上疏」, 「墓誌銘」 等이 極히 많아서 他國에 그 類를 發見할 수가 없을 것이다.

朝廷文學 外에 最近 發見되여 가며 있는 民間文學에도 特殊한 것이 많으나 이것은 後로 미루고 只今은 大概를 記錄한 것으로써 끝쳐 두겠다.

世界文壇 點考(七)[01]

一 記者

中國

最近 中國에서는 中國 本位어야 한다는 主唱아래 모든 文化가 復古, 國粹의 方面으로 움즉이고 잇는 바 文學에 잇어서도 顯著히 이 傾向이 보이고 잇다. 일즉이 이 나라의 文學을 代表하고 잇는 左翼文學은 그것의 世界的 退却, 또는 國民政府의 苛酷한 出版에 依하야 凋落의 一途를 것고 잇다. 幽默小品 半月刊『論語』에 依據한 諸人이 昨年 四月 같은 體裁의 小品文 半月刊『人間世』를 냄으로부터 所謂 小品文이 文壇의 主流를 占하고, 明末 文人의 風을 模倣한 그의 個人的 閑適 筆調가『인테리』靑年 間에 異常한 歡迎을 받은 것으로서 左翼派에서도 이것에 對抗하야 社會性, 科學性을 標榜하는『太白』,『芒種』에 依據한 小品文界를 二分하야 華麗한 論戰, 互相 罵倒를 交하고 잇으나 到底히 前者에 匹敵할 수 없어 今年 八月 以降 兩 雜誌는 相繼하야 廢刊된 形便이다.

一方 創作에 잇어서도 일즉이『革命文學』의 全盛 當時와 같이 偏頗된 作品은 完全히 足跡이 끈어젓다. 假令 農村을 描寫하고 工人을 그린다고 하드

---

01 『東亞日報』1936.1.10, 석간 3면.

래도 中國的 鄕土美가 濃厚한『리알리스틱』한 作品이 만코 形式에도 細心한 注意가 더해가고 잇다. 그러나 左翼派뿐만 아니라 純文學 方面에서도 飜譯이 漸次로 旺盛한 便으로서 돌리어 創作은 이에 比하면 不振하는 形便으로 再昨年 創刊 以來 文壇을『리드』하여온『文學』같은 雜誌도 今日은 氣息이 奄奄하야 危機를 傳하고 잇다. 小品文도 閑適派가 今年에 잇어서『文飯小品』,『宇宙風』等을 내어 獨特한 筆鋒을 휘두르더니 敵手를 이러 버린 後부터는 漸次로 下向線을 것고 잇다.

一方 通俗文學은 新文學이 出生하기 前, 卽 文學革命 前으로부터 通俗的인 家庭小說, 戀愛物語의 類가 盛行하고 잇어 新文學이 일어난 後부터도 隱然한 勢力을 大衆의 사이에 持續하야 今日까지 온 모양이다.

그러면 作家들의 動靜은 또 어찌되고 잇는가.

中國文壇의 巨將 魯迅은『文學』에 匿名 評論 等을 쓰고 잇는 程度이나 大衆의 人氣는 依然하고 兄과 反對의 立場에 잇는 그의 弟 周作人은 林語堂, 廢名 等을 引率하고 閑適派를 위하야 活躍하며『유모어』와 諷刺에 富한 老舍는『論語』,『文學』等에 執筆하고 잇고, 郭沫若은 論文, 雜文 等을 쓰고 잇고, 郁達夫는 杭州에 隱居하야 昨年 中『人間世』라는 自傳을 썻엇다[02]. 茅盾은 沈默을 지키고, 巴金, 沈從文, 張天翼의 三 作家와 中堅作家로는 吳組緗, 萬迪鶴, 艾蕪, 蔣牧良, 魯彦과 大衆作家 張恨水 等이 昨年 中에 活躍한 作家이다. 그리고 劇作家로 有名한 田漢은 亡命해 돌아다니다가 昨年 봄에 國民政府에 붓들렷으나 얼마 아니 되어 釋放하는 恩典을 입어 靜養 中이며,『五奎橋』라는 戱曲을 써서 有名해진 洪深, 佛蘭西風의『유모어』를 가지고 잇는 李健吾 等은 한결같이 中國의 新劇運動을 위하야 奮鬪 努力하고 잇다.

02　정보가 잘못되었다. 郁達夫의 자서전이 잡지『人間世』에 발표된 것이다.

中國劇의 聽戲에 關하야[01]

金友琴

❶[02]

中國劇은 唱戲(창, 씨)라 하야 三代의 樂舞, 唐의 梨園, 宋元의 院本, 明淸의 傳奇로부터 現在 行演하고 잇는 皮簧劇에 이르기까지 大略 한 불의 概念만을 잡으려 하드래도 容易한 問題가 아니다.

또다시 京劇 卽 皮簧劇으로 始作되어 崑曲梛子, 嘣嘣戲 或은 薄弱하나마 中國 南北의 藝術 繫聯하야 주는 山東의 土着劇 또는 花鼓劇 그 一派로 看做할 수 잇는 楚劇 或은 同一한 梛子 中에도 山西梛子, 陝西梛子 等 地方系와 멀니 南方 奧戲, 臺灣의 半土着化된 演劇 等 그 範圍가 實로 넘우 廣汎하여서 엇더한 劇硏究라도 다만 拱手 太息하지 안흘 수 업슬 것이다. 筆者는 中國 南北을 放浪한지 近 二十年이나 되나 本來 劇藝術에 對한 素質도 硏究도 업슴으로 中國劇에 對하야 云謂할 資格조차 업다. 그러나 北京 留學 時代부터 盲目的으로 觀劇을 조와하야 時間만 잇스면 하다못해 朝會(市場)에서 無名의 唱戲라도 聽戲하러 쪼차가든 만큼 好劇狂의 一靑年으로서 자조 劇

---

01 『朝鮮日報』 1936.2.4~2.5, 5면; 2.6, 6면; 2.7, 2.9, 2.11, 2.13, 5면.

02 매회 연재분 표기로서 7회에 걸쳐 연재되었다.

196 '한국근대문학과 중국' 자료총서 ⓭

場에 出入하얏슴으로 만흔 興味만은 가지고 잇스나 지금 說明하려는 것은 다만 中國劇의 槪念만이라도 記錄하려고 생각지는 안는다. 웨 그런가하면 그것만으로도 幾枚의 篇幅으로써는 不可能하기 때문이다.

그럼으로 다만 本文의 表題와 가티 單純히 中國 旅行者를 爲한 聽戲 即 觀劇에 對한 要領에 不過하다.

中國劇을 보려면 如何間 中國劇에 對한 構造를 大略的이나마 理解해 둘 必要가 잇슬 것이다. 그러치 안흐면 劇場에 드러가드래도 소경 丹靑 求景으로 幕의 開閉도 업시 亂打하는 북소리와 搖亂한 증소리 中에서 奇妙하고 殊常한 扮裝으로 男女 俳優가 들낙날낙하는 것만의 印像을 줄 따름일 것이다.

그래서 中國劇의 觀劇에 對하야 劇의 構成, 舞臺, 役(脚色), 約束(背景 或은 道具), 歌調, 聽戲의 實際에 分하야 以下 論述하려고 한다.

劇의 構成

中國劇의 構成은 日本의 『芝居』와는 다르나 朝鮮 舊劇과는 近似한 點이 만타.

中國劇은 男女 俳優가 全 戲曲을 歌로 唱하며 間或 辭說도 混用한다. 그래서 唱에는 音樂이 附和하며 唱의 調子는 朝鮮 詩調나 歌詞 모양으로 靜肅치 안하고 現代 流行劇의 歌劇에 近似하다. 더욱 近日에 京城放送局에서 라디오로 放送한 玄哲氏의 歌談에 酷似하다고 하는이보담 그가 中國劇에 模倣이 아닐는지 알 수 업다.

中國劇은 朝鮮 舊劇의 春香傳 모양으로 唱과 音樂이 主이다. 그래서 演劇을 視覽하는 것을 聽戲(팅씨)라 하는 것도 이 點에서 意味한 듯하다.

俳優의 動作은 日本의 能과 가티 形式化한 것이 안이고 朝鮮 舊劇 가티 細密하고 또한 誇張的이다. 或은 舞踊化된 것이다. 그리하야 唱과 가티 또한 크게 볼만하다.

格鬪(立廻) 或은 武藝는 典型的인 듯한 感이 不無하나 그러나 자못 猛烈化한 氣分도 잇고 또한 巧妙한 武藝的 痛快味도 잇다. 三國誌 上演 當時의 武藝를 본다면 實로 感嘆할 박게 업슬 것이다.

❷

背景 及 大道具 等은 그리 使用치 안코 다만 小道具뿐으로 모든 劇의 場面을 進行하는 方式은 朝鮮 舊劇에서 보는 것과 가다. 近來 或種의 戲劇은 背景을 使用하며 道具의 設備도 잇스나 그것은 中國劇 改良派들의 所行으로 차라리 變則인 듯하다.

그래서 엇던 場面에서는 背景을 使用치 안하고 飾幕으로 代用하는 수도 잇고 엇던 場面에서는 簡略한 다시 말하자면 非藝術的 背景을 使用하는 等 極히 不統一하다.

中國劇은 總評하자면 歌劇이라고 定義할 수 잇는 만콤 모든 劇을 歌劇으로 보면 大差가 업슬가 한다.

名俳優 梅蘭芳의 演出은 日本에서나 歐美에서나 쏘비에트農聯邦에서나 大歡迎하는 만콤 筆者의 생각에는 中國劇이 現代化된다면 藝術로써 이 社會의 歡迎이 더욱 클 줄 밋는다.

舞臺

中國의 舞臺는 元來 中庭에 세인 方形의 獨立된 建物이다. 中國 舞臺는 橋掛가 업고 俳優는 正面 左右의 傍門으로 出入한다.

觀覽客은 正面의 座席과 周圍의 廻廊과 中庭의 靑天井下에서 보는 것으

로 맛치 우리 朝鮮 西北地方에서 端午 佳節에 脚戱場 設備와 갓다. 그러나 現今의 劇場은 舞台와 觀覺席으로 된 一大 建物이다.

最近의 新式 劇場이란 데서는 中國劇의 舞台로서 何等 特徵을 發見할 수 업다. 京城안에 잇는 朝鮮 劇場들 모양으로 正面 左右에 出入口을 내고 舞台 正面 壁에는 色彩로 書畵를 繡 노운 飾幕이라 할가 門帳이라 할가 그런 것이 懸下하얏다. 舞台 前面에는 幕을 使用치 안는다. 딸아 字幕도 업다.

그리하야 劇의 前場과 後場의 區別은 樂手 即 工人들의 交替로 보아 推測할 수 박게 업고 幕의 開閉가 업시 劇의 演出이 繼續된다.

그러나 現今의 北平 開明劇場 가튼 大劇場에서는 最後의 劇前 十五分 間 休息을 한다.

그래서 梅蘭芳이가 日本서 公演할 적 各 劇 間 九分鍾式 最後의 劇前 十五分鍾의 休息을 取하야 極히 好成績을 收하얏다고 한다.

그런대 中國劇場으로써 古來의 舞臺의 標本으로써 現存한 萬壽山 離宮 內에 잇는 戱殿을 視察하면 古來의 中國劇의 劇場 構造와 舞臺 裝置 等을 推測할 수 잇다.

役[03]

役은 即 脚色을 稱하는 바 觀劇에 잇서 그 役을 아는 것이 第一 肝要함으로 조곰 詳細히 說明할려고 한다.

果然 江湖十二脚色이란 무엇인지 알 수 업스나 役에 依한 俳優의 分類는

03　이하 '역'에 대한 내용은 일본 波多野乾一의 『京劇二百年歷史』(鹿原學人 역, 上海啓智印務公司 인쇄, 1926년)을 초역한 것이다.

古來 極히 複雜하얏섯다.

그래서 今日에도 아직 確實한 定說이 업고 極히 曖昧한 分類가 잇슬 뿐이다.

役은 大別하야 生, 旦, 淨, 丑, 末의 五種이다.

生은 男子로 訓讀할 수 잇고 旦은 女形, 淨은 敵役 卽 惡漢에 近하고 丑은 道化役 卽 어님廣大요, 末은 端役이다.

이 五種의 大別을 更히 細分할스 잇스나 本文에서는 그 分類를 不拘하고 實際 觀測의 便利를 標準으로 說明하려 한다.

一. 老生. 生의 一種으로 正生 或은 老生이라 稱하야 中年以上의 男性으로 扮裝하는 役과 末에 屬하야 恒常 口鬚을 도치는 대서 正生과 區別되는 兩種의 役을 通稱하야 老生이라 한다.

此外에 關羽, 宋太祖 等으로 扮裝하야 顔을 眞赤으로 塗粧하고 出演하는 役을 紅生이라고 稱하는 것이 잇스나 이것도 普通으로 老生 中에 包含되여 잇다.

그래서 老生은 賢相, 忠臣, 儒將 及 學士 等으로 扮裝하는 役이라고 普通 總稱한다.

그러나 그것은 그 扮裝하는 人物의 例을 드러 말하는 것으로 勿論 그러한 狹小한 範圍에 局限될 것이 아니고 善人, 正人을 代表한 男性 役을 稱함이다. 老生은 劇의 主役으로 中國劇은 大部分 老生劇이다. 主로 唱을 聽할 役이나 元來 表情과 動作 及 辭說도 重히 함으로써 이 三拍子가 符合하는 대서 格鬪 或은 武藝를 善演하는 것도 老生의 理想일 것이다.

❸

老生으로 唱, 表情, 辭說 及 格鬪 或은 武藝 等에 對하야 엇던 便에 置重

할가 하는 것으로 下記와 如히 小別될 수 잇다.

老生:

    安工老生(唱工老生)

    靠把老生(文武老生)

    衰派老生

    紅生(紅面生)

安工老生과 紅生은 唱에 置重하고 靠把老生은 格鬪 或은 武藝 即 武工에, 衰派老生은 表情과 辭說에 置重한다.

老生의 唱은 膛音이라 稱하야 胸中으로 나오는 소리로 淸하고 和하는 것을 理想이라 하야 故意的 作聲을 내이지 안는다. 衰派老生은 동록 쓴 쇠소래 모양으로 蒼老한 맛이 들니는 雅趣가 잇겟고 紅生의 唱은 他老生에 比하야 陰하고 重할 것을 必要로 한다.

老生의 分類는 以外에도 人物에 依한 派別이 잇스니 記憶하면 조흘 뜻하다.

程派: 老生의 祖師라고 稱하는 高名한 程長庚은 事實上 當代의 劇界를 統一하얏섯다. 今日 中國에서 傳하는 바 汪派라던가 譚派라던가 孫派라던가 모다 程長庚의 一片面을 傳하얏슴에 不過하다. 故로 純粹한 程派란 것이 今日 存在치 안으나 現存한 俳優 余勝蓀가튼 人物은 大膽 不敵하게도 程派라고 出勢하고 잇다.

奎派: 程長庚과 同時代의 名俳優에 張二奎란 人物이 잇섯다.

態度 堂堂하야 唱과 辭說이 조곰도 假飾이 업고 매양 帝王으로 扮裝하는 演劇을 特徵으로 삼는다. 이 派를 奎派라 稱하야 許蔭棠이며 現存의 德建堂, 劉景然 等이 此派에 屬한다.

余三勝派: 曲調의 抑揚이 流暢한 것으로서 他派와 分類된 것인데 今日의 譚鑫培는 余三勝에게 學得한 바 不少하다.

汪派: 程長庚의 悲壯 淋漓한 趣味를 傳한 汪桂芬의 一派로써 現存의 名優 王鳳卿, 郭仲衡 等이 此에 屬한다.

孫派: 程長庚의 慷慨 豪爽한 一面을 傳한 孫菊仙 一派로써 只今 舞臺上에 出演하는 俳優론 時慧寶가 代表的 人物이다.

譚派: 程長庚[04]과 余三勝과의 精髓를 集合하야 大成한 譚鑫培의 一派로써 今日의 老生의 大部分은 이 派에 屬한다. 現在의 余叔岩, 馬連良, 王又震, 譚小培, 貫大元, 楊寶忠 等 俳優를 枚擧할 수 잇다.

劉派: 汪, 譚, 孫派를 合하야 一團으로 만든 劉鴻昇에게는 後繼者가 업는 것은 좀 可惜한 일이나 譚派의 高慶奎가 그 一面을 傳하고 잇다.

汪笑儂派: 劉鴻昇과 가튼 用意로써 技巧한 一種의 雅調을 내는 汪笑儂에게는 男優의 後繼者 업시 女優 金桂芬이가 此派로 行勢하고 잇다.

二. 小生. 生의 一種으로 老生보담 年淺한 人物을 表現하는 것을 原則으로 한다. 다시 嚴格的으로 말하자면 小生은 文小生과 武小生과의 分類로 안 할 수 업다. 普通的으로 武小生은 武生에 包含되고 小生이라고 부르면 文小生을 指稱한다.

小生은 左의 三種으로 細別할 수 잇다.

小生:

唱工小生

作派小生(扇子生)

窮生

唱工小生이란 唱을 主로 하는대 人物의 例를 取하야 보면 周瑜, 呂布, 羅成과 가튼 年少 英雄으로 扮裝할 적이 만타. 作派小生은 書房님이라던가 色

---

04 '程長庚'의 오식이다.

男的 役割로 花旦(色女形)의 相對役이 될 적이 만타. 그래서 表情, 辭說 及 動作에 置重한다. 窮生이란 落魄한 書生으로 扮裝하는 役으로 寒酸한 氣分이 업서서는 그 責任을 다 못하는 것이다.

小生의 唱은 假嗓하는 尖銳한 作聲이나 辭說은 全然히 作聲으로서만은 안 된다. 그럼으로 中國劇의 各 役中 가장 難學 難巧한 題目이라고 한다.

三. 武生. 老生이 唱을 主로 하는 主役이라면 武生은 劍劍 其他 武器를 가진 格鬪 或은 武藝를 主로 하는 役이다. 武生은 武老生과 武小生의 二分類로 武老生은 반다시 鬚을 돗치는 反面에 武小生은 그른 것의 變裝이 업다. 武老生의 唱은 簡撲하고 歌曲의 抑揚 가튼 聲樂家다운 技術은 업스나 出聲의 方式은 老生과 갓다. 다시 더 正確하게 老生을 文老生과 武老生으로 分類할 수 잇듯이 小生도 文小生과 武小生으로 分類하는 것이 妥當한 듯하나 普通 武小生을 單元武生[05]이라 稱한다. 그럼으로 武老生과 武小生이란 武老生과 武生으로 稱할 것이 만타.

武生 及 武生의 扮裝하는 人物은 武將, 儒將, 俠客 等이 만코 武老生과 武生의 兩者 間에는 다만 年齡의 差違가 잇슬 따름이다.

武生에 對하야 只今 다시 分類할 方法이 잇나니 即 長靠武生과 短打武生이다.

武劇에 잇서 以上에 말한 바 兩種의 武生의 互相 間 差異한 點을 들면 前者는 扮相, 氣魄을 重히 하는 그 反對로 後者는 武藝의 猛烈化를 崇尙하야써 各其 專門的 名稱을 附하게 되엿다.

武生도 老生모양으로 그 派別이 잇나니 即 俞(菊笙)派, 黃(月山)派, 李(春來)派 等 三派에 分立되엿다. 俞派는 長靠戲, 黃派는 唱工, 李派는 短打戲를 領

05　원문의 '單言武生'에 대한 오식과 오역이다, 뜻은 '그냥 이것만을 武生으로 칭한다'이다.

分하고 잇다. 現存 俳優를 들어 武生派類에 準하야 보면 楊小樓는 兪派, 李吉瑞는 黃派, 蓋叫天은 李派를 代表할 것이다.

四. 旦. 只今까지 論述한 것은 全혀 生에 對하야 한 것뿐이나 이제부터 旦 卽 女形을 一括하야 말하려고 한다.

旦에는 相當히 分類가 만하 左에 表示하면 이러하다.

旦의 分類表

正名	別名	通稱
正旦	靑衫	靑衣
花旦	玩笑	花旦
	旦潑	
	刺旦	
	潑旦	
	風流	
	旦貼	
花衫		花衫
閨門旦		閨門旦
武旦		武旦
刀馬旦		刀馬旦
老旦		老旦
衫旦[06]	女丑	衫旦

---

06 '彩旦'의 잘못이다, 뒤도 마찬가지다.

正旦 即 青衣는 生의 正生과 相對役인데 役割上으로 보더라도 品位가 또한 正生에 다음간다. 節婦, 烈女 等 正當한 女性役으로 京劇에서의 女形이다. 唱을 主로 高音 長聲으로 小生에 酷似한 作聲이나 辭說은 小生과 相異하야 全部가 作聲이다.

花旦은 不貞의 意味를 包含하는 役으로 淫婦, 毒婦로 扮裝하는 女性이 그 一例이다. 그럼으로 花旦의 別名 玩笑, 風流 等 放蕩한 意味가 豊富함으로써 花旦을 理解할 수 잇다.

花旦은 扮相 即 化粧과 辭說 及 表情을 重히 하고 唱에는 不關한다.

花衫은 正旦과 花旦과의 中間 階級에 位하야 夫人 及 侍女等으로 扮裝하는 役이다.

閨門旦은 未婚女로 裙子 即 裳을 입지 안는다. 萬若 입엇다면 花衫이 된다. 閨門旦은 處女役이란 말이다.

武旦은 格鬪 或은 武藝를 主로 하는 女將 女形이며 刀馬旦은 武旦과 同樣이나 前者는 徒立함에 反하야 後者는 반다시 乘馬하는 것으로 區別한다. 다시 武旦은 短打武生에 對한다면 刀馬旦은 長靠武生에 對할 것이다.

老旦은 老女形으로 그 唱은 老生에 類似하야 一層 新奇한 抑揚이 만하 綺曼清婉의 四字로써 形容할 수 잇다.

彩旦은 女形의 道化役으로 다만 女形의 位을 守할 다름인대 大槪는 丑이 兼行하는 것이다.

五. 淨. 總括하야 말하자면 敵役 又는 惡漢 또는 그에 近似한 役이다. 그러나 簡單히 定義를 세우지 못하는 것은 扮裝하고 나오는 劇中 人物을 細密히 調査하기 前에는 잘 判斷하기 어려운 일이다. 다만 男性的 剛强한 性格을 表

現하는 대는 틀림 업는 것이다. 또 하나는 化粧術의 特殊한 技術을 갓고 잇는 點에서 다른 役과 區別할 수 잇다.

그래서 淨을 分하야 左의 三種을 들 수 잇다.

淨의 分類表

正名	別名	通稱
正淨	文淨	大花臉 銅錘花臉
	黑頭銅	
	錘淨	
	大面	
	大花面	
副淨	架子淨	架子花臉 架子花 二花臉
	二花	
	二花面	
武淨	跌打淨	武二花 武二花臉 武花臉
	摔打花臉	
	武花臉	
	武花面	

正淨은 元老大臣, 宰相 等으로 扮裝하는 役이라고 普通으로 解釋되어 잇스나 그러나 그것은 舊式 定義가 되고 實際的으로 그 가티 簡單하게 整理되는 것은 아니다. 一一히 劇中人物에 對해서 考察한다면 大體的으로 判斷할 수 잇다. 그 代表的 人物을 들면 宋의 全拯[07], 戰國時代의 王僚, 東漢의 姚期,

---

07 '包拯'의 잘못이다.

三國의 姜維와 司馬懿, 晋의 周處, 唐의 單雄信과 尉遲恭, 五代의 高行周, 宋의 楊延德과 高旺과 魯智深, 明의 徐延昭 等일 것이다.

右에 例擧한 諸 人物과 副淨으로 扮裝하는 諸 人物 中에는 그 性格으로던지 또는 演藝로던지 本質的으로 何等의 差異가 업다. 뿐만 아니라 어떤 때는 同一人으로서 正淨도 되고 또는 副淨도 되며 武淨도 될 수 잇다는 것이다. 그러면 무슨 點으로 右三者를 分別하느냐 하면 正淨은 唱을 重히 하야 武工 卽 格鬪 或은 武藝가 업고 表情이나 辭說에 對하야서는 唱工과 가티 重히 생각지 안는다. 副淨은 扮相, 氣魄를 重히 하야 表情 及 辭說을 第一로 唱工을 그 次로 하며 武工은 조곰도 演出 안하는 것이 아니라 問題視하지 안는다. 武淨은 格鬪 或은 武藝를 專門 삼는다. 그럼으로 武淨은 武에 屬하고 正副 兩淨은 文에 屬하는 것으로 區別된다.

有心히 觀察하면 唱으로 하야금 前 三者를 다시 區別할 수도 잇나니 正淨은 洪鍾大呂갓고 副淨은 重濁 沈悶하고 武淨은 簡率하다. 副淨은 扮相, 氣魄을 重히 한다는 것은 上述한 바이나 이것은 中國劇 研究家들의 定義이다. 副淨의 別名은 架子淨이라 그 架字란 一語는 中國 方語의 一種類로 그 意味를 解釋하면 크게 보는 척 尊大한 척 또는 誇張하야 보히려고 空然한 힘을 쓰는 것이다. 그럼으로 副淨을 架子淨이라 하는 것이 그 意味을 表하기에 足할 만콤 表情과 辭說을 重히 하는 役인 것을 暗示하고도 남는다. 中國語에 所謂 擺架子 또는 架子大의 意味로 副淨의 副淨된 所以를 알 수 잇다. 唱은 大體로 正淨의 그것에 類似하나 그보담 一層 重하고 濁하고 鏽하야 沈悶이라고 形容하니 만콤 低音에서 모든 澁味를 내야 된다. 苟且하나 輕浮하야서는 안된다.

그럼으로 東西洋의 音樂을 理解하면서 中國劇을 듯게 되면 그는 低音의 絶唱을 副淨 中에서 發見할 것이다. 洪鍾 大呂 갓다고 形容한 것은 正淨의 聲調이고 副淨은 안이다. 그는 沈鷙 深酷이라 評하고 십고 모든 煩惱, 執着, 嫉妬, 排擠, 怨毒, 絶望, 厭世를 담은 聲調로 그 새에 一點의 餘裕도 업시 些少한 悲戲的 氣分이 잇서서는 안된다. 『唾壺를 擊破하라』는 程度로서는 아직 正淨의 域을 脫하지 못한 것이다. 即席에서 살을 베고 피를 마시는 것 가티 또는 毒盃를 기울려 다 마신 때의 가삼의 苦痛을 못 이기는 象徵 가튼 聲調라야 副淨의 唱으로서 『크라이막스』일 것이다.

副淨의 辭說은 切齒를 잘하야 斬針截鐵의 形容을 하는 以外 奸點한 橫紙를 破損하는 듯, 苦茶를 마섯슬 적에 苦味, 澁味, 甘味가 一時에 늣겨지는 듯하지 안하야서는 안된다.

表情은 잘 그 扮裝한 人物을 描寫하야 그 一擧一動으로써 舞臺의 空氣를 단속하야 된다.

故로 黃潤甫의 말 가티 『演劇不過傳故人事. 古人事不外忠奸, 然狀忠易. 狀奸難.』이라고 하야 古人의 心術을 揣摩하야 그를 舞臺上에 再現케 함이 안이면 觀客의 首肯을 難得할 것이다. 그럼으로 皮簧劇이 北平에 드러온 以來 副淨으로써 表現케 한 것은 黃潤甫 以來 그 例가 적을 것이다.

上述의 資格으로써 副淨이 描出되려니 하는 性格은 普通 말하는 바 敵役의 一語로서는 完全히 說明할 수 업스나 歷史的으로 如何한 性格의 人物을 副淨으로써 表現하는가 하는 硏究를 하지 안할 수 업다.

그래서 大體的으로 左의 四型으로 分類를 할 수 잇다.

가. 奸雄型

曹操, 董卓, 司馬懿, 司馬師, 歐陽芳, 秦檜, 嚴嵩 等의 性格 中에도 曹操와 歐陽芳과는 그 代表的 人物이 될 것으로 曹操를 主人公으로 삼는 逍遙津 또한 歐陽芳을 主人公으로 하는 下河東의 二劇을 보면 此型의 性格을 잘 分辨할 수 잇는 以外 伊立, 劉瑾, 王振 가튼 惡官宦도 이 型에 類似하다.

나. 快漢型

張飛, 馬武, 鄭恩, 孟良, 焦贊, 楊延德, 魯智深, 李逵, 兀术, 牛皐, 金大力 가튼 心胸이 시원한 듯, 靑竹을 깨는 듯한 性格, 粗暴하고도 多淚하고 사람 조와하고도 運 조흔 型, 演義에 나오는 所謂 福將이란 것이 此型에 屬한다. 張飛, 魯智深 가튼 型이라면 中國人이 안 인 吾人으로도 理解할 수 잇슬 것이다.

다. 豪俠型

鮑自安, 竇爾敦, 鄧九公, 古押衙 가튼 人物 即 俠客으로써 心胸이 豪快하야 自然히 사람으로 하야곰 敬慕의 念을 이르키게 하는 型으로 前記의 快漢型에 近似하나 그 中 多少 差異가 잇다.

라. 惡覇型

季佩[08], 濮天鵬, 武天虬, 殷洪, 季七[09] 가튼 綠林豪傑이나 例컨대 竇爾股[10] 만한 天分업는 一味 奸橫하다 할만한 程度의 性格을 말한다.

右外에 專諸, 馬謖, 嚴顔, 黃蓋, 楊阜, 高行周 가티 以上 어떤 型에도 不合하는 性格도 副淨에 依하야 演出되어 잇스나 그 一部는 正淨의 範圍에 屬할 것이고 他 一部는 容貌 魁偉라는 形貌上 特徵으로 보아 副淨의 中에 들 것이라고 생각된다.

---

08 '李佩'의 오식이다.

09 '李七'의 오식이다.

10 '竇爾敦'의 오식이다.

六. 丑. 道化役이다. 鼻頭에 若干의 白粉칠할 役者로 小敵이라고도 解釋할 수 잇다. 그러나 必然코 惡人, 小人이라고 限定된 것은 아니다. 忠臣도 孝子도 良將도 老成人도 境遇에 依하야서는 丑으로 扮裝할 수 잇다. 一劇 中 同種의 役이 만흔 때 丑의 範圍에 屬하지 안는 丑을 丑으로 하는 例도 잇다. 丑을 丑角이라 別稱하는대 朝鮮劇의 어릿廣大와 近似하다.

丑을 二로 分하면 如下하다.

가. 文丑

別名을 三花臉, 小花臉, 小花面이라도 稱하고 또는 小社臉, 三花臉이라고 通稱한다.

나. 武丑

格鬪 或은 武藝를 主로 하는 俳優인대 別名을 開口跳이라 稱한다.

❻

約束

約束이란 背景 或은 道具를 말함인대 原則으로 背景과 大道具를 使用치 안하는 中國劇은 손짓, 발짓으로써 모든 動作을 表現하는 外 別로 裝置가 업다.

舞臺의 約束이라고 하야 다음과 가튼 規定을 念頭에 記憶할 必要가 絕對로 잇다.

一. 門을 띄고 달고 하는 工作은 門扉의 開閉를 表하는 것.

二. 門으로 想像하고 右足을 조곰 들면 문턱을 넘는 것.

三. 門이 잇다고 假定하고 客의 來訪 時 아직 開門치 안하는 所作으로 偶然히 應答할 적에는 반다시 門의 內外가 되는 것.

四. 허리를 굽피고 裙을 거더잡고 舞臺를 橫小步하는 것은 二層 階段을 上下하는 뜻.

五. 椅子와 倬子를 列排하고 그 우에 登함은 高處에 昇하는 것인대 登山하는 것은 山形의 小道具를 使用한다.

六. 四個의 椅子와 兩便으로 젓치는 幕을 단 거슬 寢臺로 看做할 것.

七. 二個의 椅子와 兩側으로 잿치는 幕 正面 中央을 거더달고 그 內部에 册床을 置하면 政廳 又는 祭壇으로 삼는 것.

八, 鞭을 가젓스면 乘馬한 것으로 생각하야 될지니 그 時 俳優가 乘馬의 姿勢을 取한다.

九. 茶褐色 旗에 車輪의 形畵를 들고 나오면 乘車하얏다는 意味이다. 亦是 몸을 구부리고 들석들석 몸짓을 한다.

十. 兩側으로 잿치는 小幕을 後面에 치면 乘輿를 表示하는 것.

十一. 櫓에 小布片을 단 것은 船上.

十二. 波汶旗를 가저스면 水上 又는 水中.

十三. 茶色 長巾을 쓴 때는 病人.

十四. 頭로부터 無飾 赤布를 덥푼 것은 死人을 表示하는 것.

十五. 黑色 紗布를 頭部에 씨운 것은 이 世上에 生存하면서 幽界의 것과 談話하는 것.

十六. 白紙 오린 것을 肩에 長垂한 것는 死靈.

十七. 雲의 畵形을 들고 나서면 神仙의 下降.

十八. 黃硝石의 粉末을 燃燒하야 火色을 보이는 것은 幽靈 其他 魔性이 現出됨을 示하는 것.(但 火災 時에도 黃硝石을 使用함)

十九. 燈을 발킨 것은 夜間의 意味.

歌調

中國劇에 使用하는 歌調는 六曲이니 即 崑曲, 西皮, 二簧, 反二簧, 秦腔, 高腔 等이다.

西皮, 二簧 及 反二簧은 總稱하야 皮簧이라고도 한다.

北平의 劇은 大部分의 이 皮簧劇이고 秦腔은 第一流 劇에서 存在를 繼續하고 崑曲은 數年 前에 復活하야 北平에 流行되엿스나 只今에는 그 影子조차 볼 수 업다. 다만 皮簧劇의 名優가 間或 二三의 劇을 試演할 뿐이다. 主樂器는 崑曲에 橫笛, 皮簧에 胡琴, 秦腔에 碗琴 及 梆子(柏子木), 高腔에 鑼이다.

聽戲의 實際

觀劇에 잇서 爲先 調査할 것은 오날은 엇던 戲院에서 엇던 俳優가 무슨 演題를 가지고 上演하는가 하는 것이다. 北平에서는 群强報 或은 實事白話報이란 小報라던가 花報 或은 犁園報 가튼 劇報 等에 廣告를 探見하는 것이 第一 確實하다.

이제 그 廣告文의 雛形을 左에 揭하야 一般의 參考에 供코저 한다.

小報 記載의 廣告文

---

11 '戲'의 오식이다.

劉 候 楊 關 錢
硯 喜 小 嵐 金
亭 瑞 樓 秋 福
◀城 宛 戰▶
◀ ▶
嬪[12]刺戟盜首代髮削

(煩) 明 菊 言 (符)
董 王[13]

峰 俊 林 長
箱 出 棍 打 府 ○[14]問

艷 碧 金
◀鼓 花 陽 鳳▶

後 八 下 七 廂 座 價
排 角 前 元 四 花 目
八 東 廳 散 座 樓 樓
角 廊 一 座 九 十 上
西 前 元 一 元 座 男
廊 一 二 元 後 二 女
一 元 角 二 廂 十 合
元 二 後 角 四 元
二 角 廳 樓 座 前
角

座 入 號 對 票 售 期 先

<hr>

12 '嬪'의 오식이다.

13 '壬'의 오식이다.

14 '問樵鬧府'로서 '鬧樵' 두 글자가 누락되었다.

前回의 表는 北平 前門外 香廠에 잇는 新明劇場의 廣告文의 例인대 日附
는 大概 陰曆을 記入하는 것이 一 舊習慣이다. 夜戲란 夜演, 그 反對로 晝間
上演은 白天이라 쓰는더 日附의 舊曆과 晝夜의 區別을 몰나서는 萬事休矣
이다. 楊小樓라고 三角形으로 쓴 것은 俳優의 姓名인대 本劇의 主役이 되고
同 主役 左右 內側에 關嵐秋, 候喜瑞 等은 助役인대 右便이 助役의 首席, 그
左便이 次席이란 意味로 同 外側 右便 錢金福은 末席上位, 同 左便 劉硯亭은
末席下位의 席次을 말하는 것이며 그 下에 橫書한 것은 藝題이다. 即 戰宛城
이라는 것이다. 그 下에 小字로 橫記한 削髮代首, 盜戟, 刺嬸이란 同 藝題에
對한 一幕의 細目이나 어느 때는 幕間 藝名을 記載할 적도 잇다.

또 그 다음 아래에 言菊明이라 橫書하고 連하야 三角形으로 壬長林, 董俊
峰이라 書한 것도 모다 俳優 姓名이다. 이 二人 俳優가 問樵鬧府打棍出箱이
란 藝題下에 出演한다는 것으로 그 下에 것도 亦同하다.

價目表. 入場券의 種種을 말함인대 廂이란 包廂의 意味로 即 專賣席이오,
前廂 四位란 前面의 四人 共同席이오, 後廳이란 以上에 말한 席의 後面으로
兩者 모다 舞臺 正面에 位置하얏스나 東西廊은 舞臺 側面席이다. 男女 合席
이란 男女 同席함도 無妨하다는 것이다.

그러나 中國 當局에서는 男女七歲不同席이란 鐵則을 밋고 北平에서는
男女 合演을 不許하얏슬 뿐 안이라 觀客의 男女 家族좃차 同席을 不認하던
바 最近에는 外國 風潮에 엇지할 수 업슴인지 新式劇場 或은 電戲院에는 混
席할 수 잇다.

北平에서 男女 同席의 家族席의 設備가 잇는 劇場으론 開明, 華樂 及 中
和 等이다.

先期售票, 對號入座한 入場券을 豫買하야 入場 當時에 椅子 番號에 符合
하야 着席하라는 것이다. 그럼으로 比較的 場內 整頓이 잘 되고 風紀도 紊亂
치 안할 뿐 안이다. 劇場側에서는 絕對的으로 滿員 以上의 賣票를 안하는 것
이 經營者의 良心이다.

入場券의 價格은 出場 俳優를 標準삼느니 梅蘭芳, 楊小樓 及 余叔岩 等은
壹元 以上, 程艷秋 及 尙小雲 等은 七十仙 以上이며 廣和樓의 兒童劇은 二十
仙, 天橋 附近의 歌舞臺의 崔靈芝 一派의 民衆化한 劇場은 一律的으로 五仙
이다.

左右間 觀劇할려면 可及的 舞臺에 接近한 席을 選擇할 必要가 잇나니 萬
一 後面席을 占領하게 된다면 그만큼 興味가 減殺된다.

그러나 그런 適當한 坐席은 中國의 惡習慣上 劇場 或은 俳優의 近親者의
特約席 모양 新聞에 上演 廣告가 記載되기 前 買盡되고 만다.

(끗)

中國文壇의 最近 動向[01]

金光洲

(一)[02]

有史以來 처음이라는 複雜한 社會情勢 속에서 秩序없는 社會相을 그대로 부등켜 안은 채 呻吟하고 잇는 中國은 一九三五年에 드러서서는 政治 乃至 社會的 諸 情勢는 暫時 不問하고 文壇이라는 이 局限된 世界만 드려다 보더라도 從前에 보기 드문 混亂과 沈滯期에 處하엿다. 이것은 一個 異國의 文學徒인 筆者 個人의 偏見이나 誇張이 아니요, 이곳의 評論家 乃至 文化運動에 關心을 가진 人士들의 異口同聲으로 부르짖는 自國文化運動에 對한 숨김없는 嘆息이며 憂慮이다. 甚至於 一九三五年度의 中國文壇은 이 따에 新文學運動이 잇은 以來 처음 當하는 暗澹하고 凄慘한 時期엇다고 悲觀하는 論客들도 잇다. 우리는 이런 悲觀論을 盲目的으로 承認하고 이 一年 間의 中國文壇을 沈滯라는 一言으로 덮어버릴 것은 아니로되 어느 方面으로 보던지 最近의 中國文壇은 共産主義文學運動의 勃興期에 보히던 活潑性도 또

---

01 '世界文壇 動向 報告(其二)', 『東亞日報』 1936.2.20, 석간 4면; 2.21, 석간 3면; 2.22~2.23, 2.25~2.26, 석간 4면.

02 매회 연재분 표기로서 6회에 걸쳐 연재되었다.

는 民族主義文學運動을 提唱하던 過去의 虛勢도 거이 完全에 가까우리만치 喪失되고 앙드레지—드의 轉向이 云謂되거나 巴里의 『國際作家文化擁護大會』가 世界 知識階級의 注目을 끌거나 또는 파씨슴文學의 問題가 各國 作家들의 最大의 關心을 이르키고 잇거나 이런 國際的 文學의 情勢에는 何等 關心하는 빛도 없이 自國 內의 低調 沈滯된 文學的 雰圍氣 속을 徘徊하고 잇는 것은 否認치 못할 事實이다.

這 二, 三年 間 筆者는 極히 槪括的으로나마 中國의 文壇 或은 劇壇의 動情을 朝鮮에 紹介할 때마다 그 活潑한 進展을 阻礙하는 첫째 原因으로 『蔣』의 所謂 『文化統制』라는 美名아래 文化運動 各 部門에 끼처지는 獨裁政治의 彈壓的 勢力을 數次 거듭 말해왓거니와 이 一年 間의 中國文壇의 健實한 本格的 步調를 가로막은 客觀的 情勢의 첫 條件도 依然히 여기에 잇다는 것을 指摘하지 안흘 수 없다. 實로 現今의 中國文壇을 직히고 잇는 文學家들은 御用文學家로 妥協하거나 그러치 안흐면 漠然한 正義를 標榜하는 廣汎한 人道主義의 일을 取하거나 或은 藝術의 技巧만을 生命으로 삼거나(事實에 잇어서는 아직 이런 徹底한 技巧派도 形式되어 잇지는 안치만) 그러치 안흐면 糢糊한 寫實主義를 내세우거나 또는 이런 모든 文學的 問題를 脫離하고 오로지 生活을 爲하야 雜文에 붓을 적시는 以外에는 別로 自由로운 길이 없는 것이다.

이런 自國 內의 包含된 根本的 客觀情勢 外에 또 한 가지의 客觀的 條件——特히 最近 一年 間에 가장 濃厚하게 나타난 것은 外來勢力의 侵入下에 嚴重해 가고 잇는 國際情勢에 對한 特殊性이다. 이런 特殊하고 急迫한 情勢 속에서 中國의 大衆이 純粹한 文學作品으로 不安과 動搖의 十字街頭를 彷徨하는 焦燥한 心理의 滿足을 얻을 수 없다는 것은 再論할 必要도 없는 必然的 現象이니, 中國의 大衆은 바야흐로 政治的 或은 經濟的 社會情勢에 最大의 關心을 가지기 始作하고 잇는 것이다. 그들은 勿論 生活의 慰安을 求

하고 精神의 糧食을 追求하고 잇지만 그보다 더욱 追切한 것은 現實生活의 單刀直入的 敍述이요, 暗示도 象徵도 必要없는 直接的 解釋이다. 그러면 그들에게 公式化한 宣言, 綱領的 文學만을 주면 滿足을 얻게 할 수 잇느냐? 그러나 文學의 本質은 이것을 許諾지 안흘 뿐더러 過去의 共産主義文學의 歷史가 그 妥當치 못함을 證明하고 잇는 것이다. 여기서 中國文學의 當面한 한 個의 根本 課題가 發生될 것이니 이런 時期의 大衆의 要求를 滿足시킬 수 잇는 文學의 새로운 發展이 없을 때 沈滯에 陷入할 것은 容易히 推測할 수 잇는 平凡한 事實이다.

그러나 다시 도리켜 생각해보면 最近 中國文壇의 沈滯의 原因은 單只 이런 極히 表面的 客觀情勢의 特殊性에만 잇다고 할 수는 없다. 다시 말하면 筆者가 這 二, 三年 間에 거이 痼疾的으로 指摘해온 이 따의 文化彈壓은 비록 그 程度가 朝鮮보다도 못하지 안흐리 만치 嚴重하다 하더라도 한 거름 더 나아가서 世界 各國의 文學에 從事하는 사람들의 거이 大部分이 大同小異한 思想 或은 政治 乃至 社會的 不自由한 情勢 손에서 文學의 進路를 探求하고 잇다는 現勢를 생각할 때에는 決코 中國 一國만이 가진 特有한 條件이 될 수는 없으니 우리는 여기서 必然的으로 中國文壇 沈滯의 主觀的 原因을 찾지 안흐면 안될 것이다.

(二)

此種의 主觀的 原因을 또다시 內外 兩 方面으로 갈러서 그 外面的 重要한 條件으로 筆者는 中國『文學쩌날리즘』(文學이 쩌날리즘과 分離하야 孤立하지 못한다는 意味에서 筆者 個人의 이런 用語를 容許한다면──)의 遲鈍性을 들기에 躊躇치 안는다.

非但 文化라는 一部門에만 局限하야 그 民族의 固有한 性格——民族性이 表現됨은 아니나 『馬馬虎虎』(마마후후——되는 대로 或은 어물어물, 아모러케나, 그저 그럴 듯하게 等 여러 가지 意味로 解釋할 수 잇다)를 즐기는 中國의 民族性(이 말은 決코 筆者 個人의 中國 民族性에 對한 侮辱이나 惡意的 解釋이 아니다. 中國人 스스로도 똑똑이 認識하고 承認하는 點일 것이다.) 이 『文學쩌날리즘』위에도 가장 顯明하게 나타나 잇다고 할 수 잇으니 明快 迅速을 즐기는 日本의 그것과 조흔 對比를 이루고 잇는 點도 우리에게 一種의 興味를 갓게 하는 바이다.

그러나 이 말은 中國의 『文學쩌날리즘』이 全然 外部的 現象에 盲目的이라던가 無關心하다는 意味는 아니다. 새것을 즐기고 奇異한 것을 探求하는 各國 쩌날리즘의 根本 性質에 例外가 될 理는 없으나 一言으로 簡單히 말하면 한 個의 새로운 問題를 提起햇다 하더라도 거기 對한 銳利, 嶄新한 見解나 批判을 볼 수 없고 文壇에 何等 注目할만한 새로운 課題를 提供치 못하며 大膽한 冒險을 試驗하지 못하는 것이다. 假令 實例를 드러 一時 日本文壇을 風靡한 行動主義 或은 能動精神의 文學問題가 이곳 論壇에 紹介되엇다 하더라도 紹介는 글字 그대로 紹介에 끄칠 뿐이요, 何等 그의 接受 乃至 批判에 對한 特異한 見解를 發見할 수 없다. 좀더 具體的 例를 들면 全 中國을 通하야 數百種에 가까운 日刊 新聞의 文藝面이나 通俗雜誌는 그만두고 純全한 文藝刊行物 속에서도 懸賞 같은 形式으로 新人을 求한다든가 새로운 作品을 發見하고자 한다든가 하는 새로운 試驗을 筆者는 이 數三年來 듯지도 보지도 못햇다. 그러면 中國의 文學은 쩌날리즘위에 儼然한 主動 勢力을 잡고 잇는 一群이 存在하야 그들에게 依해서만 左右되느냐?하면 또한 그러치도 안타.(더욱이 上海 같은 곳에서는 歷史가 長久한 所謂 權威잇다는 日刊 新聞의 學藝面도 每日 二, 三百字의 짧은 短文으로 低級 讀者를 迎合하기에 汲汲하고 잇다.)

이러한 쩌날리즘의 遲鈍性 或은 文壇 乃至 文學과의 關心이 적다든가 하는 事實은 日本과 같이 文學을 쩌날리즘위에 올려노코 찟고 까부르는 데 比하야 도리혀 良好한 現象이라고 解釋하는 이도 잇을지 모르나 文學이 活字化되며 쩌날리즘을 完全히 拒否치 못하는 以上, 이런 遲鈍性 或은 無感覺性이 文壇의 空氣를 沈鬱하게 하는 것은 그의 短處라 하지 안흘 수 없고 新興과 모던을 자랑하랴는 現代中國은 文壇的으로 依然히 主人은 어디까지나 主人이오, 下人은 어디까지나 下人이라는 過去 時代의 무서운 傳統的 封建觀念의 骸骨이 殘存해 잇다고 보고 싶다.

여긔서 自然 容易히 推測할 수 잇는 또 한 가지는 文壇이 隱然中 新舊 兩派로 分立되어 彼此에 妥協을 忌避하고 잇는 事實이다. 이곳에 앉은 筆者로서 朝鮮文壇의 情勢를 例로 든다는 것은 無謀와 唐突에 가까운 짓이라고 할지도 모르나 何如間 所謂 旣成 作家들은 政治勢力에 訶諂하야 健實한 作品工作이 없이 遊興的 雜文을 일삼으면서도 門을 열어 新人으로 하여금 活動할만한 地盤과 舞臺를 얻게 하랴 하지 안코, 新人 亦是 旣成 作家들을 壓倒할만한 作品上의 潑溂한 工作도 없고 沒理解한 그들과 妥協하랴 하지 안흐니 文壇의 空氣가 潤澤性을 일케 되는 것은 朝鮮文壇과 共通되는 아름답지 못한 傾向이라 하고 싶다.

다음으로 가장 直接的이요, 在內的인 文學 工作 本身上의 原因으로 題材의 固定化 及 方面의 局限, 作家들의 朦朧한 自由主義的 態度, 一九三〇年을 限界로 하고 一時 全盛을 자랑하던 共産主義文學의 內容置重主義의 反撥的 表現이라고도 볼 수 잇는 技巧偏重 等의 諸 傾向을 들고 이런 沈滯 原因의 前提 아래에서 評論界, 創作界, 出版界 等의 一年 間 動向의 아우트라인을 그려보기로 한다.

위에서도 이미 그 一端을 말햇거니와 最近의 中國文壇에 잇어서 第一 無

氣力한 것은 論壇과 評論界이다. 一年 열두달 동안에 『文學』과 같은 大雜誌에서도 部分的 短評 以外에는 創作時評이나 文藝時評 같은 것을 한 번도 찾어 볼 수 없는 것도 이곳 文壇의 特殊한 現象이거니와, 一般的으로 보아서도 三四年度에 比하야 特記할만한 理論의 展開도 없엇고 新人의 出現도 찾기 어려웟다.

(三)

理論이나 評論만이 文學運動을 領導하는 絶對의 勢力이 될 수는 없다 하더라도 中國文學을 이 沈滯期에서 救出함에는 어느 部門보다도 作家와 作品의 是非를 똑바로 가리고 世界文學의 情勢와 同時에 中國 現 階段의 社會情勢 下의 文學의 特殊性 等에 對하야 넓고 銳敏한 眼光을 가진 權威잇는 論客의 出現이 第一로 緊急을 要하는 것이라고 생각한다. 表面的으로 外部에 알리워진 一九三五年度의 中國論壇은 자못 活氣도 잇어 보혓고 收穫도 잇어 보혓을 것이니 一時 思想界에 衝動을 일으킨 河炳松, 武育幹, 孫寒氷 等을 先頭로 一月 十日 上海에서 發表된 所謂 中國 十大敎授의 『中國本位文化建設宣言』이 잇고 文壇便으로는 이와 조흔 對照가 되는 國內社團 『文學季刊社』, 『文學社』, 『新小說社』, 『譯文社』, 『太白社』, 『芒種社』 等과 國外 日本에 잇는 文學社團 『東京詩歌社』, 『東京雜文社』 等과 文壇 各界의 知名의 士들의 連名으로 發表된 『我們對於文化運動的意見』(우리들의 文化運動에 對한 意見)이란 宣言이 잇다. 이에 對하야는 各人 各異한 見解가 잇을 것이나 兩者가 똑같이 一種의 空虛한 부르지즘에 지나지 못햇고 前者에 關하야는 去年 二月에 本報를 通하야 申彦俊兄의 紹介 『中國本位의 文化建設運動—最

近 中國思想界의 動向―』가 잇엇으므로 여기서 더 紙面을 虛費하기를 避하며 아즉도 그의 成果는 未知數이나 宣言 以後 一年이 넘은 오날까지 『文化建設』이란 이 方面의 專門 月刊誌를 繼續 發行해 오며 文化建設을 討議해 내려오는 點이라던지 또는 中國社會의 時代的 意義로 보던지 어느 點으로나 最近 中國 思想界에 잇어서 注目할 價値잇는 知識階級(宣言에 署名한 사람들이 各 大學의 著名敎授라는 事實이 그의 階級的 意義를 決定할 것이다.)의 文化建設에 對한 態度와 見解의 가장 顯著한 表現이라는 것을 簡單히 말해둔다. 그러면 所謂 『中國本位』를 決定하는 根本的 尺度를 어디다 두느냐? 이러케 한 거름 더 드러가서 보면 이 運動의 焦點은 非常히 模糊해지는 것이다. 『中國本位』라는 이 새로운 思想上의 課題에 對하야 이곳 知識階級의 붓을 잡는 사람치고 自己의 意見을 發表지 안흔 사람이 드물이만치 이 問題는 一時 各種 新聞 雜誌의 重要 論題가 되엇으나 무슨 또렷한 方向을 指摘하고 運動을 實踐的으로 움직여 봣느냐? 하면 그러치도 못하고 또 이러한 思想界의 中心問題가 가장 密接한 關係를 가진 文學上으로 何等의 衝動도 反映도 주지 못한 것도 이곳의 政治的 情勢에 비취어 볼 때 한 個의 興味잇는 現象이라 하겟다. 이 宣言을 그 表面的 意義로만 볼 때 『自我』를 부르짓는 最近 中國民族의 思想上의 큰 反映이라 보기도 쉬우나 그러타고 日本의 論客 室伏高信과 같이(『東朝』인지 『讀賣』인지 지금 筆者는 新聞名을 記憶할 수는 없으나 中國 思想界에 關心을 가진 讀者 中에는 그의 論著를 읽은이도 잇을 줄 안다.) [03]中國 思想界의 巨浪…云云』의 過大한 評價는 좀 考慮할 바가 잇지나 안흔가 한다. 더 長論을 試하다가는 本文의 目的한 바에서 脫線되기 쉬웁겟기로 이만한 程度에 끄치고 다음으로 너머가기로 한다.

---

03 ‘『’가 누락되었다.

後者『我們對於文化運動的意見』은 一般 文壇人들의 中國文化運動에 對한 態度와 見解, 主張 等이 처음으로 具體的 表現을 본 것이라 할 수 잇으니 그들이 첫째로 漢字改革과 民衆의 知識普及問題를 提起하야 文學上으로 所謂『國語文』을 버리고 새로운『民間語』를 樹立하야 現代人의 思想과 情緒를 表現하는『現代文』을 採用하자고 主張한 點을 보아 去年의 大衆語文運動과 相似한 곳이 잇으나 特히 現代를 標榜한 點에 잇어서 國學研究者들 一派의 復古運動에 對한 한 反動的 運動으로 볼 수 잇다. 허나 그의 成果는 亦是 將來에나 期待할지 三五年度 中에는 何等 擧出할만한 結果를 맺이 못하엿다.

셋째로는『文學遺産問題』가 잇다. 이것은 三五年度에 와서 처음으로 論議된 問題는 아니나 自國文學에 잇어서 過去의 遺産을 承接하는 比較的 淸楚한 標準을 세웟다는 것(이 方面의 實際上의 成果도『中國新文學大系』의 出版)이 잇다. 特히 外國文學 遺産의 繼承 方面으로『譯文』,『世界文學』等 外國文學의 紹介와 批判을 主로 하는 月刊雜誌를 中心으로 하고 過去의 外國作家에 對한 相當히 體系잇는 研究를 試驗하엿다는 點에서 看過치 못할 곳이 잇다. 이 外에 三四年度의 餘力으로 一部에서 小品文과 雜文에 對한 是非가 討論되엇고 文學上의 百個의 問題를 選定하야 이것을 各 作家 乃至 評論家에게 分擔 執筆시킨 다음 冊子로 出版한『文學百題』[04]가 잇으니 비록 그것이 興味를 끌만한 計劃은 될 수 잇엇으나 各 執筆家들의 文學思潮 或은 文學의 社會的 意義 等에 對한 百人百樣(事實은 七十餘篇을 收集햇으나)의 混亂된 感想的 叙述을 收集함에 不過햇고 文學運動의 統一된 根本的 方向을 指示하기에는 그 距離가 너무나 멀엇다.

---

04 傅東華 主編,『文學百題』, 上海生活書店, 1935.7.

(四)

마즈막으로 評論界의 最大의 問題인 作品 題材의 論議가 잇다. 最近의 中國作家들은 거이 例外없이 題材 方面으로 『行き詰り』에 빠저 잇다고 할 수 잇다. 다시 말하면 어떠케 表現해야 하는냐? 하는 것이 問題가 아니요, 무엇을 內容으로 담어야 하겟느냐?가 先決 問題가 되어잇다. 위에서 말한 것을 또 거듭 말하게 되거니와 非但 文學뿐만이 아니라 藝術의 各 部門——特히 映畵, 演劇에 잇어서 이곳 藝人들이 這 數年 間 千遍一律的으로 取扱해 온 것은 『反帝』가 아니면 『反封建』이엇다. 이것은 遠隔한 곳에 잇는 讀者에게는 實例를 드러 말할 수 없으나 第一 가까운 例로 中國에 잇어서 몇 篇의 映畵를 본 사람이라면 容易히 나의 이 말을 承認할 수 잇을 것이다. 『로맨틱한 러부씬[05]— 뒤에도 帝國主義의 砲火가 背景이 되고 殘惡無比한 封建的 人物이 잇어 『打倒帝國主義』, 『打倒封建勢力』의 露骨的 表現이 잇어야 비롯오 意義 잇는 映畵라고 하여왓다. 그러나 無智한 觀衆과 讀者를 눈 가리고 아웅하는 格으로 속여 온 이런 態度는 大衆의 文化水準의 向上에 따러 不可避的으로 그 弱點을 드러내인 것이다. 여기에 그 出發點의 根據를 둔 作品 取材問題 中에서 注目할만한 것은 農村에의 取材問題엿다. 『中國의 作家여! 農村으로 도라가 이 따의 現實을 把握하라!』고 외치는 一部 評家들의 부르지즘에 對하에 다른 一部에서는 『知識分子가 農村으로 도라간댓자 農村의 참된 現實을 把握하고 그들의 生活感情을 거짓 없이 表現해낼 수는 없다. 도리혀 不自然性과 假飾 虛構의 作品을 낫는 데 지나지 못한다.』고 反旗를 드럿으니 이러한 評論界의 雰圍氣의 刺戟되어 農民生活 속으로 그 붓대를 돌려본 數人

---

05 ' 」'가 누락되었다.

의 作家가 잇기는 하나 作家가 評家의 指摘하는 取材의 코—스를 따러 命令的으로 行進할 수 없다는 것은 어느 나라의 文壇을 勿論하고 너무나 常識的 事實이니 이러한 現象이 最近의 中國文學으로 하여금 『農村』이라는 한 個의 新方面에 對한 새로운 關心을 갖게 한 것은 事實이나 이것을 곧 中國 農民文學運動의 展開라고 볼 수는 없다.(이곳에서 中國文學에 關心하고 잇는 一個 學徒로서의 筆者의 立場으로 朝鮮의 讀者에게 指摘하지 아니치 못할 것은 『改造年鑑』(一九三六年版)에 紹介된 『中華民國』 一項의 未洽 朦朧한 點이다. 各 小項의 뒤떠러진 點은 莫論하고 『農民文學の 勃興』이라는 一節은 確實히 一種의 誇張이라 생각한다. 現今 中國文壇의 上述한 現象에 곧 農民文學이란 이름을 주는 것도 無妨할지 모르나 筆者는 아즉도 作家의 部分的 傾向에 不過하고 何等 文壇的 潮流를 形成할 程度에 達해 잇지 못하다고 보고자 한다.)

論壇에 關한 것은 이만 程度로 멈추고 이러한 評壇의 情勢아래에서 作家들은 作品의 實際 工作上 如何한 題材를 取用하엿는가? 하는 것을 瞥見하기 爲하야 먼저 作品의 取材를 中心으로 하고 創作界의 重要傾向을 더듬어 내려가기로 한다.

共産主義文學의 反動的 傾向으로 技巧偏重에 빠저 作者 自身의 些少한 生活感情을 取扱한 作品, 『蔣』의 政權을 讚揚하는 御用工具的 文學作品, 低級戀愛를 取用하야 都市人의 獵奇心을 滿足시키랴는 作品(더욱이 上海 方面에 잇어서), 各 新聞의 通俗小說類(이곳 新聞의 連載小說은 日本이나 朝鮮의 그것과는 또 다르다. 文壇과는 全然 交涉이 없다 해도 過言이 아닐 만큼 講談式의 低俗한 作品이 連載되고 잇다. 이 方面의 代表的 人物로는 『張恨水』를 드러야 할 것이고 이와 反對 意味에서 日刊 新聞 『大晩報』를 通하야 數篇의 新形式의 新聞小說을 試驗한 『日本通』으로 著名한 新進作家 『崔萬秋』의 努力도 附託[06]할만 일이다.)를 除하고 이 一年 間의 中國創作界(主로

---

06 '附記'의 잘못으로 보인다.

小說方面)의 取材의 範圍을 『一般社會不安問題』, 『農村生活』, 『對外關係』 等의 三種類로 大別할 수 잇다. 이 三種 傾向을 各其 가장 濃厚히 나타내고 잇는 代表的 作品 中 첫째 社會不安問題를 取扱한 小說에 잇어서 好評을 받은 것으로 『歐陽山』의 『姉妹』와 中國 知識分子의 社會的 憂鬱을 代辯하고 잇는 作家 『郁達夫』의 『出奔』 두 篇이 잇다. 後者는 革命靑年의 愛慾問題를 定評잇는 그의 老練한 筆致로 그려 平凡한 中에도 무게 잇는 作品이요, 前者는 社會의 不景氣와 女性職業問題를 正面으로 取扱한 作品으로 表現形式上으로는 後者에 比하야 遜色이 만흔 作品이라 하겟다. 둘째로 農村生活에서 取材한 作品으로는 그것이 評論界에도 最大의 關心을 가지게 한 問題이엇던 만큼 作品上으로도 『生死場』(蕭紅 作), 『八月的鄕村』(田軍 作), 『淸明時節』(張天翼 作) 等 相當히 豊富한 收穫을 거두엇고 特히 『八月的鄕村』은 一九三五年度 中國 創作界의 第一 出衆한 作品이라는 定評이 잇는 만큼 굳은 情熱과 信念아래에서 破滅되어 가는 農村相의 各 方面을 그려낸 字數가 十五萬에 達하는 長篇이다.

(五)

作品의 內容을 더 길게 論할 餘裕가 업거니와 中國文壇의 第一人者(?)라는 魯迅은 이 作品을 評하야 『現 中國의 一部 或은 全部, 또는 現在와 未來, 活路와 死路를 우리 앞에 展開시켜주엇다…』라고 激讚하고 잇다.[07] 『生死場』은 東北地方의 農民들의 慘狀을 描寫한 作品으로 그 健實한 筆致에 잇어

07　魯迅, 「序言」, 『八月的鄕村』, 奴隷社, 1935.8, 3쪽.

서 前者에 떠러질 바 아니요, 『淸明時節』은 特히 中國農村의 所謂 『鄕紳』階級의 醜惡한 生活面을 暴露한 作品이니 作者 『張天翼』이 이곳 文壇의 有數한 中堅作家임은 더 紹介를 要치 안흘 것이다. 그러나 이 方面의 어느 作品을 勿論하고 農民生活과는 너머 떠러저 잇는 知識階級의 頭腦의 所産인 만큼 實感을 缺하기 쉽고 漠然한 口號나 觀念的 解釋에 기울기 쉬운 不可避的 弱點을 가지고 잇는 것은 곧 우에서 말한 一部 評家들로 하여금 題材取理上의 不自然性을 指摘케 하든 所以이다.

『對外關係』에서 取材한 作品으로 注目할만한 것은 『艾蕪』의 『南國之夜』가 잇으니 그 表現形式이 架空 虛構的 浪漫主義에 흘럿다는 評을 받기는 햇으나 植民地 問題를 取扱한 點에서 特色을 가지고 잇다. 마지막으로 또 한 가지 題材에 잇어서 이곳 作家들이 朝鮮을 背景삼고 朝鮮의 植民地的 特殊한 情景을 그려 中國의 그것과 對比 暗示하랴는 傾向이 徃徃 보인다. 勿論 朝鮮의 文學를 모르는 그들이 地理나 歷史上에서 얻은 知識과 新聞紙의 報導 或은 남의 傳言 等을 根據로 하고 朝鮮의 感情을 옮겨 노흘 수 잇는 作品을 써낼 수 잇느냐 하는 것은 疑問이라기보다 不可能에 가까운 일이나 그들의 朝鮮에 對한 關心이 날로 커가고 잇다는 것을 엿볼 수는 잇다.

다음으로는 雜誌와 出版 刊行物 等을 中心으로 하고 作家들의 動靜을 살혀 보기로 하자. 最近의 이곳의 雜誌界에 關하야는 그 編輯者 或은 編輯 傾向 等을 昨年度에 亦是 本欄에서 紹介한 바 잇으므로 여기서는 그 重複을 避하고 重要 情勢만을 畧述하기로 한다.

出版物을 爲主로 하고 볼 때 그보다 몬저 地方的으로 分立되지만 中國의 文壇은 北平, 南京, 上海의 세 곳으로 갈라지지 안흘 수 없으니 이 亦是 中國의 過去의 多端한 政治情勢의 所以라고 볼 수 잇다. 그러면 어느 곳을 中央文壇으로 보겟느냐? 하면 舊都 北平보다도 現今의 首都 南京보다도 中國 文

化運動의 中心地帶인 上海를 드러야 할 것이고 三都市의 刊行物은 文藝刊行物 한 方面만으로도 그 處한 地理的 歷史的 特色을 隱然中에 달리하고 잇는 것도 興味잇는 일이라 하겟다.

먼저 北平에 잇어서는 代表的 刊行物로 自國文學과 外國文學 두 方面에 똑같이 注力하는 點에서 編輯傾向을 같이하는 『文學季刊』과 『水星』(最近에 廢刊) 두 種類가 잇어 前者를 싸고도는 作家들로 『巴金』, 『鄭振鐸』, 『張天翼』, 『李健吾』 等의 中堅側에 屬하는 사람들이 이 一年 間에도 꾸준히 健實한 作品을 내노핫고 『逃難』의 作者로 囑望을 받는 『金魁』도 이 雜誌가 三五年度에 文壇에 무(問)른 新人이다.

刊行物界로 볼 때 第一 寂寞感을 주는 곳은 南京이니 이 政治舞臺는 文學이란 것을 너무 等閑視하는 것 같다. 純文藝刊行物로 『中國文藝社』의 『文藝月刊』 以外에는 別로 볼만한 것이 없고 이 刊行物 속에서 『王平陵』, 『黎錦明』 等 몇 作家의 이름을 각금 發見할 수 잇을 뿐이다.

上海 方面에 잇어서 『文學』은 依然히 오랜 歷史와 最高의 水準을 持續하면서 老作家 『魯迅』을 爲始하야 『矛盾[08]』, 『張天翼』, 『巴金』, 『老金[09]』, 『洪深』, 『王統照』, 『李健吾』 等 各派의 旣成 乃至 中堅作家들을 綱羅하엿으나 『魯迅』은 이 해에 와서도 如前히 創作의 뜻이 없는 듯, 이 雜誌의 短評欄에 『文人相輕』의 問題를 그 一流의 諷刺的 筆致로 論햇고, 數篇의 雜文에 붓을 적시고 서투른 日文으로 『改造』誌上에 短文을 發表한 以外에 何等 뚜렷한 工作이 없엇다.

左翼作家로 일커르는 『茅盾』이 『尙未成功』, 『無題』等의 一種 諷刺的 短

---

08 '茅盾'의 오식이다.

09 '老舍'의 오식이다.

篇으로 그의 作風의 新傾向을 보혀주는 一面『文學遺産의 接受問題』를 누구보다도 眞摯한 態度를 力說한 것도 注目할만한 곳이다.『老舍』는 別般 커다란 進展을 보히지 못햇으니 比較的 優秀한 作品으로 中篇小說『新時代的悲劇』을 들 수 잇을 뿐이고『巴金』의 아나키즘의 傾向은 作年이나 올해나 變함이 없다. 이 雜誌를 싸고도는 作家群을 이곳에서는『文學派』라 부르며 上述한 以外에 이 一派에 屬하는 作家로『周作人』,『沈從文』,『葉紹鈞』等 諸人이 잇으나 이들은 이 一年間에 沈默을 직힌 便이다.

(六)

비록 雜誌는 停刊된지 오래나『現代書局』의『現代』를 中心으로 움즉이든 所謂『現代派』의 作家로 巴里에서 歸國한『載望舒』와 小品文을 專門으로 하는 月刊雜誌『文飯小品』의 編輯人『施蟄存』과『杜衡』,『穆時英』等의 新人을 들 수 잇고 三五年에 와서 文壇的으로 頭角을 나타내인 新進作家로는『黑嬰』,『沙汀』,『墨沙』,『周文』等 네 사람이 잇다.

이외에 出版界에 잇어서 擧出할만한 單行本으로는『侍桁』의『參差集』,『張天翼』의『移行』과『反攻』과 沉櫻의『女性』, 女流作家『凌叔華』의『小哥兒倆』,『豊子愷』의『車廂社會』,『巴金』의『張軍[10]』,『老舍』의『小坡的生日』,『李健吾』의『梁允達』等의 小說集이 그 中 重要한 것이고 위에서 말한 新進作家『田軍』의『八月的鄕村』이『奴隸叢書』라는 좀 奇怪한 冊名 아래 出版되엿고 위에서 말한 三五年度 文壇의 第一 큰 收穫이라는『中國新文學大系』

---

10 '將軍'의 오식이다.

(全十卷)가 잇으니 이것은 中國作家들의 作品을 全集 形式으로 收集한 最初의 것일 뿐더러 十餘年의 歷史를 가진 中國 新文學運動의 第一次의 成果라 볼 수 잇으니 重要 作家들의 代表的 作品과 理論, 小品文, 散文 等이 蒐集되여 잇다.

그러나 이 反面에 出版界의 한 가지 不幸은 『世界文學』과 對立하야 外國文學의 紹介, 移植, 批判 等에 努力하든 月刊雜誌 『譯文』이 停刊된 事實이니 이것은 中國의 最大新聞 『申報』의 文藝欄 『自由談』(過去에 『魯迅』도 編輯에 從事한 일이 잇엇고 이곳에서는 第一 權威잇는 文藝欄이엿엇다.)의 廢刊과 함께 아즉도 殘餘의 舊勢力으로 因하야 非常한 打擊을 받고 잇는 이곳의 新文化 勢力의 不幸한 一面을 暴露하기에 充分한 事實이다. 新刊된 雜誌로는 『文藝月報』와 文品文**11** 乃至 雜文의 專門誌 『宇宙風』이 잇으나 아즉도 그의 確乎한 特色을 찾기는 어렵다.

詩壇과 戲曲界는 作家 個人의 活動 或은 出版物 어느 方面으로 보던지 三五年度에도 小說界에 比하야 더욱 沈滯에 빠젓으니 詩壇에 잇어서는 新刊된 雜誌 『現代詩風』을 舞臺로 『玲君』, 『金克木』 等의 新人과 『載望舒**12**』 等의 老將이 微弱한 工作을 繼續해 왓다. 戲曲界에 잇어서는 『田漢』의 新作 『水銀燈下』와 『回春之曲』(『上海舞臺協會』 公演 劇本) 外에 新人으로 『曹禺』가 封建社會의 家庭制度의 醜面을 暴露한 作品 『雷雨』(『復旦劇社』 公演 劇本)를 發表하야 一時 沈滯한 戲曲界의 空氣에 相當한 波紋을 일으켯으나 이 數篇의 戲曲에 關하야는 다음 機會에 中國劇壇에 關하야 稿를 달리하야 紹介하랴 한다.

---

11 '小品文'의 오식이다.

12 '戴望舒'의 오식이다.

以上으로 一九三五年 中國文壇의 槪括的 輪廓은 그려진 세음이다. 여기와서 朝鮮文壇(筆者의 文壇에 關한 知識이란 極히 薄弱한 것이나)과 比較的으로 생각해 보면 最近의 中國文壇은 政治的 特殊한 好奇心으로 因하야 世界文壇에 云謂된 것과 量的 豊富, 規模의 大를 除하면 朝鮮文壇을 凌駕할만한 世界的 進展이 잇다고 할 수는 없다. 『張赫宙』氏는 處處에서 朝鮮과 歷史를 거이 같이하는 中國 新文學運動의 優越性을 말하고 朝鮮文壇의 沈滯를 痛嘆한 일이 잇으나 筆者는 朝鮮文壇이란 것을 이러케 悲觀하랴 하지는 안는다. 이것은 내 것만을 조타는 漠然한 自負心이 아니다. 雨[13]者는 民族的 處境, 歷史的 諸般 條件 아래에서 그 文壇的 特質을 달리하고 잇는 것은 極히 常識的으로 推測할 수 잇는 일이다.

何如間, 朝鮮과 어느 方面으로 보던지 重要한 歷史, 地理的 關係를 가젓고 거기 따러서 어느 나라의 文學보다도 리우[14]의 生活上의 感情과 呼吸의 共通點을 發見할 수 잇는 이 따의 新文學運動의 앞으로의 새로운 進展을 注目하면서 爲先, 여기서 拙筆을 멈추어 두기로 하자.

(了)

—三五年 一月, 於 上海

---

13 '兩'의 오식이다.

14 '우리'의 오식이다.

中國作家 巴金의 創作態度의 考察[01]

李達

一

巴金은 海內 讀者의 귀에 서툴지 않은 일홈일 것이다. 氏의 故鄕은 四川이고 일즉이 佛蘭西에 留學하였으며 最近에 日本文壇을 訪問하고 돌아왔다. 氏는 佛, 英, 日, 에쓰페란트 等 幾個 外國 言語와 文字에 精通하고 其中에 에쓰페란트는 根底가 깊다. 氏는 恒常 外國 新聞 雜誌에 作品을 發表하여 外國人의 好評을 받는다.

目下 現實主義가 壓倒的 勢力을 가지고 있는 中國文壇이다. 氏는 이 激流속에서 오히려 從來 創造派의 頹廢的 傾向을 超越한 眞正한 文學的 成分의 一面인 浪漫主義를 氏 單獨의 힘으로 支持하여 왔으며 또 앞으로도 이 浪漫主義의 壽命을 延長시킬 重任을 갖고 있다. 그만치 氏의 中國文壇上의 存在는 큰 것이다.

그러면 氏의 創作態度는 어떠한가? 그것의 一般的 特點을 찾어보면

一. 取材의 世界性, 二. 筆致의 美麗와 流暢, 三. 作品에 로맨틱한 氣分의 侵透, 四. 佈局의 細緻와 描寫의 周到 等等이다. 그러면 이 特色을 實質的으

---

01 『新人文學』 제3권 제2호, 1936.3.

로 把握하며 氏의 創作態度에 對한 具體的 認識을 가지기 爲하여서는 直接
作品을 붙들고 더드머 보는 것이 捷經이기로 바로 곧 그 工作에 붓대를 옮기
련다.

一 02
一

多數한 讀者의 熱烈한 讚美를 얻는 一方으로 各 評家들의 批評 基點이 相
異한 「03即 作者는 報復 思想을 가지고 被壓迫者에 對하여 革命으로써 報復
할 것을 主張한다. 或은 虛無主義의 宣傳者이다. 或은 無政府主義와 虛無主
義와 人道主義와의 結晶이라는 等等의 批評으로 全 文壇의 波紋을 잃으키
든 氏의 處女作 「滅亡」을 비롯하여 그 後 陸續 發表된 數多한 長篇에 對한
考察을 집어치우고 氏의 第一 短篇集 「復仇04를 붙들고 作者의 創作態度를
살피랴는 意圖는 或은 先後 顚倒일른지 모르나 그러나 나는 氏의 作品과의
初對面이 곧 「復仇」이었고 또는 이 「復仇」에서 얻은 感銘이 오히려 長篇에
서보다 더 컸기 때문이다.

「復仇」는 一九三一年 末에 出版한 「復仇」, 「不幸한 사람」, 「로벨先生」,
「主人老婆」, 「丁香花 아래」, 「墓園」, 「父와 女」, 「獅子」, 「亡命」, 「老年」, 「벙어
리 된 三絃琴」, 「사랑의 破綻」, 「야리안나」, 「初戀」 等 十四篇을 集約한 一本
의 精美한 小說集이다. 이 모든 作品을 討論하기 前에 諸에게 作品의 特色을

02　여기서부터는 그 대부분이 중국 근대 평론가 賀玉波의 「巴金論」(『現代中國作家論』第二卷, 上
　　海大光書局, 1932.10)을 초역한 것이다.

03　홑낫표가 잘못 삽입되었다.

04　‘」’가 누락되었다.

찾어 分類하여 보면 第一, 異國情緒가 濃厚한 것이니 十四篇 小說 全部가 歐洲의 風俗人情을 描寫하고 小說人物까지도 모다 外國人이다. 第二, 小說 情節이 美麗하다. 靑年 男女의 戀愛에 일으러서는 讀者에게 無限한 快樂을 주며 孤獨者의 異域 流浪에는 悽慘과 悲哀를 느끼게 한다. 第三, 各篇이 모다 感傷 悲哀의 氣分을 가진 것이다.(이것은 作者 自身이 느낀 人類의 悲哀의 結晶이기 때문이다.) 이것을 읽는 사람은 그 悲哀에 深切한 同情을 表示하게 된다. 第四, 內容과 形式 또는 結構와 描寫 等에도 相當히 滿足을 갖게 된다. 그러면 여기에서부터 作品 考察에로 붓을 옮기기로 하자. 萬若 全 作品을 分類하고 이 分類의 次第대로 討論을 試하는 것이 比較的 條理있을 것 같다. 一. 驅逐과 流浪을 描寫한 「不幸한 사람」, 「亡命」, 「야리안나」 三篇. 二. 非戰主義 色彩가 있는 「主人老婆」. 「丁香花 아래」 二篇. 三. 靑年 男女의 戀愛를 描寫한 「父와 女」, 「愛의 破綻」, 「初戀」 三篇. 四. 其他에 屬한 「復仇」, 「로벌 先生」, 「獅子」, 「벙어리 된 三絃琴」 四篇.

「不幸한 사람」의 主人公 「루이키」는 참으로 不幸한 사람이다. 幼年時代 貧窮하여서 自己의 사랑하는 「머린로」孃과 結婚치 못하고 오히려 戀人의 兄에게 毆打를 當하였다. 그리고 루이키의 父親 老靴工은 이것을 憤慨하여 氣絶되어 다시 오지 못할 길을 가고 말었다. 여기에서 루이키는 戀人 먼저서 받은 바이올린을 않고 茫茫한 漂泊의 길을 떠났다. 本篇 中 極히 感動할 兩段을 譯하면 아래와 같다.

「그때부터 우슴이라곤 다시는 나의 얼골에 떠오르지 않었읍니다. 乞食 生活이란 決코 愉快한 것이 아니외다. 더구나 나의 이 拙劣한 技藝에 依賴하여서는. 그러나 나의 悲哀는 限없이 크기 때문에 만일 이러하지 않고는 片刻이나마 心境의 安寧을

얻을 수 없읍니다. 내 몸이 이 地境까지 되어서야 비로소 苦痛
그것만이 自己의 罪孽을 掃除하는 唯一한 方法임을 알게 되어
나는 生活을 爲하여 사는 것이 아니라 受苦를 爲하야 사는 것
입니다」.

「아니오. 당신의 好意를 感謝합니다. 나는 벌서 滿足합니다.
二十餘年 間 나를 對해서 이처럼 和善한 이는 한 사람도 없었
읍니다. 그는 나의 손을 힘있게 잡는다. 나는 그의 늙은 눈가에
구슬 같은 두 방울의 눈물이 있는 것을 보았다. 그의 聲音은
심히 떨니었다. 나는 죽을 때까지 이 記憶을 保存할렴니다. 이
두 잔의 茶, 얼마나 달은 茶입니까? 다시 뵈옵시다」.

「亡命」은 「不幸한 사람」과 作風이 彷彿한 亦是 流浪의 苦痛을 描寫한 一
篇이다. 그 情節은 어느 伊太利 反政府 黨員의 亡命을 引用하여 科學家 퍼눙
스키의 學說(四海一家, 大同世界)을 非難한 것이다.
「야리안나」는 革命家의 被逐 出境의 事實을 그리었으나 中間에 男女 戀
愛의 一段을 揷入하였다. 女革命家의 被逐은 畢竟 그 戀人하로 하여금 不得
己 離別의 苦痛을 맛보게 한 作者 第一流의 手法으로 戀愛行動을 描寫하였
다. 가장 精彩있는 一節을 읽어보자.

「그는 말할 때마다 고개를 흔든다. 그러면 머리털까지 흔들인
다. 그러할 때마다 그 異常한 香氣는 곧 나의 코속으로 기어
든다. 우리는 풀밭에까지 와서는 발 거름을 멈추고 몸을 풀우
에 높여버렸다. 原來 멀리 떠러지지 않은 우리의 몸과 몸은 漸

漸 가까워졌다. 그는 自己의 머리를 끌어다가는 나의 가슴우
에 놓는다. 그래서 나는 그의 가는 머리털을 만지며 또 거기에
다가 키쓰를 한다. 이 때에는 우리는 말을 못한다. 彼此가 복
잡한 생각을 말로 다 表示할 수 없는 것을 알기 때문이다. 달
은 벌서 떠오르고 풀은 銀色으로 물드리여 진다. 그리고 모든
것은 고요한데 다만 저 먼 곳에서 電氣불만 반짝인다. 이때에
한 두 雙의 男女가 옆을 지나가면서 속살거리나 그들의 발 자
욱은 甚히 가벼워서 우리의 快樂을 깨치지 않는다. 나는 이것
이 꿈인가 한다. 모든 現實의 苦憫은 멀니 사라졌다. 나는 그가
佛蘭西 政府의 驅逐命을 받은 것을 忘却한다. 아니 그도 自己
의 눈앞에 가로 놓에있는 「화사」의 危險한 生活을 忘却한다.
우리는 靑春의 단꿈 속에 도취하였다.」

「主人로파」는 歐洲大戰 時 佛蘭西 民衆의 苦痛을 描寫한 非戰主義 作品
이다. 全篇의 非戰 思想을 以下 몇 節의 對話에서 볼 수 있다.

「나는 「꾸란」 婦人을 볼 때마다 「머리스」의 最後의 말 「어머
니, 염녀마셔요. 저는 하나님의 保佑로 이번에는 꼭 돌어올 것
입니다.」을 聯想케 된다. 나도 하나님의 公道를 믿음으로 婦人
의 머리스가 꼭 돌어올 것을 안다. 나는 每주일 敎堂에 갈 때
마다 祈禱하며 哀求한다. 婦人의 머리스의 無事歸來를 爲하여
나는 이와 같이 몇 해를 기도하였고 婦人의 身體는 하로 하로
衰弱하여 간다. 그러나 머리스의 그림자는 종시 보히지 않는
다. 果然 하나님의 保佐로 머리스는 自己 母親의 품안으로 돌

아올 것일가?」

戰爭! 이것이 곧 戰爭이다. 나는 親히 이 老婆가 自己 아들 兄
弟를 祖國에 바친 即 祖國의 光榮을 爲하여 犧牲한 것을 보았
다. 그러나 戰爭이 終結된 後 祖國이 이 老婆에게 준 報酬는
그 무엇인가?

「나는 자식이 없다. 이것이 나의 幸福이다. 萬若 자식을 나서
戰場이나 或은 工場에 보내어 죽인다면 차라리 않낳는 것만
같지 못하다. 자식을 나서 다른 사람에게 맡겨 죽이거나 또는
저 사람들의 光榮을 爲하여 犧牲시킬 것인가? 나는 자식 없는
것이 오히려 幸福이다. 그것은 꾸란 婦人처럼 연세 많은 이가
저녁마다 自己집 문 앞에 앉아 밤이 깊도록 영원히 돌아오지
못할 아들의 歸來를 기다리는 것과 같이는 되기 싫은 까닭이
다.」

「丁香花 아래」의 一篇에서 表現한 情節은 一層 精彩가 있다. 이부라이嬢
의 兄은 戰場에서 佛蘭西 祖國을 爲하여 不得已 自己의 妹의 獨逸 情人을
죽이고 뒤에 自己 自身까지 戰死하였다. 그는 죽기 前에 自己의 妹에게 謝罪
를 求하는 편지를 썼다. 이 편지를 읽고 난 때의 이부라이嬢은 悲傷 끝에 卒
倒까지 하게 된 이 緊張하고 또 表現한 非戰 思想이 比較的 有力한 作品이
다. 書信 中 一節을 以下에 公開한다.

「戰爭! 우리는 熱烈히 믿었고 또 戰爭의 光榮과 神聖을 宣傳

하였다. 우리는 조금도 주저치 않고 戰場에 나가서 祖國을 防禦하는 것은 꼭 宴會에 나가는 것과 같았다. 그러나 나는 이 戰場에서 비로소 戰場의 一面相을 發見한다. 나는 죽어가는 사람의 呻吟을 듣고 또 산사람의 고기가 碎片으로 되어 血과 肉漿이 遍地에 널여 뭇 새의게 찔이고 개들이 무러 뜯으며 썩는 屍體는 여기저기에 가로놓여서 그 惡嗅 때문에 코를 들 수 없는 것을 본다. 이 모든 것은 내가 曾前에 夢想도 못하였고 또 그 많은 書籍 속에서도 보지 못한 것이다. 小學 時代부터 사람들은 戰場上의 英雄의 죽엄으로 나를 가르첬고 나도 또 나의 想像 속에 한 崇高한 理想을 세웠었다. 그러나 내 親히 戰場에 나와서 듣고 본 것은 오즉 悲鳴과 죽엄뿐이다.」

完全히 愛情을 描寫한 作品「父와 女」,「愛의 破綻」,「初戀」의 三篇이 있으니 作者의 運用한 技巧는 三篇이 거의 같으나 內容 方面은 相異하다.

「父와 女」는 父女의 愛와 情人의 愛와의 衝突 情形을 描寫하여 結局은 父親 自己가 犧牲하고 家庭을 뛰여 나와 子息의 婚事를 成就케 하엿고 「愛의 破綻」은 愛情을 自己 生命으로 아는 女工「시멍니」의 失戀 情形을 描寫하였다. 「시멍니」의 情人「루이」는 同時에 또 다른 女子를 사랑하나 또 「시멍니」를 바리지는 못한다. 그러므로 「루이」의 戀愛 心理에는 時時로 迅速한 變化가 있어 作者는 이 點을 가장 有力하게 表現하였다. 끝으로 「벙어리 된 三絃琴」一篇만을 討論하고 그만두기로 한다. 本篇은 「로시야」의 囚徒生活과 그들의 西伯利亞로 放追되는 情節을 描寫한 것이다.

「首犯 라되조푸의 가슴에는 말할 수 없는 隱痛이 숨어있다. 그

는 오즉 三絃琴 타는 것만으로 滿足을 느끼인다. 三絃琴을 嶽
卒에게 빼앗기게 되였다. 그는 抵抗이 아무 所用없는 것을 알
므로 갖었든 三絃琴을 가만히 땅우에 나려놓고서는 愛憐에 넘
치는 眼光으로 물그러미 그것을 치어다보는 情形은 果然 悽凉
하다. 그는 椅子에 주저앉은 채로 울기를 始作한다. 이 哭聲은
異常히도 悽慘하며 그 속에는 寂寞한 生存의 悲哀가 숨어있
다. 이 다 부서진 三絃琴의 被奪로 필경 그로 하여금 그의 一
生 中 잃어벌인 모든 것——愛情, 自由, 音樂, 幸福, 또 萬事 萬
物을 追憶케 하며 同時에 그의게 前途의 暗黑을 表示한다.」

三

「復仇」는 作者의 어느 長篇보다 優勝하다고 볼 수가 있다. 思想과 技術
方面에 있어서 더욱 그러하다. 題材를 西洋의 風土人物에서 取하는 點은 中
國의 第一人이고 또 西洋 短篇小說의 結構의 長處를 利用하는 데로 재간이
있다. 作者는 全 人類의 疾苦를 爲하야 울며 또 自己自身의 苦痛을 爲하야
운다. 이 많은 눈물의 結晶이 곧 作品이다. 그럼으로 作者의 創作態度는 너
머 悲觀的이여서 作品에는 感傷과 悲哀의 情調와 陰鬱하고 幽暗한 氣分이
濃厚하다고 볼 수 있다.

끝으로 本稿는 中國 評家 賀玉波氏의 批評文字를 抄譯한 部分이 많음을
附言한다.

(完)

魯迅 印象記[01]

洪性翰

「아담쓰·벡크」는 그의 東洋哲學史話에 「光은 東으로부터」라고 말하였다.
果然 太陽은 東으로부터 떠오른다. 全 宇宙가 大變動이 없고 따라서 太陽系
가 아모런 變動이 아니 생기는 以上에는 해는 늘 東便에서 떠오르리라.

「光은 東으로부터」라는 말은 이러한 自然的 現象을 그대로 直解하여 말
함이 아니고 이 속에는 우리로 하야금 吟味할만한 點이 없지 아나 많다.
二十世紀 文明的 要素가 우리 東洋 古代 思想家의 머리속에 일즉이도 업이
돋기를 始作하였다. 이와 같이 우리 東洋에도 남부럽지 아니한 偉大한 思想
家를 많이 갖었다 함을 새삼스러히 여기에 말함도 아니다. 以上에 한 말은
魯迅 印象記를 쓰기 前에 내 머리속에 아모 順序없게 떠도는 생각을 그대로
쓴 것이다.

讀者들도 다 아는 바와 같이 魯迅은 지금 中國 文學界에 가장 큰 地位를
차지하고 있다. 또는 그가 左翼派의 가장 有力한 代表的 作家인 줄도 世上사
람들이 다 아는 바와 같다. 魯迅의 名聲은 그의 代表作인 阿千正傳을 世上에

---

01 『四海公論』 제2권 제4호, 1936.4.

發表한 때부터이다. 이 阿Q正傳은 歐美 各國 國語로 飜譯이 되어서 많은 歡迎을 받어 왔다. 日本 改造社에서는 魯迅의 全集까지 發行한 줄은 讀者들도 다 아는 바와 같다.

이 阿Q正傳은 中國 사람의 固有한 習性과 乃至 그의 人生觀을 아모 사양 없이 글려 내인 作品이다. 朝鮮日報 新年號에서 春園先生이 말슴한 바와 같이 魯迅의 作品(阿Q正傳과 孔乙己)은 그 個人的으로 보아서는 成功한 作品이라고 말할 수는 있지마는 中國 全 民族的으로 보아서는 가장 큰 恥辱이라고 하리만치 너무 露骨的으로 글리었다.[02] 이러한 點으로 보아서 魯迅은 偉大한 創造的 作家가 아니고 단지 寫實派에 屬한 부즈런하고 眞實한 作家라고 말할 수 있다. 내가 魯迅을 보기는 昨年 여름 上海 某册사에서였다. 나는 魯迅의 轟轟한 일홈만은 밤과 낮으로 中國 文人들에게서 귀가 앞으도록 들었고 또는 雜誌 같은 것을 通하야 그의 作品을 보았으나 直接으로 그의 容貌만은 본 적이 그때까지는 없었다. 더구나 政治的 關係로 그의 寫眞 한 장 얻어볼 수가 없었다.

나는 어떤 날 偶然한 機會로 그의 譯文全集에서 그의 사진을 보고 그의 얼굴이 大槪 어떻다는 것만을 머리속에 模糊하게 記憶하여 두었다. 後日에 알아본즉 그 譯文全集에 揷入한 寫眞도 四五年 前에 찍은 寫眞이라고 함을 듣고 그 人物이 如何하다는 것을 아는 同時에 그를 한 번 볼여는 好奇心과 그에 對한 憧憬心은 나날이 濃厚하여졌다.

나는 譯文全集에서 그의 寫眞을 얻어볼 때 참말 놀내지 아니할 수 없었다. 웨 그런고 하면 그의 容貌가 넘어도 平凡하고 넘어도 초라하여 보이기 때문이다. 그것도 한긋 생각하면 그렇겠지! 하고 나는 나를 疑心치 아니하였

02　李光洙, 「戰爭期의 作家的態度 - 嚴肅, 勇壯한 題材를 取하라」, 『朝鮮日報』 1936.1.6, 4면.

다. 阿千正傳과 孔乙己를 쓴 그의 心理狀態와 및 그 容貌가 남달리 뛰여날 일은 만무할 것이라고 나는 그만 그와 같이 極端의 臆想에 잠기어 버렸다.

뚤엇하게 두 관骨이 突出하였고 홀이 컴컴한 두 눈과 높고도 平平한 코, 그 尖端에 連接한 껌하고도 粗한 수염, 그에다 모양 없이 번번한 이마. 「아― 이 이가 所謂 中國 第一流 作家라니……어쩌면 이렇게도 모양 없이 생겼을 까.」하고 나 혼자말로 중얼거리었다.

이렇게 모양 없이 생긴 이의 머리속에 溫雅한 情緒를 담아 두었으리라고 는 참말로 믿어지지 않었다.――얼굴 잘 생겼다고 좋은 文學을 낫는다는 말 은 아니다.――

만일 讀者들이 魯迅의 모양을 글려 볼 생각이 있다고 하거든 阿Q正傳을 한번 식 읽어보기를 권하지 아니할 수 없다. 나의 말이 넘어도 彷彿치 못하 고 넘어도 레모 없는 말 같어 보이나 아마 事實이 그럴 듯하다.

魯迅의 진정한 風格은 이재로부터 써보련다. 먼저 그의 略歷을 簡單하게 讀者들게 紹介하고저 한다.

魯迅은 中國 南쪽 浙江省에서 난 사람이다. 그는 일즉 少年時代 때부터 讀書와 作文에 많은 趣味를 갖고 왔다. 魯迅은 自己 아버지의 病患 때에 人 情에 많은 愛着心을 갖이게 되었다. 少年 魯迅은 每日 藥局에 藥을 지으려 단였다고 한다. 또 어떤 때면 藥 지어올 돈이 없어서 家物을 갖이고 典當局 에도 단였다고 한다. 하옇든 少年 때에 그의 家庭環境은 그다지 좋지를 못하 였다. 魯迅은 이때부터 人道主義의 思想을 갖이게 되었다. 그는 每日 생각하 기를 醫學을 하로 바삐 배워서 自己 아버지와 같이 疾病에 苦痛받는 많은 불 상한 사람들을 求하여주겠다는 決心을 어린 가슴속에 깊이 느끼였다.

그리하야 魯迅은 醫學에 뜻을 두고 사랑하는 自己 고향을 등지고 日本으 로 留學의 길을 떠낫다. 그는 마츰 日本 어느 시골 醫學校에 入學이 되었다.

魯迅은 이곳에서 몇 해 동안을 熱心이 醫學을 工夫하고 있었다. 그러나 그는 醫學에 滿足을 갖이지 못하고 結局 배우던 醫學을 집어치우고 東京으로 올라갔다. 나는 便宜上「吶喊」의 序文 中에 一節을 引用한다.

『이번 學期가 畢하기 前에 나는 벌서 東京에 왔다. 저번 일이 있은 後부터 醫學이란 決코 重要치 않다는 것을 깨달았다. 모든 愚劣한 國民의 體格이 제 얼마나 健全하고 제 얼마나 屈强하다 하더래도 全혀 無意義의 玩物의 材料가 되지 아니하면 其 觀客이 될 따름이다. 病死의 多少는 不幸한 結果가 아니다. 그렇기 때문에 그의 第一要件은 그들의 精神을 改變하여 주는 데 있고 또는 그들도 좋은 方向으로 改變하는 데 비로소 生命의 價值가 있다. 나는 그때 當然히 文藝를 擇하였다. 文藝運動의 提唱을 計劃하였다. 當時 東京 留學生들을 보면 그 大部分이 다 法政, 理化를 배우고 警察, 工業으로 가는 者도 不少하였다. 그러나 文藝, 美術을 배우는 사람은 極少하였다. 이와 같이 冷情한 空氣 가운데서 마참 幾人의 同志를 얻고 其他 必要한 몇 사람을 모아서 相議한 後 第 ·步로 雜誌를 내기로 하였다. 表題는「新生」이라고 하였다. 많은 사람들이 當時 復古의 傾向을 띄고 있기 때문에「新生」이라고 表題를 쓰게 되었다.』

魯迅은 以上과 같이 當時에 불타는 心情을 如實히 告白하였다. 그리하야 그는 醫學으로부터 文學으로 轉換하였다. 이「新生」은 結局 좋은 成績을 내지 못하고 말았다. 이리하야 魯迅은 失敗의 길로 나서게 되었다. 魯迅 自己 말을 빌어 말하면 말할 수 없는 悲哀와 深夜 獨居의 寂寞뿐이였다.

魯迅은 다시 고향밖에는 갈 곳이 없었다. 그는 歸國 後 知人의 紹介로 中學校 理化敎員으로 採用되었다. 其後 魯迅은 中學 敎員을 고만두고 敎育部에서 多年間 職務를 보게 되었다.

魯迅의 勉學은 드디어 北京大學院 文學敎授의 榮職에 올르게 되어 榮光의 敎鞭을 잡게 되었다. 많은 靑年文士들은 그의 達辯에 心醉하여 그의 周圍를 떠나지를 아니하였다.

이리하야 魯迅은 思想과 政治的 關係로 因하야 北京大學을 나와 上海로, 福建으로, 廣東으로 亡命의 길을 것게 되었다. 지금은 上海 法界 어느 농장에 적은 집 하나를 얻어 갖이고 넉넉지 못한 生活을 한다고 한다. 以上은 簡單한 魯迅의 來歷이다.

꾸준한 여름비가 축축하게 나리던 어느 날 下午. 東洋 第一가는 都市 上海 外灘의 넓은 길을 滑走하는 뻐스를 집어타고 北四川路 底 어느 書店앞에서 나리었다. 안개 속에 파무친 上海는 나로 하여금 氣分이 좋지 못하게 하였다. 마음이 텁텁하였다. 더욱이 그날은 나에게 憂鬱한 感을 주었다.

나는 축축하게 젖은 옷 그대로 내가 늘 단니는 某 書店으로 들어갔다. 넓은 방에는 各樣 書籍이 順序있게 分類되어 書架에 끼여 있었다. 마치 全世界 文明이 다 그곳에 모혀 있는 것 같었다.

나는 이 구석 저 구석을 찾아 단니며 책 찾아 보기에 한참 분주하였다.

나는 이 책 저 책을 보다가 갑작이 걸걸하고 맑은 우슴소리와 아울러서 나오는 高雅한 목소리에 應하야 목을 돌리어 내다보았다. 鈍한 感覺을 갖인 나이지마는 그때는 異常히도 敏첩하게 作用을 傳達시켜 주는 듯하였다. 나는 아무 想像에 聯關이 없이 지금 들어온 五十餘歲남아 보이는 그를 小說에서 본 阿Q先生으로 直覺的으로 認定하여 버리었다. 이것이 나의 錯覺인지는 모르나 何如間 나는 그 當時에 異常한 靈感을 맛보앗다.

『有爲 無爲한 假想的 人物인 阿Q先生이 여기 무엇하려 왔나?』하고 나는 그때에 비로소 나의 朦朧한 意識 가운데서 나의 錯覺을 깨달았다.

나는 그와 書店主人과 서로히 주고받는 談話를 엿들었다. 當時 그의 말은 넘어도 流暢하였다. 나는 넘어도 의심이 나서 女主人께 무러본즉 그가 魯迅이라고 한다. 나도 감짝 놀랬다. 따라서 나의 好奇心은 이로 말할 수가 없었다.

그때 魯迅은 滿洲國의 經濟問題와 中國 古典文學에 對해서 談話하였다. 그때 하던 말 全部를 記憶할 수는 없으나 殘留한 몇 마듸 말이나마 이곳에 記述할 수는 없다.

그의 談話 中 態度는 異常히도 相對者의 마음을 끄는 듯하여 보이었다. 그의 語調는 듣는 사람의 氣分 如何를 不關하고 말하는데 퍽 無邪氣한 態度가 보이었다. 퍽 자미도 있어 보이었다. 그리고 그가 웃을 때에 주는 印象이 더욱이 깊어 보이었다. 그날 談話 中에도 魯迅은 손짓을 많이 하였다. 中國 사람이 本來 말할 때면 긴 소매를 들었다 놓았다 하면서 손으로 形容을 많이 한다. 그때 魯迅의 손動作은 마치 自己의 말을 많이 놓는 듯도 보이었다. 一言而弊之하면 이것도 中國 사람이 갖인 固有한 習性이 아닐까 한다.

魯迅의 風貌에 對해서 말하자면 極히 平凡한 사람 中에 하나이라고 말할 수 있다. 身長은 不過 五尺 三四寸가량 되어 보이나 그다지 적어도 안이 보이었다. 그의 수염은 蘇俄 文豪 꼴키―의 수염과 比等하다. 그러므로 中國 文學靑年들은 魯迅을 中國 골키―라고 別名까지 지어주었다. 또 그가 共産主義者인 것을 생각하여 볼 때면 한껏 興味있는 것이다.

그의 衣服에 對해서도 極히 普通사람 以下로 입고 단닌다. 드믄드믄 기운 黑色 長衣에 亦是 黑色 布鞋를 신고 帽子도 거진 날근 漉羅紗帽를 아모 모양 없이 머리우에 올려만 놓고 단닌다. 以上 魯迅의 찰림 차리는 中國 固有의 習性 中에 한 가지인가 한다.

마즈막으로 그의 얼굴모양에 잠깐 言及하여 보자. 채림 차리와 其他 모양은 如何하던지간에 그의 눈동자만은 精神있고 光輝가 나고 항상 그 무엇임을 생각하는 듯이 憂愁의 幽想 속에 잠기여 있는 듯이 보인다. 그리고 이마에 잡힝 깊은 주름도 心理的 作用을 말하여 주는 듯이 보이였다.

끝으로 그의 日常生活에 對하야 몇 마듸 더 쓰려고 한다. 그는 밤늦도록 글을 쓰고 잠은 午前잠을 자고 午後이면은 册사에 아니 가면 집에서 讀書와 工夫를 한다고 한다. 아직까지 外國語 배우기에 熱中하여 있다고 한다. 그리고 魯迅은 있다금 日本 改造 雜誌에 堂堂한 論文을 發表한다.

지금 魯迅은 感想 短篇과 小論文 等을 各 雜誌에 頻頻히 發表하고 있다.

(끝)

南京, 上海의 映畵運動[01]

저자 미상

　現在 中國의 藝術運動은 映畵를 主軸으로 文學, 演劇, 音樂과 커다란 廻轉을 할야고 하는 時機에 다다러 잇다. 映畵와 舞臺와의 支流. 이러한 意義는 벌서 再昨年 末, 上海에서 擧行된 第一回 上海舞臺協會의 公演에 依하야 알 수 잇을 것이다. 聯華影片公司로부터는 金焰, 當時 藝華影片公司에 잇는 王瑩, 또 胡萍, 電道[02]影片司로부터는 袁牧之, 舞臺 導演으로서는 電通에서 「桃李劫」을 撮影한 應雲衛 等이 陸續 叅加하엿든 것이다.

　或은 復旦劇社에의 王瑩의 復歸 等 實로 그 數를 헤아릴 수 업스나 더욱이 昨年 末을 期하야 公演된 「欽差大臣」(고—고리 原作, 上海權[03]餘劇人 第二次 公演)에는 金山, 施超, 殷秀嶺[04], 吳珍[05], 王瑩, 鄭君星[06], 葉露茜 等 二三의 舞臺

01　『三千里』 제8권 제4호, 1936.4.

02　'電通'의 오식이다.

03　'權'은 '業'의 오식이다.

04　'殷秀岑'의 잘못이다.

05　'吳湄'의 잘못이다.

06　'鄭君里'의 잘못이다.

人을 除한 外의 大部分이 映畵人이라고 해도 過言은 안일 것이다.

原作에 依한 思思의 深奧와 거긔에다 또한 映畵的 手法을 演劇에 流入식힌 그 新穎 玲瓏한 舞臺面의 華麗 等, 이 모든 것이 主因이 되여서 그와 같은 好評을 바덧든 것이다.

그 박게 男名星 唐槐秋는 電通으로부터 離反되여 獨立하여 中國旅行劇團을 組織하여 가지고 上海, 北平, 南京 等地의 主要 都市에서 벌서 멧 回의 公演을 經由하여 今日 非常한 絶讚 가운데서 民衆에게 歡迎되고 잇다.

音樂은 配音版의 試練으로 일즉부터의 名曲 「演奏曲」을 맨들어 노왓섯다. 作者는 日本에서 溺死한 新進 作曲家 聶耳, 北平語가 흐르는 템포의 느린 점은 잇서도 그 悲哀의 調子는 實로 사랑스러운 데가 잇섯든 것이다.

이러한 激甚한 動搖가운데 잇서서도 그들은 正當한 統制下에서 그 分野分野의 特色을 各自가 버리지 안헛든 것도 注目에 値할만한 것이엿다.

그럼으로서 우리들이 中國의 映畵史略의 第一頁을 펴칠야고 할 때는 往年의 日本 時代劇을 생각키우는 武俠片의 如何히 만헛든가를 먼저 알게 될 것이다.

그리하야 現在의 純粹 映畵 或은 藝術映畵와 比較해서 넘우나한 그 「갑푸」에 누구든지 놀나지 안을 수 업슬 것이다. 일즉이 中國映畵가 日本에 輸入되여 慘憺한 中國映畵의 觀衆이 자리에서 일어나 떠들든 것도 벌서 옛날의 한 이야기꺼리. 時代가 밧귀이고 外國에 留學하는 者도 점점 늘어가서 그 文化도 日本과 같은 「複寫」가 아니고 純粹한 文化, 換言하면 外國의 善點을 取하고 惡點을 버린 所謂 中國 新文化가 차츰 養成되여 왓다. 映畵는 藝術을 通하야서의 푸로레타리아的 構成에로 향하야 나가고 잇서 監督, 俳優들은 모다 퍽으나 眞實하게 中國 ××映畵 萬歲를 부르는 感이 잇다. 그러나 이 萬歲의 背后에는 언제든지 中國으로서는 업지 못할 民族復興의 四字가 빗

나고 잇슴을 이저서는 안될 것이다.

民族 映畫에서 文化 映畫에로!

이 道程은 싸뻬—트 映畫의 例로 보아서 明白한 바와 가치 今後의 中國映畫를 말하는 者에게 크게 必要할 것으로 미더지는 바이다.

中國에는 大小를 合하면 所謂 映畫會社라고 이름할만한 것이 相當한 數에 達하고 잇스나 그 製作數, 作品的 價値, 俳優의 性質 等에 依하야 評價되고 잇서 지금 中國의 五大 映畫會社로서는 大體로 明星, 藝華, 聯華, 天一, 電通의 五會社를 들 수 잇는 것이다.

最近 三年 前까지는 明星이 作品的 傾向의 普通的인 點으로서는 斷然 群을 拔하고 잇섯스나 近來는 經濟的 苦境에 빠진 채로 지금에 와서는 다른 映畫會社 例하면 聯華, 電通 等이 追從을 許치 안는 地境에 이르고 마럿다.

明星이 昨年 以來 製作된 作品을 보면 全히 諷刺的 形態만으로 가추게 되엿든 것이다. 먼저 導演 方面에 잇서서는 푸로레타리아映畫에 依한 「上海卄四小時」를 맨든 沈西苓을 爲始하야 「泰山鳴[07]毛」를 好例로 하는 一連의 諷刺映畫를 맨들고 大衆映畫 「姉妹花」를 製作하여서 各 都市에서 훌융한 人氣를 어든 故人의 鄭正秋, 그 亞流로 거러가는 張石川(지금 明星의 社長格), 또 農村沒落 描寫에 技妙한 李萍倩, 푸로레디러이 樣式에서 移行해서 諷刺 映畫를 맨드는 吳村 等 人材는 적지 안흐나 거긔에 따르는 俳優들이 確實한 個性을 못 가진 것과 浮動的인 點에서 그 作品價値를 低下식히고 잇는 感이 업지 안타.

여긔에서 俳優를 말하게 된다면 먼저 들 것은 얼마 전 로맨스 結婚을 하고 日本에까지 그 일홈을 날니든 胡蝶, 日本의 大日方傳을 생각키우는 高占

---

07 '鳴'은 '鴻'의 잘못이다.

非, 이 두 人物이 斷然 絶對的 人氣를 빗내고 잇다. 高占非의 夫人은 高倩蘋
이라 하는 花容同貌의 美人이다. 性格的 俳優로서는 趙丹이 잇지마는 舞臺
에 熱中해서 最近은 映畵 方面에는 그리 일홈을 떨치지 못하고 잇다. 갓흔
性格을 가지고 잇는 女優로서 嚴月間도 잇스나 인제 人氣가 떠러지고 잇다.

다음에 聯華는 昨年의 上半期에 잇서는 玩[08]玲玉도 잇든 關係로 盛히 리
아리스틱한 作品을 製作하엿섯스나 下半期에는 政府의 付托으로서 御用映
畵를 만들기 始作하엿다.

「國風」 等이 그 一例로서 羅明佑가 導演하엿다. 그러나 今年度의 同會社
의 「스켓―츌」에 依하면 「浪淘沙」, 「到自然去」, 「天倫」, 「海嘯」 等의 自然主
義에 依한 作品이 出品된다고 한다.

元來 이 會社는 配音版이 만코 有聲片은 그리 使用치 안헛스나 最近 撮影
內容는 遂次로 토―키―化되여 今年度의 作品은 全部가 토―키―로 急變되
여 映畵 批評家의 論爭의 中心이 될 것으로 豫想된다.

昨年의 싸삐―트映畵祭에 際하야 選外 佳作으로 들엇든 「演[09]光曲」은 이
會社의 出品이엿다. 導演은 蔡楚生이라고 하는 아직 젊은 進步的인 思想의
主人公. 이 사람은 性格的으로 憂愁를 즐겨하야 늘상 社會的 立場에서 人生
의 明晴을 描寫하야 中國 映畵界의 「남바―완」인 듯하다. 只今 「新女性」을
맛치고 次回 作品 「迷途羔羊[10]」을 撮影하는 中인 바 近頃 完成될 것이다.

그外 「香雪梅」로서 宗敎에 對한 闡明한 發展을 보인 費穆은 有聲片 「幼
年中國」을 撮影하야 그 結果는 一般 識者들에게 큰 期待를 주엇다.

---

08 '阮'의 오식이다.

09 '漁'의 잘못이다.

10 '迷途的羔羊'의 잘못이다.

「大路」라고 하는 愛國的 風格으로 裝하야 集團映畵를 撮影한 孫瑜는 그 물같이 淡々한 描寫를 자랑하며 「到自然去」라고 하는 記錄映畵를 撮影中이다. 俳優로서는 金燄이가 「電影皇帝」로서 明星의 高占非와 같이 好評이며, 女優로서는 黎莉々, 陳燕々, 梅琳 等이 그 可憐하고 楚々한 姿態로서 一般에게 歡迎되고 잇다.

藝華에 잇서서는 前記 二會社와는 훨신 作品 特色이 希薄하며 구태여 말한다면 封建制度에 대한 反抗意識이 약간 엿보일 뿐 때로는 「逃亡」과 갓흔 歷史的 테—마를 主材로 하는 映畵를 맨드는 일은 잇서도 그것은 消極的인 意圖에 委縮되여 잇는 형편이다.

昨年度에 「女人」을 發表한 史東用[11]은 그 「스켈」의 巨大함을 標榜한 以來 「人之初」라는 駄作으로서 徒然 「스톱」의 狀態에 노여 잇스며, 도리혀 俳優 兼 監督의 袁叢美의 「코스모포리탄」한 手法이 一般에 好感을 주고 잇다. 俳優로서는 王引, 袁美雲, 胡萍, 袁叢美 等으로 이러타할만한 人材도 업서 이 會社의 前途는 一抹의 暗影이 떠돌 뿐이다.

天一은 그 製作數의 적은 點, 五大會社의 뒤를 따를 뿐이나 胡蝶이 「電影皇后」가 되기 以前의 「電影皇后」 陳玉梅를 擁하고 잇서 强味가잇고 昨年度의 傑作으로서 「一夜豪華」를 내여놋코 잇다. 이것은 生活의 哀愁가 가슴에 스며드는 强한 印象을 또한 이즐 수는 업다. 導演은 高梨痕. 통트러 이 會社는 古典的인 映畵手法을 써서 그 成果를 나타내고 잇스며 范雪倫[12], 沈亞倫, 李英 等 이에 들어맛는 陣容을 가추고 잇서 今後 希望잇는 動作 方向이 엿보이는 것도 사실이다.

---

11 '史東山'의 잘못이다.

12 '范雪朋'의 잘못이다.

最後로 電通인데 設立된지 아직 날이 엿틈에도 不拘하고 그 製作의 量的 方面은 姑捨하고라도 質的으로는 五大會社의 最前線에 슨 가장 注目할만한 映畵會社이다. 第一回 出品은 「桃李劫」로 錄音은 失敗하엿지마는 무게 잇는 現實映畵로서는 中國 인테리層에 新鮮한 感銘을 줄만하다. 그런데 더구나 힘을 기우려 當時 藝華에 잇든 王瑩을 뽑어 냄에도 成功하엿고 袁牧之, 周但勳[13], 施超, 唐納, 金山 等의 堂々한 陣을 펴고 爲先 映畵製作의 根本的 要素를 整備하고 잇다.

「時代英雄[14]」을 맨든 다음 第三回 作品으로서 問題의 名花로서는 日本의 映畵팬에게까지 그 일홈이 알려저 잇는 王瑩이 主演하여 「自由神」이라는 [15]푸로레타리아·필님」을 맨들엇다. 王瑩은 日本 留學 後 非常히 注目을 끄으든 女優로서 日本 留學 以前까지는 二三本 필님을 撮影하엿슬 뿐으로 지금의 王瑩으로서는 今年에 나이 二十四歲, 柳腰纖々 嫣妙多姿한데 그 우에 文學的 敎養까지 깁버서 女優로서의 未來性을 多分히 가지고 잇다고 할 것이다.

언젠가 그는 두 뺨에 微笑를 띄우며 映畵藝術에 대한 情熱을 힘잇게 말한 일이 잇지마는 요사히의 精進하는 양을 생각할 때 實로 그 앞길이 볼만하다.

導演으로서는 文學的 素養을 가지고잇는 袁牧之, 美術에 造詣가 깁흔 許幸之, 民族映畵에 野心을 가진 司徒慧敏 等 群賢畢至의 感이 잇다.

今年 製作能力의 「핏지」를 올여 굉장한 映畵를 맨들어낼 것으로 미더진다. 지금 中國의 映畵는 再出發의 前夜이다.

---

13 ‘周伯勳’의 잘못이다.

14 ‘風雲兒女’를 지칭하는 듯하다.

15 ‘「’가 누락되었다.

最近 中國의 新文學 展望[01]

丁來東

　中國은 阿片戰爭 以後로 多難하지 않은 時機가 없었지만은 最近 四五年과 같이 難境에 處한 때는 없었을 것이다. 邊方 諸 省이 各各 分難하고 天災가 連年하고 經濟가 混亂하고 政治가 解弛하고 內亂이 兼發하는 等 그 災難은 一一히 枚擧할 수 없이 많다.

　普通 생각하면 이와 같은 때에 偉大한 作品이 誕生하려니 하고 推測한다. 그러나 技術과 天品을 要하는 文學은 一時 半時의 環境 如何에 따라 그 即時로 나오는 것은 않일 模樣이다. 社會가 穩定되면 刺戟이 될만한 것이 없어 偉大한 作品이 나오지 않는다 하지만은 社會環境만 混亂하다고 하야서 꼭 暴風雨와 같은 傑作이 나오느냐 하면 그도 그런 것은 않이다. 中國의 例나 露西亞의 例는 이것을 잘 證明하고 있다. 이러한 不振 狀態에 있는 中國 最近의 文學은 어떠한 狀態에 있으며 將來는 어떠한 方向으로 發展하여 갈 것인가? 이것이 곧 筆者가 以下에서 써야 할 問題이다.

　一般으로 中國文學이 不振 狀態에 沈滯하여 있다는 것은 質的으로 볼 때

01　『四海公論』 제2권 제5호, 1936.5.

하는 말이요, 量的으로 보는 때에는 旺盛한 때와 조금도 遜色이 없다. 다못 文學이 部分的으로 落下하야 一般 社會의 中心問題가 되지 않은 것만이 事實이다. 社會가 混亂하여지니 自然 目前의 問題 곧 生活問題, 政治經濟, 外交 等 問題가 一般 民衆의 注意를 끌게 되고 直接 死活問題와 因緣이 먼 藝術 方面은 自然 等閑하게 된 것이 事實이다. 그러나 知識分子가 年年히 많하여 가므로 文學에 關心하는 사람이 每年 많아지는 것도 事實이다. 中國文壇에서 一九三四年을 「雜誌年」이라고 떠드렀는데 「人文月刊」의 統計에 依하면 最近 三年 間의 雜誌數가 아래와 같이 增加된 것을 알 수 있다.

一九三二年 八七七冊(全國 雜誌).

一九三三年 一二七四冊.

一九三四年 二〇八六冊.

年年 이와 같이 增加하였으나 이 中에서 價値있는 雜誌를 撰擇[02]한다면 그 數와 反比例로 퍽으나 적을 것이다. 數의 增加는 그만한 社會的 需要도 있겠으나 中國의 雜誌는 雜誌의 賣出로써 維持하여 가는 것이 적다.

一般 出版物을 보드래도 近年에 急作이 적어진 것은 않이요, 亦是 數로 본다면 많다고 볼 수도 있다. 그러나 雜誌도 雜誌다운 것이 적고 出版物도 舊書의 再印한 것을 除한다면 數에 있어 적기도 하려니와 價値있는 것도 稀少하다. 文學雜誌로는 「文學」이 繼續한 外에 「現代」, 「文學季刊」 等 純文藝 雜誌가 停刊되였다고 傳하며 새로 「新小說」이 出版된다 하고 或 政府의 補助를 받는 文藝誌가 있으나 譯物 外에는 特異한 것이 없다.

다시 文學의 各 分野를 나누워 본다면 評壇과 詩壇이 다른 方面보다 더 不振한 섬이다. 이제 一九三五年의 批評에 關한 小論을 본다면 可히 그 全貌

---

02 '選擇'의 오식이다.

를 알 수가 있을 것이다.

「참으로 作品을 對象으로 한 批評은 一九三五年에 거위 없었
다고 말할 수 있다. 그렇지만은 一九三五年의 文壇에 是非는
많아였었다. 原來 批評의 地位를 完全히 「人身攻擊」이 占領하
고 말었든 것이다.」
「批評은 本來 "Foult-finding"이란 解釋도 있다. 그러므로 批評
하는 사람이 缺點 찾는 데 留意를 하고 또 그의 對象은 作品의
本身이라고는 하지만은 或 作家의 人身도 亦是 批評家의 態度
를 잊(失)는 것은 않이다. 그러지만은 一九三五年 式의 人身攻
擊은 이러한 程度의 것도 되지 못한다.
「또 한 가지 錯誤의 觀念이 있는데 이 亦是 批評을 緘默케 하
는 重要原因이다. 一般人은 批評이란 것을 두 가지 態度 곧
「謾罵」, 「讚揚」뿐인 것 같이 생각한다. 그래서 潔白한 것을 좋
와한 사람은 남을 욕하는 것도 願치 않으려니와 또한 남을 讚
揚한 것도 부끄러운 것 같이 생각한 結果 끝끝내 緘默을 지키
게 된다.」
──「我們還是需要批評家」(文學 二月號 論壇 中에서)[03]

이와 같이 中國의 批評界는 紹介할만한 價値있는 것이 퍽으나 적다.

中國에 新文學이 發生한 後로 固有한 批評家가 있었느냐 하면 없었든 것
이 事實이다. 新文學의 大部分은 그 創作, 評論을 勿論하고 大概 歐米, 日本

---

03 茅盾, 「我們還是需要批評家」, 『文學』 제6권 제2기, 1936.2, 214~215쪽.

것의 複寫이였으며 翻譯이였든 것이다. 六七年 前 맑쓰主義 文學理論이 盛行할 때에도 亦是 外國 것의 移入에 不過하였고 國民政府 系統의 民族主義 文學이 擡頭할 때에는 外國에 그와 類似한 理論이 적었음으로 그리 振作하지 못하였든 것이다.

批評은 무게가 있는 것이라면 評家의 主觀이 確立하여야 하는 것인데 主觀이 슨다는 것은 容易한 일이 않이다. 或 이러한 環境에서는 이러한 理論이 適合하여 보이고 또 그 다음 瞬間에 오는 環境에서는 몬저 理論과 正反對의 理論이 適宜한 것 같애서 한 態度로 一貫할 수가 없고 한 理論으로 各異한 環境을 解釋, 說明하지 못하는 때에는 그 主聲은 確立되였다고 볼 수가 없다.

新文化運動의 歷史가 짜른 中國에 있어 이러한 種類의 評家가 나오기는 아즉도 時期尙早이다. 그러므로 現 中國에서 이러한 特異한 評論을 찾는다는 것은 無理일 것이며 그동안의 批評文字는 發展過程에 있는 것으로 볼 수밖에 없다.

詩壇은 進展이 없다는 것이 共通된 觀察이다. 筆者는 「中國詩壇의 展望」이란 一文에서 그 現狀을 多少 말한 바 있었지만은 다시 槪括的으로 말한다면 新詩의 用語라던지 新詩의 形式에 關하야는 試驗이 많하였으나 그 內容은 이러타는 進展이 없다. 詩人 個人의 詩作 經路를 보드래도 詩의 內容에 特異한 變化가 없고 恒時 同一한 視角으로 外物을 接할 때에는 內容보다 形式에 퍽으나 注意를 하게 됨으로 詩의 行數, 字數, 音響 等에 注意하게 되는 것이 通例이다. 中國의 新詩도 그 詩形이 自由 詩形으로 變하고 그 用語가 白話로 變한 當時에는 詩作이 平易한 것 같이 녀기고 이 新詩運動에 參加한 者도 많아졌으나 詩는 그 用語, 形式이 어떻게 平易하게 된다 하드래도 마치 한가지로 亦是 詩人의 天分이 必要하고 修養이 必要하다. 新詩運動의 初期를 거처서 徐志摩, 聞一多, 朱湘 等 詩人이 詩의 用語, 音調, 字數 等까지 많은 留意를 남기엿으나 現今에 있어서는 이렇다는 特徵이 없이 平凡한 詩가 六七篇, 二三篇式 文藝雜誌에 실리여 있을 뿐이다.

文學의 다른 部門도 最近에 이르러 農村의 實情, 都市의 暗黑面에서 題材를 求하는 傾向이 있지만은 詩歌의 題材도 多少 그러한 傾向을 뵈인다.

以下에 略譯하는 詩는 그 風格이라던지 題材에 있어 다른 詩歌보다 조금 다른 무엇이 있다. 이 詩는 廣州에 있는 其 銀行이 부서지자 一生을 죽도록 벌어서 養老費로 儲蓄하였던 것이 一朝에 烏有가 된 老婦人의 情景을 그린 것이다.

(大意) 老婦人이 거리에서 운다. 옷은 찌저저 너울그리고 두발은 뻘거버섯네. 눈물은 크렁크렁 두 눈에서 떠러지고 哽咽이 甚하니 우는 소리도 短促되네. 혼자말로
「열여섯에 시집을 가서 석달만에 남편이 죽고 다행이 遺腹兒가 있어 어렵게 길렀더니 세 살적에 또 죽어 香爐를 繼續할 수도 없었구려. 집에는 三尺童이 없고 독에는 반말의 서숙도 없었네. 다행이 열 손가락이 있어 남의 옷을 裁縫하여 주는데 夜深하면 눈은 말은 것 같고 벼(布)는 두터워서 손끝이 버서질 지경이었네.(略) 입속에 밥을 節約하고 입은 옷을 덜어서 적은 것도 多少를 생각하고 그저 貯蓄만 힘썼었네. 悠悠 五十年에 나희는 六十六이요, 남은 것이 五百圓이여서 衣食은 다 이속에 있었네. 살아서는 養命의 돈이요, 죽으면 널 값이였는데 一朝에 運이 어긋저 졸지에 이 체메에 빠졌으니 이 한 張의 通帳으로야 어떻게 배를 채운단 말인가? 이 늙은것의 命을 뺏는다면 죽어도 눈을 못감겠네! 아, 하나님이여, 나를 왜 이렇게 푸대접

을 해요!」

(人間世 第二十期 四七頁)[04]

勿論 卒譯이 되야서 어색하나 大意는 그러타. 過去 中國 詩에는 「孔雀東南飛」에 後로 이 種類의 叙事詩가 적지 않으나 新文壇에서는 퍽으나 적었었다. 詩壇에는 한동안 佛蘭西 「頹廢派」의 詩歌가 盛行도 하였으나 現今은 새로운 傾向은 없는 셈이다.

創作界에 있어서는 大家에 屬하는 魯迅, 郁達夫, 郭沫若, 張資平 等 諸氏가 或은 沈默을 지키고 或은 一二篇을 내놓은 데 不過하며 이러타는 作品은 없다. 그外 巴金, 矛盾[05], 王魯彦, 老舍 等 作家도 그 創作量에 있어 많이 減退되였다. 그 裏面에는 여러 가지 發表하기 어려운 原因 即 國民政府의 彈壓도 없지 않을 것이며 作家의 修養不足도 있을 것이다. 그 中에 郭沫若은 學的 研究에 沒頭하고 郁達夫는 散文에 精進하는 傾向도 뵈인다. 그래도 活動을 쉬지 않은 作家는 王魯彦, 張天翼, 穆時英, 矛盾, 老舍, 巴金 等이라고 볼 수 있고 新人으로도 뛰여난 作家는 아즉 없는 셈이다.

中國作家는 發表機關이 많고 出版이 容易한 關係인지는 알 수 없으나 一般으로 濫作인 傾向이 없지 않다. 그러자니 그 構想이 疎忽하고 無用한 句節이 많다. 또 語彙의 不選擇도 甚하다. 最近 「文學」誌에 特約 中篇이라고 既成作家의 中篇을 一號에 다 실른 中인데 이 小說은 比較的 力作을 하는 것 같이 뵈이며 各 作家의 傾向도 多少 窺知할 수가 있다. 張天翼의 「淸明時

---

04 陳國珺,「老夫人」,『人間世』 제20기, 1935.1, 47쪽.

05 '茅盾'의 잘못이다. 아래도 마찬가지다.

節[06], 矛盾의 「多角關係」, 王魯彦의 「鄕下」 等은 比較的 佳作으로 볼 수 있다.

創作界에 있어서도 最近의 傾向은 農村問題인 것 같이 뵈이는데 大概는 觀念으로 構成된 것이 많고 實地의 經驗에서 實感을 주는 作品은 퍽으나 적다. 이제 「文學」 二月號의 短評 中 「關於鄕土文學」이란 一文을 보면 「九一八」以後의 東北農村을 그린 「生死場」과 「西南邊方의 土司」 밑에 農村을 그린 「그의 子民들」이 比較的 力作이라고 紹介하였으나 作品을 아즉 보지 못하야 如何라 말할 수 없다.

作風에 있어 새로운 傾向을 찾는다면 中國文壇의 一部에서는 張天翼을 들게 된다. 이제 胡豊의 「張天翼論」 中 그 特徵을 列擧하야 過去의 作家와 多少 다른 點을 鮮明히 하여 보겠다.

> 「그(張天翼) 새로운 面貌는 무엇인가? 個人主義의 虛張聲勢가 없어진 것이다. 사람을 厭倦하게 한 感傷主義는 平易한 達觀 氣槪로 代替되였다.
>
> 「戀愛와 革命」의 舊調를 버서낫다. 理想主義의 氣息이 消散하였다. 道德의 紛糾가 脫離되였다. 人工 製造의 「情熱」이 그림자도 없어졌다. 그의 作品에 能히 볼 수 있는 것——知識의 矛盾, 虛僞, 飄搖와 絶路 中의 生路(이 것은 「三天半的夢」, 「報復」, 「空虛에서 充實로」, 「三兄弟」 等 作品에서 볼 수 있는 것), 知識人이 「神聖戀愛」에서 나타내는 醜態, 殉敎者의 側面, 大衆의 硬朗하고 單純한 面貌 等等이다.[07]

---

06 ' 」 '가 누락되었다.

07 ' 」 '가 누락되었다. 胡豊, 「張天翼論」, 『文學季刊』 제2권 제3기, 1935.9.

이 傾向을 中國文壇의 全面으로 볼 수는 없으나 적도 一部의 傾向으로는 볼 수 있을 것이다.

創作界에서 農村을 題材로 하는 데 作家의 態度는 各異하나 그 大分部이 貧農의 鬪爭面을 그리며 治者의 暴政을 描寫하고 土豪劣紳의 暗黑面을 暴露하는 것 等이다. 或 哀調로 農村을 보며 過去 詩人들이 無智한 農民을 理想的 人間으로 보고 그 生活苦를 哀痛하게 녀기든 것과 같은 文字도 없는 바는 않으나 퍽으나 적다.

都市의 黑幕을 그린 作品으로는 矛盾의 「子夜」가 꽤 一時의 盛을 이루었으나 比較的 槪括的이였고 이제 農村 作品으로 많은 作品이 叢出하는 中 不遠間 相當한 成績이 있을 것이 事實이다. 穆時英은 三年을 두고 「中國行進」이란 長篇을 쓰는데 一九三一年의 大水災, 九一八 前夜의 中國農村의 破滅과 都市에서 民族主義와 國際 資本主義의 鬪爭 等을 內包한 作品이라고 傳한다.

戱曲 方面에 있어서는 戱曲의 刊行이 퍽으나 少數이며 雜誌에 실리는 것이 있으나 歷史上 題材가 많고 새로운 題材의 作品이 적다. 上海에서 아마취아 劇團이 많은 努力을 한다고 하나 現代에 있어 映畵의 打擊이 甚하고 中國에서는 唯獨히 舊劇에 壓倒되야 發展하기가 어려우리라고 推測된다. 熊佛西는 農村에서 劇運動을 하고 余上沅도 亦是 이러타는 活動이 없으며 田漢은 最近의 作 「號角08」이란 小作을 보았는데 技巧는 오히려 退步한 셈이다. 轉變 後에 素朴한 作品을 써서 民衆에게 接觸을 容易하게 하려는 心算인지는 알 수 없으나 亦是 氏의 浪漫主義的 傾向이 性急한 發露로도 볼 수 있다. 向培良은 映畵界로 進出하였다는 說이 있으며 戱曲에 注力한 作家는 李

08　田漢, 「號角」, 『中央日報』 1935.12.21, 제3장 제2판, 『文學周刊』 제38기.

健吾, 顧靑海, 曹[09] 等 諸氏이다.

中國文壇에서 一時의 盛을 일우든 隨筆은 最近에 多少 衰微한 感이 있으나 그 成績은 적지 않다.

槪括하야서 中國文學의 動向을 본다면 題材 方面은 農村으로 向하고 있고 過去의 感傷主義를 떠나려고 努力하는 傾向이 있으나 報告文學이 全盛하면서부터 創作과 思想이 다 같이 公式化하고 淺薄하야저서 深澳한 思索, 通察한 靈感이 없었든 것이 事實이다. 이것은 中國文學뿐만이 그런 것은 않이였으나 中國文學에도 그 影響이 적지 않아였었다. 一九三六年은 世界的으로 不安을 느끼는 바이다. 將來 世界文學에도 새로운 傾向이 있으리라고 推測된다.

> 「詩人은 動亂 緊張으로 因하야 그 態度를 改變치 않는다. 그는
> 決코 槪念이나 數字로써 未來를 架構하려 하지 않고 現實에서
> 未來를 認識하려 한다.……」
>
> (「文學」, 迎一九三六年)[10]

只今 中國의 現實은 어떠한 將來를 豫示할 것인가? 一言으로 斷言하기는 어려우나 從來에 風靡하는 「리알리즘」이 漸漸 退却을 하고 「新로맨티시즘」이 勃興하지나 않을까 하고 筆者는 생각한다. 文學上에 世界的으로 共通된 傾向이 이後 四五年 內에 새로 擡頭할 것 같기도 하다. 現今에도 그 萌芽가 없는 바는 않이다.

(了)

---

09 『丁來東全集II 評論篇』(111면)을 참작하면 '曹禺'의 '禺'자가 탈락되었음을 알 수가 있다.

10 「迎一九三六年」, 『文學』 제6권 제1기, 1936.1, 2쪽.

「湖上의 悲劇」의 作品的 價値[01]

丁來東

　田漢의 作品은 「湖上의 悲劇」 外에도 二三篇이 飜譯되였스며 田漢의 紹介도 數次 있었다고 생각한다. 그러나 今番과 같이 洗練된 研究團体에서 上演된 것은 처음이며 이 機會에 田漢을 다시 紹介하며 今番 上演의 「湖上의 悲劇」에 言及하야 記憶을 새롭게 하는 것도 퍽으나 意義있다고 생각한다.

　田漢은 湖南名[02] 사람으로서 一八九九年에 出生하고 그 字는 「壽昌」이라고 한다. 田漢 以前에도 中國 新劇 運動者가 없지 않하였으나 擧皆 朝鮮의 新派 運動者들과 같이 劇의 向上을 圖謀치 못하고 오히려 劇을 墮落케 한 傾向까지 있었다. 그러는 中 新劇作에 近代劇의 要素를 發揮한 첫 사람이 田漢이요, 劇作家로서 가장 普遍된 作家도 亦是 田漢이다. 또 田漢은 劇作家로서 長久하게 努力한 사람 中의 한 사람이다. 氏는 日本 留學生으로 된 文學團体 「創造社」에 一員으로 있어 「詩歌에 郭沫若, 創作에 郁達夫, 戲曲에 田漢」하도록 各各 頭角을 나타내였으나 意見이 맞지 않하야 退出하고 그 夫人

01　『劇藝術』 제4호, 1936.5.

02　'名'자가 잘못 삽입되었다.

易瀨琦[03]女士와 「南國社」란 劇團을 發起하고 「南國週刊」, 「南國月刊」 等을 主編하였섰다. 또 曁南大學, 大夏大學, 復旦大學의 戱劇 敎授로 있섰으며 南國藝術學院 院長으로도 있섰다.

氏의 作品으로서 가장 普遍化한 것은 「카페의 一夜」다. 아마 中國學生 또는 新劇에 留意한 사람으로는 「카페의 一夜」를 알지 못한 사람이 없도록 有名하다. 舞臺에서 成功한 劇으로는 우에 말한 「카페의 一夜」, 「南歸」, 「蘇州夜話」, 「名優의 죽엄」과 「湖上의 悲劇」 等이다.

그러나 氏는 一九二九年으로부터 그 前 作品의 傾向 곳 唯美主義, 個人主義, 浪漫主義 傾向을 고치였섰다. 湖上의 悲劇은 勿論 前期에 屬한 作品으로서 前期의 代表作으로 볼 수 있는 作品이다.

이제 「湖上의 悲劇」에 關한 作家의 말을 빌면 아래와 같다.

> 「이 脚本은 「蘇州夜話」와 같이 過去 三四年來 가장 있기 어려운 作品이다.……」 사람들은 이렇게 말을 하거나 말거나 나는 幽谷의 꾀꼬리(黃鶯)가 自己의 우는 소리에 陶醉하는 것과 같이 나의 得意한 臺詞(세리프)을 王尼南, 楊澤蕙, 俞珊 等 諸 女士의 입에시 纏綿排測[04]하게 말하는 것을 퍽으나 듯기 조화한다! 내가 이 글을 쓸 때에는 손도 없었고 이 劇本의 아무것도 記憶치 못하였섰다. 그러나 그 한 줄기 한 줄기 鮫人의 눈물 같고 紅珠 같은 글자는 아즉도 나의 心靈속에서 顫動한 것 같다.[05]

---

03 '易漱渝'의 잘못이다.

04 '纏綿悱惻'의 잘못이다.

05 田漢, 「第四集自序」, 『田漢戱曲集4』, 現代書局, 1932, 5쪽.

우리는 作家의 이 말을 보드래도 이 劇本을 쓸 때 激情하였든 것을 알 수가 있으며 氏가 轉變 以前에 創作하는 氛圍氣를 알 수 있을 것이다.

氏는 轉變 後나 前이나 氏의 浪漫的 氣質이 濃厚한 것은 감출 수 없는 事實이다. 그러므로 劇本으로 볼 때 綿密하게 進展되지 않는 部分이 많고 普通 생각의 推移에 어긋난 點이 적지 않다. 「湖上의 悲劇」도 이러한 點이 없다고 볼 수는 없다. 그러나 舞臺에 上演하야 失敗하도록 不合理한 作品은 않이요, 中國에서는 舞臺에서 적[06]으나 成功한 實例가 많다. 이번에도 相當한 効果가 있으리라고 믿는다.

過去에 中國文化는 政治關係와 同伴하야 輸入되였으나 今後로는 純專한 藝術의 立場에서 相交되여 가는데 우리는 많은 企待를 가지며 今番의 「湖上의 悲劇」의 上演은 이러한 意味에서 그 意義가 더 크다고 생각한다.

---

06 '퍽'의 오식이다.

裝置者로서의 말 - 極히 斷片的인 隨感[01]

金一影

나는 조선에 돌아와서 처음 이번 公演의 「姉妹」와 「湖上의 悲劇」의 裝置를 맡었다.

조선의 觀客을 몰으고 또 劇硏 演技者들의 演技도 全然 몰으고, 단지 演出者의 注文을 基礎로 이번 裝置를 맡게 되였으니 이것은 틀님 없이 한 모험이라고 생각된다.

요즘 興行劇을 몇 번 구경하였지마는 그곳에서는 아직도 極히 平面的인 「박크」(이것은 엣날 新派劇의代[02]의 裝置에서 조곰도 벗어나지 못한 것이다.) 앞에서 俳優가 움지기고 있다. 그들은 아직도 平面앞에서 立體가 움즉인다는 크나큰 모순을 계속하고 있다.

이번 裝置에 있어서 나의 基本的 態度는 이러하다.

「湖上의 悲劇」에 있어서는 될 수 있는 대로 裝置에 對한 智識이 全然 없는 觀客이라도 한눈에 곧 理解할 수 있게 할녀고 하였다. 그러므로 通俗的이오, 寫實的인 무대를 꿈일너고 하였다.

---

01 『劇藝術』 제4호, 1936.5.

02 '新派劇時代'의 오식이다.

「姉妹」는 全 三幕을 한 場面의 무대를 가지고 하게 됨으로 前者와는 全然 달으게 하여야 한다. 우선 寫實的으로 하여 달나는 演出者의 注文을 念頭에 두고 裝置者로서의 이니샤—를 可及的으로 發揮할녀고 하였다.

또 幕間을 考慮하고 이 두 舞臺를 한 개의 基礎 舞臺에서 하기로 하였다.

「姉妹」의 舞臺는 조선집이요, 더욱이 京城 近處의 家宅이여서 이번 觀客들이 日常生活에 있어서 늘 보는 것임으로 裝置에 對하여서 是非가 많은 것은 筆者도 覺悟하고 있다. 그러나 다음의 裝置에 對한 極히 基本的인 豫備 智識을 알어 주기를 바란다.

「姉妹」의 裝置를 보고 제일 몬저 의아하게 生覺할 것은 「집웅」일 것이다. 기와가 全然 보이지 안코 대들뽀가 뺵따귀 채로 보히고 단지 「집웅」의 輪廓만이 뚜렷하게 나타나고 있다. 이것은 三층이나 되는 府民舘의 觀客席의 視野 條件을 考慮하고 한 것이다. 즉 三층에서 보나, 二층에서 보나 舞臺에서 움즉이고 있는 俳優의 全身을 보아야 할 것을 생각함이다. 萬一 집웅을 全部 寫實的으로 한다면 舞臺上의 俳優가 三층에서는 下半身만이 보이고 二층에서는 머리가 보히지 않을 것이다. 이러한 탓으로 나는 집웅의 斷面을 보이게 하였다.——하였든 집웅을 큰 칼을 들고 절번 쪽인 것으로 알어주기를 바란다.

또 하나는 건넌방과 마루, 안방과 마루 사히에 있어야 할 기둥을 지춧돌만 남겨두고 없애 버린 것이다. 이것은 俳優의 動作을 考慮하고 意識的으로 없앤 것이다. 기둥을 그냥 두면 俳優가 舞臺上에서 自由롭게 헤염치게 못되고 또 몸이 감추어지는 때가 많기 때문이다. 이밖에도 細細한 部分에 있어서도 이러한 裝置者로서의 意識的인 「現實의 整理」가 많은 것을 알어주기를 바란다.

現實을 그냥 舞臺上에 옴겨 놓는 것이 무대裝置가 아니다. 勿論 이것은 寫實舞臺에 있어서나 樣舞에 있어나 맛찬가지다.

裝置家는 제일 몬저 俳優의 動作을 고려하고 觀客의 視野를 考慮해야 한다.

또 舞臺裝置는 언제든지 該 時代의 建築樣式을 리—드하고 있다. 이러한 意味로서는 在來의 朝鮮 建築을 舞臺에 올닐 때에는 裝置家의 大담한 이니샤—가 絶對로 必要하다. 나도 이번 裝置에 있어서 이러한 點을 大담하게 손대여 볼까 하였으나 이번 裝置를 맡었다는 것이 벌서 모험인 데다가 또 모험을 거듭하게 됨으로 마지못해 斷念하였다.

하였든 여러분이 生理 敎科書에서 人體解剖圖를 볼 때 神經系統, 筋肉, 骨格, 血液순환 等等을 指示하기 위한 그림이 各其 달은 것과 맛찬가지로 舞臺裝置도 그 作品의 테—마에 따라 演出者의 意圖에 따라 또는 俳優의 動作에 따라 該 戲曲이 上演되는 劇場의 舞臺와 客席의 條件에 따라서 같은 現實에서 주어온 것이라도 여러 가지로 달너진다는 것을 認識하여 주기를 구지 바란다.

이번에 李泰俊 作「山사람들」은 戲曲도 近來의 傑作이였지마는 特히 裝置家로서 相當히 野心을 가지고 덤벼대였는데 不得己한 事情으로 實現하지 못한 것은 퍽 유감이다. 特히 姉妹 무대와 對照하여서「山사람들」은 아조 딴 조건이여서 裝置만으로라도 觀客에게 권태를 느끼게 하지 않었을 것이였다.「湖上의 悲劇」이 역시 室內임으로 나는「姉妹」와 무대 조건을 意識的으로 달니하기 위하여서 全部를 室內로 하지 않었다.

퍽 걱정되는 것이 하나 있다. 그것은 조선에는 아직 裝置者의 데자인을 百퍼—센트로 살닐만한 製作者가 없다는 것이다. 製作을 筆者도 直接하게 되였으나 이것을 助力하여 줄 技術者가 없다는 것은 퍽 섭섭하다.

또 하나 걱정되는 것은 照明이다. 裝置와 照明은 가장 密接한 關係가 있다. 照明이 한 裝置를 죽이고 살일 수가 있다.

들으니 府民舘은 照明 設備가 꽤 좋다고 한다. 이것을 잘 驅使하여서 裝

置者의 意圖를 잘 살열줄 照明者의 積極的인 協力을 구지 바라마지 않는 바
이다.

中國 新詩의 展望[01]

丁來東

中國 新文壇에서 가장 일즉이 싹을 튼 것도 白話 新詩요, 現今까지에 進展이 가장 더듸고 不振 狀態에 있는 것도 亦是 新詩이다. 新文學 即 白話文學이 中國에서 正統으로 드러선 後 小說, 戲曲은 比較的 相當한 收穫이 있었으나 新詩는 數人의 詩人을 詩歌 試驗 狀態에서 건저내지 못하고 或은 他方面으로 轉向하였으며 或은 徐志摩, 朱湘과 같이 逝去하고 말았다.

胡適之는 처음 文學革命을 主唱하면서 死文字이요, 規律이 많은 過去의 用語와 形式을 打破하면 文學은 自然 容易하게 成長하리라고 말하였다. 勿論 이 主張이 惰氣滿滿하든 漢文學의 固城을 깨트리는 데는 充分한 效果가 있었고 文壇에 生氣가 勃勃하게 하는 데에는 成功을 하였든 것이다.

新文學에 加擔한 諸 文人은 文學革命과 同時에 第一 先着으로 詩歌에 注力을 하였든 것이다. 그리하야 一九二〇年 頃에는 新聞, 雜誌에 新詩가 실리지 않은 곳은 퍽으나 적었든 것이다. 그러나 草創 時代인 만큼 白話詩가 않인 古詩의 變形인 것도 많아였으며 詩形만 「詩」다웠을 뿐이요, 그 內容은 詩

---

01 『朝鮮文學』제2권 제7호, 1936.6.

않인 것도 많하였었다. 그러나 何如間에 詩를 쓴 사람은 많하였든 것이 事實이다. 그럼에도 不拘하고 草創 時代에 詩 作家로서는 詩人으로 成功한 사람이 거의 없었다. 中國의 第一 몬저 詩集을 내였다는 胡適도 詩人으로서는 거위 落第이며 周作人, 俞平伯, 沈尹默 等 諸氏가 다 詩와는 因緣을 끊게 되였다. 勿論 그 中에는 一二篇의 佳篇이 없는 것은 않이나 大體로 본다면 詩人으로 끝까지 努力하는 데는 失敗하였든 것이다.

그 後로 郭沫若, 徐志摩, 劉復, 朱湘, 汪靜之, 劉大白, 聞一多 等 諸 詩人이 輩出하지 않은 바는 않이나 이 詩人들은 그 前 詩形이 現今까지 傳統되였드라도 相當한 詩人이 될 可能性이 있는 詩人들이요, 그 中에는 古詩 即 漢文 詩에도 能한 詩人이 많다.

여기서 우리는 文學의 工具 即 用語에 對하야 懷疑하지 않을 수 없게 된다. 白話文學 發生 後에 郭沫若, 周作人 兩氏가 新文學의 重要 要素는 그 用語의 新舊보다 그 思想에 있다고 主張한 말과 例證이 있다. 用語는 自然히 時代에 따라 엇절 수 없이 變하는 것이요, 文學의 新舊는 그 內容에 있다는 것이다. 그리하야 周作人은 現代 新文學의 源流를 明末의 「公安」, 「竟陵」 兩派에 求한다.

우리는 中國 新文學의 演進을 觀察할 때 그 內容, 形式(用語──白話)을 아울러서 硏究하지 않을 수 없다. 英詩史上에서도 같은 浪漫主義 詩人이면서 「와―쯔―워스」는 自由 詩形을 要求하고 「빠이론」은 그 詩形보다 思想에 精進하였든 것이다. 中國 現代 新詩壇에서도 郭沫若, 徐志摩 等 諸氏는 自由 詩形으로써 詩作을 하였으며 聞一多, 朱湘은 詩形과 音響에 더 注意하였든 것이다.

普通으로 본다면 詩形과 技巧를 퍽으나 注意하는 詩人은 그 內容이 貧弱하고 微溫的이며 思想과 個性을 强調한 詩人은 或 詩形, 音律에는 多少 缺點

이 많으나 뛰어난 文學上 潮流를 짓게 되는 例가 많다. 前者는 흔히 擬古主義에 屬한 詩人이 많고 後者는 浪漫主義에 屬한 詩人이 많다.

現今 中國 詩壇은 一般으로 볼 때 그 進路를 喪失하고 있다고 볼 수 있다. 그 工具 即 用語는 白話로 變하야 거위 二十年의 歷史를 가짐에도 不拘하고 왜 이러타는 進展이 없는가? 그 不振하는 原因으로는 白話詩의 歷史가 짜르고 白話詩는 前例가 적고 獨創이라야 하므로 自然 沈滯 狀態에 있다고 말할 수 있다. 그러나 郭沫若의 「女神」은 只今도 特秀한 詩歌로서 헤이게 된다. 그 理由는 다른 데 있지 않고 그 內容이 無軌 潑躍한 데 있다고 볼 수 있다. 곧 다시 말하면 浪漫主義에 屬하는 作品인 까닭이라고 말할 수 있다.

浪漫主義 文學이 現實을 觀察하는 데 等閑히 하였든 것이 事實이나 文學上 一 新路를 開拓하는 데에는 그 功勞가 적지 않다. 中國 新詩壇을 現在의 沈滯 狀態에서 打開하는 데에는 亦是 優秀한 浪漫主義의 詩人이라야만 可能할 것이다. 勿論 現實을 等閑히 하지 않고 熱情的이며 傳統을 不畏하고 現代의 痛忿을 누구보다 더 잘 通察하며 光明을 恒時 바라보는 詩人이라야만 中國 詩壇의 沈滯를 打開하리라고 생각된다.

(끝)

中國의 "國防藝術"[01]

上海에서 金光洲

(1) 國難藝術의 發生 - 非常 中國文壇의 最近相[02]

靑天白日旗를 높이 들고 『中華民國』이라는 平民的 國名아래 孫文의 三民主義를 앞잽이로 삼고 國民黨이 世界에 向하야 國家의 統一과 國體의 確立을 외우친지 二十餘年, 中國은 이 동안에 內部의 整頓 如何나 政權의 實際的 勢力의 範圍는 暫時 不問하고 그 表面的 意義에서만 볼 때에는 『黨』이라는 한 統一體 아래에서 經濟, 法律 或은 其他의 各種 文化 及 一切의 政治機構가 그 支配를 받엇다 할 수 잇으니 우리는 그것이 비록 名實相反하는 어느 一種의 獨裁的 政權 아래에서 行使되는 政治機構인 것을 否認할 수 없다 하더라도 다른 한 方面으로는 그들이 全 民族的으로 國家 勢力의 據張과 一切 政治施設의 建設을 爲하야 努力해 왔다는 事實을 是認해야 할 것이다.

그러나 이러한 民族的 努力이 努力으로서 成果를 걷우지 못하고 自體의 內部的 建設에 머리를 돌리랴 하면 外部의 國際的 情勢가 이것을 許諾치 안헛고 國交의 不利한 條件 아래에서 그 平等을 찾으랴고 애쓰면 또 한 便으로

---

01 『東亞日報』 1936.7.15~7.18, 조간 7면; 7.19, 조간 8면, 7.21~7.23, 조간 7면.

02 매회 연재분 표제로서, 8회에 걸쳐 연재되었다.

內部에서는 秩序를 일고 흔들리엇다. 이런 意味에서 볼 때 中國은 最近에 이르러서 처음으로 非常時期에 處함이 아니엿고 이 二十餘年 동안 마치 靑天에 白日을 보는 날이 드문 天氣와 같이 動搖와 混亂을 되푸리해 왓으니 特히 中國의 最近 情勢를 指名하야 『非常時期』라고 부를 것이 못된다고도 할 수 잇을 것이나 過去의 『非常時期』와 現今의 處한 『非常時期』는 그 本質的 根本的 意義에 잇어서 完全히 다르다는 것을 먼저 아러야 할 것이다.

그러면 兩者의 根本的 意義가 어떠케 달러지느냐? 여기서 이것을 한 거름 더 具體的으로 드러가서 鮮明히 해노흘 必要를 느끼나 最近의 中國이 處한 바 『非常時期』에 對하야 筆者는 그 特殊한 時代的 或은 國際的 意義를 正面으로 究明할 自由가 없고 또 世界情勢에 對하야 常識의 關心만을 가진 讀者라면 이런 直接的 說明을 要하지 안코도 現今의 中國의 處한 『非常時期』의 意義를 明白하게 把握할 수 잇을 것이다.

要컨데 今日의 中國은 두 가지의 極端的 危機가 全 民族의 앞길에 縱으로 橫으로 누어 잇으니 그 하나는 날로 甚하야가는 外患의 嚴重性과 國際情勢의 深刻性으로 起因되는 全 民族, 全 國家的 地盤의 動搖요, 그 둘재는 國家의 工商業 어느 方面을 勿論하고 財政的으로 또는 經濟的으로 衰弱해가는 危機이다. 金融市場은 쉬일 사이 없이 흔들리어 하로도 不安을 免할 길 없고 外來 資本과 外來 物貨는 날로 그 勢力을 높이고 잇으니 數千年來 立國의 根本이 된 農本經濟와 小工業도 最後의 悲慘한 運命을 避할 길이 없는 것이다.

그러면 이러한 民族的 또는 全 國家的 危急 存亡之秋에 臨하야 藝術이 한 社會와 한 時代와 한 國家 乃至는 한 民族의 一切 社會相을 反映하고 表現하는 第一 英敏한 工具일진댄 그는 어떠한 形態와 어떠한 方法으로써 이런 非常時期의 民衆 속으로 움즉여야 하며 藝術家가 비록 붓(筆)을 槍으로 바꾸어 가지고 싸움터로 나가지 못하는 人間的 弱點과 特殊한 社會的 地位에 노힌 一群이오, 또 그러케 하는 것만이 藝術家의 國家나 社會에 對한 第一義的

任務가 아니라 할지라도 社會와 時代와 人類의 歷史를 討究하고 人間生活을 檢討하야 그 善惡을 明白히 가려내야 할 이 새로운 世紀의 藝術家로서 더욱이 弱小民族的 處境에 노힌 中國의 藝術家로서 應當 어떠한 行動과 態度를 取할 것이냐?

中國의 『非常時期 藝術』乃至 『國難藝術』의 發生한 根本的 動機나 그의 特殊性은 곳 이곳에 그 出發點을 둔다 할 것이니 勿論 이 大陸에도 軟紛紅빛 象牙塔的 藝術의 꿈이 깨여진지도 오래고 社會的 或은 階級的 藝術이 그 全盛을 자랑한지도 벌서 오랜 옛날의 일이지만 이제 새로이 相當한 이 歷史的 階段은 中國의 젊은 藝術家들로 하여금 "民族"과 "國家"라는 일즉이 부다처 보지 못한 重且大한 問題를 提示하고 그들의 確乎한 態度와 行動을 要求하고 잇는 것이다.

文壇은 勿論 이 따의 藝苑 各 部門의 過去의 자최를 더듬어 올러가 볼 때 거기에는 標語 口號와 黨派性과 偏見에 기울이만치 漠然한 社會主義的, 階級的 正義感을 謳歌한 時節도 잇엇고 時代를 逆行한다 해도 過言이 아니리만치 몇 政客을 中心으로 結成된 어느 獨裁的 政權을 讚揚하는 藝術運動도 잇엇고 民族의 甦生과 出路를 探求한다는 旗幟아래에서 民族藝術運動 乃至 反帝藝術運動을 高唱한 時期도 잇엇다. 그러나 이것을 그들이 現今에 處한 『非常時期』의 重大한 意義에 비최여 볼 때 그것은 오히려 自國文壇 乃至 各種 藝苑 內部의 派閥的 運動에 不過햇다는 意義를 남기엇을 뿐이니 卽 한 藝術의 觀點의 相異로부터 起因된 部分的 運動에 지나지 못햇다고 할 수 잇다.

(2) 聯合起來의 絶叫 - 非常時 中國文壇의 最近相

그러나 一九三六年의 內外 各部의 情勢는 그들로 하여금 이런 自由藝苑

內의 部分的 派閥的 藝術運動을 容納할 수 없으리만치 切迫해 왔으니 이에 最近의 中國 藝苑에는 文壇을 爲始하야 『非常時期文學』, 『國防文學』, 『國防 電影』(電影──映畵), 國防詩歌 甚至於 『國防音樂』이라는 名辭까지도 나타나게 되엿고 그것은 第三者의 立場에 서 잇는 우리 異國人에게 一種의 새로운 興 味를 提供해주는 事實이라기보다도 먼저 그들의 國家的, 民族的 危機아래에 서 大同團結을 高調하는 一面, 受難期에 處한 젊은 藝術家들의 取할 바 態度 와 行動에 苦悶하고 잇는 안타까운 心境을 充分히 엿보게 해주는 것이다.

이 運動이 具體的으로 文壇의 正面에 나타난 것은 這 三四個月 間이엿으 니 이제 이곳의 文學刊物을 代表하고 잇는 月刊雜誌 『文學』(三月號)의 論壇 을 보면 『作家們聯合起來』(作家들이여, 聯合하야 이러나라!)라는 題目 아래 『鼎』 이라는 筆名으로 다음과 같은 一節이 잇다.

이 苦難의 時代에 잇어서, 이 存亡 危急한 時期에 臨하야 무슨 解釋할 수 없는 怨恨이 또 남어 잇어 우리들 앞선(前進) 作家들 로 하여금 彼此에 分化를 이르키게 하고 甚至於 敵體를 만들 어 서로 서로 怨讎視하게 하랴!
한 갈래(一條) 길위에 같이 나선 여러 作家群이여! 聯合하야 이 러나 다 같이 앞으로 나아가자!
이 苦難의 時代에 잇어서 이 存亡 危急한 時期에 臨하야 무슨 個人的 隙離와 相合치 못할 意見이 存在하랴! 눈을 크게 뜨고 胸襟을 푸러헤치고 意志를 꿋꿋이 세운 다음 손에 손을 잡고 一齊히 앞으로 나아가자! 길이 같은 사람 사이에는 個人 間의 隙離와 相合치 못할 意見을 容納할 수 없는 것이다.
一切의 偏狹한 見解와 成見을 던저버리고 感情의 色眼鏡을 벗

어버리고 嚴格히 敵과 벗(友)을 辨別하야 謹愼한 態度로 사랑
(愛)과 憎惡를 베풀자!

(『文學』第六卷 三號, 三五一頁)

이것은 作家들의 一致團結을 高唱한 具體的 表現 中의 가장 有力한 者라
할 수 잇으니 그들의 作家 聯合을 提唱하는 根本 意義를 簡單히 要約하면
新舊 文學勢力의 對立 或은 派別的 差異 等 一切 部分的 目的이나 主張을
버리고 文學家의 共同한 民族的 目標를 爲하야 文學 領域 內에서 大同團結
로써 救亡工作을 進行하자는 것이다.

(3) 文學의 聯合陣線 - 非常時 中國文壇의 最近相

그러나 事實에 잇어서 藝術家가 各其 相異한 個人의 社會的 立場이나 藝
術的 觀點을 버리고 各色 各派를 綱羅한 이 大規模의 陣營안에서 果然 그들
의 目的한 바를 圓滿히 遂行해 나갈 수 잇느야? 하는 것은 아즉도 疑問이라
할 수 잇고 一部에서는 이것은 『民族』이니 『愛國』이니 하는 것을 방패삼고
藝術家의 純粹性을 喪失케 하며 一種의 雜色軍을 出現시키는 데 不過하다
고까지 反對意見을 提議하는 作家도 잇으나 靑年 作家요, 新進 理論家로 바
야흐로 그 文名을 文壇에 떨치고 잇는 『何家槐』는 最近에 創刊된 『文學界』
에 『文藝界聯合問題我見』이라는 題目을 걸고 熟熟히 이러한 意見의 誤謬를
指摘하고 文學家 聯合의 現 階段的 意義와 重大性을 力說하고 잇다.

『現在에 우리들이 唱導하는 바 文藝界 聯合陣線은 마치 文學
上의 『民族點名』(National Roll Call)과 같은 것이니 그의 目的은

正義感 잇는 各 部門의 作家들을 喚醒하야 一齊히 反帝, 反漢奸과 民族과 國家의 救護運動에 當케 하자는 것인 故로 그 規模는 크면 클사록 더욱 조코 몇몇 少數의 進步作家들의 小集團에 끄칠 것이 아니다.……[03]

(文學界, 六月 創刊號, 七頁 中節)

『……目前에 잇어서 이러한 統一戰線에 對하야 種種의 懷疑를 품는 사람이 잇고 或은 이러케 하는 것은 文學活動을 뒤거름치게 하는 것이니 自身이 스사로 武裝을 解除하는 것과 갓고 스사로 自身의 目標와 立場을 放棄하는 것과 갓으며, [04]벗(友)으로 認定하는 것과 갓다고 한다. 그들은 이것을 社交式의 虛僞라 認定한다.……

그러나 이것은 틀립없이 宗派的 觀點이다. 그의 來源은 첫재로 새로운 形勢를 理解하지 못하는 까닭이요, 둘재로는 社會科學의 活用을 모르는 까닭이다. 理論과 實踐을 融合시킬 줄 모르고, 끝끝내 죽은 敎條를 버리지 못하고 어르더듬고 잇기 때문이다. 셋재로는 小資産階級의 根性이 그 속에서 怪異한 作用을 이르키고 잇는 까닭이다.……』

(同上, 自七頁至八頁 初端)

그의 所論을 옴겨노아 보면 그 重要한 焦點이 大畧 上面과 갓거니와 우리

---

03 ‘』’가 누락되었다

04 중국어 원전과 대조해보면 ‘적을’이 빠져 있다.

는 이것을 第三者의 客觀的 立場에서 바라볼 때 그것이 『民族』을 내세우고, 『愛國』을 旗幟로 들엇다고 바로 時代에 뒤떠러진 냄새나는 民族主義文學運動이라고 斷定해 버리는 幼稚한 結論을 내리워서는 안될 것이다. 왜 그러냐 하면 그것이 어느 한 政權을 偏派的으로 擁護하거나 또는 中國의 民衆을 저 바리고, 몇몇 作家群의 文學的 遊戲에 끄치지 안는 날까지는 그 力量의 强弱은 莫論하고, 中國의 現 階段의 特殊한 情勢에 비최여 非常히 重大한 意義와 使命을 가진 것이기 때문이다.

(4) 社會냐 民族이냐 - 非當時 中國文壇의 最近相

이와 같이 一方에서는 作家들의 聯合을 提唱하고, 다른 한 便으로는 이 三四個月 間 中國의 文壇은 數十種에 達하는 文藝刊物은 勿論, 大小 各 新聞의 副刊까지도 全 篇幅을 기우리다싶이하야 所謂 『非常時期文學』 或은 『國防文學』의 各 方面의 問題를 提示하고, 討論하고 反駁해 왓으니 비록 그것이 時代의 必然的 需要에 依하야 이러난 文學運動이라 할지라도 藝術의 內容과 形式 等 細部的 問題에 드러가서는 百人百樣의 各異한 見解가 續出하고 잇는 것은 다른 文學 異論의 論戰에 잇어서와 다를 바 아니니 아래에서는 이 文學運動의 基礎를 形式하는, 理論의 要點과 그들이 作品의 實際 創作上에 잇어서 내세우는 具體的 基本點의 줄거리만을 더듬어 내려가 보기로 하자.

이미 위에서 數次 거듭 말한 바와 같이 中國의 現 階段에 잇어서 作家들의 聯合問題나, 或은 이 『國防文學』運動이 첫재로 『愛國』과 『民族의 危機』를 旗職로 내세우는이만큼 그의 社會的 乃至 階級的 意義, 더 究明할 必要가 없을 것 같으나, 이 世紀에 잇어서 社會性을 完全히 忘却한 超然한 文學

의 存在가 아모리 藝術의 獨自性과 純粹性을 强調한다 하드라도, 時代的 使命을 저버린 自我陶醉的 虛僞性을 가지고 잇음을 否認할 수 없는 以上, 이 文學運動이 우리에게 첫재로 생각케 하는 것은 그것이 階級的으로 或은 社會的으로 그 出發點을 어느 곳에 두느냐 하는 問題이다. 그러면 『國防文學』은 果然 어느 社會層을 爲한 文學이냐? 여기 對해서 그들은 非常히 興味잇는 理論을 말하고 잇다. 卽, 첫재로 資産階級에 잇어서 그들의 經濟上의 反動性이나, 『反帝』 或은 『國防』에 對한 欲求는 비록 그것이 또렷하다고는 할 수 없으나, 個別的으로 볼 때, 完全히 없다고 할 수 없고, 다음으로 小資産階級에 잇어서는, 그들이 普遍的으로, 民族的 苦痛을 맛보고 잇음이 事實이요, 勤勞階級이 어느 階級보다도 더욱 强烈히 이 民族的 慘境에 直面해 잇음은 더 물을 餘地도 없는 事實임으로, 『國防文學』은 먼저 中國 勤勞大衆의 文學이요, 또 한 便으로 民族과 社會解放의 意義에 잇어서는 全 中國民族의 文學이니 다시 말하면 그는 한편으로 勤勞大衆과 그들의 鬪爭生活을 內容의 主體로 삼을 수 잇고 다른 한편으로는 여러 觀點에 서서 各種各樣의 民族英雄도 描寫할 수 잇다는 것이다. 그리고 이것은 階級文學이 中國에 잇어서의 現階段的 特質이라고까지 結論을 짓고 잇다. 勿論, 그들의 主張 속에는 首肯치 아니치 못할 點이 잇으나, 또한 許多한 矛盾을 스스로 包容하고 잇는 것도 事實이다. 反對派의 意見은 뒤에서 따로 말하겟거니와 우리는 그것을 展望하는 第三者의 立場에서 볼 때 이 『國防文學』運動이란 것이 『階級』보다도 『民族』이란 것을 앞세우고 中國의 各 階級, 各 層의 『反帝』와 『愛國的情熱』을 把握하나 그 出發點은 오히려 勤勞大衆에게 둔다하니 여기에 根本的 矛盾과 朦朧性이 잇고 이 矛盾의 열쇠는 中國의 勤勞大衆의 生活意識이 社會的이냐? 民族的이냐? 하는 데서 찾어야 한다고 말할 수 잇다.

(5) 創作上의 諸 問題 - 非常時 中國文壇의 最近相

다음으로 그들의 主張을 좀더 具體的으로 밝히기 爲하야 그들이 小說과 戲劇 두 方面을 主로 하고 實際的 創作方面에 잇어서 題材問題 或은 表現形式問題 等에 關하야 建議해 내려온 要點을 추려 보기로 하자.

(一).『國防文學』運動은 곳 各 階級, 各 派別의 作家를 一齊히 召號하야 民族的 統一戰線上에 서서 民族革命과 關係잇는 藝術作品의 製作을 爲하야 共同 努力케 함이니 一切 作家의 作品의 主題는『國防』이란 것을 第一條로 삼어야 할 것이다.

(二). 우리는 具體的으로 또는 廣汎한 視野에 서서 過去와 現實 속에 包含된 一切의『國防』意義를 가진 主題를 發見해내야 할 것이다. 民族 生存을 爲한 抗爭은 政治上에, 經濟上에, 文化上에, 日常生活上에 다 같이 찾어 낼 수 잇는 것이다.

(三). 一切 主題問題는 方法問題와 不可分離의 密接한 關係를 가지고 잇으니『國防文學』의 創作은 必然的으로 進步的 現實主義의 方法을 取해야 할 것이다. 進步的 現實主義의 方法이란 곳 現實의 革命發展 中에 잇어서 具體的으로, 歷史的으로 眞實히 現實을 描寫하므로써 社會主義的 精神아래에서 勤勞大衆의 敎育을 圖謀함이니 發展 中에 잇어서 現實을 認識하고 反映한다는 것은 한 個의 重要한 方法論의 原則이다.

(四).『國防文學』의 基本任務는 廣大한 人民의 民族解放的 要求에 藝術的 表現을 주랴 하는 것이다.

(五).『國防文學』의 製作者는 高級의 創作方法을 運用하는 作家에만 限하지 안는다. 思想이나 觀點이 多少 뒤떠러진 作家라도『國防創作』을 爲하야

努力할 수 잇고 또 해야 될 것이다.[05]

以上은 그들의 主張의 一部分의 概念的 줄거리에 不過하고, 더 詳細한 點에 드러가서는 여기에 옮겨놀만한 自由를 가지지 못하엿으니 省畧하는 수밖에 없으나 以上만을 가지고라도 重要한 部分을 어느 程度까지는 窺知할 수 잇으리라고 믿는다.

反對派에 잇어서는 左翼論壇의 新進論客『徐行』을 그 重要分子로 볼 수 잇으니 民族的 雰圍氣 속에서 所謂『愛國工作』이란 것이 斷然 優勢를 占領하고 잇는 이때에 잇어서 홀로 對陣을 지키는 感이 잇는 그의 論調와 覇氣는 輕視치 못할 點이 잇다.

이 一派에서는 첫재로『非常時期文學』이란 名稱부터 그 存在性부터 否認하엿으니『……文學이란 結局 平常時에 存在할 것이요, 非常時期의 前後 兩期에 잇어서는 存在할 수 잇으나 非常時期에는 文學이란 잇을 수 없고 다만 標語나 傳單만이 存在할 수 잇을 것이니 이곳에『非常時期文學』의 矛盾이 잇다.』는 根本的 反見을 各種 刊物에서 數次 指摘하고 더욱이 旬刊 雜誌『新東方』에서는『我們現在需要什麼文學』(우리는 지금 무슨 文學을 需要하는가?)이라는 題目 아래『同胞的情熱』이라는 虛名 아래에서 藝術家의 各 流派와 各 個人 間의 各其 相異한 思想과 習慣과 時代를 通하야 싸아저 내려온 묵은 세음(舊賬)은 到底히 淸算될 수 없고 한곳에 融解될 수 없다는 것을 力說하고

(첫재로『國防文學을 主張하는 理論家들이 大部分 沒落된 中小地主階級과 破産된 小資産階級의 出身으로 그들은 全혀 그들 自身의 經濟狀況과 意識形態로써 새로운 社會運動을 尺度질하고 迎合하랴는 것).

(둘재로, 그들은 單只 現狀에 對하야 不滿을 품고 잇을 뿐이니, 明日의 新社會에서 必然

05　이상 5개항은 모두 周揚, 「關於國防文學」, 『文學界』창간호, 1936.6.5에서 초역한 것이다.

的으로 出現될 現象에 對하야는 確定的 信仰이 조곰도 없고, 참되고, 徹底한 改革을 求하지
안흘 뿐더러 新社會가 臨産 前에 陣痛을 發生할 때에는 그들은 곳 또다시 옛날에 對하야 愛
着心을 품게 되는 것……)⁰⁶ 等等의 理由를 들어 現在의 中國文壇에 佈滿되어 잇
는 所謂『愛國主義』의 濁氣는 도리혀 一種의『取消主義』에 不過한다 하며
마지막으로, 蘇聯의 그것과 對照시켜 다음과 같이 結論짓고 잇다.

> 『……蘇聯에도『國防文學』의 口號가 잇는데 어찌하야 우리는
> 이『國防文學』의 口號를 提出할 수 없느냐?고 反問할 사람이
> 잇을 것이다. 그러타! 蘇聯에는 잇을 수 잇어도 中國에는 잇을
> 수 없다. 왜 그런고 하면 어느 한 時代의 統治思想이란 것은
> 永遠히 統治階級의 思想이기 때문이다.
> 우리는 現在 思想的으로 解放을 要求하는 時代에 處해 잇다.
> 解放을 要求할진댄 가장 先進된 思想을 需要할 것이니 그것만
> 이 우리의 指南針이 될 수 잇고 그것만이 우리의 燈臺가 될 수
> 잇고 路標가 될 수 잇는 것이다. 누구나 解放을 要求하는 사람
> 이라면 그는 오로지 先進的 思想만을 武器로 삼어야 할 것이
> 니 그것은 戰鬪的이어야 하고 다른 어느 思想보다도 優秀하고
> 完善해야 될 것이며 여기에 出發點을 둔 文學이 곧 新興한 社
> 會科學的 理論에서 領導된 文學이오, 우리들이 늘 말하는 社
> 會主義的 現實主義의 文學이다.……文學 中에서 가장 重要한
> 것은 思想이니 藝術的 手段으로 表現된 思想은 應當 純潔해야
> 할 것이고 그것이 派別과 階級과 團體와 個人과 宗敎의 混血

---

06   徐行, 「我們現在需要什麼文學」, 『新東方』第一卷 第三期, 1936.5.5., 120~121쪽.

兒가 될 수는 없다.……」云云.

(『新東方』第一期 第三號, 一二一頁)

(6) 發表된 諸 作品 - 非常時 中國文壇의 最近相

위에서 이미 兩者의 理論的 根據點을 部分的으로나마 드려다 보는 것 같이 前者는 民族的 乃至 國家, 國民的 觀點에 선 者요, 後者는 社會的 或은 階級的 觀點에 선 者이니 『民族』과 『階級』이라는 어느 國家, 어느 文壇을 莫論하고 文學上 或은 思想上에 잇어서 本質的으로 方向을 달리하는 이 두 問題를 생각할 때 우리는 그들의 理論을 이 以上 더 追究할 아모런 興味도 깨끗지 안케 될 것이나 우에서도 數次 거듭 말한 것과 같이 現今 中國의 『國防藝術』은 單只 狹意의 民族主義藝術運動이라고 斷定할 수 없을 만큼 複雜하고 廣汎한 意味를 包含하고 잇고 또 現今의 中國이 直面한 急迫한 情勢에 잇어서는 그들이 『民族』을 標榜하던, 『階級』을 標榜하던(이 말은 文學의 桃色主義를 意味함은 아니다. 今日의 中國의 特殊한 處境을 前提 삼고 하는 말이다.) 文學의 이런 時代에 處한 바 使命이나 目的은 百篇의 激烈한 理論鬪爭보다도 單 한 篇이라도 實際的 作品으로 宣言과 綱領의 形式을 버서나서 참된 意味의 文學的 힘으로 如何히 無智한 大衆에게 中國의 處한 바 危機와 『國防』의 世界的, 人類的 眞意를 傳達햇느냐? 하는 곳에 잇다는 것은 再論을 要치 안흘 것이다.

그러면 이런 『國防』의 國號와 물결 속에서 어떠한 作品이 産生되엇느냐? 理論 方面의 急激한 氣勢에 比하야 實際 創作 方面에서는 아직도 그들의 主張하는 바 『國防文學』, 『非常時文學』의 眞面目을 가르치는 作品을 찾기는 어렵다.

勿論, 中國에 新文學運動이 發生된 以來,『反帝』나『農村破産의 經濟的 關係』와『外來勢力』等等을 取扱한 作品이 短篇小說 한 方面만 보더라도 最少 限度로 數百篇에 達할 것이나『反帝』文學과『國防』文學은 비록 共通點을 多分히 가지고 잇다 할 수 잇더라도 兩者는 混同시키지 못할 特徵을 가지고 잇는 것이니 國防文學의 潮流 속에서 그들의 主張하는『國防』文學의 眞意를 把握하고 製作된 作品은 아직도 出現되지 못햇고 올해의 下半期에 잇어서 果然 中國의 作家들이 이『國防文學』의 喊聲 속에서 어떤 種類의 作品을 써내며 如何히 藝術家의 非常時期에 處한 使命을 遂行하겟느냐 하는 것은 앞날에 注目할만한 點이다.

最近에는 劇作家『洪深』을 主編者로 하고『光明』이라는 月 二回 發行의 健實한 文藝雜誌가 刊行되어 그 創刊號를 드려다 보면 그들의 刊行 主旨가 當前의 歷史的 事實과 社會的 事變을 迅速히 報道하고 嚴正히 批判하는 곳에 잇다 하는 만큼 全 頁에 收集된 文字가 理論 方面은 그만두고 創作 方面만 보더라도『國防創作』의 特輯이라는 感想을 일으키리만치 그 大部分이 直接으로 或은 間接으로 中國 各 階級의 民族的 苦境을 取扱한 作品들이다.

여기 收集된 作品을 勿論『國防文學』의 代表的 作品이랄 수는 없으나 現今의 中國 靑年作家들의 作品 傾向의 重要한 一面을 엿볼 수는 잇을 것이다.

于先 그 中 注目을 끄는 作品부터 추려 내려가 보면, 첫재로 左翼作家로 일커르는『茅盾』의『兒子開會去[07]了』(아들은 모임(會)으로……)는『五卅運動[08]을 記念하기 爲하야 父母를 代身하야 모임에 나아가 民族解放運動에 參加하는 한 少年의 勇敢한 行動을 描寫한 것으로 一般은 그의 近來의 力作이라 하

---

07 '告'은 '去'의 잘못이다.

08 '』'가 누락되었다.

나, 四頁에 不過하는 小品으로 題材의 現實性 以外에는 特別한 點을 찾을 수는 없는 作品이고, 亦是 左翼文壇의 中堅인 『載平萬』의 『滿洲瑣記』가 잇으니 이 作品은 滿洲를 背景 삼고 한 朝鮮 處女의 ××[09]的 覺醒을 그리랴 한 것으로 그가 말하는 所謂 『國境을 超越한 女流鬪士』는 朝鮮사람인 우리로 볼 때에는 어색한 點이 없지 안흐나 그의 老練된 散文的 筆致는 中國 東北地方의 情調를 表現함에 成功하엿고 新進作家 『沙汀』의 『獸道』와 『舒群』의 『蒙古之夜』, 『夏衍』의 『包身工』 等 三篇은 各各 다른 題材를 取扱하얏으나 同一한 意識을 强調하랴고 意圖한 곳에 多分히 共通點을 가진 短篇들이다.

『獸道』는 軍閥에게 蹂躙當한 한 老婆의 悲慘한 運命을 描寫햇고, 『蒙古之夜』는 ××[10]主義 軍隊의 壓迫 아래 呻吟하는 한 蒙古少女를 主人公으로 蒙古人의 괴로운 生活環境을 表現한 作品이고 『包身工』은 報告文學이라는 形式으로, 農村 破産에서 都會로 쫏기어 나온 婦女의 工場 生活의 悽慘한 情景을 그리어 殖民地化하랴 하는 이 時期의 中國婦女들의 괴로운 生活의 一面을 보여주는 作品이다.

以上의 몇 篇의 短篇을 根據로 하고 보면 一九三○年을 限界로 하고 左右 兩 文壇이 意識的 差異는 잇다 하더라도 作品의 主題에 잇어서 知識分子의 慈愛와 ××[11]의 衝突 問題, 小資産階級의 ××的 覺醒期의 種種 矛盾된 心理와 ××의 浪漫的 一面을 取扱하던 것이 이 새로운 階段에 와서 思想과 意識上의 公式主義的 缺點을 버리고 多少間 大衆의 實際生活에 接近한 데 不過하고 特히 『國防』이란 새로운 意識을 强調할 必要가 없다고도 볼 수 잇

09 '階級' 혹은 '革命'일 것이다.

10 '帝國'일 것이다. 소설에서는 일본군이 등장한다.

11 '革命'일 것이다. 아래 두 곳도 마찬가지다.

으나 다음의 戱曲『走私』에 잇어서는『國防』이란 것을 意識的으로 高調하랴한 作品임을 알 수 잇다. 이 獨幕劇은 中國 戱曲界에 바야흐로 物議를 이르키고 잇는 作品으로 劇作家『洪深』이『沈起予』,『何家槐』等과『集體創作』(朝鮮의『合作』或은『連作』의 뜻으로 解釋될 것이다.)이란 新 名辭를 내세운 첫 試驗이니 그 題名이 明示하고 잇는 것과 같이 華北地方의 한『走私者』와 한 女人 間의 葛藤을 描寫하야『走私者』에게 對한 嚴重한 批判을 藝術的으로 提起한 第一次의 作品으로 一般은 題材를 正面으로 取扱하지 못하고 反面으로 取扱한 곳에 弱點이 잇다고 말하나 中國의 現今의 作家들이 表面的으로는 비록『國家』라는 儼然한 存在아래 살고 잇지만 其實은 이런 問題를 正面으로 取扱할 自由가 없는 것이니 이것은 無理한 注文이고 그 內容을 더 詳細히 紹介할 自由가 없거니와『洪深』의 明快한 筆致와 戱曲의 緊張性을 把握한 手法은 이 作品으로 하야금 特殊한 處境에 노혀잇는 華北地方의 雰圍氣를 表現하고 重한 時代性을 나타내기에 成功하게 하엿다.

(7) 國防戱劇의 收穫 - 非常時 中國文壇의 最近相

그러나 이보다도 우리가 看過치 못할 것은 이 戱曲이 筆者가 이 一文을 草하고 잇는 바로 二, 三日 前 上海『實驗舞臺』의 公演 劇本으로 選擇되어 舞臺에 올리랴든 바로 그 날 突然 英租界 當局의 上演 禁止의 命令을 받어 化粧을 마치고 時間을 期待리든 演員들은 눈물을 먹음고 舞臺를 내려 섯다는 事實이다. 勿論, 戱曲의 上演 禁止쯤은 어느 國家에서던지 徃徃 볼 수 잇는 平凡한 事實일 것이다. 그러나『中華民國』이란 한 나라가 嚴然히 存在해 잇고 自國의 劇作家가 自國의 글로 自國의 當面한 重要問題를 取扱한 作品

을 自國의 舞臺에 올릴 수 없다는 이 事實은 무엇을 말하고 잇는가? 여기에 구타여 더 지루한 說明을 쓸 必要는 없을 것이다.

小說 方面에 잇어서 特出한 收獲이 없는 反面에 劇壇(劇壇에 關하야는 日間 따로 쓰겟기로 여기서는 省畧한다.)이나 戱曲界에서는 어느 藝術 部門보다도 實際的 活動과 優秀한 作品을 보혀주엇으니 이 事實은 戱劇 藝術이 各種의 文化 領域 中에서 어느 藝術 形式보다도 形象的이요, 直接的이요, 効果的이라는 것을 證明하고 잇다고 할 수 잇다.

月刊雜誌『生活知識』이『國防戱劇』特輯號를 내어 國防期에 잇어서의 戱劇의 通俗化와 民衆化와 主題効果 等 一切의 問題를 討究하고 잇는 一方으로 作劇界의 重鎭『田漢』은『阿比西尼亞的母親』("아비시니아의 어머니")이라는 新作을 發表 上演하여 各 方面의 反響을 이르키고 잇으며, 靑年作家『夏衍』은『文學』誌에『賽金花』라는 七場 戱曲을 發表하엿고『李健吾』도 同誌에 『老王和他的同志們』(王서방과 그의 同志들)을 發表하엿으니 이 三篇은『國防戱劇』의 重要한 收獲이라 할 수 잇다.

『田漢』의 新作은 그 題과 같이 아비시니아의 戰亂을 背景 삼고 敵兵에게 投降하지 안는 어머니의 意氣를 表現하야 中國의 그것과 對照하야 革命的 氣象을 鼓吹한 作品이다. (우리들 아비시니아의 女人들의 數千 數萬의 男便과 아들들은 戰場에서 毒瓦斯 밑에 넘어젓다! 우리나라는 머지 안허 亡해 버리랴 한다!……아가씨들이여! 서방님들이여! 그대들은 傍觀하지만 말고, 우리들을 救하시요! 우리들의 運命은 곧 一切 被壓迫民族의 運命이니……)라고 한 이 戱曲의 終結을 보면 그의 例의 缺點인 標語, 口號的 傾向이 依然히 淸算되지 못한 채로 同一한 手法 아래 이 戱曲을 産生하엿다고도 할 수 잇을 것이나, 反面에『國防』이람 意義에 서서 볼 때에는 이 한 時期의 中國民衆의 正義感과 革命心을 衝動시키기에 相當한 力量을 가진 簡潔한 獨幕劇이라고 아니할 수 없을 것이다.

『賽金花』는 映畵評論家 『凌鶴』과 靑年劇作家 『章泯』, 『徐步』, 『張庚』 等을 中心으로 새로 組織된 『劇作者協會』에서 特히 이 한 篇의 戲曲을 爲하야 座談會까지 열고 그의 國防的 意義를 討議 批評한 作品인만큼 華北의 現勢에 비최여, 한 個의 重要한 問題를 提示한 作品이다. 作者는 『庚子事件』을 背景 삼고, 『賽金花』라는 한 妓女를 中心으로 外交上에서 國家를 파(賣)는 淸代 末葉의 政客들의 一切 醜態를 如實히 表現하는 데 成功하엿다. 다시 말하면 한 個의 歷史的 題材를 새로운 形式으로 옴긴 戲曲이니 이런 種類의 作品으로 過去에도 『郭沫若』의 『卓文君』, 『王獨淸』의 『貴妃之死』 等이 잇으나 이 作品은 이런 過去의 平凡한 形式에서 버서 나서 一種의 作者 獨特한 諷刺的 手法과 現實的 批判的 態度를 取하면서 相當한 劇的 緊張性을 가지고 一貫된 戲曲이다. 이 戲曲이 脚光을 입을 때에는 냄새나는 『愛國的 情熱』에서가 아니라, 人間的으로 觀衆의 가슴을 어데인지 찌르는 特殊한 魅力을 가진 作品이다. 그 內容을 더 詳細히 紹介할 수 없음은 遺憾이다.

다음으로 『老王和他的同志們』은 前記 兩篇에 比하야 어느 方面으로나 적지 안흔 遜色을 가진 來品이니 『一·二八事變』을 主題로 하고 民族鬪爭을 高調한 戲曲이다. 作者가 歷史的 事實에 明瞭치 못햇음인지 어디인지 어색하고 焦點이 朦朧하며 作品이 骨子만이 表面으로 分離하야 나타나는 不自然性이 讀者나 觀衆으로 하여금 厭症을 갖게 하는 作品이나 『一·二八事變』을 記念한다는 意味에서 볼 때에는 『國防戲劇』의 一翼的 役割을 가지고 잇는 作品임에는 틀립없을 것이다.

戲曲界의 理論 方面에 잇어서는 그의 大衆化와 함께 實際的 上演 方面에 잇어서 『方言戲劇』(中國에는 各 地方의 方言의 差異가 甚하다는 事實을 아러야 할 것이다.)이 提唱되고 新舊 各種 戲劇의 聯合戰線이 高唱되고 잇으나 그 成果는 아즉도 未知數이고 大小 劇社를 莫論하고 이 『非常時期』的 根本意義에 立脚

하야 戲劇과 民衆과의 關係에 特別한 時代的 留意를 게을리 하지 안코 잇다는 것만은 特記해도 無妨할 것이다.

　詩壇에 잇어서도 『國防』問題가 論議된지 오래이니, (中國의 詩人들이여…굿세이고 勇敢하게 民族解放運動에 參加하야 大衆의 生活을 함께 生活하며, 그들과 가치 鬪爭하야 그들의 神聖한 精神과 行動을 가장 多樣的으로 가장 具象的으로 表現하야써 民衆의 情熱을 鼓吹하라! 이러한 詩人이래야만 비로소 中國의 現 階段에서 要求하는 眞正한 詩人이 될 수 잇을 것이다.) 하는 부르지즘을 先頭로 詩歌의 大衆化問題가 다시금 熱熱히 討究되고 잇으니 卽 形式方面에 잇어서는 大衆이 容易히 理解할 수 잇는 簡潔, 明瞭한 形式이 主張되고 거기에 따라서 歌謠와 俗曲의 問題도 各 方面에서 論議되고 特히 詩歌의 音樂性問題는 『國防音樂』의 諸 問題와 相合되야 『國防藝術』의 論題 中의 重要한 一部를 차지하고 잇다. 다시 말하면 누구나 손쉽게 부르며, 民族解放을 爲하야 行進할 수 잇는 억세인 힘의 노래를 쓰라는 것이 詩人에게 要求되는 條件이다.

(完) 文藝家協會의 結成 - 非常時 中國文壇의 最近相

　勿論 集體的 情調와 精神을 表現함에 가장 適合하고 가장 效果的인 藝術 形式은 詩歌일 것이다. 그러나 그것이 文學 中에서 이런 有利한 條件을 가추고 잇는 그만치 그 反面에는 다른 어떤 形式의 文學보다도 漠然한 標語, 口號的 傾向에 흐리기 쉬운 弱點을 多分히 가지고 잇음은 否認할 수 없을 것이니 最近의 中國詩壇을 드려다 볼 때 『××行進曲』이니 『××宣言』이니 하는 一種의 綱領같은 文字의 羅列이 堂堂히 詩로써 行勢하고 잇는 事實도 避치 못할 이곳 文壇의 一面相일 것이다.

마즈막으로 電影(映畵) 部門에 잇어서는 그것이 中國의 各種 文化運動 部門에서 어느 것보다도 急速한 發展을 보히고 잇는 만큼 理論上으로도 다른 各 部門보다 가장 過激한 主張을 提示하고 잇으니 單只『諷刺』나『暴露』의 手法으로써 過去의『反帝』或은『反封建』的 作品과 같이 壓迫者의 殘暴한 行動을 表現함에 不過하는 作品은 自己의 解放을 願하면서도 그것을 敢히 입밖에 내지 못하는 消極的『奴隷藝術』이라고까지 命名하고 그것은『國防電影』의 友軍은 될 수 잇으나『國防電影』의 本身을 構成할 수는 없다고 主張하며『國防電影』은 첫재로 大衆의 英雄崇拜의 觀念을 打破해야 할 것, 둘재로 大衆에게 現代的 新軍器에 對한 正確한 知識을 가장 科學的 方法으로 把握시킬 것, 셋재로 過去 或은 現在의 歷史的 事實을 가장 새로운 手法으로 銀幕에 옴기어 中國民族의 處한 바 民族的 危機와 環境을 的確히 認識시킬 것 等의 根本 要素를 提出하야 電影의 國防的 新局面을 打開하랴 하고 잇으나 果然 어떠한 形式과 內容으로 中國의 電影이 銀幕에 나타날지는 이 亦是 앞날에 잇어서 注目할만한 일이다.

그러면 여기서 우리는 上述한 것을 綜合하야 第三者的 立場에서 말할 때 最近 中國藝苑의 이『國防藝術』을 果然 어떠케 結論지을 수 잇을 것인가? 이것은 우리의 處境이 亦是 處境인만큼 容易하게 그 政治的으로 相聯되는 全貌를 事實대로 規定한다는 것은 어려운 일이다. 單只『藝術』이라는 局限된 部分에 서서 簡單히 말하면 위에서도 이미 말한 바와 같이 그것이 비록『民族』이니『愛國』이니 하는 것을 標榜한다고 곧『팟시슴』文學運動이라고 한다든가 或은 單純한 民族主義文學運動이라고 한 말로 얼른 指摘할 수 없으리만치 複雜性을 가지고 잇고 또한 文學이란 것이 非常時期에는 그 使命과 役割을 完全히 抛棄하고 平常時期의 回復을 期待려 다시금 活動을 復活한다든가 하는 時期的 浮動이 아닌 以上, 우리는 非常時期 文學의 存在性을

是認해야 될 것이다.

또한 現今의 情勢로 본다면 左右 兩 文壇을 勿論하고 비록 一部分의 左翼 論客들의 反對論이 잇다 하더라도 그들은 共通的으로 『國防』 乃至는 作家 의 團結의 重要性 等을 是認하고 잇으며 다만 政治 乃至 思想 方面에 잇어서 目的을 같이하고 手段과 方法을 달리하는 것과 같이 實際 作品에 나타난 것을 보면 한 便은 民族的 意識으로 根本問題를 解決하려 하고 한 便은 階級的 意識으로 이를 結論지으랴 하며 이 兩便의 意識을 朦朧히 混合해 가지고 分明치 안흔 意識를 表現하려는 一群도 잇다.

要컨대 中國의 『國防藝術』은 이 三群의 흐름(流)으로써 形成되고 잇는 것이니 이것은 中國의 現 階段에 잇어서 不可避의 必然的 情勢임을 또한 是認해 주어야 할 것이며 中國의 앞길이 果然 어디로 方向을 잡을 것이냐 하는 根本的 問題에 이 『國防藝術』의 進展도 依存할 것이다.

이 小稿를 여기서 끝내랴 할 지음 위에서 말한 中國作家들의 統一戰線問題는 具體的으로 結果를 지어 『中國文藝家協會』 成立의 消息을 傳한다. 이것은 무를 것도 없이 切迫한 그들의 特殊 情勢를 出發點으로 하고 結成된 統一體이니 一九三〇年에 『魯迅』의 發起로 組織되엇던 過去의 『左翼作家聯盟』이 解消된지 於焉間 四, 五年, 中國文壇은 이제야 다시금 새로운 需要와 새로운 民族的, 時代的 意義에 서서 文人들의 總集合體를 形成한 세음이다. 旣成作家 『郭沫君[12]』, 『郁達夫』, 『茅盾』 等을 爲始하야 『載平萬』, 『魏金枝』, 『許幸之』, 『洪深』 等과 女流作家 『白薇』, 『氷心』과 新進作家 『沙汀』, 『立波』 에 이르기까지 百餘名의 文人이 網羅되어 잇다.

그들의 宣言을 그대로 옮겨 노핫으면 무엇보다도 明白히 中國 現 文壇의

---

12 '郭沫若'의 오식이다.

急迫한 情勢를 窺知할 수 잇을 것이나 全文을 옴겨 노키는 絶對로 不可能한 일이고 單只 아래에 그 一端을 摘出하야 讀者의 想像에 마기고자 한다.

『⋯⋯『中國文藝家協會』는 特別히 全 民族의 一致 救國이라는 大目標 아래에서 文藝上의 主張이 不同한 作家라도 다 같이 一條의 戰線上의 戰反[13]가 될 수 잇다는 것을 提議한다. 文藝 上에 잇어서 그 主張을 서로 달리함은 우리들이 民族의 利益 을 爲하야 一致團結함에 妨碍될 理는 없고 同時에 民族의 利 益을 爲하야 一致團結함은 우리들 各自의 文藝上의 主張이 廣 大한 民衆에게 向하야 외우치고 또한 最後의 判詞를 聽取함에 도 拘束을 줄 理는 없을 것이다.⋯⋯』[14]

爲先 여기서 붓을 멈추고 戱劇運動, 或은 今年 새로 組織된『中國劇作者 協會』,『文藝家協會』에 關한 詳情 等에 對하야는 다음 機會에 따로 써보기 로 하고 以上의 不充分한 小論으로나마 中國文壇의『非常時期』라는 것을 輪廓的으로라도 紹介함이 되엇다면 多幸인가 한다.

(終)

---

13 '戰友'의 오식이다.

14 「中國文藝家協會宣言」, 『光明(上海)』 제1권 제1기, 1936.6.10, 68쪽.

中國文壇의 近信 一題[01]

同盟通信

中國文壇은 支離滅裂 統一이 되지 못하는 混沌狀態에 빠저잇다. 이것은 國民黨의 文藝 彈壓에 原因되엿다고 볼 수 잇는데 지난 六月 七日 作家 茅質[02], 洪深, 白薇求[03] 諸氏가 發起人이 되여서 『中國文藝家協會』라는 團體를 上海에서 結成하얏다. 一流 文藝家 六十餘名이 參加하고 救國戰線의 結成을 決議하얏는데 이 會合에 中國文壇의 第一人者 魯迅은 參加하지 안헛다. 協會에서는 魯迅의 不參加를 드러 『聯合戰線의 破壞者』라는 非難을 보내고 잇스나 魯迅은 『作家』라는 文學雜誌上에서 그들 協會를 反駁하고 잇다. 中國文藝家協會는 所謂 國防文學을 提唱하는 것으로 創立大會 席上에서 茅質이 朗讀한 宣言은 이깃을 前面에 내세워 國民黨과 어느 程度의 妥協을 가지고 잇다. 이러한 것이 魯迅으로 하야금 參加을 끄리게 한 것이며 協會는 파쇼化하고 파시스트의 領導下에 노인다고 『作家』 八月號 紙上에서 魯迅을

---

01 『朝鮮日報』 1936.9.10, 5면.

02 '茅盾'의 오식이다. 아래도 마찬가지다.

03 '求'자가 잘못 삽입되었다.

痛烈한 論調로 協會를 攻擊하고 잇다.

寫眞은 魯迅氏 自署.

(同盟通信)

中國 古代劇의 斷片的 考察[01]

金友琴

❶[02]

戲劇은 人類活動의 一種의 本能이다. 그러므로 人類生活上 가장 密接한 關係가 잇다. 戲劇과 生活은 어떤 時間과 어떤 空間을 勿論하고 그 活動的 表現이 아니 됨이 업다. 그러나 그 表現的 內容과 手段은 時代에 依하야 環境에 依하야 모다 不同하다. 이런 點을 根據 삼아 中國 各 時代의 戲劇을 考察하려 한다.

中國 古代社會의 戲劇活動은 史的으로 考察함에 잇서 不幸히 中國에는 現代까지의 原統的 戲劇史가 한 卷도 업고 書籍에는 戲劇에 對한 記載가 絶少하다. 唐宋 以後 風土에 散佚한 誌錄上에서 間或 零星한 斷片을 發見할 수 잇스나 唐宋 以前에 잇서서는 考證할 資料가 缺少하다.

그것은 무삼 緣故일는지! 아마 文人들이 記載함을 不肯하얏슴인지? 그러치 안흐면 幾次의 火刼에 燬掉되얏슴인가. 史載에 依據하면 元來 詩, 書, 易, 春秋, 禮樂 等 六經이 잇섯스나 樂經은 秦에 와서 亡하야 後世에 傳치 못하

---

01 『朝鮮日報』1936.9.9~9.13, 5면.

02 매회 연재분 표기로서 5회에 걸쳐 연재되었다.

얏다. 그래서 筆者의 自信에는 樂經이란 書籍 中에는 必然코 戱劇 方面의 活動的 情形을 記載하얏슬 거이라고 생각된다. 그러므로 中國 古代社會의 戱劇活動을 否認할 수 업스리라고 생각한다.

이에 系統的, 史的 參考 書籍이 缺少한 中國戱劇의 硏究는 實로 飢荒 狀態에 잇스나 가장 良好한 方法은 오직 戱劇 原理에서 出發點을 삼아 合理化 또는 間易的으로 論述함이 捷經이다. 그러므로 筆者는 中國戱劇의 起源과 西洋 演劇의 起源에 對한 詳細한 內容은 알 수 업스나 絲毫의 差別이 잇슬 것이라고 말하고저 한다. 戱劇原理를 論究함에 잇서 戱劇은 歌舞로서 起源이 된 것으로 아라 둘 必要가 잇다. 歌舞는 祭神에 多幸하얏고 祭神에 對한 記史는 禮樂 等 書上에 多載하얏슴을 볼 수 잇다. 要컨대 中國 古代社會의 戱劇의 硏究는 그 歌舞의 起源에 先溯하야 歌舞로 由하야 祭神에 入하얏고 祭神으로 由하야 禮樂을 參考하게 되얏슴을 알 수 잇다.

中國을 通稱하야 禮樂之邦이라 한다. 中國 古代社會는 禮樂을 講究하야 治天下 하얏다.

禮記에

『……故樂行而倫淸, 耳目聰明, 血氣和平, 移風易俗, 天下皆
寧.』

이란 것이 禮樂의 中心이 되엿다. 이것을 積極的으로 解釋을 하면 藝術的 變形이며 消極的으로 解釋을 하면 戱劇的 替身이다. 그러므로 中國 古代社會의 戱劇活動은 完全히 그 時代의 社會組織의 禮樂과 維繫되어 一片을 形成하얏던 것이 事實인 듯한다. 이 方面으로 考察하면 戱劇의 起源은 宗敎的이다. 왜 그러냐하면 禮樂 中에서 戱劇活動의 資料를 探求할 수 잇고 또한

戱劇의 原理的 根據가 不無합니다.

　이로 보면 吾人이 探求하는 바 雛形的 歌舞는 不成型的 戱劇이므로 中
國 古代社會의 戱劇活動의 情形을 可히 代表할 수 잇다.

❶[03]

百獸率舞

　本來 戱劇과 祭神은 互相 間 聯繫가 잇다. 다만 祭神 前 一種의 歌舞는 原
始的 民族이 創作하얏슬 歌舞는 定한 祭神을 爲함이 아니고 오직 勞働的 一
種의 反復的 表演으로 無目的의 勞働이다. 卽 遊戱化의 勞働 다시 말하면 生
存 競爭上 本元的 一種의 巫術이다.

　文化史上에 依하면 太古는 石器時代에서 狩獵時代 更進하야 農業時代라
고 한다. 그리하야 石器時代의 戱劇 活動의 如何를 姑捨하고 新石器時代에
至하야 처음 正式으로 現在 所謂 人類가 생겻고 또한 人類史上 有史 以前의
人類史가 잇슬 것이나 狩獵時代에 進하야 歌舞가 發生된 듯하며 이런 種類
의 歌舞는 完全히 古代人의 狩獵的 一種의 手段 다시 말하면 勝利的 狂歡일
것이다.

　希臘 時代의 羊舞가티 人間들이 羊角을 頭上에 戴하고 羊皮를 身上에 纏
하고 羊의 모든 動作을 模倣하얏다. 이런 羊舞는 希獵 以前에 이미 發生하얏
슬 것이다.

　그 目的으로서는 自己들의 狩獵的 工具로써 그 子孫 後代까지 狩獵을 敎

03　　응당 '**❷**'어야 하며 따라서 아래 연재분 횟수도 잘못되었다.

授한 것이며 遊戲的으로 보면 곳 그 當代 人間들의 狩獵上 勝利的 慶賀일 것이다.

虞書 益稷扁에 記錄하엿스되 『予擊石拊石, 百獸率舞』라 하야 石은 곳 石磬을 指稱함이니 樂聲 中 가장 諧和키 難한 基本的 一種이며 또한 樂器 中 가장 原始的 一種으로 或說에 依하면 石器時代에서 傳來된 樂器라고 한다. 『百獸率舞』란 當然히 眞物的 百獸가 아니라 사람이 獸皮와 獸角을 假裝하고 演出하는 것이다.

이에서 想像하면 所謂 『予繫石拊石, 百獸率舞』는 大禹 水[04] 前後의 事實인가 한다.

同扁에 말하엿스되

『禹曰: 洪水滔天, 浩浩懷山襄陵, 下民昏墊[05]. 豫[06]乘四載, 隨山刊木, 暨益奏庶鮮食. 予決九川距四海, 濬畎澮距川. 暨稷播, 奏庶艱食鮮食. 懋遷有無, 化居. 丞民乃粒, 萬邦作乂.』

라 하야 그 當時 洪水의 患이 漸漸 平定되어 갈 적 그 狩獵生活이 農業生活로 進化하는 時期이엇섯다. 虞書 中의 『予擊石拊石, 百獸率舞』란 이 一句는 石頭를 처 韻律을 만들고 獸皮를 扮裝하야 狂舞한 것이 農業生活 以前의 充分한 表示이며 곳 狩獵時代의 中國 古代 戱劇의 活動的 一斑이다.

---

04 '治水'여야 하며 '治'자가 누락되었다.

05 '墊'은 '塾'의 잘못이다.

06 '予'의 잘못이다.

蜡文祭也

初期 農業時代에 進하야 周朝에 所謂 井田制度를 採用하야 耕作者로 하야곰 田地를 管理케 하엿다. 그 實은 大禹治水 時期에 南北 縱橫으로 溝洫을 開鑿하야 井字를 形成하야 水患을 平定한 後 百姓들은 環溝에 居住하야 耕種에 就한 것이 곳 井田制度의 始起라 한다. 그래서 夏, 商, 周에 至하기에 이 井田制度를 廢棄하기 前 아직 封建的 社會化되지 아니하야 地主와 農奴의 對立이 업섯고 다만 宗敎的 儀式의 發芽가 잇섯슬 뿐이다.

이 時代의 戲劇 活動은 顯著히 初期 農業時代의 社會를 背景한 表示가 되엿다.

禮記 効[07]特性篇 中 祭天에 對한 說明이 만흔지라 그 要句를 抄寫하면

『天子大蜡八, 伊耆氏始爲蜡, 饗[08]也者, 索也, 歲子[09]二月合聚 萬物而索餐[10]之也.』

라 하야 伊耆氏는 堯를 말하는 것으로 夏의『淸祭』, 殷의『嘉平』은 모다 蜡의 祭禮로 周朝에 비로소 正式으로 蜡(年末祭)이라 稱하엿다. 蜡祭는 八神을 祭祀히는 것인대 一에 先嗇, 二에 司嗇, 三에 農, 四에 郵表畷, 五에 貓虎, 六에 坊, 七에 水庸, 八에 昆虫 등으로 完全히 農業生活을 本議로 한 祭이다.

---

07 '郊'의 잘못이다.

08 '蜡'의 잘못이다.

09 '子'는 '十'의 잘못이다.

10 '餐'는 '饗'의 잘못이다.

同篇 中에 曰

　　『蜡之祭也, 主先嗇而祭司嗇也. 祭百種以報嗇也.』

　　라 하야 先嗇은 農神으로 所謂 八神의 主며 司嗇은 後稷之官이며 百種은 百穀之種神을 말함이다. 이런 裡面에서 祭밧는 神主는 즉 戲劇의 起源으로 祭祀가 모다 生物界에 對한 主神的 戲劇의 活動이다.

❷

　　以上 種類의 活動的 目的은 生存競爭과 함께 密接한 關係가 잇서 그들은 生活을 慾望하는 同時 『神權』의 統治下에 잇서 不得不 各種 神主에 向하야 祭祀的 儀式으로써 生活安全을 祈求하엿다. 祭이란 普通으로 解釋하면 報恩的 意思로 그 祭禮는 三種으로 分하엿나니 同篇에 曰

　　『祭有祈[11], 有報恩[12]焉, 有由辟焉.』

　　이라 하야 所謂 祈란 要求的 意思로 周禮에 說明한 바

　　『祈福祥, 求永貞. 祈年於田祖.』

11　'祭有祈焉'이어야 하며 '焉'자가 누락되었다.

12　'恩'자가 잘못 삽입되었다.

라 하엿고 또 詩經에 曰『春夏祈穀』이란 文句가 다 祈을 말함이다. 報는 福을 어든 對償的 報答이니 故로 祭禮는 報本的 意思가 만타.

由辟이란 災兵과 病疾을 消弭力 意思로 말할 수 잇는 만큼 祭란 實로 萬能的이라 하야 人生 生活問題의 一切를 解決한다는 것이다. 이 박게도 祭地 곳 祭神 時에 歌舞 地點에 關하야 論述하면 禮記 効[13]特性篇에 曰

『祭天, 掃地而祭焉.』

이라 하야 希臘 劇塲 建築에 比較하면 너머나 簡單하고 便利하나 그 時代의 物質的 文明과 經濟的 條件이 不許하야 그 以上 特殊한 建築物이 廣場에 出現되지 못하엿다. 그러나 中國 歷史上 現在 北平의 天壇, 地壇, 先農壇 등 가튼 祭祀의 遺趾로 보아 率直히 말하면 가장 完整한 祭堂 곳 一種의 特殊的 構成의 舞臺이다. 다시 그 例를 들면 現在 蒙古地方에서 流行되는 土人들은 平地上에 劃圓한 線內에서 演戱 娛神의 興行이 잇다. 그러나 地點은 廟門 外庭인 것을 記憶해야 된다.

樂工 務師

舞란 動作 表情이 基礎이며 歌란 聲音 表情을 基礎로 삼는다. 樂記에 曰

『詩, 言其志也. 歌, 咏其言也. 舞, 動其容也.』

---

13 '郊'의 잘못이다.

이라 한 것을 보면 詩도 一個 劇本의 變像이다. 三百篇 詩文은 本是 里巷의 歌謠이며 朝廟의 樂章으로 太半이나 歌에 屬한다.

樂 또는 歌舞란 一個 專名詞의 化合이니 樂記에 記錄하엿스대

『凡音之起, 由人心生也. 人心之動, 物使之然也. 感於物而動,
故形於聲. 聲相應, 故生變. 變成方, 謂之音. 比音而樂之, 及干
戚羽旄, 謂之樂.』

이라 하엿나니 樂이란 非但 聲音을 發하는 것 뿐만 아니라 舞의 表演을 需要하야 干戚羽旄에 及하기까지 歌와 舞가 互相間 符合으로써 樂이라 할 수 잇다. 따라 所謂 樂의 起源을 認識하는 同時 歌舞的 戲劇에 對한 分別을 어떤 樣式으로 하랴?

歌舞에 關한 記錄은 現在 五經 中에 相當히 記載가 만다. 이것을 比較하기 前 虞書 益稷篇을 參考하면

『夔擊鳴球, 搏拊琴瑟. 以詠, 祖考來格, 虞賓在位, 羣後德讓, 下
管發鼓, 令止祝敔. 笙鏞以間, 鳥獸蹌蹌, 蕭韶九成, 鳳凰來儀.』

라 하야 이것은 舜 時代의 事蹟으로 當上 當下의 樂聲이다. 곳 當上은 以詠하고 當下는 以間으로 呼應하야 演奏하얏슴을 推測할 수 있다. 鳥獸蹌蹌은 古人의 說에 『不獨感神人, 至於鳥獸無知, 亦且相率而舞』라 하얏고 또 俗에 『舜和, 豈眞有鳥獸蹌蹌, 而來儀者乎.』라 하야 當然히 考究하면 그 時代 社會背景이 狩獵時代에 잇서 사람들은 勞動의 餘暇에 鳥獸의 羽皮를 衣하고 鳥獸의 作舞로 上下 함께 歡樂하얏던 것이 合理的이엿섯다.

다음 農業時代에 至하야 祭神의 儀式이 比較的 發展되고 또한 生存競爭的 武器가 比較的 完備되고 五色繪의 祭神의 美術도 생겻다.

이로 보아 모든 進化 過程에서 戱劇 活動도 一新한 氣象을 呈하게 되엿다.

周禮 春官을 보면

『凡祭祀百物之神, 鼓兵舞, 拔[14]舞者.』

라 하얏스며 또

『有帗舞, 羽舞, 皇舞, 旄舞, 干舞, 人舞』

의 別이 잇서 果然 그 舞風의 盛況과 舞의 種類가 多樣함을 알 수 잇슬 뿐 아니라 國家에서 舞師를 設置하야 專門的으로 이 方面의 藝術에 關한 一切 公務를 掌管케 하엿다.

舞師篇 中에 말하엿스되

『掌敎兵舞, 帥而舞山川之祭祀. 敎帗舞, 帥而舞社稷之祭祀. 敎羽舞, 帥而舞四方之祭祀. 敎皇舞, 帥而舞旱暵之事. 凡野舞, 則皆敎之.』

라 하엿다.

---

14 '帗'의 잘못이다.

樂隊에 잇서서는 樂工이란 專門職을 置하야 그 樂隊의 組織과 舞隊의 行列 等을 指導하얏슴은 實로 그 規模가 周到하야 只今의 吾人으로서는 想像조차 못할 바이다.

同篇 中에 曰

> 『以六律, 六同, 五聲, 八音, 六舞大合樂, 以致鬼神示, 以和那[15] 國, 以諧萬民, 以安賓客, 以說遠人, 以作動物.』

이라 하엿다.

그러므로 樂工은 導樂을 擔任하엿다. 舞師는 導舞를 擔當한 것을 보아 中國 古代社會의 戲劇活動에 對한 그 規模의 嚴肅하고 浩大한 情況을 可히 推想할 수 잇다.

司巫, 男女巫

祭祀에 對한 硏究에 잇서 一種의 專門的 歌舞를 爲職하야 娛神을 目的하는 者가 잇나니 卽 巫이다. 文解字에 말하얏스되

> 『巫祝也. 女能事無形, 而[16]舞降神者也.』

---

15 '那'는 '邦'의 잘못이다.

16 '以'의 잘못이다.

라 하엿다.

宗敎的 方面으로 보아 巫의 降神을 舞師와 樂工에 比較한다면 너머 專門化된 感이 잇스나 戲劇的 方面으로 探究하면 歌舞를 專門으로 하야써 巫事를 行함은 即 表演者의 雛形이라 할 수 잇다, 商書[17]에 曰

> 『恒舞於宮, 酣歌於室, 時謂巫風.』

이라 하야 完全히 歌舞로 娛樂을 삼는 巫神 時代가 잇섯슴으로 보아 또한 人間으로 하야곰 娛樂 時代로 變遷하얏슴이 되엿다.

周禮 中에 司巫之官이 잇서 專혀

> 『掌群巫之政令. 若國大旱, 則帥巫而舞雩, 國有大裁, 則帥巫而造巫恒. 祭祀, 則共匰主, 及道布, 及蒩舘. 凡祭祀, 守瘞, 凡喪事, 掌巫降之禮.』

라 한 것으로 보아 巫는 그 時代에 重要한 職務인 것을 推測할 수 잇다. 巫에는 男巫, 女巫의 區別이 잇나니 楚語에 『在男曰覡, 女曰巫』라 하야 兩個 不同한 文字로 冠名하얏스나 周禮 中에는 그런 區別이 업고 다만 男巫, 女巫라 하얏슴에 不過하다.

> 『男巫, 掌望祀, 望衍, 授號. 旁招以茅. 冬堂贈, 無方無算. 春招弭, 以除疾病. 王弔, 則與祝前.』

---

17 '尙書'의 잘못이다.

『女巫, 掌歲時祓除釁浴. 旱嘆, 到[18]舞雩. 若王后弔, 則與祝前.』

이란 것으로 보아 그 時代의 巫는 鬼神과 與通한 一種의 神職 가태여 王과 王后에 服侍하던 宮中 專門的 職業인 것이 分明할 뿐 아니라 巫의 降神은 非常히 嚴尊化하얏슴은 上述한 바에 依하야 推知할 바이며 이런 種類의 活動은 廟堂 中에 만히 施行하얏고 또한 不祥한 事情을 掌管하얏슴도 만히 잇섯다.

人間이 安樂한 동안에는 迷神함이 小하고 한번 災難이 臨頭할 時에는 鬼神에 信賴함이 多하다. 巫도 人間이라 그 무엇이 鬼神 相通이라 하야 狂歌 亂舞로써 佯扮하야 人間의 吉福의 祈求를 滿足케 할 수 잇슬까? 現在 中國 鄕村 間에『跳神底』=탼썬듸, 或은『瞧香底』=촤샹듸, 或은『巫婆』=우퍼라 稱하는 女巫가 盛行함을 目擊한다. 鄕間 百姓의게 災難이 잇스면 前記 女巫를 請하야 奇怪한 巫衣를 입고 神前에 燒香 燒紙하며 狂歌 亂舞 一陣 後에 神의 臨降이라 하야 駭怪한 動作의 表演으로 所謂 神奇한 表示로 大言하되

『我乃……大神……大仙也.……我來自……, 我知道……, 你們應即……, 不然將……, 吾神去也.』
筆者譯: 나는 나는 大神이고 大仙이라. 내 이곳에 온 것은 내가 아나니 너의들은 服從하면 所謂 成就케 하고 그러치 안흐면 장차 神은 간다.

以上과 가티 表示하는 것은 朝鮮 巫女의 行動과 秋毫毛도 差違가 업다. 그

---

18 '則'자의 잘못이다.

들은 全혀 虛僞的 表演과 自作的 宣言에 不過하나 그 動作에 잇서 維妙維肖함은 鬼神의 信奉이라 하야 人間으로서는 아지 못하는 것이라고 主張한다.

이것이 곳 上古 時代의 巫이다.

巫에 對한 行爲를 探究함에 吾人은 巫로 하야금 神權 統治下의 表演者 雛形으로 看做하더라도 無理한 일은 아니다.

❹

奇偉之戰

列女傳上에 말하얏스되

> 『夏桀旣棄禮義, 求倡優侏儒狎徒者, 奇偉之戲』

라 하야 大槪 이 優字 即 俳優에 對한 가장 녯적 考據로 한번 禮儀를 打破한 桎梏이 新局面의 戲劇 活動을 拓開하얏다. 其實 扮演한 바 奇偉之戲의 優伶 即 俳優는 樂工의 變態이다. 樂記에 記載하얏스되

> 『今夫新樂, 進俯退俯, 姦聲以濫, 溺而不止, 及優侏儒, 優雜子女.』

라 하야 祭祀를 司하는 歌舞 典禮는 莊嚴하게 奏行한 者는 樂工이다. 換言하면 樂工은 奇偉之戲와 優雜子女로 扮演하야 새 戲弄을 主로 하야 成就한 것이 優伶이다.

그러므로 神權에서 人權으로 變遷 進化함을 따라 娛神의 歌舞도 一變하야 帝王 侍奉의 御用品的 歌舞로 化하엿다. 그래서 巫와 優의 分別은 樂工과 優의 分別과 相似하야 前者는 娛神을 目的 삼고 後者는 娛人을 目的 삼는 것인대 前者는 歌舞를, 後者는 調謔을 各各 爲主하엿다.

巫의 降神과 樂工 舞師 等의 莊嚴한 歌舞는 娛神的 祭祀的 立場에서 解脫되어 娛人的 倡優, 侏儒的 奇傳之戱로 就變하엿나니 다시 말하면 絶對的 莊嚴이 普遍的 戱弄으로 變化되엿슴으로 因하야 樂工 舞師 等은 倡優 侏儒로 移動된 것이 即 中國 古代社會의 戱劇 活動上 兩大 淵源을 形成한 것이다.

또한 中國 史記 滑稽列傳에 紀載한 것 가튼

『優孟者, 故楚樂人也. 爲孫叔敖衣冠. 抵掌談笑.』

라고 하엿고 또 穀梁傳에는

『夾谷之會, 齊人使優施舞於魯君之幕下.』

라 한 戱劇 硏究上 參考 材料는 中國 戱劇의 正統的 淵源을 考察하기에 不足하나 그러나 그런 滑稽 調謔 等을 利用한 君主 侍奉의 獨人 跳舞的 活動은 그 聲音的 傳達과 그 動作的 表演이 後世의 戱劇 發達上 參考됨이 잇나니 滑稽를 基礎로 한 諷刺 戱謔性에 豊富한 戱劇이 即 先流일 것이다.

結語

人類의 本性上 中國戱劇 起源과 西洋戱劇 起源과는 조곰도 差別이 업는

것이니 社會의 構成이 不同하야 東西洋 戲劇이 漸漸 分離되엿슬 따름이다.

이에 慨括的으로 中國 古代社會의 戲劇 活動과 西洋 古代社會의 戲劇 活動과를 比較하야 본 後 本文의 結論을 삼으려 한다.

戲劇 目的: 東西洋 戲劇을 勿論하고 모다 宗敎儀式的 祭神이라 말할 수 잇나니 祭祀의 對象은 全部 萬物之主이며 或 農神이다. 『祭祀百物之神』(春秋)다. 『主先嗇而祭司嗇, 祭百種, 以報嗇也.』(郊特性)와 가튼 百物之神인 先嗇과 司嗇은 西洋에서 祭祀하는 (Dionysus) 或은 [19]VeBetadion)과 恰似한 點이 만타.

演出 方法: 歌舞로 보아 中國 古代社會에는 百獸率舞, 鳥獸蹌蹌, 鳳凰來儀의 記錄이 잇고 西洋에는 以上과 가튼 意味의 頌神歌, 羊舞 等이 잇다. 다만 西洋歌舞는 漸漸 詩化(劇本 或은 脚本) 되엿스며 中國歌舞는 愈演愈盛하야 그 規模가 浩大히 되엿스나 事實로 西洋戲劇과는 比較 못된다.

西洋 俳優는 手足活動으로 跳舞하나 中國 古代에는 帗舞, 羽舞, 皇舞, 旄舞, 干舞, 人舞 等等 그 種類가 만히 잇섯다.

樂隊 組織도 中國은 比較的 複雜하야 六律, 六同, 五聲, 八音, 六舞[20]大合樂 等等이 잇서 樂工과 舞師의 分別로 各其 擔當하엿고 다시 大司樂이란 官職이 잇서 樂舞 兩班을 統轄하엿다.

戲劇 場所: 希臘戲曲은 一般 觀衆들이 모라서서 觀劇하던 露天的 『石頭劇場』을 想像할 수 잇스나 그 實는 (Stone tnedtre[21]) 以前에 잇서 所謂 (Weoden tneare)가 잇섯고 『禾桌劇場』 以前에는 一定한 劇場이 업던 時代이다.

中國劇場은 『祭天, 掃地而祭焉』이란 것 가티 一個 圓形을 割地한 跳舞 場

---

19 ' ('가 누락되었다.

20 '六舞'의 오식이다.

21 'theatre'의 오식이다.

所라 할만한 移轉的 隨意的으로 擇定하얏슬 따름이다.

俳優 地位: 宗敎儀式的 立場에서 東西洋 戲劇을 勿論하고 모다 宗敎上 一
種의 高尙한 職分으로 祭(Dionysus)는 그 國家 主辦이엿스며 中國도 그 同樣
으로 國家가 祭祀를 主管하얏다. 觀衆은 希臘에서는 政府要人 以下 平民에
至하야 全部 觀劇하얏고 中國도 樂記에 述한 바『若夫禮樂之施於金石, 越於
聲音, 用於宗廟社稷, 事乎山川鬼神, 則此所與民同也.』란 것으로 보아 推測할
수 잇다.

筆者는 賦閑을 利用하야 僅僅히 東麟西爪의 端片을 蒐集하얏슴에 不過
하나 中國 古代社會의 戲劇 活動의 存在를 否認할 수는 업슬 것이다.

끗

巨星墜地! - 中國文壇의 巨匠 魯迅氏 逝去[01]

기자

支那 唯一의 文豪 魯迅氏는 十九日 午後 五時 廿五分 上海 施高塔 新邸 九號의 自宅에서 心臟病과 喘息이 惡化하야 드듸여 逝去하엿다. 享年 五十六.

魯迅氏는 『支那의 꼴키ー』라 일홈 듯는 支那文壇의 最高峰으로 日本文壇과의 因緣도 기풀 뿐 아니라 歐羅巴, 露西亞, 獨逸文學을 支那에 移植한 功績만이라도 實로 큰 바 잇다.

最近 支那文壇은 國防文學 提唱으로 統一的 抗×[02]戰線의 中國文藝家協會가 設立되엇스나 魯迅氏는 이에도 參加치 안코   黨을 爲하야 別個의 民族××[03]戰爭的 大衆文學을 提唱, 國民黨이 結成시킨 文藝家協會와 對抗하여 왓다. 따라서 病弱의 魯迅氏에게 對한 國民黨의 壓迫은 依然 繼續되여 最

---

01 『每日申報』1936.10.20, 朝刊 1면.

02 '日'이다.

03 '抗日'로 추정된다.

後의 病床도 쓸々하기 짝이 업섯다.

魯迅 畧傳

▷ 一八八一年, 中國浙江省 紹興府에 誕生. 父는 讀書人. 祖父는 淸朝에 仕하야 翰林學士.

▷ 南京에 나가 鑛山學校에 入學하야 洋學에 興味를 가저, 進化論에 心醉하고 特히, 生理, 解剖, 衛生의 醫學 智識에 沒頭.

▷ 東京에 留學하야 仙臺의 醫學專門學校에 入學.

▷ 志를 文學에 變하야 그의 아우 周作人과 더보러 『域外小說集』을 發行하다.

▷ 二十九歲 때에 歸國하야 杭州의 師範學校와 紹興中學校에서 敎員 生活.

▷ 一九一一年, 辛亥革命에 加擔하야 南京政府의 敎育部 僉事, 京師圖書館長, 北京大學, 女子師範大學에서 敎鞭을 잡고 名著 『中國小說史略』을 出版.

▷ 雜誌 『新靑年』에 據하야 最初의 小說 『狂人日記』를 發表하야 異常한 센세슌을 이르키다.(一九一八年 四月)

▷ 連하야 小說 『孔乙己』, 『藥』, 『明日』, 『小事件』, 『金波⁰⁴』, 『故鄕』 等. 드듸여 一九二一年 傑作 『阿Q正傳』을 發表.

▷ 一九二六年, 段祺瑞 政府에게서 逮捕令을 밧다.

▷ 一九三一年부터 上海에 亡命 中이엇다.

---

04 '風波'의 잘못이다.

魯迅[01]

梁建植

一般으로는 魯迅이란 別名으로 알리어젓스나 原名은 周樹人이다. 中國의 作家 中에 自他가 다 第一人者로써 任하지마는 또 그『펜네임』의 만흠으로 도 中國 第一이다. 曰, 某生者·唐俟·吳謙·長庚·迅行·風聲·自樹·多華·神飛 索士·令飛·巴人·雲之·周豫才·LS·隋落文……等.

自叙傳에 依하면 一八八一年 浙江 紹興府에서 나고 父는 讀書人이요, 母 姓은 魯氏다.

十八歲에 南京에 이르러 水師學堂에 들어가 機關科에 籍을 두엇다가 半 年이 못되어 이곳을 떠나 鑛路學堂에 入學하얏다. 卒業 後 留學生으로 日本 에 派遣되엇다. 東京 遊學 中 日本維新과 醫學과의 사이에 큰 連鎖가 잇슴 을 알고 곳 志望을 醫業으로 옴기어 仙台醫學專校에 入學하얏다. 就學 二年 만에 日露 兩國이 戰端을 開始하자 偶然히 東京 某 映畫館에서 一 中國人 이 密偵의 嫌疑로 斬首를 當하는 光景을 目睹하고 이에 因하야 感한 바 잇 서 卽時 學業을 내여던지고 歸國하야 新文藝 提唱에 努力하야써 國民 靑年

---

01 『每日申報』1936.10.23, 朝刊 1면.

의 忍氣룰 激勵하고 日中 兩國으로 往來하며 여러 가지의 志業을 計劃하다
가 죄다가 失敗하고 그 뒤에는 오로지 敎育界에 몸을 던지고 一便으로 幾多
名篇을 發表하야 今日에 이르럿다.

그의 代表作으로 말하면 『阿Q正傳』인데 이에 對하야는 이미 東西 批評家
의 定評이 잇슨즉 筆者는 더 말 아니 하거니와 魯迅이 오늘날까지 二十餘年
來 中國의 文壇에 힘을 써온 功績에 이르러서는 자못 크다고만 簡單히 말할
수 업다. 그는 特殊한 發達 形態를 取하야 지금까지 오히려 그 發達 途上에
잇는 中國 現 文壇에 잇서 極히 特殊한 功績을 뵈어 왔다.

近年 來로 그는 『손으로 쓰기보다 발로 逃亡하기가 더 밧부다』고 하듯이
官憲에게 몸을 避하야 쪼기어 단이엇지마는 그 在來의 業績으로 본다면 참
으로 놀라움이 잇다. 이를 日本文壇에 比較를 求한다면 그는 한 몸으로 森鷗
外와 田山花袋와 武者小路實篤과 菊池寬 等을 兼하얏고 最近의 所謂 左傾
以後는 또 한 몸으로 小林多喜二와 村山知義와 德永直 等을 兼한 사람이라
고 말할 수 잇섯다.

日·獨·露 等의 外國文學을 飜譯 紹介한 點은 鷗外의 功에 比할 것이요,
自然主義文學을 移入하고 人道主義를 高調하고 同時에 平俗한 말과 方言
俗語를 使用케 하기에 이른 功은 花袋, 實篤의 그 사람에게 比하겟고 寫實主
義의 文學을 今日의 中國文壇에 基礎되게까지 한 努力은 寬 그 사람에게 견
줌즉 하얏다.[02]

02　이상 일본 작가들과의 비교는 林守仁(山上正義) 역 『中國小說集·阿Q正傳』의 서문인 「魯迅
　　과 그의 작품에 대하여(關於魯迅及其作品)」(陸曉燕 編譯, 「日本魯迅硏究史編年」(1920-1936), 北京魯
　　迅博物館魯迅硏究室 編, 『魯迅硏究資料』 제13輯, 天津: 天津人民出版社, 1984.7, 126면)에서 초역한 것
　　이다.

그는 이와 가티 創作의 餘暇에 數部의 文學研究書를 編纂하야 『中國小說史略』, 『唐宋傳奇集』 及 『小說舊文鈔』 等의 中國文學史 研究에 寄與한 功績이 자못 甚大하다. 今日에 이르도록 小說史略 以上의 中國小說史가 나타나지 안는 것은 그 間의 消息을 말하는 證左다.

要컨대 이 魯迅은 新文化運動의 健將이요, 天生의 急進主義者이다. 누가 아모리 그를 攻擊하드래도 그는 永遠히 中國文壇에서 抹殺되지 안을 것이다. 自由主義者로 暗黑의 中國을 守舊의 後退로서 救出하랴든 魯迅과 가틈은 그의 頭腦의 明哲과 함께 今日의 中國에서는 달리 이를 求할 수 업다.

世界文壇의 囑望을 밧든 이 魯迅은 고만 逝去하고 말엇다. 享年 五十六歲에.

魯迅 略傳 - 附 著作 目錄[01]

기자

魯迅의 本名은 周樹人이며 字는 豫才다. 一八八一年 中國 浙江省 紹興府에서 誕生. 南京에서 鑛山學校에 入學하야 洋學에 興味를가지고 自然科學에 沒頭하얏스며 그後 東京에 건너가서 弘文學院을 마치고 仙臺醫學專門學校와 東京獨逸協會學校에서 배운 일이 잇다.

一九一七年에 歸國하야 浙江省 內의 師範學校와 紹興中學校 等에서 理化學 敎師로 잇스면서 作家로서의 名聲이 노파젓다. 그리하야 五回[02]文學運動 後 中國 文學思潮가 最高調에 達하엿슬 時代에 北京에서 周作人, 耿濟之, 沈雁永[03] 等과 함께『文學硏究會』를 組織하고 郭洙若 等의『로맨티시즘』文學에 對하야 自然主義文學運動에 從事하고 雜誌『語絲』를 主宰하는 한편 北京政府 敎育部 文書科長 及 國立北京大學, 國立北京師範大學, 北京女子師範大學 等의 講師로 잇섯스나 學生運動에 關係되여 北京을 脫出하얏다.

---

01 『朝鮮日報』1936.10.23, 5면.

02 '五四'의 오식이다.

03 '沈雁氷'의 오식이다.

一九二六年度 厦門大學 敎授로서 南下, 그後 廣州 中山大學 文科 主任敎授의 職에 잇다가 一九二八年 이 것을 辭職하고 上海에서 著作에 從事하는 한편 『萌芽日⁰⁴刊』이란 雜誌를 主宰하엿다.

이로부터 그의 文學態度는 漸漸 左翼으로 轉向하야 一九三〇年 『中國左翼作家聯盟』이 結成되자 여긔 加盟하야 活動하던 中 國民政府의 彈壓을 바더서 一九三一年 上海에서 逮捕되엿다. 그 뒤 끈임업는 國民政府의 干涉과 藍衣社의 迫害 中에서 꾸준히 文學的 活動을 하고 國民政府의 御用團體인 『中國作家協會』를 反對하던 中 지난 十月 十九日 午前 五時 二十五分 上海 施高塔 自宅에서 逝去하얏다. 享年 五十六.

主要한 作品으로는 『阿Q正傳』, 『吶喊』, 『彷徨』, 『華蓋集』, 『中國小說史略』, 『藥』, 『孔子已』 等이다.

(署名은 氏의 筆蹟)

---

04 '日'은 '月'의 잘못이다.

魯迅 追悼文[01]

李陸史

(一)[02]

『阿Q正傳』의 作者로서 世界的 作家이며 中國 新文學의 最高
峰인 魯迅이 지난 十九日 午前 五時에 上海에서 宿痾로 永眠
하엿다는 實音이 傳한지 三日 되는 날에 우리는 簡單한 一文
을 비러 삼가 追悼의 뜻을 表하거니와 晚年에 그의 政治的 不
遇로 因하야 文學者로서의 聲名조차가 우리에게 널니 퍼지지
못한 것을 더 遺憾으로 생각한다.

(一 記者)

一九三二年 六月 初 어느 土曜日 아츰이엿다. 食舘에서 나온 나와 M은
네거리의 담배가가에서 朝刊新聞을 사서 들고 筋肉[03] 神經이 떨니도록 굴근

---

01 『朝鮮日報』1936.10.23~10.25, 10.27, 10.29, 5면.

02 매회 연재분 표기로서 5회에 걸쳐 연재되었다.

03 '筋肉'의 오식이다.

活字를 함숨에 나려 읽은 것은 當時 中國科學院 副主席이요, 民國革命의 元老이든 楊杏佛이 藍衣社員에게 暗殺을 當하엿다는 記事이엿다.

우리들은 거리마다 森嚴하게 늘어선 佛蘭西 工務局 巡警들의 銳利한 눈초리를 등으로 하나 갓득 늣기면서 侶伴路[04]의 書局까지 올 동안은 沈默이 繼續되엿다.

門안에 들어서자마자 編輯員 R氏는 우리들에게 다음과 가튼 말을 들여주엇다.

中國左翼作家聯盟의 發案에 依하야 全世界의 進步的인 學者와 作家들이 上海에 모혀서 中國의 文化를 擁護할 大會를 그해 八月에 갓게 된다는 것과 이에 不安을 늣기는 國民黨 統治者들이 먼저 進步的 作家陣營의 重要分子인 潘梓年(現在 南京 幽廢)과 인제는 故人이 된 女流作家 丁玲을 逮捕하여 行方을 不明케 한 것이며 여기 同情을 가지는 宋慶齡女史를 中心으로 한 一聯의 自由主義者들과 作家聯盟이 猛烈한 救命運動을 한 事實이며 그것이 國民黨 統治者들의 눈쌀에 거슬려서 楊杏佛이 犧牲된 것과 그外에도 宋慶齡, 蔡元培, 魯迅 等等 上海안에서만 三十名에 갓가운 知名之士들이 藍衣社의 『뿔랙·리스트』에 올라 잇다는 것이엿다.

그리고 그 뒤 三日이 지난 後 R氏와 내가 탄 自動車는 萬國殯儀社 아페 다엇다. 簡單한 燒香의 禮가 끗나고 도라설 때 젊은 두 女子의 隨員과 함게

---

04 '呂班路'의 잘못이다.

드러오는 宋慶齡女史의 一行과 가티 軟灰色 두루막에 검은 『馬掛兒』을 입은 中年 늙은이 生花에 싸인 棺을 붓들고 痛哭을 하든 그를 나는 문득 魯迅인 것을 알엇스며 엽헤 섯든 R氏도 그가 魯迅이란 것을 말하고 난 十分쯤 뒤에 R氏는 나를 魯迅에게 紹介하여 주엇다.

그때 魯迅은 R氏로부터 내가 朝鮮靑年이란 것과 늘 한 번 對面의 機會를 가지려고 햇드란 말을 듯고 外國의 先輩압히며 處所가 處所인만치 다만 謹愼과 恭遜할 뿐인 나의 손을 다시 한 번 잡아줄 때는 그는 매우 익숙하고 親切한 친구이엿다.

아! 그가 벌서 五十六歲를 一期로 上海 施高塔 九號에서 永逝하엿다는 訃報를 바들 때에 暗然 한 줄기 눈물을 지우느니 엇지 朝鮮의 한사람 後輩로써 이 붓을 잡는 나뿐이랴.

(二)

中國文學史上에 남긴 그의 位置 『阿Q의 正傳을 다 읽고 낫슬 때 나는 아즉까지 阿Q의 運命이 걱정되여 못견듸겟다.』고 한 『로망·로—랑』의 말과 가티 現代 中國文學의 아버지인 魯迅을 理解하기 爲해서는 우리는 먼저 阿Q의 正傳을 理解하지 안흐면 안된다. 그러나 지금의 中國의 阿Q들은 벌서 『로망·로—랑』으로 하야금 그 運命을 걱정할 必要는 업시 되엿다. 實로 수만흔 阿Q들은 벌서 自身들의 運命을 열어 갈 길을 魯迅에게서 배웟다. 그래서 中國의 모든 勤勞層들은 南京路의 『아스팔트』가 自身들의 발 미테 흔들리는 것을 늣기며 施高塔路 新邨의 九號로 그들이 가젓든 偉大한 文豪의 最後를 哀悼하는 마음들은 黃浦灘의 붉은 波濤와 가티 밀려가고 잇는 것이다.

그럼으로 阿Q時代를 考察하여 보는 데 따라서 魯迅精神의 三段的 變遷과 아울러 現代 中國文學의 發展 過程을 알어 보는 것도 그를 追憶하는 意味에서 그다지 虛無한 일은 아닐 것이다.

中國에는 古來로 小說이라는 오늘날 우리가 보는 것과 가튼 完全한 藝術的 形態는 存在하지 못햇다. 三國演義나 水滸誌가 아니면 紅樓夢쯤이 잇섯고 多少의 傳記가 잇섯을 뿐으로서 一般 敎養잇는 집 子弟들은 科擧制度에 禍를 바더 文語體의 古文만 崇尙하고 白話小說 가튼 것은 俗人의 할 일이라 하야 나치 아는 하편 所謂 文壇은 唐宋八家와 八股의 混合體인 桐城派와 思綺堂과 袁隨園의 流派를 따라가는 四六駢體文과 黃山谷을 本尊으로 하는 江西派 等等이 當時 正統派의 文學으로서 誇張과 虛僞와 阿諛로서 古典文學을 模倣한 데 지나지 못하엿스며 새로운 社會를 創生할 何等의 힘도 가지지 못한 것은 미루어 알기도 어렵지 안흔 雰圍氣 속에 中國文學史上에 燦然한 烽火가 일어난 것은 一九一五年 雜誌 『新靑年』의 創刊이 그것이다.[05]

이것이 처음 發刊되자 當時 『아메리카』에 잇든 胡適之 博士는 『文學改良芻議』라는 『文學革命論』을 一九一七年 新年號에 揭載하야 陳獨秀가 이에 贊意를 表하고 北京大學을 中心으로 한 進步的인 敎授들이 合流하게 되자 從來의 古文家들은 이 運動을 防害코저 가진 野卑한 政治的 手段을 써도 보앗스나 一九一八年 四月號[06]에 魯迅의 『狂人日記』란 白話小說이 發表되엿슬 때는 文學革命運動은 實踐의 巨大 步武를 옴기게 되고 벌서 古文家들은 그 醜惡한 꼬리를 감추지 안흐면 안되엿다는 것은 그 後 얼마 뒤에 魯迅이

---

05 이 단락부터 아래 대부분 내용은 일본의 增田涉, 「魯迅傳」, 『改造』, 1932.4을 축약하여 순서를 바꿔가며 초역한 것이다.

06 정보가 잘못되었다. 1918년 5월 15일, 『신청년』 제4권 제5호에 발표되었다.

廣東에 갓슬 때에 어떤 興奮한 靑年은 그를 마지하는 文章 속에 [07]『狂人日記』를 처음 읽엇슬 때 文學이란 것이 무엇인지 몰랏든 나는 차차 읽어나려 가면서 異常한 興奮을 늣겻다. 그래서 동무를 만나기만 하면 곳 붓들고 말하기를——中國의 文學은 이제 바야흐로 한 時代를 짓고 잇다. 그대는 『狂人日記』를 읽어 보앗는가, 또 거리를 거러 가면 길가는 사람이라도 붓들고 내 意見을 發表하리라고 생각한 적도 잇섯다.……』(魯迅在廣東)[08]

이 問題의 小說 『狂人日記』의 內容은 한 개 妄想狂의 日記體의 小說로서 이 主人公은 實로 大膽하게 또 明確하게 封建的인 中國 舊社會의 惡弊를 痛罵한다. 自己의 이웃 사람은 勿論 말할 것도 업고 特히 自己 家庭을 激烈히 攻擊하는 것이다. 家庭——家族制度라는 것이 中國 封建社會의 社會的 單位로서 一般에 열마나한 害毒을 끼처 왓는가. 封建的 家族制度는 固型化한 儒敎流의 宗法社會 觀念下에 當然히 崩壞되여야 할 것이면서 崩壞되지 못하고 近代的 社會의 成長에 가장 根本的인 障碍로 되여 잇는 날근 道德과 因襲을 餘地업시 痛罵햇다. 이에 『狂人日記』中에 한 節을 抄하면

『나는 歷史를 뒤적거려 보앗다. 歷史란 건 어느 時代에나 仁義, 道德이란 몃 줄로 치더치덕 씨여저 잇섯다. 나는 밤잠도 안 자고 딩굴딩굴 굴러가며 생각하여 보앗스나 겨우 글자와 글자 사이에서 『사람을 먹는다』는 몃 자가 쓰여 잇섯슬 뿐이엿다.』

이 가티 醜惡한 社會面을 暴露한 다음 오는 時代의 建設은 젊은 사람들의

---

07 ' 『 』 '가 누락되었다.

08 宋雲彬,「魯迅先生往那里躱」, 鐘敬文 編,『魯迅在廣東』, 北新書局, 1927.7, 44쪽.

손에 맛겨저야 한다는 것을 暗示하면서 이 小說의 一篇은『어린이를 救하자』는 말로서 끗을 막엇다. 實로 이 한 말은 當時의『어린이』인 中國靑年들에게는 思想的으로는『暴彈宣言』以上으로 衝擊을 주엇스며 이러한 作品이 白話로 쓰여지는 데 따라 文學革命이 完全히 勝利의 凱歌를 부르게 된 功績도 太半은 魯迅에 돌려야 하는 것이다.

(三)

『狂人日氣』의 다음 連續해 나온 作品으로『孔乙巳』,『藥』,『明日』,『一個小事件』,『頭髮的故事』,『風波』,『故鄕』等은 모다 新靑年을 通해서 世上에 物議를 이르켯스나[09] 그 後 一九二一年 北京新報 文學副刊에[10] 그 有名한『阿Q正傳』이 連載되면서부터는 魯迅은 自他가 共認하는 文壇 第一人的 作家엿다.

그리고 이러한 大作은 모다 辛亥革命 前後의 封建社會의 生活을 그린 것으로 어쩌케 必然的으로 崩壞하지 안흐면 안될 特徵을 가젓는가를 描寫하고 어쩌케 새로운 社會를 살어갈가를 暗示하고 잇다. 뿐만 아니라 當時의 革命과 革命的인 思潮가 民衆의 心理에 生活의『데테일스』에 어쩌케 表現되는가를 가장『레일』하게 描寫한 것이다. 디구나 그는 農民作家라고 할 만치 農民生活을 그리는 데 巧妙하다는 것도 한 가지 條件이 되겟지만은 그의 小說에는 主張이 槪念에 흐른다거나 조금도 無理가 업는 것은 그의 作家的 手

---

09 정보가 잘못 되었다. 「明天」은 北京의 『新潮』 월간 제2권 제1기(1919.10)에, 「一件小事」는 『晨報』 '周年紀念增刊'에(1919.12.1), 「頭髮的故事」는 上海 『時事新報·學燈』(1920.10.10)에 발표되었다.

10 정보가 잘못되었다. 이 소설은 북경 『晨報』 부간에 발표되었다.

腕이 卓越하다는 것을 말하지 안흘 수 업다.

　그리고 그의 作品은 늘 農民을 主人公으로 하는 것과 때로는 『인테리』일
지라도 例를 들면 『孔乙巳』의 孔乙巳나 『阿Q正傳』의 阿Q가 모다 一脈이 相
通하는 性格을 가지는 것이니 孔乙巳는 舊時代의 知識人으로 時代에 떠러
저서 무슨 일에도 쓰여지지 못하고 氣品만은 노펏스나 生活力은 업고 乞人
이 되야 선술집 술상 臺에 一金 十九吊의 酒債가 어느 때까지 쓰여저 잇는대
로 언제인지 行方이 不明된 채로 나중에 죽어젓든 것이라든지 『룸펜』農民인
日傭勞働者 阿Q가 또한 쑥스러운 년석으로 革命, 革命 떠들어 놋코는 그것
이 몹시 유쾌해서 半醉한 氣分이 暴動隊의 一群에 參加는 하려고 하엿스나
結局 헛풍만 치고 아무 것도 못하다가 때 마츰 일어난 暴徒의 掠奪事件에
徒黨으로 誤解되여(彼의 平素 삼가지 못한 言動에 依하야) 被殺되는 阿Q의 性格은
그때 中國의 누구라도가 全部 或은 一部分 式은 所有하고 잇섯든 것이다. 다
시 말하면 阿Q나 孔乙巳가 모다 思考와 行動이 루―즈하고 確乎한 한 개의
精神도 업스며 愚弱하면서도 몹시 건방지고 남에게 한 개 쥐여 질리면 아무
런 反抗도 못하면서 남이 自身을 憐憫하면 제 度量이 커서 남이 못 덤비는
것이라고 제대로 陶醉하야 남을 되는대로 害치는 無知하고 우수면서도 가
엽고 괴팩스러운 것을 魯迅은 그 『레알리스틱』한 文章으로 暴露한 것이 特
徵이엿스니 當時 『阿Q正傳』이 發表될 때 平素 魯迅과 交分이 좃치 못한 사
람들은 모다 自己를 모―델로 故意로 쓴 것이라고들 떠드는 者가 잇은 것을
보아도 알 수가 잇는 것이다.

　그래서 當時 中國은 時代的으로 『阿Q時代』이엿스며 魯迅의 『阿Q正傳』이
發表될 때는 批評界를 비롯하야 一般 知識群들은 『阿Q相』이라거나 『阿Q時
代』라는 말을 平常 對話에 使用하기를 恒茶飯으로 하게 된 것은 中國文學史
上에 남겨 노흔 魯迅의 位置를 짐작하기에 조흔 한 개의 材料이거니와 그의

作家로서의 態度를 通하야 一貫하여 잇는 魯迅精神을 다시 한 번 吟味해 보는 데 적지 안흔 興味를 갓게 된다는 것은 오늘날 우리의 朝鮮文壇에는 누구나 할 것 업시 藝術과 政治의 混同이니 分立이니 하야 問題가 엇지 보면 決末이 난 듯도 하고 어찌 보면 未解決 그대로 잇는 듯도 한 現狀인데 魯迅 가티 自己 信念이 구든 사람은 이 藝術과 政治란 것을 어떠케 解決하엿는가? 이 問題는 그의 作家로서의 出發點부터 究明해야 한다.

魯迅은 本來 醫師가 되려고 하엿다. 그것은 自己의 『할 일』이 무엇이라는 것을 알엇기 때문이엇다. 勿論 그때의 自己의 『할 일』이란 것은 民族改良이라는 信念이엿든 모양이다. 그래서 그는 後年 『吶喊』序文에 다음 가티 써다.

> 『나의 學籍은 日本 어느 地方의 醫學專門學校에 두엇다. 나의
> 꿈은 이것으로 매우 아름답고 滿足햇다. 卒業만 하고 故國에
> 도라오면 아버지와 가티 治療 못하는 病人을 살리고 戰爭이
> 나면 出征도 하려니와 國人의 維新에 對한 信仰에까지 나어
> 갈 것……』

이라고.

이것은 勿論 少年다운 魯迅의 로맨틱한 人道主義的 興奮이엿겟지만은 이 꿈도 結局은 깨여지고 말엇다.

> ──醫學은 決코 緊要하지 안타. 愚弱한 國民은 體格이 아모리
> 조타고 해도 또 아모리 强壯해도 無意味한 구경거리나 또는
> 구경군이 되는 박게는 아무 것도 아니다.──中略──그럼으로
> 緊要한 것은 그들을 精神的으로 잘 改造할 것은 무엇일가. 나

는 그때 當然 文藝라고 생각햇다. 그리고 文藝運動을 提唱하
기로 햇다.

(吶喊·序文)

이리하야 그가 當時 東京에 亡命해 잇는 中國 사람들의 機關紙인 『浙江潮』, 『河南』 等에 쓰든 科學史나 進化論의 解說을 집어치우고 文學書籍을 飜譯한 것은 希臘의 獨立運動을 援助한 『빠이론』과 波蘭의 復讐詩人 『아담·미케뷧치』, 『항가리』의 愛國詩人 『베트피·산더―』, 『필립핀』의 文人으로 西班牙 政府에 死刑 바든 『리샬』 等의 作品이엿다.

(四)

그리고 이것은 魯迅의 文學 行程에 잇서서 가장 初期에 屬하는 것이지만은 이러한 飜譯까지라도 그의 一定한 目的 即 政治的 目的 미테 遂行된 것을 엿볼 수 잇는 것이며 우에 말한 『狂人日記』의 『어린이를 救하자』는 말도 純潔한 靑年들에 依하야 새로운 中國을 建設하자는 그의 理想을 端的으로 告白한 것으로써 이 말은 當時 一般 靑年들에게 무거운 責任感을 깨닷게 한 것은 勿論 爾來 幾千年 동안의 封建社會로부터 靑年을 解放하랴는 슬로―간 으로 널리 쓰여젓고 事實 그 뒤의 中國 靑年 學生들은 모든 大衆的 社會運動의 最戰線에서 活潑 果敢한 指導와 組織을 하엿스며 그 有名한 五四運動이나 五州[11]運動이나 國民革命까지도 늘 最前線에 서서 大衆을 指導한 것은

---

11 '五卅'의 오식이다.

이들 靑年學生이엿다.

그럼으로 魯迅에 잇서서는 藝術은 政治의 奴隷가 아닐 뿐 아니라 적어도 藝術이 政治의 先驅者인 同時에 混同도 分立도 아닌 卽 優秀한 作品, 進步的인 作品을 產出하는 데만 文豪 魯迅의 地位는 노퍼 갓고 阿Q도 여기서 비로소 誕生하엿스며 一世의 批評家들도 敢히 그에게는 함부로 머리를 들지 못하엿다.

그러나 여기에 한 가지 조흔 例가 잇다, 一九二八年 頃 武漢을 쪼겨 와서 上海에서 太陽社를 組織한 靑年批評家 錢杏村이 때 마츰 푸로文學論이 드셀 때인 만큼 魯迅을 大膽하게 攻擊을 始作해 보앗다. 그 所論에 依하면 魯迅의 作品은 非階級的이다, 阿Q에게 어데 階級性이 잇느냐는 것이다.

勿論 그것은 正當한 말이다. 魯迅의 作品에서 우리는 눈 딱고 보아도 푸로레타리아的 特性은 조금도 볼 수가 업는 것은 事實이다.

그러나 우리가 한 사람의 作品을 批評할 때는 그 時代的 背景을 考慮하지 안흘 수는 업는 것이니 魯迅이 作家로 活動을 하고 잇슬 때는 中國에는 오늘날 우리가 定義를 나릴 수 잇는 푸로레타리아는 업슬 뿐 아니라 그 때쯤은 뿌르조아 民主主義的인 政治思潮조차도 아즉 界線이 分明하지 못하엿다는 것은 뿌르조아革命이라는 所謂 國民革命도 正直하게 말하자면 四五[12]運動을 前哨戰으로 한 것 만큼 여기서 亦是 中國의 批詳家인 丙申[13]은 자미잇는 말을 하고 잇다.[14]

12　'五四'의 오식이다. 아래도 마찬가지다.

13　작가 '茅盾'의 필명이다.

14　번역이 잘못되었다. 이는 魯迅 자신의 말이다.

『그가 現在 中國左翼作家聯盟을 支持하고 잇다 해서 그의
『四五』前後의 作品을 푸로文學이라고 指目할 것은 아니다.
그러나 그를 優秀한 農民作家라고 하는 것이 妥當타고 ──』

그러타. 이 말은 어느 程度까지 正當에 가까운 말로서 그를 푸로作家가
아니고 農民作家라고 해서 作家 魯迅의 名譽를 더럽힐 條件은 되지 못하는
것이다. 다만 問題는 그가 얼마나 創作에 잇서서 眞實하게, 明確하게 描寫하
는 態度를 가지는가 그의 한 말을 써보기로 하자.[15]

『──現在 左翼作家는 훌륭한 自身들의 文學을 쓸 수 잇슬가?
생각컨대 이것은 매우 困難하다. 現在의 이런 部類의 作家들
은 모다 『인테리』다. 그들은 現實의 眞實한 情形은 쓸려고 해
도 容易치 안타. 어떤 사람이 일즉 이런 問題를 提出한 것이 잇
섯다. 『作家가 描寫하는 것은 반드시 自己가 經驗한 것이라야
만 될 것인가? 그러나 그는 스스로 答하기를 반드시 안그래도
조타. 웨러러냐 하면 그들은 잘 推察할 수가 잇스므로 竊盜하
는 場面을 描寫하랴면 作家는 반드시 自身이 竊盜질 할 必要
도 업고 姦通하는 場面을 描寫할 必要를 늣길 때 作家 自身이
姦通할 必要도 업다고』. 그러나 나는 생각한다. 그것은 作家가
舊社會 속에서 生長해서 그 社會의 모든 일을 잘 알고 그 社會
의 人間들에게 익숙해저서 잇는 때문에 推察이 되는 것이다.
그러나 從來 아무런 關係도 업는 새 社會의 情形과 人物에 對

---

15 이 단락부터 제5회 첫머리의 인용문까지는 이육사 자신의 논의이다.

해서는 作家가 無能하다면 아마 그릇된 描寫를 할 것이다. 그
럼으로 푸로[16]文學家는 반드시 참된 現實[17]과 生命을 가티하
고 或은 보다 기피 現實의 脈搏을 感受하지 안흐면 안된다.[18]

고 하면서 또다시 말을 繼續하는 것이다.

그러나 舊社會를 조그만치 攻擊하는 作品일지라도 萬若 그 缺
點을 分明히 모르고 그 病根을 透澈히 把握치 못하면 그것은
有害할 뿐이다. 애석한 일이나마 現在의 푸로作家들은 批評家
까지도 往往 그것을 못한다. 或 社會를 正視해서 그 眞相을 알
려고도 안코 그 中에는 相對者라고 생각하는 편의 實情도 알
려고 하지 안는다.

(五)

卑近한 例로는 얼마 전 某紙上에[19] 中國 文學界를 批評한 文

16 魯迅의 원문에서는 '革命'이다. 인용문의 뒷부분에서도 마찬가지다. 일제의 검열을 의식
했음이다.

17 魯迅의 원문에서는 '革命'이다. 인용문의 뒷부분에서도 마찬가지다. 일제의 검열을 의식
했음이다.

18 '」'가 누락되었다.

19 魯迅의 원문에서는 '『列寧靑年』'이다.

章을 한 篇 보앗는데 中國 文學界를 三派에 난워서 먼저 創造派를 들어 푸로派라 하야 매우 詳細하게 論及하고 다음 語絲社를 小뿌르派라고 조그만치 말한 後 新月社를 뿌르文學派라 해서 겨우 붓을 대다가 만 젊은 批評家가 잇섯다. 이것은 젊은 氣質의 相對者라고 생각는 派에 對해서는 무엇 細密□□[20] 考究할 必要가 업다는 뜻을 表明한 것이다. 勿論 우리는 書籍을 볼 때 相對者의 것을 보는 것은 同派의 것을 보는 安心과 愉快와 有益한 데 밋치지 못하는 것은 事實이다. 그러나 萬若 一個 戰鬪者라면 나는 생각컨대 現實과 相對者를 理解하는 便宜上보담 만은 當面의 相對者에 對한 解剖를 必要로 하지 안으면 안 될 것이다. 옛것을 分明히 알고 새로운 것에 看到하고 過去를 了解하야 將來를 推斷하는 데서만 우리들의 文學的 發展은 希望이 잇다. 생각건대 이것만은 現在와 가튼 環境에 잇는 作家들은 不斷히 努力할 것이고 그래야만 참된 作品이 나오는 것이다.』[21]

라고.

이 簡單한 몃 마듸 말이 文豪 魯迅의 創作에 對한『모랄』인 것이다. 이 얼마나 우리의 뼈에 사무치고도 남을만한 示唆인고! 이리해서 現代 中國文壇의 父이며 批評家의 批評으로서 自他가 그 地位를 함께 肯定하든 그의 作家로서의 生涯는 너무나 쩔은 것이엿스니 一九二六年 三月『離婚』이란 作品

---

20 '하게'로 짐작된다.

21 魯迅,「上海文藝之一瞥」,『二心集』, 上海合衆書店, 1932.

을 最後로 남긴 그는 敎授로서 作家로서의 華麗한 生涯는 終焉을 告하지 안흐면 안될 때가 왔다. 그는 지금부터 『손으로 쓰기보다는 발로 다라나기가 더 밧벗다.』[22]

一九二六年 北洋軍閥을 背景으로 한 安福派의 首領 段祺瑞의 政府는 急進的인 左派의 敎授와 優秀한 知識分子 五十餘名 逮捕令을 나렷다. 우리 魯迅은 이 五十名 中의 한 사람이엿다. 그것은 一九二四年 國民黨의 聯俄容共策이 決定되야 그 翌年 가을 『뽀로딘』等이 顧問으로 廣東에 오고 『全國民的共同戰線』이엿든 國民革命의 第一階段인 廣東時期에는 푸로레타라아의 同盟者는 農民, 都市貧民, 小뿌로知識階級, 國民的뿌르조아지―엿다.

그래서 急進 敎授들은 敎育部 總長, 軍閥政府를 肉迫하엿스며 이러한 新興勢力에 狼狽와 恐布를 늣긴 軍閥政府는 이러한 敎授들과 學生들에게 逮捕令을 나리고 學生들의 行列은 政府 衛兵들의 發砲로 因하야 男女 數百餘名의 死傷者가 낫다. 그때 魯迅은 北京 東交民巷의 公使舘 區域의 外國人 病院이나 工塲안으로 도라 단이며 찬물로 飢餓를 참아가면서도 新聞과 雜誌에 寄稿를 하야 軍閥政府를 猛烈히 攻擊하얏다. 그 中에도 『民國以來 最暗黑日에 誌』하얏다는 名文은 段祺瑞로 하여금 椅子에 나려 안게 되엿다.

> 『――붓으로 쓴 헛소리는 피로 쓴 事實을 瞞着하지 못한다.――
> 中略――붓으로 쓴 것이 무슨 힘이 잇스랴. 實彈을 쏘는 것은
> 오즉 靑年의 피다.』(續華盖集)[23]

---

22 이 말은 林守仁(山上正義), 「關於魯迅及其作品」, 『支那小說集·阿Q正傳』, 東京: 四大書院, 1931.10에서 처음으로 나오며, 그 후 增田涉의 「魯迅傳」에 인용이 되며 널리 알려진다.

23 魯迅, 「無花的薔薇之二」, 『華蓋集續編』, 北京: 北新書局, 1927.5.

오늘날까지 中國文壇의 『막심 콜키ー』이든 그는 지금부터는 文化의 戰士로서 『앙리·발뷰스』보다 悲壯한 生涯가 始作되는 것이엿다.

그의 말과 가티 最晴[24]黑한 五十日이 지나고 그는 北京을 脫出햇다. 夏門大學에 招請을 바다 갓으나 大學 企業家의 陰凶 手段인 것을 안 그는 廣東 中山大學으로 갓다. 그러나 一九二六年 四月 十五日 蔣介石의 쿠ー데타ー는 廣東 一省만 勞働者, 農民, 急進 知識分子 三千餘名을──[25]하엿으며 한때는 『革命의 戰士』라고 看板을 지인 魯迅도 上海로 다라나야만 되엿다. 여기서 우리가 다시 한 번 그에게 興味보다는 最大의 敬意를 갓게 되는 것은 다음의 一文이다.

> 『──나의 一種 妄想은 깨여젓다. 나는 지금까지 때때로 樂觀
> 을 가젓섯다. 靑年을 壓迫하고 ──[26]하는 것은 大槪 老人이다.
> 이들 老物들이 다 죽어지면 中國은 보담 더 生氣잇는 것이 되
> 리라고. 그러나 지금의 나는 그르치 안은 것을 알엇다. 靑年을
> ──[27]하는 것은 大槪는 靑年인 듯하다. 또 달이 再造할 수 업
> 는 生命과 靑春에 對해서 한層 더 애낌이 업시…』(而己集)[28]

이 글은 그가 沈默하고 잇는 것을 『恐怖』 때문이라고 嘲笑한 사람에게 答

---

24 '晴'은 '暗'의 오식이다.

25 숨김표로서 '殺戮'이다.

26 숨김표로서 '殺戮'이다.

27 숨김표로서 '殺戮'이다.

28 魯迅, 「答有恒先生」, 『而已集』, 上海: 北新書局, 1928.10.

한 通信文의 一節로서 이때까지 進化論者이든 그 自身의 思想的 立場을 揚棄하고 새로운 成長의 一段階로 보인 것이라고 解釋해도 틀러지 안흘 것이다.

그가 上海에 왓슬 때는 國民黨의 쿠—데타—로 革命軍에서 쪼겨 온 젊은 푸로文學者가 만엇다. 『革命文學論』이 囂囂히 불러지고 實際 政治行動의 前線을 떠난 그들은 총칼 대신에 펜을 잡엇다. 元氣 旺盛하게 實際 工作의 經驗에서 매우 堅實한 것도 잇섯스나 때로는 自負的인 英雄主義가 禍를 끼치고 ——[29]에 失敗한 憤瞞과 極左的인 機會主義者들은 魯迅을 攻擊햇다. 그러나 그는 푸로文學이란 어떤 것인가 또는 어찌해야 될 것인가를 알리기 爲하야 아버지 가튼 愛撫로서 『푸레하노프』, 『루나챨스키—』들의 文學論과 『싸벳트』의 文藝政策을 飜譯 紹介하야 中國 푸로文學을 建設하고 잇는 동안에 『魯迅을 打倒치 안흐면 中國에 푸로文學은 생기지 못한다』는 文學 小兒病者들은 그 自身들이 먼저 너머지고 이제 그가 마자 가고 말엇다. 이 偉大한 中國文學家의 靈 아페 고요히 머리를 숙이면서 나의 個人的으로 困難한 情形에 依하야 文豪 魯迅의 輪廓을 뚜렷이 그리지 못함을 慚愧히 알며 붓을 놋키로 한다.

——了——

---

29 숨김표로서 '革命'이다.

1937년

現代 中國 政治家·思想家 辭典(발췌)[01]

陳獨秀(字 仲甫)

安徽省 懷寧縣人, 一八七九年 生. 浙江 求是書院, 東京高等師範學校 速成科 卒業. 第一, 第二 革命에 參加. 一九一七年 蔡元培 下에 北京大學 文科學長으로 胡適과 같이 文學革命을 提唱, 中國 黎明運動의 리―더로 되다. 一九二〇年 秋 콤민테룬 代表 보이진스키― 指導下에 中國共產黨을 創建. 一九二三年 中國共產黨 總書記로 되고 爾來 黨 最高幹部로 오래 全黨의 實權을 掌握, 一九二七年 콤민테룬에 排斥을 받어 黨中央部로부터 떠러저 一九二九年 토로츠키派라고 除名되다. 一九三二年 上海에서 逮捕, 南京에서 服役 中.

郭沫若(名 開貞)

四川省 樂山縣人, 一八九一年 生. 九州帝大 醫學部 卒業. 一九二〇年 歸

---

01 『朝光』 제3권 제2호, 1937.2. 근대 인물 64명을 소개하고 있으나 여기서는 문학인 소개만을 발췌한다.

國하자 創造社로 魯迅 一派의 自然主義文學에 對抗, 浪漫主義文學을 提唱, 新文學運動에 活躍. 一九二六年 北伐軍에 投, 蔣介石 아레 總司令部 政治部 副主任으로 活動, 다음 武漢政府 政治部 秘書長에 就任했으나 文學的 立場은 急速히 左傾, 第四階級의 文學을 強調. 支那 푸로레타리아文學運動의 先驅로 그 代表者가 되다. 後 共產系의 軍人 賀龍, 葉挺 等과 共히 香港에 逃亡, 다시 上海에 도라와 다시 創造社에 依據, 左翼文學運動을 하였으나 蔣으로 逮捕令을 發하자 日本에 亡命. 千葉에 住居들 定하고 古代史 研究와 日本文 創作을 發表. 夫人 日本人. 「中國古代史研究[02]」, 「女神」, 「豫言者之詩」, 「水平線下」, 「反正前後」其他의 著가 有함.

胡適(字 適之)

安徽省 績溪縣人, 一八九一年 生. 上海 震旦大學, 吳淞 中國公學에 學, 政府 留學生으로 渡米. 코一넬, 컬럼비아 兩 大學 卒校. 哲學博士. 一九一九年 五四運動 때부터 雜誌 「新靑年」에서 白話文學運動을 이르키에 中國文學史 上에 一時機를 劃. 新思想의 普及에 努力, 文學, 思想, 社會 各 分野의 嶄新한 指導者로서 中國文化革命에 偉大한 貢獻을 하다. 一九二二年 北京大學 文學部長에 就任. 一九二六年 渡英, 翌年 米國, 日本을 經하야 歸國. 一九三一年 다시 北京大學 敎授로 同 大學의 實權을 쥐고 그 思想的 影響은 오직 北支만이 아니라 中南支 方面에도 波及. 一九三四年 冬 以來 學生運動의 思想的 背景으로 看過할 수 없는 勢力을 이르다. 昨年 八月 渡米, 요세미테의 太

---

02 '中國古代社會研究'의 잘못이다.

平洋會議 席上 中國代表로 長廣舌을 떨치다. 當代 中國 文學界, 思想界의 代表的 權威者 되다. 著書 「中國哲學史大綱」, 「白話文學史」, 「胡適文存」其他 中國文, 英文의 著書 數種이 있다.

胡愈之

浙江省 餘姚縣人, 當年 三十五歲 可量. 中國의 綜合雜誌 中 最長 歷史를 가진 東方雜誌(上海 商務印書舘 發行)의 編輯部長으로 言論界의 重鎭. 中國 에스페란티스트의 指導者로 活躍. 一九三〇年 世界 各國 視察 旅行 後 다시 東方雜誌 編輯長으로 國際問題에 關한 辛辣한 批評을 내리고 「모스크바 印象記」를 著. 그 論調 左翼的이기 때문에 當局의 壓迫에 同誌를 떠나 左翼雜誌 「生活」, 「新生」, 「大衆生活」, 「世界知識」 等에 激越한 評論을 發表. 靑年 知識 階級 間에 多數 渴仰者를 確保함. 現在 아봐스通信社 上海支局員으로 活躍.

周作人(字 啓明)

浙江省 紹興縣人, 一八八七年 生. 魯迅의 弟. 日本 法政大學 豫科 及 立敎大學 文科 卒業. 日本留學 中 章炳麟에 師事. 歸國 後 主로 文筆에 親執, 兄 魯迅과 같이 「文學硏究會」를 組織, 自然主義文學運動에 從事하는 一方, 北京, 燕京 兩 大學에 敎鞭을 잡다. 一九二四年 以後 北京大學 東方文學(日本文學)科 主任敎授, 燕京大學 敎授, 北平大學 女子師範學校 講師 等을 兼任, 日本□[03] 學者 並 小說家로서 知名.

---

03 '語'로 추정된다.

周樹人(字 豫才, 號 魯迅)

浙江省 紹興縣人, 一八八一年 生. 東京 弘文學院, 仙臺醫學專門學校, 東京 獨逸協會學校 等에 學. 革命黨에 參加, 一九一七年 歸國 後 文名 次第로 놀아 五四文學運動 後 北京에 文學研究會를 組織. 自然主義文學運動을 이르키여 雜誌「語絲」를 主宰. 北京大學, 北京師範大學, 北京女子師範大學 等에 教鞭을 잡고 後 南下하야 廈門大學, 廣州 中山大學 等의 教授에 就任. 一九二八年 上海에 赴 以來 同地에 있어 專혀 文筆에 從事. 一九三〇年「中國左翼作家聯盟」에 參加, 巨頭로서 內外에 알니다. 近年 健康不勝하야 國民政府 監視下에 讀書와 療養에 專念.「阿Q正傳」,「吶喊」,「彷徨」,「華蓋集」,「中國小說史略」其他 多數의 著作이 있다. 我國에 翻譯 紹介된 것 不少하다.

現代 中國 新詩壇의 現狀[01]

活葉[02]

(一)[03]

中國 新文化運動은 過去 二十餘年 間의 不少한 歷史를 가지고 있다. 그러나 그 進步 過程은 넘우나 遲慢하다. 原來 文語體의 古語만 崇尙하고 白話文 같은 것은 俗人이 할 일이라 하여 冷笑하는 한편 所謂 文壇은 唐宋八家와 八般[04]의 混合體인 相成[05]派와 思綺黨과 袁隨園의 流派를 딸아 가는 四六騈體文과 黃山谷을 本位로 하는 江西派 等等이 一向 正統派의 文學으로 自處하여 왔음으로 過去 그들의 文學의 範圍는 좁고 因襲的이며 阿諛的임에 不過하였다. 阿片戰爭 時期에 이르러 巨艦 大砲는 西洋文化의 消息을 帶來하며 中國에 큰 警告를 주었다. 그리하여 老古한 文學은 因襲의 睡夢에서 覺

---

01 『白光』 제6호, 1937.6.

02 서두 부분이 李陸史의 『魯迅追悼文』(朝鮮日報 1936.10.23.~10.29)과 내용이 같고 고유명사의 한자 오자까지 같은 것으로 보아 이육사의 필명으로 보인다.

03 매호 연재분 표기이나, 잡지가 제6호로 정간되며 1회에 그치고 만다.

04 '八股'의 오식이다.

05 '桐城'의 잘못이다.

醒하였다. 그 覺醒은 即 李鴻章, 曾國藩의 洋務運動과 庚[06]有爲, 梁啓超 等
의 維新運動과 孫文의 革命運動이다. 「中學爲體」, 「西學爲用」이 곳 그들의
슬로간이였다. 이러한 雰圍氣 속에서 一九一七年에 中國文學史上에 燦然한
烽火가 일어난 것은 「新靑年」誌에 發表한 胡適의 「文學改良芻議」라는 文學
革命論이 發表되자 陳獨秀가 이에 贊同하고 北京大學을 中心으로 한 進步
的 敎授들이 合流하게 되자 從來의 古文家들은 이 運動을 防害코저 가진 野
卑한 政治的 手段을 써 보았으나 그들의 醜惡한 꼴은 結局 自滅하고 만 것
이다. 이에 新文學 革命運動은 巨大한 步武를 옮기게 되었다. 그러나 아직
도 完璧에 일으지 못한 것은 엄연한 사실이다. 아직도 一般 國民은 古代文學
의 金子塔을 쳐다보고 자랑할 줄 알어도 近代의 新文學을 嗜好할 줄 몰으니
感嘆치 않을 수 없다. 그 一例로는 古代文學 書類가 新文學 그것에 比準하
여 平均 發賣 部數가 多數를 占한다는 統計를 보아 알 수 있는 것이다. 五四
運動 以後에 左翼作家들은 隱退 亡命한 후 文壇的 一般 傾向은 龐雜 多樣하
여 이렇다 할만한 作家를 産出치 못하였다. 反面으로 外國文學 輸入의 氣勢
를 뵈였으나 其中 飜譯物로 많이 紹介되어 나가기는 톨스토이와 印度 타골
에 不過하였다. 이윽고 輓近 數年來에 蔣介石의 政權이 跋扈하자 作家 多數
는 『監衣社』의 旗幟下에서 動하고 있는 모양이다. 回顧컨대 新文學運動 以
來 中國文壇을 全幅的으로 朝鮮文壇에 比하여 볼진대 刮目할 만치 進步된
點을 指摘키는 難하나 다못 몇몇 名聲이 있는 作家를 가진 것이 그들의 長點
일 것이다. 이제 筆者는 中國 新詩壇에서 名聲을 날리고 있는 作家를 紹介하
여 그들의 作品을 紙面웅에서 吟味해 보려고 한다.

---

06 '康'의 오식이다.

一. 自然主義 作家 周作人 - 氏의 字는 啓明

折江省 紹興縣에서 一八八〇年 出生. 故 魯迅의 弟, 日本 法政大學 豫科 及 立敎大學 文科 卒業, 歸國 後 兄 魯迅과 같이 「文學硏究會」를 組織하고 郭沫若 等 諸人과 함께 自然主義文學에 從事, 北京, 燕京 兩 大學에서 敎鞭을 잡고 있다. 一九二四 以來 北京大學 「東方文庫」(日本文學)科에 主任敎授, 作品 內容이 豊富, 學生群의 羨慕를 一身에 集中하고 있다. 氏는 博學(氏의 詩는 無讚詩)이다. 그의 詩集 中에 「小河」라고 하면 周作人으로 알고 周作人이라고 하면 「小河」를 聯想하리만치 이 小河 一篇은 有名한 것이다. 이제 번역하면 아래와 같다.

小河(냇물─)

한 가람 적은 냇물이 앞을 향하여 고요히 흘읍니다.
좌우편 언덕은 왼 통 검붉은 흙뿐!
거기에는 붉은 꽃 푸른 닢 누른 과실 뿐입니다.
한 농부가 호미를 들고 와서 냇물 바닥에 뚝을 쌓아 놓았읍니다.
下流는 말으고 上流는 뚝 가운데서 썩고──나려갈 수도 없고
올라갈 수도 없고 뒤로 물러갈 수도 없고 물은 뚝 가운데서 빙빙 돌기만 합니다.
물은 그 生命을 지니려고 적히 흘르려고 애쓰나
다못 뚝 가운데서 빙빙 돌고 있을 뿐입니다.
뚝 아래 흙은 벌서 파가서 깊은 못을 일우었읍니다.
물은 이 뚝을 원망치도 않고 다못 흐르려고만 애씁니다.

이전과 같이 앞만 향하여 고요히 흐르려고만 합니다.

하로는 農夫가 또 와서 뚝 밖에다가 거듭 돌로 뚝을 쌓아 놓았읍니다.

뚝이 묽어졌읍니다. 물은 질고 나와서 돌 뚝에 부디치고는 또다시 빙빙 돌기만 합니다. 뚝 밖 밭 가운데 벼들은 물소리를 듣고 눈섭을 찝으리며 말하기를

『나는 한 가루 벼입니다. 하 가루 가엾은 벼입니다. 나는 물이 와서 나를 축여주기를 바랍니다. 그저 나의 몸웅으로 지날가 두렵습니다. 냇물은 나의 좋은 동무입니다. 그가 내낱웅으로 고요히 흘러갈 때 나는 그에게 머리 숙이고 그는 나를 향하여 웃어줍니다.

나는 언제나 그가 돌 뚝을 뚫고 나와서 여전히 고요히 흘기만 바랍니다.

우리들을 향하여 웃으며 오불꼬불 앞만 향하여 흘러 나리기만 바랍니다.

좌우편 땅이 모다 한 떨기 錦繡로 변해지도록——

그는 본래 나와 좋아하는 동무였읍니다. 다못 그가 나를 몰라볼가 두렵습니다.

그가 땅 밑에서 呻吟하고 있을 때 그 적으마한 소리를 듣고서 도리혀 얼마나 두려워했는지요!

이는 나의 동무의 평소의 소리 같지 않았읍니다. 微風에 밀리워 모래벌판으로 나가는 그 快活한 음성——나는 다못 그가 이번에 밀려올 때 넷 벗을 보고 무심히 내 몸웅으로 지날가봐 두렵습니다.

그리하여 나는 여전히 슬퍼하고 있읍니다.』

밭 옆에 서있든 뽕나무도 머리를 흔들면서

『나는 높이 자랐읍니다. 냇물도 능히 볼 수 있읍니다.

그는 나의 좋은 동무입니다.

그는 淸水를 내게 주어 먹게 합니다.

나의 닢을 풀으게 살지게 하고――오디를 붉게 해주었읍니다.

만은 그의 샛파라턴 낱 빛은 지금은 검푸름하게 변해 버렸습니다.

또는 終身토록 시달려서 낮에는 많은 주름살이 잡혔읍니다.

그는 다못 뚝을 뚫고 나가려 하여 나에게 머리를 숙여 微笑를 던저줄 사이가 없었읍니다.

뚝 아래 못은 나의 뿌리까지 덮어놓았읍니다. 나는 언덕에서 자라니 여름이 와서 나의 가지를 말리워 버릴 수 없고, 겨울이 와서 나의 뿌리를 얼게 할 수 없읍니다. 지금은 다못 나의 동무가 나를 다리고 沙場에 나가서 밀려온 水草와 함께 동무하라고 말할가 두렵습니다. 나의 可憐한 나의 좋은 동무여, 실로 나는 나를 위하여 급합니다.』

밭 가운데 풀과 머구리는 이 둘의 말소리를 듣고 자기들의 일인 듯하여 모다 한숨 합니다. 물은 그냥 뚝에서 빙빙 돌고 있읍니다. 견고한 돌 뚝은 조곰도 동하지 않읍니다. 뚝을 쌓어 놓은 사람은 어대로 갔는지 알 수 없읍니다.

푸시킨 百年祭, 소聯 文化기관을 總動員,
上海에 문호의 동상이 서다[01]

기자

露西亞가 세계에 자랑하는 국민적 대시인 푸-시킨(1799-1837)의 사후 百年祭가 지난 번 소련에서 국가의 盛事로 대규모로 거행되엿다. 이날 모스코바의 푸-시킨 광장에서 성대한 祭典이 있었음은 물론 각 공장, 집단 농장, 학교에서는 일제히 「푸-시킨의 저녁」을 하였다. 그 밖에 신문, 라듸오, 극장 등 모든 문화 기관을 총동원하였다. 더욱 소련 당국에서는 금년 1년을 「푸-시킨 기념의 해」라 하여 모스코바 역사박물관에서 全露 푸-시킨 전람회, 1,840만 책의 기념 출판, 푸-시킨 유적에 기념비를 세울 일 등 여러 가지 기념 사업이 계획되고 있다. 그리고 푸-시킨의 손자에게 금번에 年額 300留식의 연금을 국고에서 주기로 되였다.

더욱 上海의 푸-시킨 기념제는 모스코바와 호응하여 上海의 中蘇文化協會 상해지부가 주체가 되여 中國 측으로 中蘇文協 회장 孫科氏, 中央研究員長 蔡元培氏, 소련으로 상해 총영사 기타 일천 수백 명이 映畵舘 「아이시스」

---

01 『삼천리』 제9권 제5호, 1937.10. 원본을 구할 수가 없어 한국역사정보통합시스템의 전자 자료에 근거했다.

에 모여 음악 등을 하면서 성대한 기념제를 하엿다. 또 그 날 上海 白系露人 團의 손에 依하여, 上海 「푸-시킨」광장에서 새로운 푸-시킨 동상 제막식이 있었다.

1938년

戰時下의 支那作家 - 그네들은 얼마나 稿料를 밧는가[01]

저자 미상

作家에게 베프는 報酬가 가장 적기는 支那요, 또 가장 厚하기는 蘇聯의라고 볼 수 있다. 언젠가 筆者는 蘇聯文壇 消息을 읽고 그것을 고대로 다시 벗기여 最近의 얻은 좋은 材料라고 생각하고 그 一篇을 모아서 上海「大晚報」에 發表한 結果 멀니 씽카폴에 있는「星洲日報」에까지 轉載하게 되였다.

이것을 보드라도 그러한 이야기가 얼마나 支那人의 눈을 끄으렀는가 알수 있다. 作家는 文化의 開拓者요, 精神의 糧食을 供給하는 者요, 마음의 武器를 製造하는 者다. 作家의 任務가 이 같이 重大한 데는 그 報酬도 當然이 厚하지 않을 수 없다는 理由에서일 것이다.

支那作家의 生活은 至極히 貧困하지만 내 自身이 마는[02] 限 또 筆者가 받어 본 經驗에서는 上海 新聞 文藝欄에서는 每千字에 對해서 最高 五圓, 最低 一圓 以上의 報酬였었다. 그랗든 것이 戰局이 展開되면서붙어 經濟界도 甚大한 影響을 받고 더욱이 上海 陷落이 된 以後로는 文化人은 各地에 흩어저

---

01 『三千里』제10권 제8호, 1938.8.

02 '아는'의 오식이다.

버리고 말었다.

勿論 武漢 地方과 廣東에 몰여간 者가 比較的 많을 것이고 더욱이 그 多大數는 그대로 펜을 依賴하여 어떻게 해서도 貧困한 生活을 維持해 나가는 것이다.

그러나 以前붙어 「文化은 副業」이라고 생각하고 있든 支那文人들의 生活이 一層 困難을 받고 있음이 事實이다. 武漢 方面의 일은 잘 알 수 없으나 廣東에 있어서 본다면 筆者의 經驗으로서는 여기 있는 文化人의 生活많금 비참한 것은 없다고 생각된다. 例를 들면 新聞 文藝欄의 原稿料 같은 것으로 보드라도 每千字 一圓 乃至 五十錢, 그것을 또 半額으로 해서 甚하게는 二個月 넘어 있다가 稿料를 내여□[03]는 수도 있다. 그런 것은 우리가 想像하기에도 괴로운 일이다.

新聞에만 限해서 經濟的 影響을 받었다고 치드라도 編輯者는 百數十圓, 校正보는 이와 記者도 數十圓식 받는다. 그런대 新聞이 그 內容을 充實히 하는 데 重要한 依賴는 原稿에 있다. 原稿는 作者가 腦를 썩혀가면서 써낸 作品으로 事實에 있어서 創作은 編輯의 일보다 苦心을 더 쓰게 하는 것인데 報酬는 意外에도 적다고 볼 수 있다. 그中에는 조곰이라도 많이 벌으랴고 하는 職人 根性이 있는 이가 있어 粗製 濫造를 하는 일이 있고 或은 反對로 消極的으로 되여서 쓰지 않는 사람들도 있다. 그 結果로는 좋은 原稿는 줄어지고 內容 空虛한 現象을 일우게 된다.

詩와 노래는 말할 것도 없시 아는 바와 같이 報酬가 적다. 詩歌는 어떤 때는 全然 稿料를 주지 않고 준다고 하드래도 總體에 對해서 極히 적은 比例에 屬한다. 如何間 소문에 드른 바에 依하면 저 朱湘의 自殺도 「一行 五圓」의

---

03 '주'자로 짐작된다.

理想이 實現되지 않은 데 분개한 데 있다고 한다. 朱湘의 詩가 多少 時代 要求에 合하지 않는다 하드래도 그 괴로웠든 奮鬪는 一般 詩人의 歎息의 씨가 될 것이다. 實狀 詩는 다른 무었보다도 創作하기 어려운 것이다.

그럼에도 不拘하고(英國과 로시야를 除하고) 各國이 다 같이 詩人의 待遇가 刻薄하다.

日本도 世界文化의 第三位에 있다고 말하고는 있으나 그러나 부루죠아 一流 例컨대 菊池寬의 小說이라든가 西條八十의 詩 같은 것은 特別의 대우를 받는 外에 一般的으로는 歐米 作家보다 稿料 氷準이 났다. 그렇나 詩歌에 대해서는 支那와 같이 輕視하는 點은 좀 다르다고 생각된다. 同人雜誌와 같이 서로 붙들고 나가는 것이 別 문제로 하고 商業性을 띈 一般 雜誌는 詩人에게 對해서 相當한 報酬를 내고 있다. 나는 일직이 文學評論에 二三十行의 短詩를 發行하고 日本 돈 一圓과 그 雜誌 한 권을 받은 일이 있다. 그리고 所謂 日本文化 水準의 하나라고 할만한 改造社로붙어 나는 「文藝」에 三四十行 特約詩 一篇을 發表하고 日本 돈 二圓과 그 雜誌를 받은 일이 있다. 文化人이라고 하면 누구나 같은 生活水準에서 살어가지 않을 수 없는 것이다. 얻을 것이 얻어지지 않으면 當然 精神的 活動에도 彰響을 밎이게 되는 것이다.

『배가 곺으면 노래도 읊을 수 없다』라는 것은 眞理다.

北京國劇圖書舘[01]

金友琴

　지금부터 六年 그 前에 北平國劇學會는 改組되여 西城 絨線胡同으로 遷
移한 以後 同會 主幹 齊如山, 傅惜華 諸氏는 中國戲劇 文獻史料의 散佚되야
슴을 慨嘆하고 國劇陳列舘을 創立하야 戲劇文獻의 調査, 梨園遺物의 蒐集
等 事業을 進行하야 社會的 敎育에 貢獻이 不少하던 바 다시곰 國劇圖書舘
을 附設하고 專門的으로 戲劇과 音樂 圖書의 蒐集에 着手하야 同好者의게
閱覽케 하였다.

　朝鮮에서는 아직 이런 機關 또는 事業을 實施한다는 消息조차 없음은 贅
論을 不待하는 바이나 現在 發展狀態에 있는 朝鮮劇界에 이 圖書舘 內容을
紹介하야 斯界에 參考가 된다면 幸일가 하는 意味에서 論述한다.

　同舘는 지금부터 五年 前 正月에 設立하고 戲劇과 音樂圖書에 合集 있어
有志者의 寄附한 圖書 以外에 梅浣華, 齊如山, 傅惜華 諸家의 所藏品의 寄贈
으로 組織의 曙光을 보았다고 한다. 그 이듬해 四月 現在의 圖書目錄에 依하
면 二千餘種 圖書 四千餘卷의 藏書를 보게 되였다.

01　『三千里』제10권 제8호, 1938.8.

中國戲曲의 分類法은 時代 變動과 地域 關係上 그 戲曲의 組織 流別은 참으로 繁複 雜多하야 合理的 分類 目錄을 作成하기에는 難問題라고 하야 지금까지 本 事業에 着手한 者 없었다. 그러나 同舘 責任者 傅惜華氏의 苦心 研究한 바에 依하야 中國戲曲에 關한 圖書을 三部로 分類하야 同舘 內에 保管하였다.

一. 雅部: 南北曲 及 弋腔類에 屬하는 圖書는 十一類에 細分하야스니 卽 曲律類, 曲品類, 叢編類, 選集類, 雜劇類, 傳奇類, 曲譜類, 身段譜類, 鑼鼓類, 弋腔類, 散曲類 等으로 全部 一千 二百 五十七卷이다.

二. 花部: 皮黃, 秦腔, 漢調, 粤劇 及 地方俗劇 等의 理論 研究에 關한 圖書와 劇本으로 이것을 十六類로 細分하였나니 卽 通論類, 史料類, 彙編類, 皮黃類, 秦腔類, 橫岐調類, 崩崩類[02], 魯(山東)劇類, 豫(河南)劇類, 蘇(江蘇)劇類, 浙(浙江)劇類, 鄂(湖北)劇類, 蜀(四川)劇類, 粤(廣分[03])劇類, 진黃(雲南)劇類[04], 瑣錄類 等 圖書로 全部 一千 六百 九十卷이다.

三. 其他 모든 戲曲에 關한 重要 參考圖書로 그것을 七類에 細分하였나니 卽 音樂類, 韻學類, 影書類, 彈詞類, 小調類, 話劇類, 期刊類 等으로 全部 一千 四百 六十六卷이다.

該舘에 所藏한 戲曲과 音樂圖書는 世間에 流傳하는 刻本 或은 印本을 除外하면 餘多는 名人의 稿本 及 手寫本과 伶工의 演習 底本과 戲班 傳鈔本과 從來에 보지 못하던 槧刻 및 著錄 鈔本 等이다.

이제 그 圖書를 略擧하면 如左하다.

---

02 '嘣嘣類'의 잘못이다.

03 '廣東'의 잘못이다.

04 '滇(雲南)劇類'의 잘못이다.

一. 名人의 稿本 及 手寫本

史松泉의「施公新傳」稿本, 羅癭公의「紅拂傳」稿本, 趙逸叟 校訂의「北西廂全譜」稿本, 日本 辻聽社[05]의「戲曲雜鈔」稿本, 孫舜臣[06]의「監酒令」, 「孝感天」,「打金枝[07] 等 手鈔, 孫春山의「索廟」手鈔, 西園의「曲」手鈔, 袁寒雲의「崑曲雲碎」手鈔 等等이다.

二. 伶工의 演習 底本

曹文蘭, 江自弘, 程坤瀛, 錢寶珠, 杜金聲, 賈增壽, 朱德昭, 祝香雲, 俊天喜, 陳蘭儀, 姜慧仙, 卜發玲, 符蕊蘭, 張柴仙, 陳壽豊, 梅肖玲, 曹心曹, 梅肖芬, 陳喜梁, 楊長喜, 陳盛喜, 王瑤卿, 楊椿林 諸 梨園世家의 手鈔인 伶工 演習의 底本이다.

三. 戲班 鈔本

三慶班, 松秀班, 福壽班, 徵文社, 興文社, 承華社 等 諸 大戲班의 原鈔인 各種 崑秦腔 等의 劇本이 만흐니 이에 그 劇名은 略하야 繁雜을 避한다.

四. 槧刻 及 著錄 鈔本

明淸 兩代의 傳奇이다. 明의 沈璟之[08]의「桃符記」, 李素甫의「元霄鬧」, 失名의「東兵記」, 淸의 朱佐朝의「御雪豹」, 張大復에「雙福壽」, 朱確之[09]의「聚

05　'辻聽花'의 잘못이다.

06　'睢舜臣'의 잘못이다.

07　'」'가 누락되었다.

08　'沈璟'의 잘못으로 '之'자가 잘못 기입되었다.

09　'朱確'의 잘못으로 '之'자가 잘못 기입되었다.

寶盆」, 石琰之[10]의 「二度梅」, 失名의 「倭袍記」, 「珍珠塔」 等 從來에 보지 못하신 稀有品으로 槧刻의 良本이 있고 또 「雙金牌」, 「五義風」, 「刻海圓」, 「梅玉配」, 興唐傳, 「銀牧丹」 等 傳奇도 아직 보지 못하던 著錄의 珍本이다.

그他 崑曲譜, 身段譜, 鑼鼓譜, 弋腔譜, 影書譜 等 各類와 各地 俗劇의 劇本 等은 中國戲劇界의 珍貴한 圖書라고 한다.

同舘은 經費上 關係로 閱覽 設備가 充分치 못한 까닭으로 아직 正式 公開치 못한 것은 遺憾이나 不遠間에 一般의게 公開하리라고 한다. 그러나 團劇[11]學會員의 紹介狀 或은 學術團體의 證明書가 有한 觀覽者 或은 戲劇研究者에 限하야 隨時 入舘을 許可한다고 한다.

---

10 '石琰''의 잘못으로 '之'자가 잘못 기입되었다.

11 '國劇'의 오식으로 보인다.

台灣 生蕃族의 神話傳說[01]

李長經

아즉까지 人首를 잘나 불에다 꼬자 둔다는 臺灣 蕃族은 未開人인만치 많은 傳設[02]과 神話를 가지고 있는데 그中 자味있는 것을 두었 뽑아 보면

人類 起源에 關하야 「타로코」란 蕃族은 처음에 어듸서인지 파리 한 마리가 날러 와서 알을 났는데 얼마 있다 그 알이 孵卵을 해서 그 파리 알 속에서 男女 두 사람이 나와 이것이 世界 人類가 되었다 한다.

또 「푸눈」族의 傳說을 보면 옛날 옛적에 「모리간」이란 곳에 男子 한아 女子 한 아이 살았는데 아즉 어떻게 해서 아이를 났는 거를 몰났다 한다. 그런데 어느 날 밤 男子의 꿈이 뱀 껍질로 女子의 등을 세 번만 치며 아이를 배이라는 꿈을 꾸었다. 그래서 꿈대로 배암 껍질을 求하야 女子의 등을 세 번 쳤드니 果然 아이를 배었고 四男 三女를 나어 子孫이 크게 繁昌하였다 한다. 그

---

01 『靑色紙』 제1권 제3호, 1938.11.20.

02 '傳說'의 잘못이다.

러든 것을 얼마 안가 「이로카」地方에 大蛇가 나타나 濁水溪의 물을 막어 大洪水가 일어나고 그 때문에 사람들이 各處로 分散하야 各族이 생겼다 한다.

日月에 關한 이야기로는 옛날엔 太陽과 달이 夫婦이었는데 男便인 달은 妻인 太陽이 大端히 淫奔하야 작고만 避해 다녔는데 뒤에 남었든 太陽은 獨守空房에 孤寂을 익일 길이 없어 「푸로」라는 地上에 細竹 「오오」 소릴 치면서 노래를 하면서 춤추는 모양이 어찌 곱든지 그 細竹을 男便을 삼을냐고 下界로 나려갔드니 「푸로」가 아모래도 太陽을 실타함으로 하는 수 없이 「푸로」를 斷念하고 失戀의 슲음을 탄식하면서 天上으로 다시 도라왔다 한다.

또 「타이얄」族이라는 蕃族에는 이런 傳說이 있다.

어떤 집에 絶世의 美人이 있었는데 그 處女는 늘 뻬 짯는 것을 조와했을 뿐만 아니라 목소리가 어찌 아름다웠는지 짝사랑을 품고 있는 총각이 不知其數였다.

그런데 그 處女의 母親은 社內 靑年 中에서 가장 늠늠하고 勇猛스러운 젊은 사람을 골나 사위을 삼었다. 그러나 변괴가 이러났다. 幸福스러운 걸혼식도 끝마치고 그날 밤 萬人 羨望의的인 新郞이 그만 죽어버리고 말었다. 어머니와 딸은 땅을 치고 우렀으나 죽은 사람은 다시 도라올니가 없었다. 얼마 뒤 어머니는 새로 사위를 다시 골나 가지고 결혼을 하였으나 이 사위 역시 첫날 밤에 황천객이 되었다.

모든 것을 이상히 생각한 어머니는 싫여하는 딸에 아레를 억지로 검사하여 본즉 그곳에는 적고도 탄탄한 齒牙가 가즈런히 나있었다. 그 어머니는 즉시 숫돌을 갔다 그 齒牙를 죄다 가라버렸었다.

그 뒤 색시는 또 신랑을 마지하였는데 아무 일 없이 百年偕老를 하였다.

어떤 곳에 원숭이를 情婦로 가진 變態漢이 있었다. 매일 사냥은 나가도 한 번이나 膽을 가저오지 안는 것을 이상히 생각한 그 안해가 하로는 「왜 膽은 한 번도 가저오지 않고 갈너 버리십니까? 집안 食口들과 같이 먹으면 좋을겐데요?」하고 물어봤다. 그러나 男便은 아무 말도 하지 않았다. 어느 날 안해는 몰내 남편 뒤을 밟어 본즉 山에 올나간 남편은 「안·인·아포」 이상한 소리를 친즉 한 마리의 암원숭이가 나무 우에서 뛰여 나려와 남편 손에서 膽을 맛있게 받어 먹는다. 먹기를 맛친 원숭이는 男便과 야릇한 抱擁을 하며 희희락락하여 한다. 약간 질투를 느낀 안해는 집으로 도라와 가지고 돗바늘을 감춰가지고 먼저 장소로 왔다. 아까 있던 남편은 다른 곳으로 사냥 간 모양, 그곳에는 아무도 없었다. 안해는 울렁거리는 가슴을 억지로 진정하고 「안·이·아포」하고 소리첬다.

아닌 게 아니라 원숭이는 나무에서 뛰여 나려왔다. 안해는 감춰가지고 왔던 돗바눌을 끄내 가지고 원숭이를 찔너 죽인 뒤 그 시체를 가지고 집으로 도라왔다.

이튼 날 남편은 의기저상하여 가지고 아무 풀기 없이 도라왔다. 안해는 원숭이 시체를 가르치며 말하였다.

「오늘은 원숭이가 없어서 섭섭하섰겠지오. 당신의 애인은 저게 자고 있으니 가서 안으시구료.」

안해의 빈정대는 말에 남편은 긴 밤에 惡夢이 깨였으며 그 뒤로 夫婦는 幸福스러웠다.

옛날 어느 곳에 夫婦가 있었다.

어쩐 까닭인지 男便이 아이를 배였다. 허나 胎兒가 나올 데가 없으니 입이나 肛門으로 나올 수는 없었다. 얼마 안되여 男便과 胎兒는 죽고 마렀다.

이와 같은 일을 그들 蕃族은 神의 意思라고 말하였다.

上海서 「椿姬」 오다 - 名作 映畵가 不遠에 서울에 온다[01]

기자

上海光明影業公司製作

演出: 李萍清[02]

마러: 袁美雲

다아몬: 劉瓊

不日京城切

上海의 社交界의 꽃 利々[03]가 靑年 辯護士 杜亞蒙을 맞난 것은 慈善舞踏會 밤이다.

利々는 肺病으로 療養하는 中에 같은 病으로 죽은 딸을 못 잊는 金영감님으로부터 그 딸의 代身으로 귀염을 받으며 그 保護아래서 화려한 生活을 하고 있다.

몸이 弱한 줄을 알면서도 利々가 社交界에 나서게 된 것은 이러한 生活

---

01 『三千里』 제10권 제12호, 1938.12.

02 '李萍倩'의 잘못이다.

03 '莉莉'의 잘못이다. 아래도 마찬가지다.

態度의 自暴自棄的 行動이 있는데 靑年 亞蒙의 純眞한 熱意를 알게 되자 利々의 마음도 봄을 맞난 듯 幸福되여저서 다시 살어 보겠다는 불타는 마음을 갖이게 되였다.

어떤 날 散步로 亞蒙과 利々는 友人들과 같이 숲이 푸른 郊外에 나갔을 때 利々는 社交界의 번잡함을 아주 떠나서 이런 조용한 싀골에 살었으면 하는 생각을 했다. 그래서 利々는 金영감으로부터 얼마간의 돈을 얻고 亞蒙도 旅行費라 하고 그 父親으로부터 돈을 어더서 上海에서 멀지 않은 郊外에 그야말로 사랑의 보금자리를 꾸몃다.

幸福된 歲月이 두 사람에게 흘넜다 마는 이런 이 얘기가 社交界에 들니자 金영감은 분개하야 利々에게 돈 주는 것을 끊인 까닭에 두 사람의 生活은 이내 經濟的 苦難우에 서게 되었다.

亞蒙의 집에선 때마침 婚期에 있는 누이동생의 緣談이 있을 뿐 아니라 前述 有望한 子息 亞蒙의 將來를 생각하여 그 父親이 親히 利々에게 찾어가 亞蒙과 갈나지기를 간청하였다. 子息을 생각하는 어버이의 마음에 마음 착한 利々는 歎服되여서 갈나질 것을 선언했다.

亞蒙은 自暴自棄하는 마음도 있어서 도박에 손을 대였으나 그도 운수가 시언치 안어 慘敗를 當하고 할 수 헐 수 없이 숨어사는 집에 도라온즉 利々의 손을 번접이 하는 듯한 冷待에 이제는 끗없는 실망을 하고 도라나가 버린다. 싸히고 싸히는 빗에 債鬼는 용서 없이 피박하며 利々의 病床 갓가히 와서 家財 器物은 勿論 쓰고 사는 집간까지 競賣에 부치게 되었다.

아버지로부터의 便紙로 事情을 들은 亞蒙이 달녀와서 無言의 속에 두 사람의 손은 굳세게 서로 쥐워졌을 때 사랑의 불길에 둘은 다시 타올났다. 그러나 그때에는 이미 가슴속 깊이 파먹는 쓰라린 폐병 때문에 쪄르고도 시산한 일생은 고요히 다처지고 마는 때이였다.

讀書 二題[01]

俞鎭午

『讀書의 最高境』

林語堂(린위탕)의 『生活의 發見』(原名 The imPortance of living)에 依하면 讀書에는 두 가지가 잇는데 하나는 『精神向上』을 爲한 것 卽 知識을 넓히기 爲한 功利的의 것이오, 하나는 아무 目的도 없이 讀書 그 自體를 즐기는 것의 두 가지인 바 前者는 정말 意味의 讀書라 할 수 없고 讀書하는 人物에게 魅力과 風格을 주는 後者만이 정말 讀書의 眞髓에 徹한 것이라는 것이다.

讀書하는 態度에 以上의 두 가지가 잇는 것은 누구나 認定할 수 잇는 말이나 功利的 讀書를 排斥함은 어떨까. 上級, 下級을 논한다면 아무 다른 目的없이 그저 읽고 싶으니까 읽는 讀書가 上級임에 틀임 없는 것이나 그러타고 精神이나 知識을 向上시킬 目的 밑에 讀書함을 排斥하는 것은 林氏같은 디레탄트만이 할 수 잇는 일이라 할 것이다.

나 自身의 體驗으로 보면 以上 두 가지 讀書法은 항상 倂用되고 잇으며 또 倂用되어야 한다고 생각한다. 理想을 말하면 功利的 讀書가 目的없는 讀書의 三昧境과 一致되는 것이 가장 上乘일 것이나 人性은 放縱한 것이라 理

01　『東亞日報』 1938.12.1, 석간 3면.

性의 채죽으로써 自身을 鞭韃함이 없이 漫然히 나가고 싶은 方向으로 나간
다면 結局 洗練된 懶惰 밖에는 남는 것이 없을 것이다.

功利的 讀書라도 하고 잇는 동안에는 興味가 油然히 일어나며 功利的 動
機를 떠난 높은 法悅에까지 들어가는 境遇가 또한 非一非再인 것이다.

그러나 이러케 말함은 決코 功利的 讀書의 一種으로서 남에게 보이기 爲
한——말하자면 虛榮의 一種으로서의 讀書까지 推奬하는 意味는 아니다. 흔
히 보면 普通 때는 讀書는 커녕 册肆 近處도 가지 안타가 어쩌다 册卷이나
읽으면 금방으로 만나는 사람마다 붙들고 그 生疎한 智識을 휘둘르는 사람
이 적지 안타. 甚하면 讀書를 하되 그 册의 眞精神은 조금도 商量하지 아니
하고 그 속에서 奇異한 것 남에게 이야기하면 자기의 機智나 博學을 喝采 받
음직한 片言隻句만을 눈 역여 추려내다가 그것을 잊어버리기 前에 電光石
火的으로 써먹는 사람까지 본다. 讀書가 이에까지 墮落된다면 나는 讀書의
意義를 말하기는커녕 秦始皇의 焚書坑儒에 오히려 雙手를 들어 讚하는 者
이다.

要컨댄 讀書의 最高 境地는 讀書가 義務가 아니고 悅樂됨에 잇다. 그러나
義務로서의 讀書도 또한 排斥할 바 아니다. 다만 처음부터 衒學을 目的한 讀
書라면 그것은 도리혀 盜賊에게 武器들 주는 것과 같은 것이다.

『著者와 讀者』

다시 林語堂을 引用하면 讀書는 決코 讀者 一人만의 行動이 아니라 두 가
지 面 卽 著者와 讀者로써 成立되는 行爲라는 것이다. 이 말은 至言으로 이
點에 對한 깊은 認識 없이는 우리는 讀書를 해도 著書에 對한 그릇된 判斷을
내리기 쉬운 것이다.

林氏는 이것을 說明하기 爲해『思想과 體驗이 傑作을 읽을 程度가 되지 못햇을 때 傑作을 읽으면 뒷 입맛이 나쁘다.』하고 孔子의『五十以學易이면 可以無大過矣.』(述而篇)란 말을 引用한다. 뜻하는 바는 아모리 深遠한 뜻을 가진 册을 읽어도 讀者는 自己의 思想과 體驗의 程度에 맞는 것 밖에는 그 곳에서 收取하지 못한다는 것이다. 다른 場所에서 林氏는 이 말을 說明하야『靑年으로서 讀書함은 罅隙을 通하야 달을 보는 것과 같고 中年으로서 讀書함은 자기 집 뜰에서 달을 보는 것과 같고 老境에 이르러 讀書함은 푸른 하늘 밑 露臺에 서서 달을 보는 것과 같다.』라고 말한다. 이 말도 果然 至言이라 할 것이다.

이것은 何必 讀書뿐이랴. 사람을 보는 데 잇어도 또한 그러타. 凡夫는 偉大한 人物의 偉大함을 全的으로 理解할 수 없는 것이오, 善人은 惡人의 惡을 想像도 못하는 것이며 이와 反對로 惡人은 善人의 心境을 또한 짐작도 못하는 것이다. 다만 凡俗과 偉大와 善과 惡을 一身에 가춘 정말 偉大한 人格만이 모든 사람의 人物됨을 正當히 評價할 수 잇는 것이다.

말이 좀 빛나갓으나 何如間 이리해 讀者가 著者보다 思想과 體驗이 우에 잇는 境遇에는 讀者는 著者의 全貌를 알 수 잇으되 反對의 境遇에는 自己 程度로 밖에 理解하지 못하는 것이다. 이런 理解를 基礎로 하야 著者나 그 著作을 品隲한다면 大端히 危殆로운 結論 밖에 나올 것이 없을 것이다. 偉大한 批評家의 任務는 一般 讀者를 爲해 이러한 著者에게 適當한 椅子를 提供하는 곳에 잇는 것이다.

『古典』의 이름이 붙은 著作은 읽으면 읽을수록 새 맛이 난다. 이것은 웨 그런가. 册의 內容은 變함이 없으되 읽은 사람은 成長하고 變化하기 때문이다.『파우스트』하면 파우스트를 한 平生 되푸리해 읽어도 실증이 나지 안흔 사람이 만흔 것은 結局 파우스트의 世界가 凡俗한 사람으로서는 到底히 超

克하지 못할 높은 곳에 잇기 때문이다.

　이러케 보아오면 나 自身 過去에 그런 짓을 해왓지만 黃口의 靑少年으로서 적어도 文學的 古典의 레텔이 붙은 偉大한 作品을 함부로 辱함은 그 意氣의 尖銳함은 사랑한다 하여도 그 反省의 不足함을 指摘하지 안흘 수 없는 짓이다.

魯迅에 對하야[01]

魯迅은 처음에 人生을 爲한 文學, 社會를 爲한 文學을 目標로 하고 그의 文學生活의 第一步를 떼여 노엇든 것이다. 이것은 一九三三年에 쓴 『나는 어찌하야 小說을 쓰기 始作하엿나』와 大魯迅全集(改造社版)의 序文에 魯迅自身이 告白한 바다.

人生을 爲한 文學, 社會를 爲한 文學은 文學을 爲한 文學 即 文學至上主義者와 根本的으로 對立하는 것으로 이 思想은 人道主義思想과 密接한 關係에 잇서 熱烈한 人道主義者 『톨스도이』는 가장 勇敢한 이 主張者엿다. 그때의 魯迅도 아마 漠然하나마 이 人道主義的 立場에서 社會改良의 手段으로 文學을 利用하려 하엿든 것 갓다.

그러나 社會를 改良할려면 먼저 그 社會의 腐敗相을 摘發하야 攻擊하지 안흐면 안 된다. 그 當時의 支那에 잇서서는 勿論 封建的 思想과 慣習에 對한 摘發과 攻擊이다. 魯迅의 『狂人日記』, 『孔乙己』, 『藥』, 『明日』, 『頭髮의 故事』 等——『吶喊』 속에 收錄된 小說들이 곳 이것이다. 이 小說들은 『吶喊』이

---

01 '小論文', 『朝鮮日報』 1938.12.5, 4면.

라는 書名 그대로 封建的 思想과 慣習에 挑戰하야 가장 辛辣한 諷刺로 嘲笑를 뒤어씨워 조곰도 假借함이 업섯다. 世界的으로 有名한 『阿Q正傳』도 이때에 쓴 것으로 主人公 阿Q는 支那의 封建的 思想과 慣習의 人格化한 것이라고도 볼 수 잇는 것이다.

그러나 魯迅은 『阿Q正傳』 以後 漸次로 『彷徨』을 始作하엿다. 人生을 爲한 文學, 社會를 爲한 文學에서 文學을 爲한 文學으로 발을 돌이기 始作하엿다. 이때에 쓴 小說을 모아 논 『彷徨』을 보면 魯迅의 이 움직임을 알 수 잇다. 魯迅은 次次로 그의 題材를 一般 大衆에서 知識階級으로 돌리고 憂鬱과 沈滯 속에 빠저 生新한 生活感情이 말할 수 업시 稀薄하여젓다. 이에 딸어 그의 『리아리스틱』한 붓도 形式主義, 技巧主義로 흘너저서 『幸福한 家庭』, 『비누』 等에서처럼——『맨스휠—드』의 短篇을 聯想케 하는 家庭속에 蟄居하고 잇는 小市民의 때때의 氣分과 微妙히 움직이는 心理를 描寫하는 데에 그리고 토기와 고양이 『거우의 喜劇』 等에서처럼 虛無感을 極히 技巧的으로 表現하는 데에 그의 文學道를 찾으랴고 헷애를 썻다.

『吶喊』에서 『彷徨』으로, 『彷徨』에서 다시 또 어데로! 어데로 魯迅은 그의 出路를 發見하엿는가? 勿論 거기에는 새로운 아무 길도 잇슬 理가 업다. 그여히 그는 小說을 버리고 隨筆로 逃避하여 버렷다. 이때에 쓴 隨筆을 모은 것이 『野草』다. 魯迅은 그여히 喬木이 되지 못하고 野草로서 滿足하겟다는 것이다. 이속에는 灰色의 過去만 잇고 生新한 現在는 조곰도 업다. 未來에는 오로지 墳墓만이 기달인다. 『野草』속에서 魯迅 自身이 이것을 告白하지 안헛는가! 彷徨하든 魯迅은 여기에서 岐路를 헤매는 疲勞한 발을 멈추고 아무 理想도 希望도 업시 過去를 回顧하고 疑惑할 뿐이다. 沈滯와 孤獨과 虛無의 世界가 잇슬 뿐이다. 이러는 동안에 한편 支那의 社會情勢는 急速히 進展되여서 文壇에서는 創造社의 『劇變』이 잇서 人心은 極度로 緊張하여지고 興

奮하여젓다. 그리고 『阿Q時代는 이미 갓다. 벌써 그것은 예전 일이다. 우리는 우리의 時代를 알고 阿Q를 장사지내지 안흐면 안된다.』는 소리가 評壇에서 絶叫되엿다.

그러나 勿論 이때의 魯迅이 이러한 社會의 情勢와 自己에 對한 非難을 正當히 把握하고 理解하기는 到底히 不可能한 일이다. 그여히 『醉眼朦朧』을 잠고대하야 그의 固陋와 無識을 그대로 脫露하고 말엇다. 元來 文學을 爲한 文學에의 傾向은 文學家와 그를 圍繞한 社會의 進展과의 非常한 隔離에서 發生되는 것이다. 往時의 第一線의 鬪將 魯迅은 이리하야 이때에 敗殘兵이 되여 時代에서 落伍한 제 自身의 悲慘한 꼴을 發見하지 안흘 수 업섯다.

누구나 다 알드시 後에 魯迅은 그때까지의 小市民的 『이데오로기―』를 깨끗이 淸算하여버리고 다시 支那文學運動의 第一線에 參戰하야 죽을 때까지 몃 번이나 그의 巨彈을 發射하여 奮鬪하엿다. 여기서 우리는 魯迅이 人生을 爲한 文學, 社會를 爲한 文學을 目標로 文壇에 登場하든 그의 『吶喊』時代를 다시 생각지 안흘 수 업다. 或은 어느 意味로는 魯迅은 다시 人生을 爲한 文學, 社會를 爲한 文學으로 도로 돌어갓다고도 볼 수 잇기 때문이다. 하지만 支那의 急速한 社會的 進展은 이미 그를 往時의 人道主義로 돌여보내지 안코 또 封建的 思想과 慣習의 打破도 이미 그때처럼 重大한 意義를 가진 것은 못되는 것이엿다. 이때의 支那는 이미 辛亥革命 時代의 支那도 아니고 『五・四』時代 魯迅의 小說은 『吶喊』, 『彷徨』속에 大槪 收錄되여 잇고 이외에 歷史小說이 꽤 여러 篇 잇기는 하나 이것은 모다 그가 獅子奮迅之勢로 捲土重來한 以前의 것이요, 정작 그 以後에는 더구나 죽기 前 數三年 間은 『손으로 쓰는 것보다 발로 逃亡하기가 밧버서』注目할만한 단 한 篇의 小說도 쓰지 못하엿다.

現代 支那의 新進作家[01]

城大 李明善

支那 現代文學 더구나 最近의 文學은 그곳에서 發刊되는 雜誌를 어더볼 수 업습으로 그 仔細한 事情은 도모지 알 길이 업다. 文化生活出版社의 몃 十卷의 『文學叢刊』과 和文譯 된 몃 卷의 小說 이것만 가지고서는(이外에 나는 아무 材料도 가지々 안헛다.) 支那 現代文學의 輪廓만 그리기에도 困難을 느낀다.

딸어서 다음에 내세우려 하는 二三의 新進作家들이 가지고 잇는 文壇的 地位는 勿論 어떠한 雜誌에 關係하고 어떠한 文學團體에 參加하고 잇는지 도모지 不分明하다. 그리고 또 여기에 내세우려 하는 作家 以外에도 注目할 만한 아니 注目하지 안흐면 안될 新進作家들이 퍽 만히 잇슬 것임으로 이 二三의 作家들의 傾向을 가지고 바로 支那 現代文學의 傾向을 云々 못할 것 은 勿論이다. 그럼으로 이 글은 極히 不充分한 報告에 不過한 것이다.

周文

四川省의 出身으로 何穀天이 그의 本名이다. 貧困한 農村生活에서 出發

---

01 『每日申報』1938.12.11, 5면.

하야 同省 短期 軍事學校를 卒業하고 三年 間 下級 將校가 되엿다가 이것을 버리고 數年 間 放浪生活을 하다가 上海로 나왓다. 文學運動에 參加하야 小說을 쓰기 始作한지가 이제 한 四五年 된다 한다.

周文은『多産集』이라는 短篇集을 낸 만치(多産集은 多産하엿기 때문에 이러케 命名하엿다) 多産하는 作家인 듯하다.『多産集』以外에 短篇集『分』, 長篇『煙苗季』가『文學叢刊』속에 들어잇다.

그의 創作의 對象이 되는 重要한『테―마』는 軍隊의 生活과 貧困한 農村이다. 임의 和譯이 된『第三生命』,『炎天02』,『雪山03』等의 短篇은 모다 그의 軍隊生活 中에서의 體驗을 그린 것이다.『第三生命』이라는 것은 支那의 軍隊 더구나 四川省의 軍隊에 잇서서는 第一生命은 죽고 살고 하는 참말로 生命, 第二生命은 억개에 둘너 멘 銃, 그담에 오는 것이 阿片이다. 阿片이 곳 그들의 第三生命이다. 그들이 얼마나 阿片 中毒者들인지 그리고 阿片으로서 그들의 生活이 얼마나 墮落하는 것인지――이런 것을 大膽하게 暴露한 小說이다.

『山 밋』(原名『山坡下』)이라는 短篇이 잇다. 어느 軍閥戰爭으로 避亂하지 안흐면 안되엿슬 때 한 老婆가 너무나 老衰하야 家族들만 避亂식히고 自己 혼저 집에 남는다. 不幸하게도 彈丸 하나가 날너와서 이 老婆의 무릅을 맛친다. 피가 샘물처럼 솟서서 은저리를 빨갓케 물드린다. 老婆는

『내 다리! 내 다리!』――부루지즈며 죽어 넘어진다.

이 妹姉篇이라고도 볼 수 잇는『山坡上』에도 이와 비슷한 手法이 나타난다.

이러한 몃 개의 作品을 通하야 보면 周文에 잇서서는 그의 深刻하고 豊富한 農村生活, 軍隊生活의 體驗이 直接으로 그의 作品을 深刻하게 만들고 豊

---

02 중국어 원제는 '熱天'이다.

03 '雪地'의 일본어 역으로 보인다.

富하게 만드는 듯하다. 이런 點은『인테리』作家들이 갓지 못하는 그의 特典일 것이다. 그러나 一面에 잇서 前世紀의 自然主義 作家들이 빠지든 暴露를 爲한 暴露의 傾向이 업지 안타. 그리고 또 간간히 感傷性으로 말미암어 붓 끗의 힘을 죽이기를 한다. 或은 이것이 그의 放浪性의 反映인지도 몰느지만——.

蹇先艾

貴州 出身으로 北京大學 法學院을 卒業하고 北京圖書館 圖書部 主任으로 잇섯다. 作品集으로는『朝霧』,『한 英雄』,『歸鄉[04]』,『躊躇集』,『소곰 이야기』等이 잇다.

『소곰 이야기』(原名『鹽的故事』)는 임의 和譯이 되여 잇다. 藏嵐初라는 師範學校 出身의 熱情的이고 良心的인 靑年이 스사로 希望하야 아주 시골인 紅沙啞[05]의 自治公所의 書記로 되여 갓다가 自己의 伯父가(소곰 장사) 그곳 律隊長과 結託하야 엄청나게 소곰 갑슬 도더 村民을 困境에 빠트리는 데 憤慨하야 그여히 伯父에게 反旗를 휘줏고 그곳을 脫出하여 버리는 이야기다. 英雄主義的인 데가 업지 안흐나 支那의 一般 大衆이 이러한 軍閥과 軍閥과 結託한 商人들에게 얼마나 徹底的으로 搾取당하는 것을 잘 말하여 준다.

『아버지와 딸[06]』이라는 短編이 잇다. 北京의 學生運動을 取材한 諷刺小說이다. 主人公인 華敎授는 靑年時代 때에는 學生運動의『리—다』엿스나 지금

---

04 중국어 원제는 '還鄉集'이다.

05 '啞'는 '堊'의 잘못이다.

06 중국어 원제는 '父與女'이다.

은 教授의 地位에 滿足하야 『마짱』만 하는 一介의 俗人으로 되여 버려 自己의 딸 蓉芳에게는 學生運動은 아무 効果도 내지 못하고 學生時代에는 工夫만 하라고 嚴格하게 訓戒한다. 그러나 翌日 示威運動 先頭에 슨 蓉芳을 發見하고 華教授는 깜작 놀나서 당황하게 제집으로 돌아갓다는 이야기다.

이 小說은 사람이 地位를 어드면 얼마나 退步하고 俗人化하는가를 描寫한 것이나 여기에 나오는 教授는 胡適을 聯想케 하는 點이 적지 안흠으로 作者가 意識的으로 胡適을 諷刺하기 爲하야 쓴 小說 갓다.

『松喜先生』이라는 短篇도 잇다. 淸代의 『旗人』의 後裔를 主人公으로 한 우 特異한 滋味잇는 小說이다.

蹇先艾는 一般的으로 槪念的인 데가 잇기는 하나 相當히 手腕잇는 作家인 듯하다. 只今은 그는 消息不明이다. 一九〇六年 出生임으로 막 三十年을 넘엇슬 것이다.

艾蕪

그의 經歷은 잘 알 수 업스나 西南 支那의 出身으로 이러타 할만한 學校 敎育도 밧지 안흔 듯하다. 作品集으로 『南行記』, 『夜景』 等이 잇다. 『南行記』는 그가 印度, 『비루마』와 隣接한 國境 地方을 헤매든 放浪의 記錄이다.

印度, 『비루마』와 隣接 地方은 全完히 英國 勢力下에 잇서 그곳 英國官員들의 亂暴함은 이로 말할 수 업다. 『南行記』속에 들어 잇는 『洋官與鷄』, 『我詛咒你那麼一笑』 等은 이러한 英國官員들의 暴行의 記錄이다. 前者는 英國官員이 오면 으례히 커드란 닭을 잡어 待接하는 것인데 적은 닭을 잡어 待接하려다가 야단을 맛고 집까지 헐이게 되는 貧困한 旅人宿 業者의 受難記요, 後者는 술이 陶醉한 英國官員으로 말미암어 貞操를 蹂躪당하는 그곳 旅人

宿에 들엇든 行商하는 女子의 受難記다. 둘 다 제대로 獨立할 수 잇는 短篇小說에 각가운 것이다. 『南行記』는 이러한 것들을 모흔 것으로 小說로 쓴 旅行記로도 볼 수 잇고 旅行記를 빌인 小說集이라고도 볼 수 잇다. 如何튼 『南行記』는 매우 特異한 作品이다.

端木蕻良

滿洲 出身의 作家다. 滿洲人으로서는 支那文壇에 登場한 最初의 人인지도 몰는다. 作品集으로 『憎恨』이 잇다.

『憎恨』속에 들어 잇는 『하라버지는 어찌하야 高粱米의 죽을 먹지 안나』라는 短篇은 貧困한 農村에 사는 時代에 뒤진 늙은이의 아모리 뻐두둥거려 보아야 버서날 수 업는 絶望의 구렁을 그린 것으로 戰爭에 對한 恐怖心이 作品속에 一貫하여 흘느고 잇다. 『渾河의 急流』는 이것마저 처음에는 絶望의 구렁속에 빠지나 나종에서 村民들이 그여히 團結하야 農民 一揆 비슷한 것을 이르킨다는 이야기다. 英雄主義的인 데가 多分이 잇다.

이것들은 둘 다 滿洲의 農家를 그린 것으로 『口號文學』에 각가운 데가 업지 안흐나 滿洲人들의 生活과 性格의 一面은 우리에게 보여준다. 蒙古를 그린 『鷗[07]鷺湖의 憂鬱』이라는 短篇도 잇스나 이것은 그다지 신통치 안타.

端木蕻良은 支那 西北部에서 女流作家로 요새 일홈을 날이는 丁玲의 主宰하는 『戰地服務團』에 參加하야 民衆 動員의 宣傳 工作에 活動하고 잇다고 한다.

---

07 '鷗'의 잘못이다.

1939년

支那文學과 朝鮮文學과의 交流[01]

金台俊

(上.)[02]

여기 大陸文學이란 말은 主로 支那文學을 가라친 것이요,『러시아』나 北歐의 文學을 가라침이 아니다. 그리고 支那文學의 한 가지 特性이여야 할 大陸性──이것이 우리 조선의 文學우에 어떠케 影響하엿는가 或은 조선의 文學이 支那의 그것과 어떠케 關聯되엿스며 어떠한 差異를 갓고 成長하엿는가 이러한 것을 考察하자는 것이 本稿의 根本 目的이다.

大陸의 一角인 朝鮮半島에 아즉도 文化의 曙光이 비취여 오기 前에 支那 特히 黃河 沿岸을 中心으로 한 地方 一帶에는 벌서 文化의 씨가 떠러저서 『周』王朝에 이르러는 꼿봉오리가 매치고 漢, 唐, 宋이란 時代로 흘러 나려옴을 따라 燦爛한 꼬치 되여 陸離한 光彩가 眩亂하게 照燿하는 것 가틋다.

東亞에 잇서서 이 中原民族이 建設한 文化는 恰似히 太陽界의 一 恒星인 한 개의 太陽처럼 偉大한 投射力을 갓고 四夷에 멀리 비춰어 주엇다.

中原民族은 그 周圍에 모시고 잇는 幾多의 衛星과도 가티 無數하게 存在

---

01 '大陸文學과 朝鮮文學' 主論文,『朝鮮日報』1939.1.1, 新年號 其四 1면; 1.7~1.8, 5면.

02 매회 연재분 표기로서 3회에 걸쳐 연재되었다.

한 諸 民族을 蔑視해서 東夷, 西羌(西戎), 南蠻, 北狄이라고 불럿다. 蒙古人을
狄, 西藏, 新疆人을 羌, 苗族, 猓玀 等을 蠻이라고 햇는데 狄은 狗, 羌은 羊, 蠻
은 虫에 擬한 바 侮辱을 極한 稱呼이며 滿洲의 女眞, 半島, 大和 諸 族을 夷
라고 한 것도 說文學者들의 말에 依하면 夷란 大弓人이라는 뜻이라는데 큰
활을 가진 사람 큰 활을 갓고 짐생 잽이나 해서 먹는 遊牧民族이란 말도 事
實에 잇서서 文化 水準이 뒤떠러진 東方 諸 族은 中原民族이 弓術의 退術로
써 弓術을 이젓슬 때에도 잘 擅弓, 貊弓을 操縱하야 中原人의 心膽을 서늘하
게 하엿든 모양이다.

이것은 中原의 禮讚은 아니나 中原이란 참 物衆地大한 곳이다. 山之祖宗
이라는 崑崙山과 世界의 뚝겅이라는 파미르高原의 東便에 文字 그대로의
멧 萬里 平野가 버러저 잇고 그 平野와 谿谷을 씨처 나리는 바다와도 가티
넓은 江河와 萬里長城과 大運河에 五千年 歷史를 가진 四萬의 生靈이 우물
우물하고 잇다.

옛날엔 조선 사람들이 支那에 태여나지 못한 것을 恨하고 願컨댄 死後에
서도 錢塘, 金陵에 換生하게 하여 달라고 하니가 非一非再며 오늘날 牧師집
도령님들이 洋行만 하고 오면 별을 딴 것처럼 턱 업시 웃줄해지는 것처럼 옛
날 사람은 支那에만 한번 來往하고 보면 胸襟이 넓어저서 氣高萬丈하게 되
든 心理도 넉넉히 推測할 수 잇는 일이다.

사람이 環境을 따라 變한다는 말은 한 개의 鐵則이다. 中原民族은 이처럼
物衆地大한 中原(支那 本部) 一帶를 生活 基盤으로 한지라 自然的 惠澤에 가
장 潤澤한 그들은 어느 民族보담도 먼저 野蠻의 껍질을 버서 버리고 文化生
活을 營爲하기 始作한 것이다.

雄大한 環境은 雄大한 文化를 生産한다. 雄壯한 文學을 낫는다. 人跡 未
到의 萬里 平原이 長久한 遊牧部落 時代를 지나서 『周』種族의 支配下에 多
數한 奴隷群에 依하야 耕作될 때에 四書 三經 諸子 百家와 가튼 多數한 著

述이 생기고 特히 詩 三百篇 가튼 것은 이 時代의 文學的 遺産속에서도 가장 精金 美石이라고 할 수 잇다. 中原民族이 아세아的 宮人 政治로서 一種의 封建社會를 構成한 때 特히 『漢』王朝에 이르러 內로는 倉廩이 充實하야 漢武帝 때에 멀리 四夷의 攻略을 게을리 하지 안헛스니 지금까지 洞穴에 잠자고 잇던 滿鮮 諸族이 漢武帝의 馬蹄聲에 비로소 눈을 뜨게 되엿스리라는 것도 容或 無怪여니와 多數한 漢人이 半島의 한 구석 大同江 岸에 大量으로 移住해 와서 黏蟬碑를 남기고 갓다. 司馬遷의 史記와 司馬相如, 楊雄의 詞賦도 大略 이 時代의 産物이엿다.

조선에 漢文을 輸入시키고 漢字音을 가라치기 始作한 것은 이 漢代의 일이다. 漢文化의 影響下에서 그 植民地『四郡』의 一 屬縣에 지나지 못하던 高句麗의 貴族 子弟의 敎育機關인 扃堂에서는 일즉부터 吐도 색음도 업는 漢文을 山東 地方의 發音으로 가라첫고 거기서 배운 솜씨로 廣開土境平安好太王碑文을 지엿든 것이다.

廣開土境平安好太王碑의 一文을 보면 高句麗는 三國 晋代에 훌륭한 漢文學者가 잇섯슴을 알 수 잇다. 新羅의 眞興王碑보담은 훨신 前에 세면서도 後者가 아즉도 完全한 中國式 文章을 일우지 못함에 反하야 前者는 華麗한 駢儷文으로 되엿다. 新羅는 地理上 中國과 너머 隔絶되여 잇고 따라서 文化의 輸入이 가장 뒤떠러진 關係로 文學도 三國을 統一한 『羅唐合力·麗濟併呑』의 時期까지도 大端한 文學者가 업섯다. 强首, 良圖, 骨番, 帝文 等이 잇섯다고 하나 『이러타』할 作品이 업다.

(中)

新羅는 慶州 六部落에 일어난 部族國家로 三國 末葉까지는 辰韓 十二國

의 하나인 『斯盧』國이엿다. 이 斯盧國은 花郞制度라는 特殊한 權力 裝置와 奴隷 勞働의 强徵에 依하야 未久에 辰韓 十二國 그他 慶北 一帶를 合倂하고 伽倻, 制駕洛國은 弁韓 十二國 그他 慶南 一帶를 合倂하야 畢竟 法興王, 眞興王 代엔 駕洛國까지도 合倂하엿다. 이 眞興王은 版圖를 널키는대로 巡境하면서 巡狩碑를 세윗는데 지금 發見된 것이 四個다. 昌寧, 北漢山, 黃草嶺, 磨雲嶺碑 等——

이 碑石이야말로 가장 朝鮮의 鄕土色을 濃厚하게 가진 最古의 것이다. 이 碑石에는 眞興王을 모시고 다닌 多數한 貴族들이 하나도 姓이 업고 그 官名, 地名, 文章이 純全한 吏讀도 아니고 支那 古文도 아닌 비빔밥이다. 支那의 文章法을 아직도 消化시키지 못한 當時 貴族들의 漢文 敎養의 程度를 推測할 수 잇다. 그런지라 鄕歌니 吏讀文이니 하는 것이 이때부터 盛行하기 始作되엿다. 조선의 鄕歌集인 三代目이란 책이 編纂되엿다.

이때의 노래는 吏讀로 써잇는데 支那式 思考 形態가 아닌 古代人의 自然觀, 宇宙觀이 나타나고 『리즘』이 鄕土的이고 固有名詞는 漢文 語彙가 업다. 그러나 三國 統一 後의 新羅는 唐文化를 際限 업시 바더드렷다.

科擧制度가 생기고 孔子廟도 세윗다. 支那의 賓貢科에 合格하는 분도 만허지고 支那의 詩客과 並肩할 崔孤雲 가튼 이도 낫다. 이 時期를 中心으로 하야 懸吐와 색음이 發明되여 漢文 學習이 퍽 容易하게 되고 따라서 高麗王朝에 이르러서는 漢文學者가 제법 輩出하야 高宗 一代에는 星月交輝의 偉觀을 일운 일까지 잇다. 그러나 아직도 이 나라의 鄕土 傳承의 文學에 根本的 變革을 준 것은 아니엿다.

支那의 文學은 東漢 때에 佛敎의 輸入을 본 후 原始 信仰인 道敎와 合流해서 그 나라 文學思想의 底流가 되엿다. 그는 南北朝의 文學, 唐代의 文學 나려가서 宋代의 文學이 일으러도 마치 한가지다.

陶潛의 『採菊東籬下, 悠然見南山.』, 謝靈運의 『池塘生春草, 園林變鳴禽』의 句가 南北朝 時代의 警句라는 것은 그 文字의 技巧에서가 아니라 그 思想이 自然스럽다는 것이다. 이런 風味를 禪味 或은 東洋趣味라고 해서 禮讚한다. 假令 日本의 『松尾芭蕉』의 『古池ゃ蛙とび[03]む水の音』(낡은 못이여, 개고리 뛰여드는 물 점벙 소리)의 句 가튼 것도 그러치만 조선의 時調에서도 이런 例는 얼마든지 잇다.

唐代에 가장 이 風味를 體得한 사람은 王維다. 王維는 詩와 畵를 모두 잘하기 때문에 蘇東坡의 評에 王維는 詩속에도 畵가 잇고 畵속에도 詩가 잇다 하엿다. 宋나라의 詩人에는 이런 傾向이 더욱 甚하다. 東坡의 赤壁賦는 老子, 莊子를 換骨脫胎해서 된 것이라고까지 하며 道學者들의 詩集인 濂洛風雅는 篇篇히 이런 傾向이 잇다.

邵康節의 詩

月到天心處, 風來水面時.
一般淸意味, 料得少人知.

이 氣分이 곳 芭蕉의 古池投蛙의 句와 가튼 것이다. 조선 時調의 大部分은 이러한 漢詩를 李朝 獨特한 詩의 形式 時調 『三四』, 『四四』調로 담은 데 지나지 못한다.

이것은 小說에 잇서서 『그로테스크』한 虛構를 만들기가 쉽다. 支那 一代의 壯觀이라고 할 晋唐小說 가운데 그 殊勝한 傳奇類속에서도 妖怪를 빼면 아무것도 업다. 조선에는 모든 文物을 支那에서 輸入해 올 적에 이런 妖怪

---

03 'とびこむ'로서 'こ'자가 누락되었다.

도 바더 드려서 搜神記, 博物志 가튼 것도 보고 陰陽五行說 가튼 것까지 바더 드렷다. 이것은 元明 時代의 雜劇, 詞曲에까지 影響하고 조선의 이야기책의 骨子를 일럿다. 이야기책에는 흔히 『道士에게 배워서 主人公은 工夫하고 靑鳥가 案內해서 消息을 알고 易占으로 前途를 알고 道術로 呼風喚雨하고 妖雲을 一掃하고…』等等이다. 그리고 그 이야기가 大部分 剪燈新話, 今古奇觀, 世說新語, 鄕[04]齋志異 等 書의 一篇을 譯한 것 가튼 느낌을 준다. 스토리가 中國式이요, 鄕土色이 적다. 여기서 專制政治, 儒敎政治下의 桎梏的 文化가 어떠한 性質의 것이라는 것을 느끼나니 이 桎梏에서 버서나서 支那式의 舊套를 버슬쑤록 鄕土文學으로서 價値가 놉다. 李朝 末葉에 歌劇으로서 登場된 몃 개의 小說 『春香』, 『沈淸』, 『兎生員』, 『쨍기ㅡ』 等等은 우에 말한 이야기책 形態와 퍽 달음으로써 貴重하다고 하는 것이다.

(下)

支那文學에서 우리가 늣기는 한 가지의 特性은 그 『스켈』의 큰 것이다. 特히 水滸志, 三國演義, 紅樓夢, 西遊記를 닑으면 머리가 숙어진다. 盜賊 이야기나 싸움 이야기나 淫談이나 夢幻 니야기를 어쩌면 이러한 規模로 運筆할 수가 잇섯는가 하는 點이다. 그 用語가 膠着語라 上古로 올라갈수록 敍述이 纖細치 못하나 年代가 나려올수록 『語錄』, 『白話』를 빌어서 細密히 기술하고 잇다. 그러나 文字의 誇張性은 否認할 수 업다.

周代의 地理志인 山海經의 誇張은 古代에 屬하니 容恕한다치고 莊子의

---

04 '聊'의 오식이다.

『北溟有魚……羊角直上九萬里』가 그럿코 李太白의 『白髮三千丈』이 모두 그려타. 그뿐인가. 『飛流直下三千尺, 疑是銀河落九天』도 잇다. 漢詩란 이런 게다. 『宇宙百年人似蟻. 山河萬古國如萍』은 李東岳의 統軍亭詩라 하거니와 漢詩의 作者들이 開口 第一에 『萬里他鄕』이니 『萬古山河』니 하는 것은 입버릇처럼 되어 잇고 秋風을 對하면 설다하고 달을보면 故鄕 그립다 하고 松栢은 忠節之物이라 하고……이러케 詩的 觀照의 對象을 固定化해서 일부러 思索의 方向을 조피는 데 일은다.

成三問의 詩

『이 몸이 죽어젓서 무엇이 될 고하니 蓬萊山 第一峰에 落落長
松이 되엿다가 白雪이 滿乾坤할 제 獨也靑靑하리라.[05]

이 詩는 이 땅의 말로 닑을 적이 音律이 퍽 諧協하고 듯기 조흔 活潑한 詩지만 表現된 意識은 『死後 忠魂이 松이 되겟다』는 것이니 要約하면 簡單하다.

그리고 支那에서도 唐宋文化는 그 質이 다르다. 唐의 文學은 含蓄이 만코 潤澤이 잇고 宋의 文學은 生硬하고 빡빡하다. 조선에서도 高麗와 李朝에 이만한 差異가 잇다. 漢文 漢詩에서 뿐만이 아니라 鄕土文學에서도 그러타.

高麗王朝는 文選 時代라 詩文이 모두 文選을 공부하면 되엿는데 高麗 末부터는 東坡를 배우기 시작하야 李朝 中葉까지는 東坡 그他 江西派를 專主하엿다. 李朝 中葉부터는 다시 文選에 도라가 漢文 唐詩를 主唱하다가 李朝 末에 이르러 淸朝 詩風이 輸入되여 一時 嶄新한 氣風을 세우기 始作하엿스

---

05 ‘」’가 누락되었다.

나 萎靡不振하고 마럿다.

조선과 支那는 一葦帶水를 隔하고 高麗에서 李朝까지 千年동안 使者 冠蓋가 絡繹 不絶하엿다. 特히 李朝에 와서는 每年 二, 三次씩 賀正使니 冬至使니 무슨 進奏使니 무슨 辨誣奏使[06]니 하는 名稱으로 明, 淸에 使者를 派遣햇슬 뿐 아니라 明淸에서도 數年 一次씩 册封使, 降詔使 等等의 名目으로 이 땅에 왓다가고 하야 저 나라의 書册이 著作된지 몃 날이 되기 前에 반다시 이 나라에 紹介되고 이 땅의 名著가 中土에 알리여 이 땅의 漢詩가 明淸人의 詩集속에 編入된 者가 적어도 數十種을 不下하리라고 밋는다.

明詩綜, 別裁集, 明詩選 等에는 적지 아니한 先輩의 漢詩가 잇다. 그러나 大體로 李朝 文學을 評하면

1. 思想은 朱子學.

2. 詩는 初葉은 蘇黃, 中葉은 唐과 明, 末葉은 淸.

3. 文은 古文 漢文을 全主함.

極端으로 이것을 崇尙한 結果는 鄕土文學에까지 影響해서 李朝 文學은 퍽 빡빡하고 生硬하다.

李朝에는 十二歌詞나 多數한 時調는 업스되 高麗의 『靑山別曲』, 『滿殿春』, 『가시리』 가튼 歌詞는 업다.

朝鮮의 文學을 論하려는 者 먼저 高麗時代의 歌詞를 읽어보라. 아마 조선 말로도 能히 이처럼 格律 조흔 詩를 지을 수가 잇섯는가고 놀라리라. 靑山別曲의 一節

　　살어리 살어리랏다

---

06 '辨誣陳奏使'의 잘못이다.

靑山에 살어리랏다
머뤼랑 다레랑 먹고
靑山에 살어리랏다
얄리 얄리 얄랑성 얄라리 얄라.

滿殿春의 一節

어름 우에 댓닙 자리 보아
님과 나와 어러죽을 망정
어름 우에 댓닙 자리 보아
님과 나와 어러죽을 망정
情든 오날 밤
더디 새오시라.
더디 새오시라.

가시리의 一節

가시리 가시리잇고
나난 버리고 가시니잇고
날러는 엇지 살라하고
나난 버리고 가시니잇고.

滿殿春의 一節에 李朝 사람들 가트면 『새야 새야 鳳凰새야』라고나 할 部
分을

『올하 올하 아련 비올하』

라고 하엿다. 나는 多舌하려 하지 안는다. 漢文 文化의 大量的 輸入이 高麗 以來의 이 땅의 言語가 가진 特性美를 發揮할 사이도 업시 壓倒的으로 드러오는 明淸 文化 때문에 傳統文化의 正當한 進路에 큰 頓挫를 바든 채 李朝 五百年을 經過해 왓다고 하여도 過言이 아니리라고 밋는다.

(了)

諺文小說과 明淸小說의 關係[01]

洪碧初 口述

朝鮮小說이라면 李朝에 드러와서 비로소 本格的인 구색을 갓추운 것이다. 그런데 朝鮮小說이 支那小說과 어떠한 關係를 가젓나 하면 실상 우리 文學 잔르 中에서 제일 만히 影響바든 것이 小說인데 첫째 朝鮮小說을 두 部類로 논혼다면 그 하나는 支那小說에서 飜譯 또는 飜案한 것인데 한 두 개의 例만 들더라도 『玄氏兩雄雙麟記』니 『壽梅淸心錄』이니하는 一列의 作品은 바루 支那小說을 飜譯, 飜案한 것이고 『洪吉童傳』이니 『朴氏傳』이니 『金鈴傳』이니 하는 것이 우리 創作小說이라고 볼 수 잇는데 이러한 것을 全部 모흐면 確實한 數字까지는 모른다고 하드라도 적어도 三四百種은 넘으리라고 생각한다.

그러니까 처음 飜譯이나 飜案은 말할 것도 업지마는 명색이 創作小說이라는 것도 地名, 官名 심지어는 內容까지 支那的인 것이 만타. 그래서 一部에서는 朝鮮小說이 朝鮮의 의治나 宮廷 秘史에 關한 內容이 時諱에 牴觸되는 때문에 일부러 舞臺를 支那에 빌려 온 것이라고 하는 말도 잇스나 그것은

---

01 '大陸文學과 朝鮮文學', 『朝鮮日報』 1939.1.1, 新年號 其四 1면.

『謝氏南征記』가티 政治的 事實을 取扱하면서 時諱 때문에 가령 謝氏는 中殿에 比하고 呂氏는 張嬉嬪에 比해서 만든 것이라고 할 수 잇지마는 다른 作品은 모두 半遊戲로 쓴 것이니까 무어 時諱 때문에 舞臺를 支那에 가서 빌려 온 것이라고 말할 수는 업슬 것이다.

그런데 支那도 그럿치마는 朝鮮서는 小說을 쓴다는 것을 그다지 대단치 안케 여기니까 小說마다 作者가 未詳한데 未詳한 그대로나마 小說을 읽어 보면 作者들의 知識 水準이 퍽 나젓다는 것을 想像할 수가 잇다. 가령 이것은 딴 이야기지마는 先輩 中에서 許琮 가트 니는 支那에서 使臣이 와서 副使와 이야기를 하는데 蜀中으로 드러가는 路順을 이야기하다가 許琮이 蜀中으로 드러가는 水路는 어디 어디로 가고 陸路로 가면 어떠케 간다고 햇더니마는 마침 그 副使가 蜀中에 갓다온 사람이라 許琮이 支那 地理에 昭詳한 데 擊節嘆賞하면서 讀書 十萬卷을 하지 안코야 어찌 이에 밋치겟느냐고 햇다는 逸話도 잇는데 우리 小說을 보면 舞臺를 中國에 빌어 왓다고 해도 地理的으로 하나토 맛는 것이 업고 歷史的 事實로도 差誤되는 것이 만흐니 그 作者들의 知識 水準이란 빤한 것이다.

가령 支那小說에 잇서서 水滸誌 가튼 性格 創造나 西游記 가티 스케일이 크다거나 金瓶梅 가티 描寫手法이 寫實的인 것은 거의 世界 水準에 오르지마는 朝鮮小說을 그러한 水準으로 본다면 稚拙하기 짝이 업서서 朝鮮小說이란 千篇一律로 低級한 理想主義에 떠러젓스니 기껏 가야 勸善懲惡的인 데 지나지 못하는 것이다.

그런데 朝鮮 創作小說로서 가장 上乘에 屬한다고 할 수 잇는 것이라면 多少 獨創的이라는 意味에서 『九雲夢』을 칠 수가 잇는데 『九雲夢』 말이 낫스니 이 作者에 對해서 잠간 이야기해야 할 것은 세상에서 흔히 『九雲夢』을 金春澤의 作品이라고 말하는 것은 터문이 업는 말이다. 金春澤이 『九雲夢』의

作者란 말을 듯는 것은 諺文으로 된『九雲夢』을 金春澤이 漢文으로 飜譯한 것이 訛傳된 때문인데 실상 金春澤의 飜譯한『九雲夢』序文에는 自己 從祖 金萬重이 지은 것을 飜譯한 것이라고 明記한 만큼『九雲夢』의 作者가 金萬重이라는 것은 거의 疑心할 餘地가 업는데 金萬重이『九雲夢』을 지엇다는 데는 또 이러한 에피소—트가 잇다.

金萬重의 어머니가 小說을 조하하는데 마침 金萬重이 支那를 간다니까 그 어머니가 올 때 재미나는 小說을 좀 求해가지고 오라고 햇던 바 金萬重이 갓다 오는데 그만 그 付托을 이저버리고 鴨綠江을 건너서야 비로소 깨다라서 거기서부터 九雲夢을 自己가 지어서 그 어머니에게 갓다 드렷더니마는 다 읽고 나서 재미는 잇다마는 네가 지어도 그만침은 짓겟다고 햇다는 말이 잇다.

그래 그런지『九雲夢』을 보면 結構가 草草해서 마치『水滸誌』의 楔子 하나 떼여다 노흔 것 갓기도 한 데가 잇다. 이러케 보면 朝鮮小說의 藝術的 價値는 支那小說에 比해서 가티 말할 나위도 못되지마는 그래도 그 影響을 바든 것은 거의 全幅的이다. 가령 菊初 李仁稙이를 新小說의 開祖라고 하지마는『雉岳山』이나『鬼의 聲』가튼 것을 내여노코는 短篇들은『今古奇觀』을 飜案한 것이 만흐니까 다른 게야 더 말할 必要조차도 업는 것이다.

（文責在記者）

漢詩 絶句와 時調와의 關係[01]

李秉岐

한 文化가 한 民族, 한 나라에서 스스로 發生되고 發達된 것만이 아니라 그때 그 隣邦과의 交涉된 바도 잇슬 것이다. 過去의 史實도 그러려니와 과연 그러치 안코는 아니 될 일이다.

우리 古代에 여러 隣邦 가운데 가장 優秀한 文化를 가지고 잇든 漢民族과의 交涉이 만흐며 그대로 옴기거나 影響을 바듬이 만핫다. 준 것보다도 바든 것이 만흐리라고도 하겟다.

그리고 그것이 우리에게 들어오고 보면 얼마 되지 아녀 업서지지 안흐면 아주 우리 것으로 되고 말엇다.

時調는 예전부터 短歌라는 이름으로 일컬어 오든 바 한 數百年 전부터 流行된 것이다. 그 唱法으로는 平擧 時調(俗稱 平時調), 中擧 時調(중어리時調), 三數 時調(지름時調), 弄時調(辭說時調)의 네 가지가 잇고 作法으로는 平時調, 엇時調. 辭說時調의 세 가지가 잇는데 요마적 보통 짓는 時調들은 이 中 平時調만이다.

---

01 '大陸文學과 朝鮮文學', 『朝鮮日報』 1939.1.1, 新年號 其四 1면.

'한국근대문학과 중국' 자료총서 ⑬

平時調는 初中終의 三章으로 되엇스며 章마다 몃 字의 語句로 되엿는데 初章 첫句나 끗句나 中章 끗句 등은 六字 以上 九字 以內로 中章 첫句나 終章 둘째句는 五字以上 八字以內로 終章 첫句는 三字, 끗句는 三字 혹은 四字로 쓰이는 것이다. 이러한 統制안에서 任意로 取捨하여 지을 수가 잇다. 이 점이 時調는 定形이고도 自由로운 것이다. 다른 모든 定形詩들과는 다른 것이다.

漢詩 七言 絶句와 時調와의 다른 것도 이 形이다. 七言 絶句는 一定한 七言으로 된 句를 넷을 모아 이른 바 起承轉結의 法則에 맞는 것이다. 時調는 三章으로써 이런 法則을 쓰기 不便하게 되엇스되 훌륭한 한 詩歌의 形式을 이루고 잇다.

自來 時調形으로 된 노래를 漢詩體로 번역한 것들을 보면 여러 가지가 잇다. 古詩體로나 詞體로 한 것도 잇고 近體詩로는 七言 絶句로 한 것이 가장 만타. 그건 그 대체로 옴겨 노키가 容易히 되므로다.

> 『冬至ㅅ달 기나긴 밤을 한 허리를 둘에 내여
> 春風 이불 아래 서러서리 너헛다가
> 어룬님 오신 날 밤이어든 구뷔구뷔 펴리라.』

이 黃眞伊 노래를

> 截取冬元夜半强, 春風被裏屈蟠藏. 燈明酒煖郎來夕. 曲曲鋪成折折長.

이라 하여 申紫霞가 번역하엿고

相思相見只憑夢, 儂訪歡時歡訪儂. 願使遙遙他夜夢, 一時同作
路中逢.

이라 하여 安之亭이 번역하엿다. 申紫霞나 安之亭은 漢詩의 巨章으로서
이 노래를 苦心하여 번역한 것이지마는 그 譯詩를 읽어볼 때 이 노래의 맛과
가튼 맛은 어들 수 업다. 이 노래를 먼저 보고 그 譯詩를 보니까 얼마쯤 그
不足함을 짐작으로 보태주는 것이다. 만일 뚝 띄여노코 그 譯詩만 본다면 이
노래와는 다른 뜻으로 볼른지도 모르겟다.

그 번역이 다 이런 건 아니겟스나 七言 絶句로 번역된 것과 또는 從來 그
것이 漢字語, 儒敎思想으로 된 것이 만흐믈 보고 時調는 七言 絶句를 본바든
것이라든가 해서는 아니 된다. 時調는 우리의 固有한 詩形의 하나로 가장 우
리 말, 글을 빗내든 것이다.

戲曲 春香傳과 元曲과의 對照[01]

李熙昇

春香傳에 對하야 나는 다음과 가튼 큰 疑問 몃 가지를 恒常 가지고 잇다.

⑴ 春香傳이 戲曲이냐, 小說이냐?

⑵ 적어도 그 起源이 戲曲으로서 出發되엿나, 小說로 創作되엿나?

⑶ 또는 그 制作된 時代가 언젠가?

⑷ 그리고 作者는 누군가?

春香傳의 價値判斷은 姑捨하고라도 우리가 가장 嚴正한 學的 態度로 春香傳을 對할 때에 누구나 以上의 疑問을 가지지 안흘 수 업게 될 것이다. 그리하야 이와 가튼 疑問을 究明하는 것이 곳 春香傳과 元曲과의 關係有無를 가리어내는 所以도 될 것이다.

現代에 잇서서는 春香傳이 小說로서 움지길 수 업는 地位를 차지하고 잇지마는 오히려 그 文章이 地文, 對話의 어느 것을 勿論하고 韻文的 色彩가 대단히 濃厚하야 小說의 特色으로서의 純散文이 아닌 黙[02]은 우리로 하야금

---

01 '大陸文學과 朝鮮文學', 『朝鮮日報』 1939.1.1, 新年號 其四 1면.

02 '感'자의 잘못이다.

十分 疑訝를 품게 하는 原因이 된다고도 볼 수 잇다.

事實 過去에 잇서서 春香傳은 읽히기 爲함보다도 才人, 廣大의 입에서 흘러나오는 歌曲으로서 듯게 하기 爲하야 存在하엿던 듯하다. 그것은 마치 中國의 『聽戲』와 洽似하니 이 聽戲라는 것은 보는 것보다 노래로 부르는 것을 듯게 하는 데 더 重點을 둔 作品이다.

過去에(오히려 지금까지도) 가장 『포퓰라』하는 春香傳, 沈淸傳 等은 훨신 古代부터 傳說이나 小說的 內容을 가진 『로맨쓰』로서 사람에 입에 膾炙되어 노래로 불려지고 그것이 처음에는 單純하다가 차차 뼈가 굵어지고 살이 부터서 훌륭한 戲曲의 形態를 이루게 되어 그것에 對한 喝采가 노파가고 『팬』이 늘어 감을 따라 그 需要에 應하려고 한 것이 이것을 記錄에 올려 世上에 傳播시킨 것이 아닐까.

그 出發은 매우 오랜 古代에 잇슬지라도 그것이 口論되여 오는 동안에 時代의 내려옴을 따라 그 當時當時의 現實에 適應하도록 그 內容을 끈힘 업시 更新시켜 오다가 英正 間에 이르러 記錄에 오를 때에 李朝 末期의 時代相을 如實이 담아노케 된 것이 아닐까.

오란 歲月을 두고 만흔 사람의 입을 거처서 進化되여 왓기 때문에 이러타 할 作者가 업고 制作 年代를 따질 수 업게 된 것이 아닐까.

이와 가튼 생각을 可能하게 하는 것으로는

⑴ 朝鮮 古代小說 中의 가장 人氣 잇는 作品이면 그 材料가 되염즉한 傳說이 훨신 古代에 잇섯던 일.(例——沈淸傳, 토끼傳 等)

⑵ 戲曲은 小說보다 먼저 發生된 일.

⑶ 小說이 생기기 前에 그 先驅가 □[03]는 短篇集(神話, 傳說 等)이 만히 出現

---

03 원문 자체가 빈자리로 되어있는 바 '되'자로 짐작된다.

된 것이 支那文學 發達의 順序인데 그 文化를 배운 朝鮮에 短篇集이 업섯던 일. 따라서 戱曲이 發達되지 안헛드면 長篇小說이 飛躍的으로 發生할 수 업섯슬 일.

⑷ 高麗 後半期에 잇서서는 元과의 交涉이 매우 密接하야 그 文化 中의 重要한 特色인 戱曲이 반드시 傳來하야 이 땅에 戱曲 發生의 큰 動機를 만들어 주엇슬 것이다. 그런데 이 戱曲은 口語를 絶對의 必須 要件으로 하므로 設使 朝鮮에 戱曲이 생겨 實地로 演出되엿슬지라도 그 口語를 記錄할만한 文字가 업섯기 때문에 口頭로만 傳唱되다가 李朝에 드러와 訓民正音이 充分히 普及된 다음에 記錄되엿스리라고 생각되는 일.

以上으로써 文字로 記錄된 春香傳 以前에 口誦 春香傳이 잇섯스리라고 推斷한다.

그리고 元代에 發生된 所謂 『元曲』 體制를 상고하여 보면

㈠ 全曲이 四折(幕)로 成立되엿스며 때로는 楔子(幕 또는 間幕)를 더한 일도 잇다.

㈡ 一折은 一調 一韻으로 되여 一折 中의 歌曲은 同一한 調로 노래하며 同一한 韻을 使用한다.

㈢ 一人 獨唱이라 하야 登場人物 中의 主要한 한 사람(正末 또는 正旦이라 이른다.)만 曲을 唱한다.

㈣ 題目 正名이라 하야 曲의 最後에는 全曲의 主旨를 總括하는 詩句 一個로써 結尾하나니 그 하나를 題目이라 이르고 다른 하나를 正名이라 稱한다.

이것이 元曲의 體制의 가장 重要한 條項인데 그 中에서도 ㈢은 過去 朝鮮의 唱劇이 한 사람이 노래하는 것을 原則으로 하야 그 作中에 나오는 다른 모든 人物의 獨白까지도 혼자 마타하는 것과 매우 酷似하다.

以上은 春香傳을 吟味하여 볼 때에 小說로보다 戲曲(唱劇)으로서 誕生한 것이 먼저일 것이요, 만일 이것이 是認된다면 그 戲曲은 亦是 元代의 그것의 影響이 만헛스리라는 것을 敢히 말하야 大方의 敎示를 비는 바이다.

鄕歌와 國風·古詩 - 그 年代와 文學的 價値에 對하야[01]

梁柱東

(上)[02]

工夫의 題目으로 朝鮮文學의 濫觴이 되는 鄕歌를 붓든지가 벌써 數三年이 되얏스나 그 完全한 解讀부터가 처음 생각한 것 가티 그리 容易한 일이 아니매 나의 머릿속은 언제나 텍스트 解讀 그것으로 찻슬 뿐이오, 鄕歌의 發生的 考察이라든가, 그 形式의 變遷, 乃至 그 社會學的 考察, 比較文學的 硏究 가튼 應用的 方面의 생각은 敢히 가저본 적이 업다. 터러 노코 말하자면 鄕歌 푸리의 現在까지에 우리가 到達한 境界는 겨우 均如歌의 甚히 不充分하나마 그 大意와 遺事 所載 諸歌 中 三四首를 거의 完全히 解讀하엿슬 뿐이오, 其他는 아직도 部分部分이 朦朧한 部類에 屬하여 잇고 더구나 몃몃 首(永才遇賊歌, 得烏慕竹旨郎歌, 信忠怨歌 따위)는 그 大意조차 捕促치 못한 것이 現今의 狀態이다.(近來 鄕歌에 就하야 部分的 解讀을 試驗하는 몃 분의 斷片的 發表가 잇스나 나의 본 바로는 首肯할만한 새로운 한 字의 解讀이 더 添加되지 안헛다. 오직 安民歌 中 『母史』 一語를 田蒙秀氏가 『엇』이라 바로 읽은 것이 잇슬 뿐.) 그럼으로 이러한 解讀의

---

01 '大陸文學과 朝鮮文學', 『朝鮮日報』 1939.1.1, 新年號 其四 1면; 1.8, 5면.

02 매회 연재분 표기로서 2회에 걸쳐 연재되었다.

水準에 잇서서 鄕歌의 應用的 方面을 性急히 考慮코저 함은 좀 언짠케 譬喩하자면 배쏙에 잇는 아이의 職業을 論함과 一般이다. 編輯先生이 나에게 『鄕歌와 漢魏古詩』란 論題를 줄 때에 선뜻 答案을 쓰려 하지 못한 것은 첫째로 이러한 苦衷이 잇기 때문이다.

朝鮮文學에 잇서서의 鄕歌의 地位를 支那文學에서 차저 보자면, 나는 그 比較의 對象이 漢魏의 古詩보다도 차라리 『國風』이리라고 생각한다. 都大體 年代로 따지자면 원악 먼저 開化된 支那의 文學이고 보니, 西歷 紀元前 七八 世紀까지에 미치는 『詩經』속의 作品은 鄕歌와는 比較가 되지 안흘른지도 모른다. 現存 鄕歌가 그 最古의 것이라야 紀元 五世紀 末이오, 佚書된 『三代目』을 들추어 내드라도 겨우 唐代의 僖宗 末年이요, 그보다 훨신 더 올라가 『始製兜率歌, 此歌樂之始』라는 儒理王 五年을 들고 나서드라도 漢土에는 東漢 光武가 이미 얼마를 治世한 時節이니 아무래도 年代로서의 比較는 意味를 이루지 못하겟다. 於此於彼 年條를 가지고 엇거려 보지 못할 바에야 차라리 그 內容을 도라 보아 견주어 봄이 賢明하지 안흘까.

年代的 比較를 그만두고 純全히 發展史的 眼目으로 보건댄 漢土의 詩의 發展을 古詩, 近體詩로 二大別하고 前者를 다시 先秦(詩經 中心) 及 漢魏로 後者를 唐, 宋, 元, 明, 淸 及 現代(白話體)로 小分코저 함으로 朝鮮의 詩歌를 이와 비슷한 分類를 하자면 羅, 麗의 그것을 『古詩』에 견주고 近世의 時調를 唐以來의 近體詩에 대여 보는 것이 나의 머리속의 常識으로 構成된 생각이다. 그러니만치 나는 朝鮮文學의 濫觴[03]인 羅代의 鄕歌를 아무래도 저 李陵, 蘇武의 別章이나 例의 問題잇는 柏梁聯句나 乃至 建安七子의 技巧 만흔 『眩爛』한 詩와는 比較하기기 실코 어쩐지 『國風』이 그 比較의 보다 마땅한 對

---

03 '濫觴'의 오식이다.

象이리라 생각된다.

딴은 그리 생각함에는 理由와 根據가 업슴도 아니다. 첫재 兩者는 모두 後世에 所謂 專門家인 『詩人』의 손에서 된 『作品』이 아니오, 純粹한 閭巷의 歌謠를 모흔 것이다. 그러니만치 國風과 鄕歌는 모다 即興的이오, 內容이 素朴하야 浮華 文飾이 업고 形式으로 보아도 東洋的 歌謠의 原始 形態인 四音 節이 基調가 되여 잇다.

(下)

이것의 根本的 原因은 兩者가 모두 年代 오랜, 적어도 初中期의 文學인 點에 잇스려니와 特히 그 民謠的인 點, 글이 말을 멀리 떠나지 안흔 點은 上記한 바와 가티 그 作者들이 非專門家인 詩人, 各 階級 各樣 各色의 사람이 엿기 때문이라 생각한다. 遺事 所載 十四首 中에는 그 作者가 或은 王의 前身도 잇고 或은 『師』號를 가진 이도 잇고 또 花郞, 僧徒들도 잇고 女流 或은 村翁도 잇고 乃至 小兒도 잇는데 그 詩風은 어느 것이나 即興的 歌謠에 不外한다. 따라서 그 노래는 어느 것이나 나이브하고 新鮮하고, 古樸하야 一切로 漢文學의 影響, 感染이 적고 도무지 맨너리즘에 흐른 적이 업다. 통트러 十四首 中에 多少의 漢文學 影響을 聯想할 것이란 忠談 安民歌 一首가 잇슬 뿐이나 그것도 그림자가 그다지 또렷하지 안코 融天 彗星歌, 忠談 讚耆婆郞 歌의 놀라운 構想, 手法은 『國風』에도 보지 못할 재주로되 그대로 素朴한 맛은 底面에 亦是 흐르고 잇스니 저 後代 『詩人』의 『作』의 區區한 修飾的 流麗와는 同日에 論할 바가 아니다. 若夫 『風謠』 一曲의 超素朴味와 處容歌의 圓轉, 洒脫한 風을 제 아무리 國風인들 어디서 例示하랴. 鄕歌에 雅, 頌이 업는 것을 恨할 것은 업다. 雅·頌體의 宮廷詩人 專門家의 作이면야 비록 古는 할망정 아무래도 이러케 樸은 못될 것이다. 『燕君臣, 王[04]皷琴, 左右各進歌詞』(憲康王 五年事)의 그 歌詞를 보지 못함이 千年後에도 未嘗不 恨事는 되거니와 恨事는 恨事대로 두고 우리는 一然師의 말대로 『羅人尙卿[05]歌者尙矣. 盖詩頌之類歟. 故往往能感動天地鬼神者非一.』이엿던 줄을 알아 鄕歌가 이미 『風』속에 『頌』을 內包한 것으로 자랑하지 안흘 수가 업다. 이것을 古代의 magie觀으로 區區히 解說하랴면 그는 別 問題려니와써 우리의 古代詩人 乃至 古人 一般이 얼마나 詩歌를 愛好 且 神聖視하엿는지 알 수 잇지 안흔가. 藝術에 關한 이러한 態度는 『國風』에서 볼 수 업는 것이오, 따라서 『思無邪』의 藝術觀으로서도 못 밋칠 바요, 하물며 後世 幾多의 勸善懲惡的 詩觀의 夢想도 못할 바이다.

論이 어지간히 脫線에 가까왓거니와 나려와서 漢魏의 古詩를 鄕歌와 언마초아 겻대여 본다면 제 아무리 漢代의 古詩라도 多少의 文飾은 粉黛의 痕跡이 벌써 依稀하게 드러나 우리의 鄕歌의 純然한 『素面』과는 到底히 한데 비길 수가 업다. 그나마 대이랴면 作者不明의 古詩 十九首를 가저 올까. 『行行重行行』이 未嘗不 絶唱은 絶唱이로되, 風謠의 『온다』四反覆의 素朴味는 업고 『迢迢牽牛星』一篇의 音韻이 東西 古今에 果然 例를 보기 어려운 佳作이로되 너무나 艶麗하고 凄切하니 그러한 재주는 鄕歌 時節 羅代에는 아직 아껴두엇다가 麗謠 『靑山別曲』 두어 章에서 追後로 發揮하엿다고 하자. 내가 보기에 兩者를 比較한다면 그 宗敎味를 띤 諦觀的 哀想이 오직 兩者의 共通된 底流라 생각한다. 毋論 하나는 道敎的 하나는 佛敎的, 그 由來는 다

---

04 '上'자의 잘못이다.

05 '卿'자는 '鄕'자의 오식이다.

르나마 저 十九首 군대군대에 보이는 情緒, 그 底面에 흘러 잇는 思想은 人生에 對한 어떤 哀想的, 그러나 諦觀的인 境地라, 그는 이 十四首 中에도 또한 基本的으로 共通되여 잇다. 다만 가튼 諦觀을 가지고도 『가랄이 둘이로 셔라』로써 좀더 애써 明朗한 웃음을 우서 보려 한 것이 이쪽 處容郞의 좀더 灑脫한 强味라 할까.

도리켜 생각건댄 鄕歌의 比較 對象으로 『國風』을 끄러 오거나 『古詩十九首』를 부뜰어 오거나 저 便은 어떠튼 이미 體貌와 衣冠을 가촌 이요, 이쪽은 아직도 배쏙에 잇는 童子라 神童이든 凡兒이든 모든 議論은 이분의 眞貌가 完全히 드러난 뒤에야 할 일이니 아직은 나로서는 産婆學이나 좀더 工夫하는 수 박게 업다.

(끗)

支那의 新進作家 蕭軍의 作風[01]

城大 李明善

『大體로 支那作家의 作品에는 露西亞 作家의 作品과 共通된
데가 잇는 것 갓다. 大陸的인데다 곰실하지 안코 大陸的인 悠
久感이 비저 잇는 것 갓다.』

이러케 말한 評者도 잇지만 萬一 이 말이라면 蕭軍은 아즉 新進作家속에
들 것이다. 確實히 現代支那의 代表的 作家요, 가장 支那的인 作家라고 말할
수 잇슬 것이다.
『現代支那文學事典』에 依하면 그의 經歷은 다음과 가튼 것이다.

『田軍이라고도 한다. 滿洲 出身. 魯迅에게 매우 사랑바덧스며
師弟關係엿섯다.『東亞作家』의 一人.『스켈』이 大端히 크며 더
구나 그의 描寫는 오즉 알들살들한 寫實에 빠지지 안코 거기
에다 豊富한 體驗을 집어느며『휴—만이슴』의 精神이 가득 차

잇다. 『中國의 시요—로후』라고도 붓치나 若年에 임의 大作家의 風貌가 잇다. 『八月의 鄕村』, 『江上』 等의 小說集이 잇스며 어느 것이나 모다 東北 農民生活에 對한 깁흔 愛情과 理解가 넘처 잇다. 더구나 그를 有名하게 만든 것은 『作家』에 連載되엿든 長篇小說 『第三代』(第二部까지 發表)엿섯다.』

딴 책에서 그의 經歷을 좀 더 補充하면 다음과 갓다.

『저는 姓은 劉라고 말하나 미들 수 업다. 三十歲 각갑다. 『할빈』, 靑島의 新聞에 創作을 發表한 일이 잇섯스나 昨年부터 그의 小說이 上海의 有名한 文學雜誌에 실이여 단번에 그의 文名을 날니며 만흔 讀者를 獲得하엿다.』

『肅軍은 現代 支那文壇에 잇서 가장 만히 쓰며 가장 크게 그의 將來가 囑望되고 잇다. 仔細한 經歷은 알 수 업스나 學歷은 高級中學 程度, 滿洲 出身. 한때 滿洲서 軍務에 從事한 일이 잇다 한다.』

그런데 그의 小說集 中에서 多幸히 『羊』과 『江上』의 『文學叢刊』속에 들어잇서 어더 볼 수 잇섯는데 『羊』은 一九三五年에 쓴 것을 모흔 것이요, 『江上』은 一九三五年 末과 一九三六年 初에 쓴 것을 모흔 것으로 이 大部分은 上海서 쓴 것이다.

『羊』속에는 『職業』, 『櫻花』, 『貨船』, 『初秋的風』, 『軍中』, 『羊』의 六篇이 들어 잇고 『江上』속에는 『鰥夫』, 『馬的故事』, 『江上』, 『同行者』의 四篇이 들어

잇다. 이 中에서 『羊』은 『改造』에, 『同行者』는 『文藝』에 各々 支那傑作小說의 하나로서 飜譯되여 실여젓섯다. 한 二三年前 일이다.

最近에 그의 有名한 『第三代』가 小田嶽夫 譯으로 『大陸文學叢書』 第二卷으로 發刊되엿다. 譯者는 『譯者後記』에서 다음과 갓치 報告하엿다.

> 『第三代』는 그의 둘재번재 쓰는 長篇으로 第四部까지 써나갈 計畫으로 着手한 것이엿스나 그러나 不幸히도 中途에서 日支事變이 勃發하엿슴으로 말미암어 只今은 著者는 아주 消息이 不明이며 勿論 第三部 以下의 執筆狀態에 對하야서는 알 수 업다.』

그의 作風이라든가 傾向이라든가에 對하야는 언제고 좀 仔細히 써보고저 하나 如何間에 그가 現代 支那文壇에서 가장 活潑한 活躍을 하며 만흔 讀書를 獲得하고 잇는 것은 事實이며, 더구나 그가 滿洲 出身으로 滿洲의 馬賊, 軍閥, 農民, 放浪者, 勞働者 等 各種의 人間의 生活과 性格을 가장 生新한 붓꿋트로 다른 누구보다도 如實히 그려내는 것도 事實이여서 滿洲와 因緣이 깁흔 우리로서는 만흔 興味를 가지고 그의 作品을 읽을 수 잇는 것이다.

그는 『國防文學』에 對하야 直接으로 그것을 否定하지는 안헛스나 나는 그러한 進步的 理論을 몰느고 自己의 作品에 對하여서는 남들이 그러한 『렛텔』을 부치는 것을 바라지 안는다고 은근히 그것에 對하야 反感을 가지고 이잇는 것을 表明하엿섯는지라 이번 事變을 契機로 그의 態度가 어떠케 돌어가고 그의 作品이 어떠케 變하여질 것인가 매우 興味잇는 일이며 자못 注目된다.

北京大學生 生活 - 大學이 五校가 開校[01]

北京 吳草坡

世界 中에 學校가 가장 만키로는 日本의 東京과 支那의 北京이란 말이 잇
드시 北京에는 참으로 學校가 만타.

이번 事變이 나기 전에 大學만 十二校, 專門學校가 十四校나 있었다. 新
政府가 樹立된 뒤에도 繼續하여 開校하고 있는 곳이

國立師範大學

同北京大學

私立으로 中國大學

米國系로 燕京大學

獨逸系로 輔仁大學

의 다섯 學校로, 이 다섯 學校의 學生數가 五千名을 넘는다. 學生들은 모
도 다 富裕한 階級의 子弟들이며 또한 인테리들로서 모다 指導的 地位에 서
있다.

01　『三千里』 제11권 제4호, 1939.4

學生들 生活은

學生生活을 한마디로 말하면 公寓生活이라고 할 것으로 公寓와는 因緣이 깊다. 公寓라는 것은 쉽게 말하면 아파一트와 같은 것으로 房과 房 사이는 板子로 가르 막엇는데 房마다 卓子 一, 椅子 一, 脚洗面臺 一, 이 세 가지가 備置되어 있어 一般學生을 使用케 하고 있는데 房貰가 六七圓 程度, 食事도 한 달에 八圓에서부터 十二三圓을 한다.

公寓는 大小 여러 가지가 있어 或은 十二三名 收容하는 데도 있고 좀더 큰 것은 三四百名을 收容할 수 있는 것도 있다. 學生뿐 아니라 外來者들에게 臨時로 使用시키는 수도 있다.

米國系인 燕京大學은 北京 西郊에 있는 西太后의 離宮 萬壽山으로 가는 自動車 道路의 右側에 向한 堂堂한 殿堂으로 師範大學과 同樣 훌륭한 寄宿舍의 設備도 있음으로 公寓生活의 必要도 없으나 그他 三校의 八九割의 學生 三千人 內外는 이 公寓生活을 하는 수 밖에 없다. 이밖에 貴州會館에라거나 廣東會館이라 하여 제 故鄕 先輩들 지은 집에 留하면서 通學하는 수도 있다.

大學生들 服裝은

服裝은 서울이나 東京 學生들 모양으로 반듯한 制服을 입는 것이 아니고 蔣介石의 新生活運動 後는 特히 裝飾이 없는 支那服이 그대로 制服이 되엿다. 그중에도 돈에 餘裕있는 學生들만 或은 洋服도 입지만은 大槪는 支那服 그대로 좋다. 大學은 모다 男女共學으로 自由學院의 色彩가 强하고 規則도 퍽으나 寬大하다.

學生들은 授業만 지내면 이튿 날 아침까지는 그네들의 세상으로

三三五五 圖書舘에 가는 이, 運動場에 가는 이, 食事로 동무를 부르는 이, 公寓에 곳 도라가는 이, 映畵 觀劇하려 가는 이 그네의 生活은 퍽으나 自由롭고 濶達하게 보인다.

人氣잇는 俳優들은

學生들이 演劇을 좋아하는 熱은 서울 朝鮮學生의 比가 아니다. 有名한 俳優가 出演하면 大學에서나 公寓에서나 그 이야기로 가득 찬다. 學生 間에 人氣있는 俳優는

梅蘭芳을 筆頭로

尙小雲

苟慧生

程硯秋

의 四大名優로 그밖에도 馬連良 等은 다 人氣가 좋다.

映畵에 對하여는 支那의 聯華, 明星 같은 큰 映畵會社가 優秀한 純支那 映畵를 뒤이여 작고 製作함에 따라 또한 外國 것 特히 亞米利加 것의 進出에 伴하여 觀覽者의 大多數는 男女學生이며 現在 眞光, 平安, 中央 같은 會社에서는 全然 日本映畵를 取扱치 않고 있으며 土曜, 日曜의 映畵舘도 언제든지 滿員이다. 特筆할 것은 亞米利加 映畵의 影響이 學生에게 強裂하게 反映되여 있는 바이다.

文藝作品은 누구 것

그 다음에 많이 읽히는 作家로는 魯迅은 더 말할 것도 없고 其他 大衆作

家로 하여는 矛盾[02], 巴金, 老舍, 林語堂이요, 閨秀作家에는 謝泳心, 謝水[03] 瑩, 陳因 等이다. 運動은 朝鮮같이 굳세지 못하다. 籠球가 强하다고 하지만 特定의 選手에 限하여 있으며 庭球, 蹴球, 럭비도 아조 一部에 限하였으며 다만 冬季는 스케ー트 소리가 中央公園이나 北海公園에서 많이 열이여 人多 를 끄은다. 一般 學生들 經費를 따지면 公寓가 六七圓, 食事가 十圓 內外, 暖 爐에 때이는 石炭代 五圓, 洗濯 理髮 沐浴代 五圓, 煙草代 三圓, 學費 十圓, 被服代 十二三圓, 이럭저럭 合計 五十圓은 있어야 한다.

---

02 '茅盾'의 잘못이다.

03 '水'는 '氷'의 잘못이다.

魯迅과의 因緣[01]

林耕一

S日報社 社長이 하루는 N俱樂部에서 午餐을 招待하여 주엇다. 그는 中國 文壇의 事情을 가르켜 주던 끗헤 魯迅이 方今 上海에 잇스니 만나보지 안으려냐 한다. 그때 나는 魯迅을 만나는 것보다 『鴨綠江[02]』의 作者 蔣光慈의 이야기가 좀더 듯고 십엇다. 『創造日彙刊』에 籠城하고 잇던 王珏, 郁達夫 가튼 이들의 生覺만 잇섯다. 年齡이 비슷한 젊은이들과 이야기하고 십흔 生覺만 낫다.

그는 魯迅이 不遇한 生活을 하고 잇는 것, 蔣介石이에게 쪼게여 其 居處를 밝키지 못하고 잇다는 것, 只今은 肺結核 三期라 今後 一年을 持續하지 못하리라는 것, 自己도 親分은 잇스나 內山書店 主人을 通하지 안흐면 만나기 힘든다는 것 等을 이야기하여 주엇다. 일즉이 魯迅의 寫眞을 어데서인가 본 記憶이 소사나고 그의 風丰가 外叔과 恰似한 것이 胸裏에 떠올나 그 자리에서 만나보리라 作定하고 조토록 斜旋[03]하야 달라는 付託을 하엿다.

01　『每日申報』 1939.5.9, 2면.

02　중국어 원제는 「鴨綠江上」이다.

03　'斡旋'의 오식이다.

內山書店은 近 三十年, 共同租界에서 자그마한 書店을 하고 잇는 老舖이다. 魯迅은 이 內山老와 莫逆한 交分을 가지고 잇서 氣分 조흔 날, 憂鬱한 날 或은 저녁, 때로는 밤중에 不時로 차저와서 놀다 가곤 하엿다.

그는 身避이 危險하기 때문에 居處는 一切 감추고 通信이라던가 其他 모든 外部와의 關係로 內山老 轉交로 來往식혓다.

勿論 이번 내가 會見을 請하는 것도 內山老의 손을 거치지 안흐면 안된다.

그날 밤 內山書店을 通하여 付托한 結果 最近은 身病이 重한 便이기 때문에 누구에게나 面會를 하고십흐지 안흔나 朝鮮서 온 靑年이라니 限 三十分 동안이면 만나도 좃타, 時間과 場所는 明日 다시 寄別하기로 하마 이런 消息을 S日報社 記者가 社長의 傳言이라 하며 電話로 알려 준다.

그 이튼 날 아침 電話가 걸렷다. S日報社 々長한테서이다. 어제 저녁에는 社員에게 代身 電話를 걸게 하여 未安하다는 말과 事實인즉 內山老가 東京에 건너간지 月餘요, 어제 밤 魯迅에게 사람을 보내여 會見하도록 斡旋한 이는 內山老 夫人이라 한다.

『오날 會見은 午後 七時부터로 魯迅先生의 許諾을 밧엇는데 場所는 內山 夫人에게 一任하엿스니 伊時에 內山書店으로 오라. 그리고 條件으로서 文藝方面 以外의 問題는 質問 가튼 것을 사양하라고 하네.』

이러케 電話는 끈키엿다.

어떠한 腹心이 잇서 만나는 것도 아니요, 어데까지던 白紙로 만나는 터이매 條件 云々이 좀 우서윗스나 『高見』을 듯는 데 끄치리라 생각하고 約束한 時刻이 오기만 기다리고 잇섯다.

그런데 그날 午正에 突發한 事情이 잇서 午後 四時 上海發 平安丸으로 歸鮮하지 안흐면 안되게 되엿다. 나는 意外의 일이라, 于先 S日報社에 電話를 걸어 會見 時間을 午後 二時 쯤으로 變更하여 주기를 懇請하려 하엿스나 社長은 外出하고 업고 內山老宅에 電話를 하엿더니 夫人은 魯迅宅에 갓다 한다. 할 일 업시 그날 午後 네시, 要領을 엇지 못한채 平安丸을 타고 離陸하니 내가 거짓말쟁이가 된 것이 悚懼하여 S日報 社長을 爲始하야 內山老 夫人, 魯迅에게 謝罪하는 便紙를 써서 그 이튿 날 靑島에서 부치고 어떤 機會를 타서든지 今年 中으로 會見하러 다시 上海 땅을 밟으리라 決心하엿다.

이것이 四年 前 일이다.

거짓말쟁이 내가 上海를 다시 못가고 멀리서 病患을 念慮하는 異國 書生을 남긴 채 그는 드듸여 數年이 못되여 幽明을 달리하엿다.

內山老가 東京서 魯迅全集을 世上에 내놓게 한 功勞者이요, 魯迅의 全生涯를 通하여 가장 가깝게 지낸 知己임은 世上이 임이 다 아는 바이나 近者 內山老가 上海通信을 新聞이나 雜誌에 發表한 것을 볼 때마다 나는 가슴이 무거워지는 것을 意識한다.

麻雀과 土耳其 浴湯과 舞踏場 그러치 안흐면 『하이라이』 이런 곳이나 으슥으슥 차저 단니고 舊城內 도적市場이나 求景하려 단이는 틈을 웨 미리 魯迅가튼 분 尋訪하는 데 쓰지 안헛던가.

『阿큐正傳』의 作者 魯迅 周樹人은 이제 永久히 만날 길이 업고 元氣 旺盛하던 S日報 社長은 지금 어떠케 하고 잇는지 消息 杳然하다.

書架에서 몬지 투성이가 된 채로 이러한 主人의 心思를 아는지 모르는지 『創日彙刊』과 『醉了的愛』의 數卷의 書册만이 나로 하여금 『로만티키』를 만들어 줄 따름이다.

(筆者는 野談社 主幹)

支那 新作家集 夜哨線[01]

丁來東

最近 東京에서 出版된 書籍 中에 支那에 關한 것이 적지 않은 것은 讀書人의 注目을 要한다. 或은 文化 一般에 關한 것, 其他 政治, 經濟, 風俗, 習慣 等々에까지 遺漏된 것이 없이 거위 紹介되어 가는 느낌이 있다. 그外에도 語學에 關한 것이 首位를 占할 것 같으며 文學에 關한 것도 적지 않다. 그러나 筆者의 아는 範圍에서 말한다면 內容이 豊富하고 正確한 書籍은 퍽으나 稀少한 편이다.

筆者가 最近에 읽은 것으로는 第一書房 出版 古濱修一氏 著『支那新作家集 夜哨線』이다. 譯者는 처음 보는 분이요, 飜譯에 努力한 자최는 뵈이나 名譯이라고 할 수는 없다. 또 原文과의 對照를 하여 보지 못하였음으로 誤譯如何는 알 수 없으나 註까지 부친 것으로 보아서는 어느 程度까지 信賴할 수 있다고 볼 수 있다.

이 小說은 短篇小說 十二篇을 收集한 것으로 特히 數年 前까지의 支那 軍閥의 軍隊生活에서 取材한 것을 모어 논 것이다. 十二篇의 作家는 合 七氏로

---

01 『人文評論』창간호, 1939.10.

그 中에는 中堅作家도 있고 新進도 석기어 있다. 이 小說集의 目的이 以上에 말한 點에 있는 만큼 優秀한 作品들이냐 한 問題는 當然히 除外되어야 할 것이요, 또 그 作家 本位로 본대도 이 作品들이 그네들의 力作이라고 볼 수도 없다. 그러나 우리가 이 小說集에서 看過할 수 엱[02]는 點은 支那 以外의 곳에서는 볼 수 없는 特異性을 갖인 데 特色이 있다. 그리고 序文 中에 作家의 略歷과 作品名이 적히어 있는 것도 讀者에게 多少 도움이 될 것이 事實이다.

此等 七名의 作家 中에 沈從文, 張天翼 兩氏는 相當한 業蹟을 文學史上에 남긴 作家로 볼 수 있으며 蹇先艾는 最初에 詩로 出發하야 晨報 學藝欄 等에 詩를 거위 每日 發表하다싶이 하였으며 그와 同時하야 創作에도 努力한 作家이어서 新進이라면 新進이나 年兆는 있는 셈이다. 勿論 그外에 沙汀, 蔣牧良, 葉紫 같은 作家도 있거니와 그前 雜誌 中에서 늘 보든 일흠들이요, 各各 相當한 讀者를 갖인 作家들이다.

蹇先艾는 그 創作의 取材를 만히 地方에서 하는 傾向이 있는 作家다. 이제 氏의 「나의 作品産量이 稀少한 原因」이란 一文을 보면 그의 創作 取材의 方面을 알 수가 있다.

> 「……나는 都市生活을 材料로 한 創作은 너무나 普遍的이라고 생각함으로 다른 新方面으로 바꾸어서 써보려고 하였다. 이 새 方面이란 것은 곳 邊省 鄕村의 人物과 風景이다. 그리고 나는 沈從文先生(이 小說集의 「顧問官」, 「會明」의 作家)의 湖南 地方의 色彩가 豊富한 小說을 愛讀한다. 그럼으로 나의 小說은 故鄕인 貴州를 選擇한 題材가 많다. 以往의 나의 創作으로

---

02 '없'의 오식이다.

말하면 그 中에서 比較的 愜意의 것이 몇 篇 있는데 「貴州道
上[03]」,「到鎭溪去」,「塩巴客」,「濛渡」 等은 이 部類에 屬한 것이
다……」[04]

　이 集에 들어있는 「塩飢饉」도 이 作家의 特色이라고 할 수 있는 鄕村에서
取題한 것만은 事實이다. 그러나 그 外의 作品은 戀愛生活과 靑年의 苦悶을
描寫한 것이 많다.
　「强盜事件」과 「仇恨」의 作者 張天翼은 比較的 文壇에 露角한 年數는 적
으나 靑年 小說家로 퍽으나 希望이 있다고 囑望된 作家다.

　「……그의 短篇小說集 『空虛에서 充實까지[05]』, 『鬼土日記』가
出版된 以後로 곧 文壇의 注意를 끌게 되고 이어서 『小피타
集[06]』을 發表하자 作家의 文壇上 地位는 더욱 確定되었다.
　「그는 새로운 作家다. 그의 쓰는 方法도 亦是 新穎하다. 그는
時下의 一般 作家가 그저 身邊瑣事나 或은 社會上 表面의 觀
察만을 叙述한 것과는 다르다. 張氏는 炬火같은 眼光으로 社
會의 核心을 親察하여서 幽暗한 方面도 그의 洞察에 遺漏된
바이 없다. 그가 描寫한 人物은 官僚에서 農民에 이르기까지

03　중국어 원제는 '在貴州道上'이다.

04　蹇先艾, 「我的作品産量稀少的原因」, 鄭振鐸·傅東華 編, 『我與文學』, 上海生活書店,
　　　1934.7, 160쪽.

05　중국어 원제는 '從空虛到充實'이다.

06　중국어 원제는 '小彼得'이다.

兵士, 工人, 건달 等等도 그의 筆下에는 原形으로 暴露되어서 微小한 事物도 逼眞하게 表現되고 만다.

「張氏의 作品은 一般 作家의 成例를 打破하고 一種 特殊한 風格을 創出하였다. 思想上으로는 完善한 데까지 이르지 못하였으나 表現의 技術上에는 발서 큰 成功한 셈이다.」[07]

以上으로 보드래도 張氏의 創作은 어디라고 말할 수는 없으나 다른 作家와 特異한 點이 있을 것이다. 上記 二 作品에서도 多少 그 風格을 엿볼 수가 있다.

「顧問官」과 「會明」의 作者인 沈從文은 序文 中에 苗强 出身이라고 하였으나 그 詳細한 것은 알 수가 없고 「나의 創作과 물의 關係」란 一文을 보면 어려서는 書堂에도 잘 단이지 않고 다른 동무들과 城밖으로 나가서 메뚜기를 잡아서 구어 먹기, 내가에 가서 물작난이나 하였다고 한다. 그런 것이 이 作家에 影響이 많다는 것이다.

沈從文은 多作家이어서 序에도 말한 바와 같이 五十餘種이 된다 하며 文藝評論에도 붓을 대어서 「中國創作小說論」, 「汪靜之의 蕙的風論」, 「朱湘의 詩論」, 「焦菊隱의 詩論」 等 篇이 氏의 詩, 小說에 對한 獨有의 見解를 나타내고 있다.

總而論之하면 이 小說集은 支那 各 地方의 風俗, 習慣, 各界 人士의 性格, 社會의 情形을 窺知하는 데에도 퍽으나 좋은 選集이라고 볼 수 있다.

---

07   郭箴一, 『中國小說史』, 商務印書館, 1939, 678~679쪽.

北京 新文壇의 胎動[01]

裵澔

今般 遊燕의 目的의 하나는 事變 後 新文壇 誕生의 動靜을 삶피는 데 있었다. 過去에 있어서 歷代는 勿論이어니와 民國 初期에도 新文學의 胎動과 搖籃은 이 北京의 땅에 있었다.

더욱이 一九二五六年 前後엔 胡適·魯迅·周作人·郁達夫·謝氷心·徐志摩·沈從文·陳源·林語堂 等이 모다 錚錚히 敎鞭과 文筆을 同時에 휘둘너서 北京文壇을 盛華의 極에 達하게 했고 그 後에도 延延히 命脈을 끌고 오다가 滿洲事變 後로는 一旦 消滅 狀態에 빠졌다고 해도 過言이 아니다. 그 동안 文壇은 한갈같이 戰風의 티끌과 時潮의 소곰이 앉어 地中으로부터 新萌芽는 到底히 期할 수 없을 뿐더러 在來의 文學家들도 執筆의 勇氣를 잃어 버렸다. 그 原因은 이 時代의 環境이 文學에 適當하지 안하였음과 同時에 上海로 文學運動의 中心이 移動한 까닭이다.

그러나 이 歷史의 都市, 文化의 都市 北京은 何時代이나 新文化의 溫床이된 것과 맛찬가지로 이 時代도 그 徵兆로 發見할 수 있는 것은 慶事라 하겠다. 勿論 아직 文壇의 誕生까지는 達하지 못해도 胎動期라면 適當하겠다.

---

01 『人文評論』제2집, 1939.11.

事變 發生 後 一年 四個月만에 即 昨 三八年 十一月 一日에 同人雜誌인 「朔風」이 誕生하였다. 그러나 이 新生命도 今年 六月에 第八號로 廢刊되고 말았다.

誌名 「朔風」의 뜻은 出版地와 寄稿者가 北方에 있고 創刊된 十一月이 朔北의 바람 부는 時節인 平凡한 理由이라 한다.

編輯人은 日本文學 研究者인 方紀生이 主編을 하고 陸離氏가 出資와 事務的 方面을 擔當하면서 共編을 한다. 廢刊의 原因은 意見 衝突로 方紀生 一派의 脫退에 있다고 한다.

寄稿者를 보면 周作人, 錢稻孫, 方紀生 等 日本文學 研究者 系統 外에는 事變 前까지 그 姓名을 보지 못하든 사람들뿐이다. 入燕 前에 임이 既成作家는 모다 南下한 事實을 알았으나 北京에 머물러 있는 作家도 몇 사람 있었다. 그러나 張迷生(名 義[02]軍)氏에 依하면 아직것 남은 作家는 勿論, 新人들도 執筆을 꺼리고 있다고 하였다.

周作人氏는 周知한 바이거니와 民國 新文壇 最初期에 日本에 留學한 日本文學 研究家로 그 後 北京大學 日本文學系 主任으로 事變 前까지 在任하였고 今般에는 北京大學 文學院 院長으로 推擧되었다. 그러나 이 地位도 身邊 事情으로 名義뿐이고 「朔風」에 寄稿도 第三期까지 舊稿를 投稿하였을 따름이다. 그의 夫人이 日本 內地人인 것도 有名하고 요새 그 家宅엔 巡捕가 晝夜를 가리지 않고 守備하고 있다 한다.

「朔風」의 內容을 말하면 體裁는 四六倍判(中國 雜誌는 擧皆 이렇다)으로 四十二三頁의 스마一트한 裝釘이다. 一九三二年 以來 五年 間 時代를 風靡한 林語堂 主宰의 「論語」, 「宇宙風」, 「人間世」 等의 小品文 雜誌의 體裁와 조

---

02 '我'의 잘못이다.

곰도 다름없고, 內容을 보아도 이에 模倣한 點이 많다. 目次를 보더래도 全編 十數篇 中에 趣味的 小品文이 八割을 占領하고 其外에 舊文學 小論과 飜譯作品이 二三篇 있다. 只今 周作人氏의 第三期까지의 題目을 列擧하면, 朔風 全體의 內容을 斟酌하겠다.

「談勸酒」(第一期), 「談搔癢」(第二期), 「女人罵街」(第三期). 林語堂의 小品文은 人工的이 아니고 自然的인 幽默(유—모어)를 主唱하였더니 이 編者도 林語堂의 說을 引用하야 幽默은 自然的이라야 하고 人工的이여선 안된다고 強調하는 同時에, 現代에는 自然的인 幽默가 있을 수 없으니 趣味와 무게있는 小品文과 空靈한(靈感的인) 抒情文章을 提唱한다고 하였다. 文學 特히 創作은 理智 乃至 感情을 속일 수 없는 것이고 속임 없이 實直하게 쓰기에는 더욱 困難한 現 階段에 있어서 이런 趣味 小品文과 抒情 文章을 提唱하는 것도 自然의 勢이다. 張迷生氏가 今後 文壇에선 既成作家보다 도리혀 新人에 期待하는 것이 唯一한 經路라고 말한 것과 맛찬가지로 以上의 小品文 既成作家보다 新人 志願兵을 募集하는 것이 捷徑일 것이다. 이 新人 志願兵 募集이 다음에 論及할 「中國公論」, 「中國文藝」에서 漸次 實現 中에 있다.

「朔風」을 紹介하는 결에 時代의 自然的 趨勢인 日本文學 飜譯이 盛한 것을 말하겠다. 編者 方紀生氏가 夏目漱石의 中篇「硝子戶의 中」을 六回에 亘하여 譯載하였고 錢稻孫氏가 德富蘆花의 「不如歸」와 謠曲「隅田川」를 中國 舊劇으로 飜案한 것이 主要한 것이다. 錢稻孫氏는 父親이 駐日公使였던 關係로 小中學 時代를 東京서 자라나서 日本語學에 가장 뛰여난 분이며 前에 北京·淸華大學 等에서 日本語學 講師를 지내였다. 著述에는 漱石 作品을 많이 飜譯하였고, 一九三〇年 以後는 自宅에 泉壽東文書藏이라는 圖書舘을 設立하여 日本 書籍을 蒐集하고 있는 日本文學 硏究者로서 周作人氏와 雙璧의 稱이 있다.

이와 같이 日本文學 硏究者들이 活動하고 있는만치 그들은 新人 開拓에 重大한 責任이 있을 것이다.

다음에 純文藝 雜誌는 아니나 綜合雜誌로 月刊 「中國公論」이 今年 四月 一日에 創刊되였다. 이것 亦是 四六倍判이고 全卷 二百頁 前後다. 말하자면 北支那의 「中央公論」格이다.

編輯엔 陳毅氏가 當하고 있으나 亦是 事變 前까지는 알니어지지 않었든 人物이다.

每號 社說이 길며 內容은 維新政府의 代辯 같은 點이 不無하고 其外에 政治 經濟 論說이 殆半을 채우고 그 中에서 創作——詩二·小說四——이 六七篇 二十餘頁에 亘하야 실려 있는 것이 暗黑한 文壇 中에서 多少 異彩를 던지고 있다. 「朔風」보다 도리혀 여기에 新文壇의 胚胎가 보이는 것 같고, 特히 編者 陳毅의 「民衆文學導論」이 多少 注目할만하다. 中國公論에도 日本作品(菊池寬·林芙美子)과 論文이 每期 飜譯되며 寄稿者들은 「朔風」의 그들이 많다. 只今 陳毅의 「民衆文學導論」을 簡單히 紹介하면, 그는 다음과 같이 말하였다.

> 過去에 우리 文壇은 感傷文學과 諷刺文學의 交流에 지나지 못했다. 이런 感傷文學과 諷刺文學은 健全한 文學이 못됨이 勿論이고 現代 같은 偉大한 時代엔 健全한 文學을 建設치 않어선 안된다. 그러자면 우리의 文學은 時代의 民衆生活을 反映하고 民衆生活을 指導하여야 할 것이다.
> 換言하면 現實에서 問題를 提出하야 이것을 解決하여 가면서 社會가 改進되도록 하는 것이 現下의 文學의 使命이겠다. 그리하여서 缺陷的 現實에서 光明의 素因을 빼내고, 自然生長性

으로부터 目的意識性에까지 到着하여야 하겠다.

二十餘頁의 論說이나 全文이 抽象的이고 模糊한 點이 不無하다. 過去 二十年의 新文學을 葬去하고 民衆生活을 對象으로 한 新文學을 세우자는 廣範한 提唱으로서 文壇에 센세이슌을 던저, 次期에선 共鳴하는 讀者까지 出現하고 지금도 物議를 일으키고 있다. 그러나 이 議論의 內容보다도 新人들의 人生觀 乃至 世界觀의 修練이 더욱 目下의 急務가 아닐가 나는 生覺한다.

이 外에 創作欄이 多少 무게 있는 것 갓다.

今般 留燕 間에 會見한 唯一한 中國人은 張迷生(名 我軍)氏이다. 張氏는 「東洋平和의 途」의 助導演者로 京城까지 온 분이다. 氏는 北京大學 工學院의 教授이고 文學을 研究하는 一邊 「人人書店」을 經營하여 日本書籍 紹介에 盡力하고 있다. 이 張氏가 盡力하는 純文藝雜誌 「中國文藝」가 今 九月 一日에 創刊되였다. 筆者 在燕 時에는 아직 發刊 못 되였었고, 約 一週日 前에 이 땅에서 받아 보게 되여 無上한 반가움을 느꼇다.

編者는 張迷生氏의 親舊로서 近年 南方에서 와서 北京藝術專科學校에 敎鞭을 잡고 있는 年青한 張深切氏이다. 寄稿者는 周作人이 오랜 沈默을 깨트리고 散文을 發表하였고 張迷生氏가 活躍하는 外에는 모다 無名 新人들이다. 內容은 誌名이 指示한 바와 같이 文藝를 中心으로 될 것이다. 다음에 그 創刊詞의 一節을 引用하면 大略 編者의 心中을 알겠다.

歷史의 進行엔 進步만이 있고 退步는 없다. 現代의 中國文化
는 或은 運命的 或은 環境的 原因으로 落伍하고 있다. 그러나
進步의 法則에 依하야 中國文化도 進步할 것이다. 그리고 우

리 中國의 過去文化는 洪水를 만났다. 물에 活人性도 있고 殺
人性도 있는 것과 맞찬가지로 文化의 害毒도 洪水에 빠지지
안는다. 故로 이런 舊文化를 整理하여 이것을 新文化와 系統
시게 하는 것이 眼前의 急務이고 우리가 이 雜誌를 創刊하는
意義라고 하겠다.[03]

亦是 漠然한 提唱임을 不免하나 前 二者보다 世界觀·人生觀이 있는 것
같으며 全誌를 通하야 文藝的 色彩가 濃厚한 點이 보였다.

題目을 分類하여 보면 創作이 五分之一에 不過한 外에 舊文學 小論, 畵
論, 影畵欄이 있고 戲曲論이 많으나 亦是 散文 隨筆이 如前이 首位에 있다.
編者는 後記에서 日本 評論家들은 最近 我國 文壇을 淫逸性과 頹廢的 趨向
(小品文을 指示한다)에 있다고 冷烈한 批評을 하나 그것은 皮相之見이고, 實情
을 알지 못하는 소리라고 말했다. 그러나 나는 그들의 自慰的 辯明이라고 밖
에 信用 못하겠다.

張迷生氏가 率直히 現文壇 狀態를 告白하야 준 말이 있다.

지금 北京에 남어 있는 旣成作家는 새벽별 같으니 總動員을
하여도 한 文壇을 構成할 수는 없다. 따라서 우리는 新人作家
를 養成하고 天才作家를 拔摘하는 責任을 가저야 하겠다. 이
것이 「中國文藝」의 使命이라 하겠다.

(參照 中國文藝, 關於中國文藝的出現」[04] 及 其他)

---

03 「發刊詞」, 『中國文藝』第1卷 第1期, 1939.9.

04 겹낫표가 잘못 기입되었다.

이것이 北京文壇의 現狀이니 只今은 作家들의 綴方教室 時代이고, 文壇은 胎動期 아니 胚胎期에 있다고 보는 것이 옳을런지도 모르겠다. 北京文壇이 제법 文壇다운 體貌를 가추려면 앞으로 적어도 四五年은 걸릴 터이니 이야말로 長期 建設을 要할 것이다.

끝으로 附言할 것은 北京에서 日本 內地人의 손으로 된 和文 同人雜誌 「燕京文學」이 제법 充實한 內容을 가젔으니 將來 大陸文學의 一翼이 될 것 같고 中國文壇에도 直接 指導的 存在가 될 것이라고 生覺한다. 그리고 讀者界를 一瞥한다면 日本 新刊書籍이 朝鮮보다도 더 많이 가있지 않은가 疑心될 만치 많이 輸入되여 있고 排日 抗日의 內容과 左翼思想 以外의 것이면 自由이기 때문에 그런 意味에선 工夫하기가 퍽 便利함이 事實이다. 따라서 今後에는 雜種的 新文學이 發生할 것이고 從前의 新文學과는 多分히 그 方向과 色彩가 變할 것은 容易하게 豫想되는 바이다.

現代的 研究의 必要[01]

崔昌圭

支那文學

一. 先生은 무슨 動機에서 支那文學을 專攻하시게 되엇는지.

二. 支那文學을 研究하시는 동안에 느끼신 바 그들에게서 取할 長點과 버릴 短點.

三. 主로 어느 作家를 研究해 오섯으며, 하시며 또 하시려는지.

四. 支那文學이 우리에게 어떤 影響을 주엇다고 생각하시며 무엇을 우리에게 寄與할 것인지.

五. 萬一 機會가 잇다면 第一 먼저 누구의 어느 作品을 飜譯 輸入하시려는지.

設問이 매우 뜩금합니다.

一. 支那文學의 現代的 研究가 必要하다고 생각하엿읍니다. 特이 過去의 漢學者들이 輕視하여 온 小說과 戲曲에 잇어서 더욱 그러타고 생각되엇고 또 이 方面에 素材가 만흔 듯이 생각되엿던 까닭입니다. 다음 支那의 現代文

'外國文學 專攻의 辯 (3)', 『東亞日報』 1939.11.1, 석간 3면.

1939년 423

藝로 이 땅에 紹介된 것이 極히 少數엇음에 鑑하야 一便 이 方面에도 손을 대여보고자 하엿습니다. 動機만은 저 딴으로서는 實로 相當하엿습니다만은 하나도 結果한 것이 없는 以上 더 贅言할 바이 아닌가 합니다.

二. 歷史가 長久하고 地廣物博한데 더구나 數爻가 만흔 民族의 文學이라 于先 그 數爻의 莫多함과 種類의 多樣함에 喫驚하엿습니다. 그러나 만흔 것이란 每樣 변변치 안흔 것이 석기는 法이라 其中에는 有若無事 乃至 그 以上의 것도 不少하다고 생각하엿습니다. 그러나 원체 大量이라 貴重한 것의 數量도 달은 어느 文學의 그것에 比하야 亦是 만타고 밑읍니다.

다음 長短 問題에 들어서는 長이면 長, 短이면 短이라고 손쉽게 律之하고 말 수가 없을가 합니다. 短인 同時에 이것이 特長이 되고 長인 同時에 短이 숨어 잇다고 생각됩니다. 于先 支那文學의 自體로 보아 數多함과 多劃錯雜함이 不少한 弊를 內包하고 잇지만 그 形象이 가진 繪畵的 性質은 視覺的으로 다른 文學에서 求할 수 없는 한 가지 美를 가젓고 文學의 音이 單音인 關係로 雙聲疊韻 等의 熟語가 巧妙히 排列되는 境遇에는 聲覺的으로 快感을 맛볼 수 잇읍니다. 이에 所謂『對句』라는 것이 生겨서『騈儷文』이라는 支那 文學 獨特한 一 形式을 지어내엇읍니다. 이에 曲故를 重視하고 文句의 琢磨에 注力한 만큼 支那文學은 이에 그 文字의 形과 音에 아울러『文字의 文學』이라고 하여도 過言이 아닐 것입니다. 이리하야 所謂『美辭麗句』에만 苦心한 나머지는 드디어 內容의 空疎를 招來하고 말엇읍니다.

다음 地廣人多한 民族이라 그 表現이 自然 큰 데다가 地廣한 比例로는 平原이 만코 또 比較的 山岳의 變化가 적어서 景致가 平凡한 傾向이 잇음으로 이것을 表現함에 잇어서 豪壯雄大 乃至『白髮三千丈』式의 誇張的 表現이 나타낫읍니다. 詩의 李白, 散文의 莊子는 그 最適 例일가 합니다. 이에 纖巧한 맛을 求하지 못하게 됨은 短點이겟지만 雄大한 맛만은 長點일 것입니다.

셋째로 支那文學의 主流인 北方文學에 잇어 漢民族이 當初 黃河 上流에서 相當한 文化를 가지고 周圍의 異民族을 征服 同化하야 次次로 東南으로 勢力을 폇섯는데 年年의 黃河 洪水는 그들로서는 大災殃이 없으며 아울러 氣候의 極寒, 酷暑로 衣食의 豊足을 맛볼 수 없어 그들의 生活은 自然과의 鬪爭에 始終하게 되엇음으로 自然을 사랑할 수가 없엇고 도리어 두려워하게 되어 畏天主義를 가지게 되엇읍니다. 이리하야 그들은 理想보다 現實을, 精神보다 物質을, 藝術보다도 道義를 所重하게 되어 打算的, 功利的으로 기우러진 데가 一便 不絕한 異民族과의 鬪爭으로 말미아마 同族觀念이 굿세여저 自然 排他的으로 保守的으로 이리하야 自尊心이 强하여저 先租崇拜熱이 높아저 家族制度가 생기고 尙古主義가 確立되엇읍니다. 이러한 思想과 信仰에서 儒敎가 생겻는데 이것이 文學에 잇어서는 思想과 感情의 自由로운 發露를 抑制하고 말엇읍니다. 이에 支那文學에 잇어서 小說과 戱曲이 매우 뒤떠러저서 發生되게 되엇고 모든 文學에 잇어서 感情의 露骨한 表現은 忌避되어 比喩的, 表的으로 逃避하고 말게 된 것입니다. 文學의 主題인 戀愛에 이르러서는 그 感이 極히 切實합니다. 小說 等에는 浪漫的, 寫實的 大作이 적지 안흐나 大槪 作者가 未詳하고 底本이 없는 것 亦是 이것이 한 가지 原因이 되는 것입니다.

以上 모두 長短이 서로 얼크러저 잇는 것 數例로 此項 未完之感이 不無하나 紙數 關係로 次項으로 너머 갑니다.

三. 없읍니다. 將次 機會가 잇으면 個人的 興味로 淸朝 戱曲家 李笠翁의 作品을 精讀하여 볼가할 뿐입니다.

四. 諺文 文學이 發生되기 前까지는 支那文學이자 朝鮮文學이엇다고 하여도 過言이 아니엇던 만큼 支那文學은 그의 長點은 長點대로 短點은 短點대로 모주리 影響을 주고 말엇던 바 利害得失이 如何인가 하는 質問에는 애

當初 支那文學이 이 따에 건너오지 아니하엿으면 어떠케 되엇을 것인가 하는 反問으로 對答하고자 합니다. 純 朝鮮文學의 發生과 建設을 막고 만 것은 不滅의 影響이겟읍니다. 將來의 寄與 問題는 新文學에 잇어서 彼此가 建設 途中에 잇다고 생각되므로 아직 未知數에 屬할 것이나 오로지 支那의 政治的 變動 如何에 左右될 것으로 믿습니다.

五. 過去의 飜譯 輸入은 大槪 完譯 或은 改譯되어야 할 것이라고 생각되며 新文藝로서는 一 作者나 一 作品으로 그다지 特出한 것이 없다고 생각하므로 古典이나 또 新作이나 第一은 누구, 第二는 무엇 할 것 없이 손 닷는 대로 하고 싶으나 力不足을 奈何오.

新文學의 飜譯紹介[01]

金台俊

支那文學

一. 先生은 무슨 動機에서 支那文學을 專攻하시게 되엇는지.

二. 支那文學을 研究하시는 동안에 느끼신 바 그들에게서 取할 長點과 버릴 短點.

三. 主로 어느 作家를 研究해 오섯으며, 하시며 또 하시려는지.

四. 支那文學이 우리에게 어떤 影響을 주엇다고 생각하시며 무엇을 우리에게 寄與할 것인지.

五. 萬一 機會가 잇다면 第一 먼저 누구의 어느 作品을 飜譯 輸入하시려는지.

(一) 古文學의 整理와 新文學의 紹介 攝取에 目標를 두엇읍니다. 中學이라고는 裡里 農林을 거친 나로서는 어느 先輩[02] 師友에게 文學이 무엇이라는 具體的 定義조차 들어보지 못하고 雜誌 한 卷, 新聞 한 장을 읽어보지 못한

---

01 '外國文學 專攻의 辯 ⑹', 『東亞日報』 1939.11.10, 석간 3면.

02 '先輩'의 오식이다.

채 中學生活을 보냇기 때문에 中學을 卒業한후 農業에서 文科를 志願한 動機는 文學이란 漢文學 特히 支那의 古文을 가라친 것인 줄로 알엇기 때문입니다. 글방에서 漢文을 읽다가 漢文學의 가진 獨特한 魅力에 魅惑되어 원제든지 機會만 잇으면 이 漢文을 徹底히 硏究하여 보자는 생각이 끝이지 안헛고 또 그 時節까지도 歐米 各國이라든지 日本, 朝鮮에까지 文學이 잇으리라고는 생각지 안헛고 純全히 漢文에 中毒된 事大主義者가 가진 頑固한 識見에 사로잡혀서 大學에 가서는 多數한 漢文 書籍을 한 책도 빼지 안코 讀破하리라고 생각햇읍니다. 그러나 大學에 발을 들여노코 보니 各國에는 各國의 文學이 잇구료. 日, 英文學, 獨文學, 露文學, 國文學(日本文學), 支那文學, 朝鮮文學……等等 배우는 것은 戀愛小說이거나 『씨나리오』評論 뿐이요, 이야기책 노래가락이 다 文學이라고 하니 四書三經만을 文學으로 알고 잇던 在來의 나에게는 可謂 天翻地覆한 思想의 變遷이엿읍니다.

그래도 그 여러 나라 文學속에서는 그래도 漢文學이 어딘가 第一 나흔 것 같아서 支那文學科를 選擇하고 그 講座를 擔任한 G博士라고 하는 七十 老人을 스승으로 모시고 다시 詩經, 唐宋詩文 等을 배워보앗으나 別로 新奇한 것도 없고 헤매는 때에 새로 馬堯라는 젊은 선생이 오고 先輩 崔昌圭君이 元曲選을 讀破하고 잇는 것을 보고 우선은 元, 明, 淸 時代의 軟文學의 槪論的 知識을 어들겸 『明淸戲曲小史』같은 것을 卒業論文으로 하려고 할 때에 同書名의 靑木氏 著述이 나왓으므로 卒業論文 題目을 찾으려고 學生帽를 쓰고 北京琉璃廠 附近을 彷徨해 보앗습니다. 그리는 동안에 아무 所得도 없이 學校는 마첫으나 다만 어든 것은 中國에는 建設途上에 잇는 新文學이 만히 잇다는 것과 中國文學 硏究의 使命은 오로지 이 新文學의 輸入, 紹介, 飜譯이 아니면 안된다고 생각햇습니다. 政治와 文學을 一元으로 보기 시작햇든 것도 이때입니다. 그러나 그 當時 나에게 가장 큰 衝動을 준 것은 中國의 가장 優秀한 中

堅作家 當時의 中堅 K氏[03]의 쓴 中國古代社會研究를 읽은 데 비롯합니다. 나의 머리에서 四書三經을 完全히 克服한 것도 이때요, 古文學을 研究하는 새로운 方法이 잇는 것을 發明한 것도 이때요, 새로운 世界觀을 確實히 把握하려고 摸索하려고 하든 것도 이때입니다. 그래서 一時는 經濟學 書籍도 읽어보고 歷史科學 책도 읽어보고 잠시 古史研究에 沒頭해 본 적도 잇읍니다.

그래서 支那의 新文學을 번역하며 紹介하는 것으로 一生 동안 나의 使命으로 삼고 間間 古文學을 科學的 立場에서 研究해 보고 겨를이 잇엇으면 支那 歷史까지 손을 대 볼가 한 것이 그 후의 나의 野心이엿읍니다. 胡適氏의 支那哲學史大綱을 批判한 李季氏의 批判論文과 神州 國光寺에서 發行한 中國社會史論戰 같은 것이 當時 가장 조흔 讀物이엿읍니다.

(二) 그러므로 支那의 古文學은 新文學보담 科學的 立場에서 研究해 보랴고 努力한 年代가 퍽 짧읍니다. 통털어 支那文學 魅力은 그 方塊字가 가진 形象美와 그 四聲의 가진 諧調와의 交叉우에서 맛볼 수 잇는 特殊한 要素가 潛在해서 한번 中毒되면 좀처럼 거기서 解脫하기가 困難하게 됩니다. 支那 古典의 가진 半文半詩의 駢驪四六은 黃金과 塗背한 北京 故宮이나 大理石으로 全部 뜰을 깔은 紫金山殿을 보는 것 같습니다.

(三) 主로 郭沫若, 郁達夫氏의 作品을 完讀해 왓으나 아무 『푸란』이 없읍니다.

(四) 支那文學의 조선文化史上에 준 功罪가 참 큰 것이엇읍니다. 아마 支那文學이 없엇드라면 조선의 古代文學이 다른 形態로 發展햇을 것입니다. 將來의 일은 어찌 될는지요. 오즉 彼此의 政治的 運命에 依하야 決定되지요.

(五) 아즉 아무 계획이 없읍니다. 梁白華, 崔昌圭, 丁來東, 馬堯 諸氏와 함

---

03 郭沫若을 지칭한다.

께 손을 붓잡고 한 사람이 한 作家의 것을 하나씩 하나씩 擔當해서 번역해
보앗으면 하는 생각은 잇엇읍니다.

（了）

詞와 紅樓夢을 翻譯[01]

丁來東

支那文學

一. 先生은 무슨 動機에서 支那文學을 專攻하시게 되엇는지.

二. 支那文學을 硏究하시는 동안에 느끼신 바 그들에게서 取할 長點과 버
릴 短點.

三. 主로 어느 作家를 硏究해 오섯으며, 하시며 또 하시려는지.

四. 支那文學이 우리에게 어떤 影響을 주엇다고 생각하시며 무엇을 우리
에게 寄與할 것인지.

五. 萬一 機會가 잇다면 第一 먼저 누구의 어느 作品을 翻譯 輸入하시려
는지.

一. 北京에서 英文科 二學年을 다닐 때 『쉑쓰피어』를 硏究하면서 그 初版
은 羊皮에다 어떠케 적은 것이요, 再版은 그 몇 겹에다 쓴 것이라는 等屬을
배울 때 나는 英文學이나 支那文學이나 硏究하자면 마찬가지라는 것을 깨
달럿습니다. 그때까지도 明版, 唐版이니 百二十四本이니, 八十四本이니 하

---

01 '外國文學 專攻의 辯 (9)', 『東亞日報』 1939.11.16, 석간 3면.

고 硏究의 深奧한 이야기를 들으면 케케묵은 古書籍이 머리에 떠돌면서 偶然히 실헛습니다. 그리고 圖書舘이나 古書舖를 다니면서 그 古書의 만코 目錄이 浩繁한데 실증이 나서 그때까지 支那文學 硏究를 斷念하엿습니다. 그런데 二學年이 되면서 생각하여 보니 北京과 같이 支那文學의 書籍을 求하기도 쉽고 또 一流作家, 一流硏究家가 거위 다 뫼운 이러한 機會에 英文學만을 硏究한다는 것은 나로서 一大 好機를 無爲하게 넘기는 것이라고 생각이 들자 晝間은 英文學, 夜은 支那文學을 硏究하엿소나 主로 支那文學에 努力하엿습니다. 筆者가 支那文學을 硏究한 經路는 『말』에서 始作하야 通俗小說을 보고 現代作家의 小說을 읽고 戲曲을 보고 白話詩를 讀破하엿습니다. 그때도 白話文學熱이 盛하엿을 뿐더러 學習한 經路가 言語에서 始作한 만큼 使用하는 言語와 距離가 먼 文學作品은 興味를 느끼지 안흘 뿐만 아니라 그네들이 말한 것 같이 死文學이라고 느껴것습니다.

二. 唐詩를 읽으신 분은 잘 알겟지만은 支那文學은 作家의 個性이 유난이도 또렷하게 나타나는 點입니다. 現代作家로도 魯迅이라던지 周作人, 林語堂, 郭沫若, 郁達夫 等等 作家가 모두 다 그 個性과 作風이 뚜렷하게 나타나는 것이 그네들의 長點으로 봅니다. 個性이 뚜렷한 作家는 文學上에 큰 功績을 내게 됩니다. 이 點이 도리혀 短點이 되는 것은 모든 作品이 千篇一律的인 點입니다. 또 한 가지는 個性이 뚜렷함으로 因해서 흔히 한 時代에 潮流가 다른 兩極端이 나오게 됩니다. 文學은 이러한 時代에 오히려 全盛하는 例가 만흔 것 같습니다.

三. 우에서 말한 바와 같이 語學을 中心하야 硏究한 만큼 小說, 戲曲, 民間故事, 古詩, 現代作家의 作을 主로 硏究하엿읍니다. 그 中에도 周作人, 魯迅의 것을 만히 읽엇읍니다. 그리고는 紅樓夢을 追句하여서 배워본 일이 잇읍니다. 宋詞를 보는 中 朱淑眞의 詞도 精讀한 일이 잇읍니다. 只今은 學藝社

의 『中國文學史』를 草함으로 文學史의 方面을 整理하고 잇읍니다. 將來에도 現代作品, 詞, 詩, 彈詞 같은 것을 研究하여 보려 합니다.

四. 支那文學은 過去에 잇어 우리에게 外國文學이라는 느낌을 주지 안헛읍니다. 그래서 自己가 말하는 말과 全然히 다른 漢文을 그 表現 器具로 썻으므로 우리 文學의 發展을 如干 沮止한 것이 아니엇읍니다. 現代에 와서는 漢文에 가까운 言語를 가진 그네들도 文學 表現工具로서 適當치 안타고 弊履같이 내버리는 이때에 朝鮮서는 아직도 漢詩를 公公然하게 짖고 잇는 奇現象입니다. 그 前 學窓 時代에 某 教授가 今後로 中國文學을 研究하려면 東京이나 巴里에 가서 研究하게 되리라고 中國文學 研究가 中國 本地에서 未備한 것을 嘲笑한 것을 記憶하는데 今後 漢文의 殘裔를 찾으려면 朝鮮에 와서나 찾지 안흐련가 한 생각이 든다. 漢文을 表現工具로 하게 한 原因은 따로 잇겟으나 表現工具로 漢文을 學習하느라고 孔孟의 思想이라든지 老莊의 思想이라든지 詩經 楚辭의 詩想, 陶淵明, 杜子美, 李白의 詩境은 玩味할 餘暇도 없엇고 情熱이 다 식은 死文字와 模倣文을 남기어 논 것뿐이엇읍니다. 勿論 英文學史上의 밀톤의 라텐詩 같은 程度는 잇겟으나 失樂園 같은 作品은 없엇던 것입니다. 過去에 惡影響은 一一히 列擧할 수가 없지만은 將來에는 한 外國文學으로서 研究하는데 따라 分類의 研究, 思潮의 變遷, 表現의 方法, 構想의 鑑識 等을 學得하는 데 支那文學은 새로운 刺戟이 되리라고 믿습니다.

五. 新文學에 잇어서는 한 作家의 作品보다 여러 作家의 詩, 小說, 戲曲, 隨筆 等을 選譯하야 紹介하고 싶습니다. 外國文學을 輸入할 때 한 作家의 것만을 飜譯하면 그 作家의 文壇上 地位를 잊는 수가 만습니다. 그러므로 다른 作家와 比較하면서 읽는 것이 한 作家를 認識하는 데도 有助합니다. 歷史上의 것으로는 中國의 長篇叙事詩 『孔雀東南飛』 같은 것과 詞를 飜譯하려 하고 西廂記와 紅樓夢을 完譯하고 싶습니다. 이러한 作品이 現代의 作品과 共通點이 만흐며 그 取題나 表現이 現代 及 不遠한 將來의 우리 文學에 多少 功獻이 되리라고 믿으며 文學史上의 文藝作品으로도 가장 優秀한 作品이라고 본 까닭입니다.

1940년 1~4월

魯迅의 未成作品[01]

李明善

魯迅은 「吶喊」, 「彷徨」의 두 短篇集을 發表한 後 몇 篇의 歷史小說을 쓴 以外에는 죽을 때까지 創作에는 뜻을 두지 않고 오로지 雜感(或은 社會時評)을 씀에 全力을 다하엿다.

그는 昭和 十一年 十月 十九日에 죽엇는데 바로 죽기 前에 쓴 것들도 小說이 아니고 雜感이여서 「死」와 「女弔」가 곧 이것인데 「死」는 九月 五日 「女弔」는 九月 二十日에 每日 注射를 맞지 안으면 안되는 病床에서 쓴 것이다. 一生을 戰鬪속에 보낸 戰士도 죽엄이 臨迫하엿슬 때에는 그래도 死를 생각하고 어릴 때 故鄕에서 본 野外劇에 나왔든 女弔를 꿈꾸엇든 貌樣이다. 「死」 속에는 有名한 그의 遺囑 七條가 들어잇서 最後의 瞬間까지 怨敵을 容捨하지 안켓다는 戰士다운 宣言이 들어 잇기는 하나——

그는 「死」와 「女弔」를 쓴 다음에 「母愛」와 「窮」을 쓸 豫定이엿섯다. 勿論 둘 다 雜感으로 그여히 뜻을 일우지 못하고 죽엇지만 어떻게 쓸가 하는 푸란은 다 서잇섯는 듯하다.

---

01   『批判』 114호, 1940.1.

「母愛」에서는 그는 母愛는 至極히 偉大한 것이며 同時에 또 盲目的인 것이라는 것을 말하랴 하엿섯스며 그가 女性을 尊敬한 한 가지 理由는 實로 이 母愛때문이엿섯다 한다. 그는 임의 短篇 「藥」과 「明日」속에서 自己 아들의 病과 죽엄을 通하여 支那女性의 母愛의 偉大하고 同時에 또 盲目的임을 그렷지만 直接的으로 母愛를 論한 일은 거의 한 번도 업섯슴으로 未成의 雜感 「母愛」는 적지 안이 아깝다.

「窮」에서는 그는 窮이라는 것은 어떠한 事態 알에서든지 반가운 것이 못되며 窮을 改變하려 하는 一切의 努力은 모다 歡迎할 것으로 一部의 사람들만 窮한 것은 勿論 좋지 못하고 社會 全體가 窮에서 버서나도록 하지 안으면 안된다는 것을 말하려 하엿다 한다. 第三種人들과의 論爭에서 느의들이 田園詩人이라고 각 떠바치는 陶淵明이가 悠然히 南山을 처다볼 수 잇섯는 것도 빵 걱정이 업섯기 때문이라고 主張한 그다. 北京서의 約 十年 間의 平溫한 生活을 除外하면 一生동안 窮의 구렁에서 허덕이엿스며 더구나 晚年에는 蔣介石 政府에서 版權을 認定해 주지 안허 印稅조차 제대로 못 받든 그다. 妻子에게 遺産이라고는 아무것도 傳해주지 못하면서 그래도 葬儀에는 他人의 돈은 一錢 한푼을 받지 말라고 遺言한 그다. 이러한 그라 그의 窮에 對한 體驗과 思索은 다시 업시 深刻한 것이며 그의 窮의 哲學은 어데까지든지 徹底하엿슬 것이다. 이리하여 우리는 그의 未成의 「窮」도 아까워하지 안흘 수 업다. 단 몇일이라도 延命시키여 「母愛」와 「窮」만이라도 쓰고서 죽엇섯스면 하는 생각조차 드나 이것도 하기사 쓸 데 적은 생각이다.

다음에 魯迅이 生前에 計劃하엿든 長篇小說이 二三 잇섯스니 이것에 對하여 말하여 보자.

하나는 歷史小說로 唐朝의 文明을 描寫하려 하엿든 것이다. 이속에서 그는 唐朝의 文明이 非常히 發達하엿섯든 일, 그리고 그것은 外國文明의 影響

을 만히 받엇섯든 일을 말하고 여기에 「七月七日長生殿」의 唐明皇을 登場시키여 楊貴妃와의 로맨스 그리고 悲慘한 最後——이리하여 唐明皇의 一生의 事跡을 描寫하려 하엿든 것이다. 이것을 計劃한 것은 퍽 오래 前 일로 그가 吶喊에 疲勞하여 彷徨에 몸을 맛겨 그의 一生 中에 가장 消極的이고 虛無感에 사로잡히엿섯든 時期로 이 時期에 이러한 歷史小說을 꾀한 것은 胡適이 國故整理의 美名 알에 現實로부터의 逃避를 꾀한 것과 똑같은 조치 못한 傾向이 아니엿나도 생각된다. 한번은 일부러 長安까지 가서 現存하는 唐朝의 遺跡을 調査한 일도 잇섯는데 黃土와 枯蓬뿐으로 도리혀 興味 索然하여 그때까지의 計劃을 尨棄해 버렷다 한다.

또 하나는 晩年에 計劃한 것으로 支那 近世의 知識人들의 年代史 비슷한 長篇이다. 大槪 그것은 四代로 나누어저서 一代는 章太炎 等의 時代, 二代는 魯迅 自身의 時代, 三代는 瞿秋白 等의 時代, 四代는 現在의 二十年代의 靑年의 時代로 그는 實로 이 四代의 知識人을 그리려 한 것이다. 그는 農民, 勞働者, 下女 等도 만히 題材로 하엿지만 知識人——支那에서 말하는 所謂 讀書人들에게도 만흔 觀心을 가지고 또 題材로 하여왔다. 「白光」의 陳士成, 「酒樓에서」의 呂緯甫, 「高先生」의 高爾礎, 「孤獨者」의 魏連殳, 「傷逝」의 史涓生 等等 舊式, 新式의 各種의 知識人들의 特質을 區別하면서도 그들에게 共通된 消極的이고 無氣力하고 外飾的인 諸 缺陷을 餘地업시 暴露하여 왔다. 그러나 이번에 計劃한 長篇에서는 一 讀書人의 大家庭의 衰落하여 나가는 過程을 通하여 各種의 知識人들을 總登場시키여 이로써 支那 近 六十年來의 社會變遷을 밝히며 支那 知識階級의 眞實한 歷史를 記錄하려 한 것이다. 이것은 章太炎으로부터 現代에 일으는 四代의 어느 時代에나 제 自身 直接 參加하여 活動하여 나려온 魯迅이 아니고서는 아무도 擔當 못할 性質의 것으로 그의 죽엄은 이것만 가지고서도 償補못할 莫大한 損失이라 아니할 수 업다. 그리면서 또 同時에 이러한 巨大한 計劃을 不治의 重病으로 每日 呻吟하는 病床에서 세운 그 不屈不倒의 戰鬪的 精神에 새삼스러히 驚嘆하지 안흘 수 업다.

아니 이것뿐이랴! 그는 또 한 가지의 長篇을 病床에서 計劃하엿든 것이다. 그것은 「紅軍西征記」로 昭和 九年度에 紅西[02]를 出發하여 二萬 五千(華)里를 踏破하여 陝西에 일으른 紅軍의 大移動을 記錄하랴 하엿든 것이다. 그는 直接 現地에 가서 調査도 하고 幾多의 材料도 蒐集해 왓섯든 것으로 이 計劃도 實現 못시키고 죽어버렷다. 最近에 備하는 배에 依하면 그의 이 計劃은 다른 사람들 손으로 只今 實現되여가고 잇다 하니 그는 地下에서도 滿足할 것이다.

魯迅의 未成作品은 또 잇는지도 몰르나 이제까지 알여진 것은 大槪 以上과 같다. 이것만 가지고서도 그가 晚年에 長篇에 對하여 크게 關心을 가젓섯스며 萬若 그가 二三年이라도 더 延命하엿든들 우리는 或은 몇 篇이고의 그의 長篇을 期待할 수도 잇섯든 것을 알 수 잇다.

---

02 '江西'의 오식으로 보인다.

林語堂論[01]

裵澔

　一九三五年의 「吾國土吾國民[02]」과 三七年의 「生活의 發見[03]」의 二大 著書를 뉴—욕서 出版하여 世界 讀書界에 振名한 後이어서 翌 三八年에는 「孔子論[04]」을 내여논 林語堂은 그 後 다시 七面八臂的 手腕을 發揮하여 映畵社의 要請으로 샤—리템풀을 爲해서 映畵 脚本 「小職工[05]」을 編하였다고 하고 또 「北京의 瞬間[06]」의 出版도 不遠한 將來에 있다고 하다. 後者의 內容은 一九○○年 拳匪事件 때로부터 現今 戰爭까지의 北京의 側面史라 해서 매우 期待된다.

---

01 『人文評論』 제4호, 1940.1.

02 일본어 역본(豊文書院, 1938)의 표제로서 중국어 표제는 '吾國與吾民'이다.

03 일본어 역본(創元社, 1938)의 표제로서 중국어 표제는 '生活的藝述'이다.

04 일본어 역본(川口浩 역, 育生社, 1939)의 표제로서 중국어 표제는 '孔子的智慧'이다.

05 중국어로는 '小匠人'이다. 「셜리 템플의 신작 <小匠人> 곧 촬영(秀蘭·鄧波兒又一新作<小匠人>即將撮竣)」, 『申報』 1939.9.12, 14면.

06 중국어 표제는 '京華煙雲'이다.

「吾國土吾國民」, 「生活의 發見」과 밑「孔子論」은 이미 日本서 飜譯되여 있을 뿐 아니라 前 二者는 獨佛譯까지 낫고「生活의 發見」은 米國서 三八年度 小說 外 一般讀物 中 베스트셀라 第九位을 占하였다.

그러나 讀者로선 連年 巨著를 내는 著者의 超人的 筆力과 그가 中國人으로서 英米人보다도 能爛한 英語로 著述하였다는 事實에 暫間 生覺을 머물게 된다. 뿐만 아니라 그의 此後 活動을 注目하기 爲해서도 그의 經歷과 아울너 思想의 生長을 不充分하나마 以下에 말해 보자.

一八九四年 福建省 龍溪縣서 牧師 家庭에 出生하여 幼時로부터 宗敎敎育을 받었다. 一九一六年(民國 五年)에는 上海 聖約翰大學을 卒業 後 곧 北京 淸華學堂(淸華大學의 前身) 敎員으로 一方은「支那社會政治科學評論[07]」,(英文)의 記者가 되였다. 聖約翰大學이나 淸華學堂이나 모다 米國 系統의 밋숀 스쿠울이어서 그 經費는 一九〇〇年에 義和團이 引起한 北淸事變의 賠償金에서 充當하고, 이 賠償金을 米國은 在支文化事業에 全部 投資한 事實을 附言하여 둔다. 林語堂이 一九一九年에 米國 하ー바트大學에 留學을 간 것도 이 賠償金이었고 胡適도 이와 같았다. 그는 하ー바ート大學에서 神學을 專攻하고 이어서 獨逸 라잎지히大學에서 言語學을 硏究해서 博士의 學位를 얻었다. 그리고 歸國한 것이 一九二三年이었다. 其後로는 그가 神學에서 永遠히 袂別을 하고 그의 必然的이라 할가 自己의 思想的 歸路를 차자가면서 社會的으로는 言語學界에서 活躍하였다. 지금 그가 神學에 訣別狀을 보낸 告白을 더러 보면「生活의 發見」第五章에「하느님에 각가운 사람은 누구일가」라는 章에 仔細하다.[08]

---

07 'The Chinese Social and Political Science Review'이다.

08 아래 인용된 내용을 보면 13장 RELATIONSHIP TO GOD의 제2절 WHY I AM A PAGAN이다.

나는 牧師家庭에서 나서 一時는 基督教 宣教師가 될 教育을 받았다. 그 德으로 宗教的 苦悶의 全期를 通하여 나의 自然한 感情은 反宗教的이라는 것보다 도리혀 그 反對이다. 感情과 理性과의 相鬪를 넘어서 나는 어떠한 立場에 到達했다. 例를 들면 贖罪說을 斷然코 否認한다. 그것은 異教徒의 立場에서 第一 說明이 簡單한 問題이다. 宇宙와 人生에 對한 이 信仰狀態는 內的 相鬪를 할 必要도 없거니와 自然하고 氣樂한 狀態로 나를 이끄러 주었다. 지금도 이 點에서 나는 變함이 없다. 이 心中의 過程은 嬰兒가 졌을 때고 익은 林檎이 地上에 떠러즘과 같이 自然스러웠다. 林檎이 떠러질 때는 나는 그 落下를 防禦치 안는다. 道家의 말을 빌니면 道에 산다라고 할 수 밖에 없다.………自己에對해서 知性的으로 眞摯하지 않으면 何人이나 自然하고 幸福할 수 없는 것이다. 나는 이렇게 믿고 있다. 異教徒라는 事實이 나에겐 正히 自然한 일이다.

나는 異教徒이다. 이 聲明 中에는 基督에 對해 反逆的 意味를 包含했다고 하는 사람이 있을 줄 모르나 그러나 反逆이라는 말은 苛酷한 말이다. 나는 極히 徐徐히 거름해 나갔다가 조곰식 基督教에서 물너 온 人間이다. 그 새에 愛와 敬虔之念을 가지고 死力을 다하여 모—든 敎理에 依賴했으나 遺憾하게도 그들은 모다 나로부터 머러지고 말았다. 反逆이라는 말은 이런 心情을 正히 表現치 못한다. 即 憎惡의 心情은 絕對로 없으니 反逆이라 할 수 없다.

自己는 基督敎의 異敎徒이나 基督敎의 眞理를 背叛하는 것은 아니고 基

督敎的 經驗에서 自己는 自己의 宗敎觀을 세웠다고 한다. 그러나 基督敎의 信仰을 信奉케 못하게 한 理由는 直接의 問題가 있었다. 信用할 수 없는 「基督의 再臨」이니 「肉體의 復活」이니 또 그가 神學科에 있을 때에 神聖 中에 神聖해야 할 터인데 聖母의 處女懷胎를 論議의 中心으로 하는 神學校의 神學者 先生들의 態度가 不正히 生覺되었다 하며, 一般 神學者를 極端으로 論難하였다.

只今까지로는 基督 神學者는 基督敎의 敵이라고 生覺하게 되었다. 나는 아무래도 二大 矛盾을 克服할 수 없었다. 第一의 矛盾은 神學者가 基督敎 全 構成이 林檎(善惡果)의 存在에 걸었다고 하는 것이다. 만약 아담이 林檎을 먹지 않았더면 原罪도 없을 것이요, 贖罪도 必要치 안했을 것이다. 林檎의 象徵的 價値는 何方에 있던 이것은 내겐 自明한 理治이다. 헌대 이것이 대체 基督 本人에 對해서 極히 不忠實한 事實이라고 나는 生覺한다. 왜 그러냐고 하면 基督 自身은 原罪니 贖罪니 하는 것을 한번이나 입 밖에 내지 안치 안느냐?……또 한 가지는 이 以上 가는 일이다. 즉, 아담과 이부가 蜜月에 林檎을 먹었다. 하느님은 大怒해서 두 사람을 罪주었다. 이 두 사람의 些少한 罪로 말미암아 그 人類 後裔는 世世 末代까지 罪를 지고 苦生하지 않으면 안 되게 되었다. 하나 하느님이 罪준 그 後裔가 하느님의 獨子인 基督을 殺害했을 때 하느님은 기뻐히 그들을 容恕하였다. 他人은 如何히 解釋할는지 모르나 나로선 이런 弄談은 默認할 수 없었다. 이것이 나의 最後의 煩惱이였다.

여기에 到達한 그는 自己의 先天的 血肉과 精神으로 도라와 儒佛道의 混合한 純粹한 中國人으로 還元하고 말았다. 今日의 봄베이는 베스비아스 火山의 埋沒에 依하였고 宗敎大學 敎育은 自己에 있어서 베스비아스 火山과도 같다고 하였다.

一九二三年에 歸國하자 北京大學 言語學 敎授 兼 北京師範大學 講師가 되여서 二六年까지 北京에 있었다. 二六年에 北京女子師範大學 敎務主任 兼 英文學部長이 되였다가(魯迅이 이 때 女師大에 講師였다) 同年에 南下해서 福建省 厦門大學 文學科 主任으로 轉職하였다. 이것은 有名한 女師大 問題와 北京의 緊迫한 政權 變更에 避難한 것이고 魯迅이 北京大學과 女師大를 버리고 厦門大學으로 간 것도 같은 事情이였고 또 林語堂의 周旋이였다.

文學硏究會 成立이 一九二一年이었고 그 主力은 北京에 있었다. 二二年에 創造社가 上海에 成立되였으나 明 二三年엔 解散해서 二五年까지 文化文學의 中心은 여전 北京에 있었다. 詩人엔 胡適·宗白華·傅斯年·羅家倫·康白情·俞平伯·沈尹默·錢玄同·劉半儂·謝冰心·徐志摩·聞一多 等이 있었고 小說엔 魯迅·郁達夫·沈從文·胡也頻·謝冰心·廬隱·凌淑[09]華 等이 있었다. 戱劇엔 北京戱劇專門의 멤버—인 蒲伯英·陳大悲·熊佛西·丁西林이 있었고 散文엔 周作人·魯迅·孫伏園·陳源·顧頡剛·章衣萍·吳曙天·馮文炳·鐘敬文 等 蒼蒼하였다. 雜誌엔 文學硏究會의 機關誌「小說月報」, 北京大學 新潮社에서 낸「語絲」, 陳西瀅(名 源) 編輯의「現代評論」及 孫伏園 主編인「晨報副刊」,「京報副刊」等 外에 莽原·新月·猛進 等의 純文藝 雜誌가 甚多하였고 그 內容들도 着實하였다. 林語堂은 이런 空前 絶後의 雰圍氣에서 陳西瀅 編輯의

---

09 '淑'은 '叔'의 잘못이다.

北大敎授 中心의 評論 雜誌인 「現代評論」보다도 第一 많이 周作人 編輯의 「語絲」에 寄稿하였다. 그 內容은 모다 熱烈한 愛國熱의 吐露이었다. 有名한 北京學生流血事件에 際해 政府에 對한 攻擊이라든가, 中國 民族性 乃至 國家改造에 關한 論說, 이런 것이 모다 그랬다. 文學革命서 胡適이 提唱한 「八不主義」가 그 形式에 머문 嫌가 不少하였으나 林語堂은 中國民生活에서 內面 精神의 改造를 細細히 主唱하였다. 例컨대 그가 錢玄同에 보낸 書信 中에 六箇條 指摘을 列擧한 것은 當時에 物議를 주었다.

> ………弟는 生覺컨대 精神 復興 條件으로 足히써 吾民族의 昏慣와 卑怯과 頹喪·傲惰의 癰疽가 될만한 者 六을 左記하나니 參考를 바라나이다.
>
> 一. 中庸을 非難(즉 「영 性내지 안는 主義」에 反對)
>
> 二. 樂天知命을 非難(즉 「남에게 멕혀주는 主義」 反對. 그가 한번 물면 나도 그를 한번 문다)
>
> 三. 不讓主義(實狀은 上과 같다. 中國人의 短點은 무엇이나 讓步하는 데 있다. 讓步만 안는다면 能히 참지 못할 일이나 禁치 못할 일을 깨다를 것이니, 그러면 方法을 討論치 않아도 方法이 自來한다. 佛蘭西의 革命은 別로 다른 方法이 있는 것도 아니고 못 참음을 느껴서 各人이 칼·작대기, 괭이 等을 들고 나섰을 따름이지 兵馬를 마련한 것이 아니다)
>
> 四. 悲觀치 말나.
>
> 五. 洋風俗을 무서 하지 말나. 求仙·學佛·靜坐·扶乩(占), 拜菩薩·拜孔丘 等의 國粹는 當然 둘 것이 못되나 磕頭(절), 打千(무럽 절)·眼鏡 벗는 것(年長에 對해서)·訃告 等도 모다 버릴 일이다. 第一 좋은 것은 모다 中山服을 입는 것이다.

六. 반다시 政治를 談論할 것이다. 所謂 政治라는 것은 王書房, 趙첨지가 금새 白乾을 마시고 금새 辮子를 땋는 式의 政治는 아니고 眞正한 政治 말이다. 新月社의 同人이 發起할 때에 一條 規則에 「社에서 무슨 일을 해도 좋다(剃髮·沐浴·飮麥酒)하고, 다만 麻雀과 政治談論은 不許하였으나 此는 怪現象이다.

그는 生活 全部에 亘해서 七分 歐米化主義를 세웠으나 後에 다시 反撥해 버렸다.

一九二六年에 段祺瑞 內閣의 敎育總長 章子釗[10]가 北京女師大 騷動을 鎭定하려고 突然 五十餘의 知識分子에 逮捕令을 내리자 이어서 張作霖 北京 遷入으로 因하여 北京 文化 諸般은 退潮를 開始하고 지금까지 一依하다. 言論機關이 發禁되고 敎授의 俸給은 年餘를 두고 未拂의 狀態이어서 林語堂은 女子師大를 辭하고 南下할 수 밖에 없고 魯迅이나 그 外도 모다 같은 事情이었다. 그들이 가장 呪咀하던 軍閥로 因해 文化의 中心 北京을 떠나게 되었고 이런 事實이 더욱이 그들 歐米 留學 出身으로 하여금 더욱 國家나 人生에 對한 希望을 退嬰케 하였다. 그것은 그들이 外國서 見學한 것이 모다 自由主義的 데모크라시이고 現實이 이 데모크라시 理想과는 너무도 큰 間隙을 주어 意氣 沮喪케 하는 까닭이다. 日本 自身에서는 이런 性格의 反對型으로 平常 民衆苦에 더욱 각가운 環境의 作家가 많이 났고 그들은 흔니 海外派와 對峙 攻擊하는 것이었다. 이것이 또한 中國 인테리의 苦悶이었다.

一九二七年에 厦門大學을 버리고 武漢 新政府로 馳叅하여 陳友仁의 外

---

10 '章士釗'의 잘못이다.

交部 秘書를 하였고 이때 어떤 政治經驗이 後에 이 方面에 有用하였다. 그後 一九三〇年 五月엔 國立中央硏究院 幹事로 外國語 編輯을 擔當하였다.

이 동안에 그의 業蹟을 보면 大體로 言語學 方面이었다. 北京 時代에 漢字 索引法의 「末筆驗字法」을 發明하고 또 中國語言學 音韻學에 關한 論文集인 「語言學論叢」을 내였고 「開明英文讀本」, 「開明英文文法」은 此 方面에 權威的 敎科書로 公認되었고 또 中國語 打字機 硏究에도 貢獻이 많았다고 한다. 그의 中國에서의 業蹟은 도리혀 言語學 方面이라고 그의 反對派는 말하고 있다. 그러나 그가 三六年 八月에 米國으로 再遊할 때까지 이 期限이 더욱 注目할만한 것이있다. 그것은 文壇의 本人이 안인 林語堂 一派가 一時 文壇에 蓋世의 氣勢를 보인 까닭이다. 곧 小品文運動이 그것이다.

小品文 雜誌에 「論語」, 「人間世」, 「宇宙風」 等이 있다. 「論語」(經書의 論語에서 땄다)는 三二年 九月에 創刊한 半月刊으로 小品文 特히 幽默(유모어)를 主로 한 小品文을 提唱하였다. 中國의 小品文은 現代에 起源함이 아니고 爲先 六朝時代에 된 文選에도 大部分이 小品文에 각가운 散文이고 過去의 文人은 누구나 小品文을 썼다고 할 수 있다. 그래서 現代에 小品文의 出現은 別로 新奇함이 없을 것으로되 現代文學史上에서도 한 曲折이 있음을 말해야 하겠다. 原來 小品文은 作家의 逃避이라는 觀念으로 忌彈하였다. 一九三二年에 滿洲 上海 兩 事變의 暴風雨가 쓸여오매 蔣政權은 內部 肅淸의 標榜으로 左翼文壇을 徹底히 彈壓하였다. 이 影響에 左翼文壇은 자취를 감추고 오직 時代的 適應으로 抗日文學이 擡頭하였으나 그 形影이 薄弱하였다. 이 時潮에 林語堂 編輯인 「論語」가 斷然 淡紅의 華彩를 發하게 되자 約 四年 間 文壇을 橫行하게 되었다. 文壇의 正統派로 보면 반다시 阻碍物이었고, 不俱戴天的 攻擊을 하였으나 每期 幾萬部의 出售 事實은 敢當치 못했다. 讀書 階級의 變態的 時代 憂鬱症에 脾胃가 마진 까닭이었다.

애초부터 林語堂은 周作人의 散文精神에 影響을 받았고 이때도 周作人의 文壇的 援助力이 暗暗裏에 흘느고 있었다. 林語堂의 主唱한 文體는 곧 明末의 袁中郞(名 宗道)이란 正統派 안인 文人이 主唱한 語錄體가 그것이고, 이 體에 구로—체의 單純藝術論(表現美學)으로 表裏를 넣고 또 袁中郞의 性靈主義에다 니—체의 個性至上主義를 配合하여 그것으로써 小品文 쓰는 前提로 하였다. 袁中郞은 從來의 詩文의 格律을 破해서 性靈(個性)을 主로 하고 妙悟(靈感)를 尊重하여 諧謔을 많이 넣게 해서 公安體라는 一體를 세웠다. 語錄體가 寫實에 不適하고 諧謔이 脫俗的이어서 正當 文學 立場에서는 承認할 수 없음은 事實이었다. 林語堂은 이 袁中郞을 비롯하여 憂鬱 詩人 屈原·酒詩聖 李白·隱人 陶淵明·佛敎詩人 蘇東坡, 末境엔 莊子 老子의 道佛 方面까지 陶醉되고 말었다.

그 小品文의 內容이 儒佛道의 어느 것이나 機智的으로 警句的으로 人生의 敎訓을 던지였으나 人生을 是認하는 人道主義가 貧弱해서 그 中心思想은 곧 過去의 많은 淸談과 아무 選擇할 배가 없다하면 多少 過言이나 過去의 그것과 다른 點은 表現이 보다 더 近代的이고 科學的인 것과, 博識을 求而不己하는 熱에 있다고 할 수 있다. 그의 古今東西에 通한 博識과 機智는 無數하나 整然한 論理와 嚴格한 知識 體系가 없고, 知識의 確實性과 論理를 輕蔑하는 데는 卽 衒學的 態度에선 過去의 淸談家와 다름 없다. 極端으로 透視한다면 眞理는 無이고 道는 虛이라 하는 老莊의 深奧에서 萬事를 品評 論議하는 것이다. 淸談家의 主唱하는 諧謔과 諷刺는 社會惡을 徹底 摘發하자는 것이 아니라 도로혀 逃避하는 것이고 그들의 諧謔은 참된 健全한 유모어가 안이고 니힐한 유모어이어서 聽者로 하여금 談話뿐만 아니라 談話者 自體까지 包含해 웃어버리게 한다. 林語堂은 如斯한 階段까지 到達하고 말았다.

三四年엔 「人間世」(莊子의 말), 三五年에 「宇宙風」, 「談風」, 「西風」 等의 姉

妹篇이 雨後竹筍으로 났으나 그것은 明滅의 最後를 말하는 것이었다. 魯迅을 爲始하여 다시 回生하는 文壇은 到底 如斯한 小品文의 行世를 容恕치 않었다. 피투성이가 된 晚年의 魯迅은 匕首的 筆調로 이 閑情文人 林語堂 等輩를 或은 西鬼(西洋人의 下僕)이라 或은 隱人이라 부르며 徹底히 攻擊하였다. 또 그 周圍의 新興作家들도 一齊히 攻擊하게 되자 四年 間 文壇을 휘덮었든 霞霧는 朝陽을 마주하기 前에 자취를 감추게 되였다. 드디어 그는 三六年 八月에 率眷하여 渡米 뉴―욕서 居住하며 中國의 有名한 映畵會社 明星公司의 駐在員으로 있다. 「吾國土吾國民」과 「生活의 發見」은 北京 時代부터 中國을 떠날 때까지 모은 集大成이고 그가 上海 時代에 「天下」라는 英文雜誌를 編輯하면서 이에 英譯 揭載한 것이다. 마―큐리誌上에 챠―르쓰 데―비의 評을 引用하면

> 林語堂博士는 뉴―욕에서 完全한 英語를 使用하는 中國學者이다. 西洋의 活動家의 正反面이나 그 熱狂的 崇拜의 效果로 그는 目的을 達할 때에도 享樂을 마지 못하고 追求하고 있다.………그것은 魅力 있는 哲學이고 西洋에도 必要한 것이니 兼有할 것이 안일가? 瞬間의 經驗을 넘어서 무엇에 努力할 일을 拒否하는 사람은 흔니 常識의 專賣權을 主張하는 傾向이 있다. 實相 그의 輪廓은 明日을 透視하려다 今日의 視界를 逸하는 人間의 輪廓과 조곰도 다름이 없다. 하여튼 世界는 觀照의 對象으로 뿐만 아니라 直接 問題를 提出도 하고 行動을 督促도 한다. 이런 것들은 또 享樂의 一部分일 것이다.
> 그러나 林語堂博士의 書本은 悠長한 精神에 갓갑고 色色 興味 있는 讀書를 준다. 그리고 그 過去의 詩人, 賢人 또는 短篇作

家의 章句로부터 飜譯된 結論은 그 時代를 通한 支那 紳士 淑
女의 精神과 行儀의 우에 한 直接의 光彩를 던저 준다. 이것은
確實히 支那人이 恒常 敎養을 皷吹하던 生活의 方法일 것이
다. 그러나 自由히 그러할만한 그들은 大部分이 恒常 小數이
었고 지금도 더욱 少數일 것이다.

라고 했다.

事實上 林語堂은 「明日을 透視하려다 今日의 視界를 逸하는 人間의 輪
廓」과 다름없음은 西洋人의 눈에나 東洋人의 눈에나 同一할 것이다.

林語堂이 「吾國土吾國民」의 結論에서 그의 運命과 國家 民族에 對해서
말한 悲壯한 吐露를 읽으면 어느 愛國者에도 빠지지 안는 것만은 알 것이다.
그리고 이렇게 말했다. 우리는 民族生活의 가을에 遭遇했다. 우리에는 民族
的 生命에도 個人的 生命에도 한 때가 도라온다. 즉 草綠이 黃金色에 섹기고
悲哀가 喜悅에 석겨서 希望은 追憶에 融合한 初秋의 氣를 우리가 녁길 때
無雜氣한 跳躍이 한 追憶이 되고 繁華한 여름이 이제는 노래가 되여서 그 山
소리가 이 귀쪽에 가늘게 남았을 때가 人生을 바라보면 何故로 生長하는 것
인가?가 아니라 如何히 眞實하게 사나, 何故로 努力 活動하나?가 아니라 어
떻게 해서 우리의 남은 貴重한 瞬間을 享樂하나, 또 어떻게 精力을 消費하
나?가 아니라 그것을 어떻게 닥치는 겨울을 爲해서 保存할가가 問題로 되는
때가 우리 生命에 到達했다.

얼마나 悲烈한 心懷일가? 그의 今日 運命은 自己 民族의 文化遺産과 現
代國家 環境이 그렇게 作用함이 많다 하겠다. 그가 中國를 떠날 最期에는中
國의 唯一한 生路는 더모크라시에 있고 中國人은 希望을 일흐면 안된다 부
러지즈며 悠久히 떠나버렸다.

林語堂의 思想 自體는 實踐的한 點이 적되 그 混沌한 中國의 한 流의 思想을 系統 세워서 이것을 解決지운 것은 否認할 수 없는 事實이다. 林語堂 그 사람은 바로 列國에 떠러진 中國의 現實 그것을 運命的으로 象徵하는 것이겠다. 故로 中國의 運命을 體感하는 者도 林語堂일 것이다.

附言 ― 林語堂의 著書는 許多하다. 英文으로 된 「吾國土吾國民」, 「生活의 發見」, 「孔子論」 外에 中國語로 된 그의 文集 剪拂集·大荒集·我的書 等의 著가 있고 外國書 飜譯과 中國書 英譯도 枚擧에 餘暇가 없다.

北京의 文化運動과 朝鮮人[01]

北京 金友琴

(上)[02]

昨年 十二月 十五日 北京 近代科學圖書館 創立 三周年 記念事業으로 映畵會를 開催한 일이 잇다. 日本 事情의 紹介를 爲하야 文化映畵를 利用하고 喜劇的으로 明朗한 日本 現代劇을 加하야 中國人의 關心을 求한 點은 實로 非常한 好感을 갓게 하엿다. 意義잇는 開催에는 最近 朝鮮에서도 相當히 硏究하고 잇는 科學映畵를 上演하나 映畵에는 中國語를 使用할 수 잇다면 中國語 發聲版을 製作하얏스면 一層 效果가 徹底하리라고 생각되나 이것은 映畵 製作者에게 註文하는 것이 急先務인가 한다. 右 映畵會 主催者는 主로 圖書館 利用者만을 招待한듯하나 觀客層은 中國學生 밋 敎員들이 大部分을 占領하엿고 映畵 上演하는 眞光大戲院에서 볼 수 잇는 上層階級의 豪華 盛裝한 男女는 發見치 못하엿다.

事變 後 北京에 잇는 中國人은 直接 或은 間接으로 어떤 程度까지 東亞 新秩序의 建設 業務에 關興되어 잇스나 日常의 文化生活에 잇서서는 最近

---

01 『滿鮮日報』 1940.2.26~2.27, 4면.

02 매회 연재분 표기로서 2회에 걸쳐 연재되었다.

北京의 變化에 아직도 背面하는 人士가 만코 日常 接觸하는 日本 밋 日本人의 文化的 知性이 너머나 混雜 多端해서 그들의 感覺을 刺戟시키지 못하기 때문에 內心에 老莊的 虛無性과 道德을 無視하고 感情的 喜怒哀樂에 病的으로 沒溺되는 傾向性도 多分히 가지게 되엇다.

인즉 大正 末에서 昭和 初에 걸처 日本이 西洋的 社會思想의 風潮를 바더 日本的 思想의 發展과 社會的 變革의 國民的 自覺에 이른 再批判 時代이엇스나 그 當時 中國에서도 北京을 中心으로 北京大學의 陳獨秀, 胡適 等을 指導者로 삼은 五四運動이 勃發하야 新興時代를 짓고 國民文學, 寫實文學, 社會文學의 三大主義를 新文學運動의 旗幟로 세우고 모든 文學運動은 이 線에 沿하여 半封建的, 半植民地的 閉塞世界에서 開明世界에 對하야 그 要求를 正面的으로 提示하야 마츰 佛蘭西 革命 當時의 舊制度와 가튼 啓蒙運動이 展開되엿든 것이다.

그러나 吾人은 今日의 北京人에게 어데서 그 가튼 眞實味가 잇는 情熱을 갓고 新文化를 求하던 勇氣잇는 形像을 看取할까?

여기에서 吾人이 注目한 것은 昨年 中에 잇서 特히 戰亂 中에 잇스면서도 繼續하고 잇는 重慶政府側의 文化運動이다. 즉 『大公報』와 各種 雜誌에 나타난 諸 論文은 抗戰下의 思想的 苦惱를 如實히 表現하고 잇스나 五四運動의 再批判, 西歐文化의 再檢討, 共産主義의 現實的 矛盾 等을 通하야 『新啓蒙運動』의 論爭이 實行되고 잇섯다. 認識月刊의 『思想文化問題特輯[03]』──昨年 創刊──을 爲始하야 朱光階의 『中國思想的危機[04]』──大公報 記載

---

03 『認識月刊』 창간호, 1937.5.

04 朱光階, 「中國思想的危機」, 『大公報(天津)』 1937.4.4, 2면.

──柳湜의『國難及文化⁰⁵』, 何幹之의『文化思想運動史⁰⁶』等 論文은 重慶下의 國家主義와 共産主義, 世界主義와 民族主義 等의 政治的 抗爭을 現實的으로 眺望하며 思想的 危機를 切實히 感得하고 新文化運動에 잇서 良心的 欲求에 自己의 存在를 自覺하고 잇다. 이런 文化運動 中에는 도로히 重慶政府의 政治的 苦惱며 末路的 希望이 窺察되고 잇다.

最近 北京에서는 上海 汪兆銘氏와 中央政府 發展과 아울러 北支의 政治的 文化的 特質이 問題化되며 昨年 十二月 二日에 新民會가 更生하야 王克敏氏를 會長으로 推戴하고 政治機關과의 直接 連絡을 携帶하게 되엿다. 그래서 北支 建設 工作이 民衆의 思想과 文化와의 엇던 方面에 歸結을 짓게 되여 文化運動도 今年에 드러서는 積極的으로 活氣를 띠리라고 期待된다.

文學運動의 中心이던 北京에 居住하는 中國의 靑年 知識階級에 對하야 今年에는 크게 活潑하게 再起하기를 바라는 바 舊文化에 對한 魅惑과 無批判的 社會主義로부터 깨어나서 興亞運動의 基準될만文한 化運動이⁰⁷ 되기를 바란다.

北京在住의 日本 知識層은 다만 이런 運動에 對한 理解者의 立場에 끗치지 말고 積極的으로 前線에 나서 活動할 必要性이 잇나니 中國人에게 期待하기 前 在留日本人 自身의 反省을 要求하고 십다.

昨年 北京에서 發行된 中國 雜誌數를 北京新聞檢査所 調査에 依하면 同十二月 一日 現在로 昭和 十三年度의 十數種에 比하야 新民會 其他의 機關

---

05 柳湜,『國難與文化』, 上海黑白叢書社, 1937.5.3.

06 중국어 본은 찾지 못했으며, 일본어 본으로 何幹之,『近代支那文化思想運動史』, 東京: 日本靑年外交協會出版部, 1939가 있다.

07 '基準될만한 文化運動'의 오식이다.

雜誌 十六種을 除外하고 演劇, 學術, 宗敎, 兒童文學, 繪畵 等 各 分野에 걸친 文化雜誌는 四十五種의 多數에 達하엿다. 그리고 『中國文藝』가튼 雜誌는 相當한 論文을 記栽하야 그 內容이 充實하고 또 讀者도 만히 獲得하고 잇는 月刊物이다.

(下)

文化團體로서도 新民會에서 主幹하는 團體 以外에 演劇 더욱 古代劇에 關한 研究會가 多數인듯하나 演劇 以外에도 繪畵, 音樂의 研究 또는 同好會가 最近 中國人 有志 間에 創立되며 또는 胎動 中이라 한다 .

昨年 十二月 三十一日 新民會와 北京藝術協會와의 共同 主催下에 市內 小學生의 唱歌大會를 開催한 바 最初의 試擧이기 때문에 吾人이 期待한 바 가튼 큰 成果는 不得하엿스나 將來性은 잇슬 것이라고 생각한다.

在留日本人 間에는 最近 特히 文化的 氛圍氣의 要求가 强調되여 華北交通株式會社를 비롯하야 各 會社의 文化團體의 結成과 그 機關雜誌의 發行을 볼 수 잇는 以外 現地 雜誌도 增加되는 傾向이 濃厚하야 今年 一月부터 現地 最初의 綜合雜誌가 新民印書館 松平氏의 犧牲的 義俠心에 依하야 創刊되엿다. 學術的 研究團體와 調査團體는 別問題로 하고 農村問題研究의 農談會, 大使館의 國策研究會 等 各 專門的 分野의 研究會가 定例的으로 開催되고 잇다.

昨年 七月에 那須學一氏 以外 日本學士輩가 中國에 對한 美術研究會를 組成할 遠大한 意見下에서 每 木曜日에 會合하야 斯界 學術을 討論하엿□ 그 會를 木曜會라 하고 新民學院 瀧川博士의 直接的 指導下에서 月 一回의

座談會를 開催하고 三民主義, 中國民族性, 北京의 廟祭, 道敎에 關한 討論을 하고 또 同會에는 瀧川博士, 橋川時雄氏, 鷄岡新民學院 敎授, 北京市 社會局 石橋北雄氏, 武田熙氏 等 諸 大家의 主掌인 史探會가 잇서 遼金時代의 北京 舊城壁, 圓明園의 廢墟, 喇嘛廟 및 古墳 等에 對하야 專門家의 講話를 듯고 考古學과 古文 文獻의 知識을 學得하면서 古蹟을 探究하고 잇는데 거기에는 北京 日本婦人도 參加하야 史學을 硏究하는 것도 北支의 一 異彩라고 할 수 잇다. 또 日本 留學生으로서 臨時政府에 在職 中인 中國人 學士들과도 聯絡을 取하야 서로 知識을 交換하고 잇다. 이는 즉 日中 學術硏究上 發芽期라고 말할 수 잇스나 멀지 안흔 將來에 日中 合同의 學術硏究團體가 民間의 손으로 出現하리라고 밋는 바 이것은 日中人의 科學的 交流을 通하야 優秀한 中國學者의 復歸, 新文化運動의 理論化에 裨益됨이 크리라고 생각한다.

現在 燕京大學에서 敎鞭을 잡고 잇는 日本 留學生 周豐一(周作仁[08] 令息)氏, 經濟學 專攻家 江□(江朝宗 令孫)氏 等과 那須草一氏가 協議하야 學術硏究會 組織을 前提로 康玉壁[09](中國 近世思想 代表者로 有名한 康有爲 令媛[10])女史, 周夫人(康有爲 弟子로 西洋 科學思想을 中國에 啓蒙하야 立憲政體를 主唱한 學者 梁啓超氏 令孃), 現 臨時政府 實業部長 王蔭泰 夫人 等의 誠意잇는 援助도 잇섯스나 그들은 큰 成果를 收穫치 못하고 겨우 라디오, 드라마團體를 結成하고 菊池寬 原作『父歸』를 처음으로 擬音을 만드러 放送한 것을 最後 行事로 하고 有耶無耶 中에 終幕되엿슴은 實로 遺憾이다.

從來 日中 親善의 文化團體 乃至 硏究會가 큰 實蹟을 들지 못한 그 理由

---

08 '周作人'의 오식이다.

09 '康同璧'(康有爲 차녀)의 잘못으로 보인다.

10 梁啓超의 장녀인 梁思順을 지칭한다. 그는 외교관 周希哲의 부인이다.

를 摘發하면 第一로 中國人의 純粹한 自發的 關心을 期待할 수 업는 困難性, 第二로 言語의 不便性, 第三으로 日本人 文化에 對한 歷史的 知識의 不足 等을 볼 수 잇다. 이런 意味에서 在留 邦人으로서는 中國의 歷史的 基礎知識을 獲得할 수 잇는 文化的 關心이 무엇보다 몬저 要求되라 생각한다.

우리 朝鮮同胞는 京津 兩 都市에만 數千을 算하고 北支 全體를 들면 約 二三萬에 達할 것이나 우리의 손으로 趣味雜誌 或은 親睦的 分報 하나 經營하는 者조차 업고 新京에서 發刊하는 滿鮮日報, 京城에서 發行하는 朝鮮日報, 東亞日報, 每日新報 等 各 支局이 設置된 듯하나 大體로 무슨 文化運動을 實行한다는 風說조차 듯지 못함은 참으로 遺憾이다. 北京 在留同胞들도 興亞 新秩序 建設上 一員으로써 活躍하랴면 반드시 文化的 무슨 運動이 잇서야 할 것이 아닌가.

그러나 國防婦人會 朝鮮人支部에서 皇軍 傷病將兵 慰問 演劇을 數次 演出하엿스나 그 內容이 역시 貧約하야 藝術的으로는 큰 效果를 보지 못하엿다. 그러나 그런 機會를 利用하야서라도 北支 在留 朝鮮人은 奮起하야 藝術的 團體 或은 朝鮮人 文化機關으로 무엇이든지 創設되기를 간절히 바라며 擱筆한다.

滿洲 映畫界의 現狀 - 躍進途上의 滿洲 映畫界의 全貌[01]

李台雨

『映畫는 民衆의 最大 敎育者다』

이러한 大前提下에 映畫의 國家的 管理를 敢行한 것은 東半球에 있어서는 新興 滿洲國이 嚆矢이다.

이 映畫의 國家的 管理를 爲하야 康德 四年 八月 二十一日에 設立을 보게 된 滿洲映畫協會(資本金 五百萬圓)는 同年 十一月 一日에 公布된 滿洲映畫法에 依한 法的 明示에 確立된 滿洲國 映畫政策 統制의 國策 大道를 邁進하야 今日의 躍進 "포-즈"를 取하게 된 것이다.

實로 (滿映滿洲映畫協會의 略稱)[02]의 急템포的 發展은 世界의 驚異가 되어 있는 중인데 이것은 오로지 國家가 新興 滿洲國 文化振興의 核心이 될 滿洲映畫의 文化的 宣傳的 使命이 가장 緊急을 要하는 것을 理解한 나머지 이 「映畫滿洲」 建設에 朝野 各 機關이 一致하야 絶對的 支持를 한 것과 이 映畫事業의 參加者들의 熾烈한 映畫報國에 依한 結晶이라고 할 것이다.

滿映은 벌서 劇映畫 二十餘 本을 비롯하야 文化映畫(自家 製作 및 委囑 製

01　『朝光』 제53호, 1940.3.

02　'滿映(滿洲映畫協會의 略稱)'의 오식으로서 소괄호 ' ('의 위치가 잘못되었다.

作을 合하야) 約 七十餘 本, 其他 "뉴-스"映畵 製作에 依하야 滿洲 建國精神의 發揚, 國民敎育의 普及 徹底, 文化 向上의 促進 또한 一步를 나아가서는 國家의 內外 宣傳에 最大限의 機能을 發揮하야 國策 遂行의 完璧을 다하고 이제 또다시 餘力을 北支, 中支에까지 提供하야 兩處에다 妹姉映畵會社를 新設하는 等 大陸 映畵文化의 推進力이 되여 있다.

더욱 前 協和會 中央本部 總務部長으로서 全國 四千萬 民衆에게 指導 號令을 내리며 敏腕을 휘둘너 協和運動에 多大한 功績을 남긴 甘粕正彦氏가 滿映 新理事長에 就任한 것과 함께 南新京"스터듸오" 完成에 依하야 滿洲 映畵界는 자못 活氣를 띄였다. 그러면 다음에 이 躍進途上의 滿洲 映畵界의 全貌를 紹介하여 보기로 한다.

以上과 같이 滿洲國의 映畵는 滿洲映畵協會의 "모노풀리―"下에 있는 만큼 滿洲의 映畵를 말하자면 結局 國策會社 滿映을 分析하야 說明하게 된다.

撮影所의 偉觀은 宛然 東洋 헐리우드

興亞 映畵界는 勿論 世界 映畵界에서 가장 驚異로서 注視하는 것은 滿映의 壯大 華美한 "스터듸오"라 할 것이다. 이 "스터듸오"는 本社屋과 함께 新京市의 將來 中心地帶인 南新京, 位置를 明確히 말하면 新京特別市 洪熙街 六〇二番地에 恰似 文化殿堂을 形成하고 있다. 東洋 第一을 자랑하고 있는 만큼 그 規模의 壯大함과 諸 設備의 特異함에 建築家들과 日本 內地 映畵人들을 비롯하야 極東을 旅行하는 諸 外國人들은 모름직이 驚愕한다. 이 撮影所는 三個年의 歲月과 三百萬圓을 드려서 五萬坪의 敷地우에 三層 建物로 建築된 建坪 實로 一萬 七千 五百 八十九平方米突의 大建物이다.

얼뜬 쉽게 말하면 日本 第一을 자랑하는 松竹 大船撮影所와 松竹 京都撮影所를 合한 것만 하다. 그리고 日本 같은 데에서는 撮影所와 本社屋이 分離되여 있는데 滿映은 事務와 製作活動의 圓滑化를 爲하야 上述한 바와 같이 撮影所와 本社屋이 接續되여 있다.

大概(一) 前舘 事務所 一棟(一, 二, 三層, 地階, 合平積 四,五五六平米), (二) 車寄 一棟(一○一平米), (三) 現像室 及 俳優室 一棟(一, 二, 中 三層 合平積 三,○四四平米), (四) 講堂 一棟(四三五平米), (五) 踏込 一棟(二四平米), (六) 渡廊下 一棟(八四平米), (七) 小"스터듸오" 六棟(三,六五四平米), (八) 廊下 通各室 一棟(三,○四二平米), (九) 踏込 一棟(九四平米), (十) 떠삥룸 一棟(四三五平米), (一一) 自動車庫 一棟(二一七平米), (十二) 大道具 置場 一棟(一,○九五平米), (十三) 大道具 置場 兼 假 스터듸오 一棟 (五四八平米), (十四) 汽罐室 一棟(二六○平米), 煙突 一臺, 屋外 煖房빳트 (煉瓦造)로 되였다.

지금까지 滿映이 製作活動에 使用하든 곳은 寬城子 假"스터듸오"로서 現在의 新"스터듸오"와 正反對側의 郊外 露西亞人 部落에 있다. 이곳은 本來 舊北鐵의 空家인 機關庫를 滿映이 臨時로 借用한 것이다. 그러나 本"스터듸오"의 完成과 함께 昨年 十一月에 全部 移轉하였다. 따라서 前의 大同大街 滿映本社에서 寬城子 假"스터듸오"까지 가자면 自動車로 三十分이나 要하는 것과 같은 不便도 없어지고 또한 撮影所의 機械設備와 諸 技術的 條件도 今年 四, 五月 頃에는 完備되게까지 되였다.

이 같은 物的 條件, 技術的 條件의 完備함을 따라서 滿映은 本格的 製作 "스타―트"를 하게 되였다.

그러나 반듯이 "스터듸오"의 設備 그것이 곧 훌늉한 作品을 비저낸다고 斷言하기는 어렵다.

佛蘭西의 諸 撮影所와 같은 곳은 大概 "크렌"도 充分히 驅使할 수 없는

不完全한 設備임에도 不拘하고 그 製作된 作品은 藝術的인 點에 있어서 世界 映畵藝術의 一流品이 아닌가?

第一流의 映畵作品이 製作되지 안는 限 제 아모리 훌늉한 撮影所일 망정 東洋의 "헐리우드"는 될 수 없다. 建物을 짓기는 容易하나 人間을 맨들기는 百倍나 어렵다. 이 어려운 事實을 쓰라린 眞實로써 體驗하고 있는 것이 滿映이다.

그렇지만 今年度부터는 企劃의 向上과 技術的 機械的 向上에 依하야 從來의 作品보다 總體的으로 水準을 上揚할 것을 確信한다.

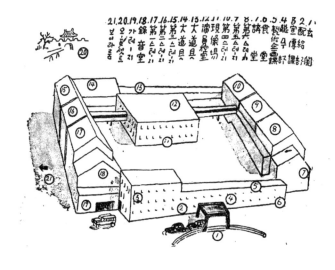

國策線에 立脚한 大陸映畵의 製作

製作部의 活動은 創生의 混沌期에서 整理期를 經由하야 今年度부터 本 "코―스"에 드러섰다. 即 配給은 이미 存在해 있는 것을 다만 再組織하야 統

制하는 것으로 充足하였으되 製作은 全혀 零點線에서 새로운 創造를 始作하지 않으면 안 되게 되였었다. 게다가 이러한 創造를 爲한 藝術的인 또한 技術的인 基礎가 서있지 않었든 것이다. 支那事變으로 因하야 極히 不完全한 條件下에서 無理한 映畵製作을 하게 되여 昭和 十三年度에 이미 「壯志燭天」,「明星誕生」,「七巧圖」,「萬星[03]尋母」,「大陸 長虹」,「知心曲」,「密[04]月快車」等의 劇映畵와 三十餘 本의 文化映畵를 製作하였다.

이 昭和 十三年度 上半期에 前 日本映畵界의 名"푸로두—서—" 根岸寬一氏(前 日活 多摩川撮影所長)가 牧野滿男氏(前 日活 企劃課長)를 거느리고 滿映의 入社하야 自身은 製作部長에, 牧野滿男氏는 同 次長에 就任하자 從來의 素人들 솜씨로 構成된 모든 拙劣과 不合理를 除去하고 映畵다운 映畵를 맨들 수 있는 機構 整備에 着手하야 大體로 昨年 여름에 完了하였든 것이다.

이리하야 設備 밋 技術的 條件이 基礎와 함께 荒牧芳郎, 鈴木重吉(現在 北京에 新設된 華北電影公司 文化畵映課長, (註)電影公司=映畵會社), 大谷俊夫 其他 優秀映畵人을 續々 招待하야 第一線에 세우게 되자 相當히 째이는 "스탑프"가 形成되였다.

特히 「五人의 斥侯兵」,「路傍의 石」의 「씨나리오라이터」 荒牧芳郎氏를 滿映에서 吸引한 것은 한 개의 成功이였다. 그러나 제 아모리 日本映畵界의 「엑스파—트」들이라 하드래도 滿人의 生活도 心理도 모르기 때문에 當分間 生活을 알기까지 本格的 力兩을 發揮할 수가 없었다. 그것은 두말할 것도 없이 生活이 없는 곳에 藝術이 있을 수 없기 때문이다.

이리하야 昭和 十四年度부터 비로소 劇映畵에 가차운 作品을 製作하게

---

03 '星'은 '里'의 오식이다.

04 '蜜'자의 잘못이다.

되였든 것이다.

　昨年度에 製作된 劇映畵는 (一)『富貴春夢』(原作·脚色 荒牧芳郎. 監督 上野眞嗣[05], 撮影 竹內光雄, 主演 李香蘭, 杜撰, 張敏), (二)『寃魂復仇』(原作·脚色 高柳春夫, 監督 大谷俊夫, 撮影 大森伍[06]八, 主演 張書達, 劉恩甲, 李香蘭), (三)『田園春光』(原作 脚色 山川博, 監督 高原富次郎, 撮影 杉浦要, 主演 李鶴, 杜撰, 張敏), (四)『慈母淚』(原作·脚色 荒牧芳郎, 監督 水江龍一, 撮影 藤田[07]春美, 主演 李明, 杜撰, 張敏), (五)『鐵血慧心』(原作·脚色 高柳春雄, 監督 山內英三, 撮影 池田專太郎, 主演 李香蘭, 隋尹輔, 郭紹儀), (六)『眞假姉妹』[08]原作·脚色 長谷川濬, 監督 高原富次[09]郎, 撮影 島津爲三郭, 主演 李明, 杜撰, 鄭隋[10]君), (七)『東遊記』(原作·脚色 高柳春雄, 監督 大谷俊夫, 撮影 大森伍人[11], 主演 劉恩甲, 張書達, 李香蘭[12], (八)『煙魂[13]』(原作 坂口昇, 脚色 中村能行, 監督 水江龍一, 撮影 藤井春美, 主演 李顯庭, 季燕芬, 周凋), (九)『黍[14]明曙光』(原作·脚色 荒牧芳郎, 監督 山內英三, 撮影 遠藤瀛吉, 主演 周凋, 笠智衆(松竹), 西村靑兒(松竹), 季燕芬), (十)『國境의 꽃』(原作·脚

05　정보가 잘못되었다. 이 영화의 감독은 鈴木重吉이다.

06　'伍'는 '伊'의 잘못이다.

07　'田'는 '井'의 잘못이다.

08　'（'가 누락되었다.

09　'次'는 '士'의 잘못이다.

10　'隋'는 '曉'의 잘못이다.

11　'大森伊八'의 잘못이다.

12　'）'가 누락되었다.

13　'煙鬼'의 잘못이다.

14　'黎'의 오식이다.

色 楊正仁, 監督 水江龍一, 撮影 藤井春美, 主演 王麗君, 隋尹輔, 王福春) 等이다.

이 劇映畫와 함께 文化映畫의 需要는 驚異的인 增加를 爲하야 이미 完成된 것 六十餘 種, 其他 日滿 兩語의 "뉴—스"는 第一報로부터 第七十報에 達하였다. 바야흐로 文化映畫의 取材範圍는 極히 廣範하야 漸次로 自主製作은 擴大될 것이다. 그 取材範圍로서는 衛生思想의 徹底, 勤勞奉仕思想의 普及, 科學思想의 普及 等 大衆의 生活 周圍에 있는 모든 것이 對象이 된다. 또한 小學校 兒童映畫 製作의 準備로서는 映畫에 依한 學校教育의 技術研究(教科書의 映畫化 其他) 또한 "필름·라이쁘라리—"의 設置, 漫畫映畫의 製作 等 外 映畫의 重要機能으로서의 "뉴—스"映畫의 製作에 對하야서는 昭和 十三年度 末 以來 同盟通信社와 提携하야 日滿뿐만 아니라 世界 各地 "뉴—스"와의 交流를 施行하야 滿洲의 文化映畫, "뉴—스"映畫의 內容은 바야흐로 豊富하여 가며 있다.

最近에는 京城 高麗映畫協會와도 緊密한 提携를 하야 鮮滿 間의 "뉴—스"映畫를 敏速히 交換하기로 되였다.

그런데 上述한 劇映畫 中에서 「國境의 꽃」, 「黎明曙光」, 「鐵血慧心」, 「東遊記」, 「田園春光」은 比較的 쓸쓸한 편이나 其他 作品은 신통치 못하다.

더욱 昨年度 下半期에 京城에서 上映한 「冤魂復仇」는 가장 失敗한 拙作임을 말해둔다.

滿洲 銀幕界의 男女 俳優 群像

健全 娛樂에 依하야 滿人 大衆의 精神的 生活에 潤澤을 주고 一方 東亞民族의 平和使者로서 또한 思想 宣傳戰의 戰士로서 國策線에 서서 映畫報國에 活躍하는 滿映의 演員(俳優란 뜻의 滿語) 總數는 現在 九十一名으로서 그중

男子 演員이 五十二名, 女子 演員이 三十九名이다.

主要한 演員은 男優로서는 杜撰, 隨尹輔, 王福春이 젊은 「니마이메」役으로서 가장 活躍하고 北京으로부터 데려온 徐總[15] 및 郭紹儀가 比較的 멋이 흐르는 風貌에 依하야 特殊한 役에 好演을 보혀준다. 그리고 王宇培, 周凋, 載劍秋[16]의 三人은 一般的으로 젊은 演員 中에서는 年齡도 만코 演技도 沈着하야 어느 程度의 水準을 보혀주고 있으며 또 劉恩甲, 張書達의 兩人은 各各 喜劇的인 肉體의 主人公으로서 「산마이메」役에 出演하야 滿人 間에 人氣를 集中하고 있다.

다음 女優로서는 李香蘭, 李明의 兩人이 各各 主役級으로서 斷然 人氣를 차지하고 있는데 李香蘭은 最近 東寶 滿映 提携作品 「東遊記」와 「白蘭의 노래」에 出演한 以來 滿洲는 勿論 日本, 朝鮮에서 驚異的 人氣를 올리고 있다.

더욱 李香蘭孃의 「위닝·스마일」띄운 天才的 美聲의 노래는 圓盤界 人氣를 獨點하고 있다.

李明孃은 主로 그 "팻슌"있는 熱情的이며 性格的인 好演技로 絶評을 밧든 중이였엇는데 現實의 戀愛劇의 女主人公이 되여 昨年 가을 頃부터 北京으로 「사랑의 逃避行」을 한 後 消息조차 없다 한다. 그러나 이러한 俳優들 私生活에 對하야 極히 圓滿 寬大한 滿映에서는 李明孃의 俳優의 素質의 優秀함을 생각하여 不遠間 再契約을 하여 滿映 "크랑크"앞에 또다시 스게 할 意向을 갖었다고 傳해지고 있다. 李明孃이 不在中에 季燕芬孃이 갑작이 一流 "스타—"級에 登場하게 되였다. 季燕芬孃은 그 淸楚한 슈孃 "타입"의 魅力이 出衆하여 滿人 映畵팬 大衆으로부터는 李香蘭孃의 人氣 그것보다도

---

15 '徐聰'의 잘못이다.

16 '戴劍秋'의 오식이다.

優位로 取扱되고 있다.

이 밧게 張敏, 鄭曉君, 李鶴, 王麗君, 趙愛蘋 等이 未來性있는 演技者로서 期待되고 있다.

映畫 配給 統制와 國民文化의 啓蒙

滿洲 밋 關東州 圈內에 있어서 이 映畫 配給은 「映畫法」 第四條(映畫의 輸出 輸入 及 配給은 國務總理大臣의 指定한 者外에 此를 敢行할 수 없음)에 依하여 滿映의 獨占事業이 되여있다. 여러 가지 事情으로 從來 滿映에서 가장 積極的인 活動을 한 것은 이 配給部門이였다. 日本人舘에 日本映畫를 配給하는 것도 日系 市民들에 對하여서는 거위 唯一한 娛樂을 供給하는 重大한 일이지만 그 以上으로 重要한 것은 上海에서 맨든 支那映畫 밋 香港에서 맨든 支那映畫를 滿映 自家製 國産映畫와 함께 滿人舘에 配給하는 것이다.

滿映 配給部에 數百本의 支那映畫의 "스톡크"가 있는 事實에 對하야 支那 本土 映畫人들까지 滿映 配給部 周到함에 驚嘆한다. 勿論 "싸이렌트"時代의 幼稚한 忍術 映畫도 섞기여 있으나 가장 새로운 "토―키―"가 거지반 다 買入되여 있다. 在庫品의 "리스트" 中에는 蔡楚生의 傑作 "漁光曲"과 그 後의 「迷途的羔羊」, 「王老五」 其他 「逃亡」, 「時勢英雄」이라든가 「馬路天使」와 같은 新舊의 問題作이 몽닥 갓추어저 있다. 뿐만 아니라 最近의 上海映畫의 傑作인 「木蘭從軍」, 「一夜的皇后」도 빠지지 안코 購入되여 있다. 아마 支那映畫의 이만한 完全한 倉庫는 全世界에――勿論 上海에도 인제는――없을 것이다.

上海映畫뿐만 아니라 日本映畫, 朝鮮映畫, 歐洲映畫에 이르기까지 相當히 "스톡크"를 갓추고 있다. 어쨋든 滿洲 映畫界에서는 興亞映畫를 全部 볼 수 있는 것이 滿洲에 居住하는 映畵팬이 幸福이며 질거운 일이다.

다만 遺憾인 것은 米國映畵를 볼 수 없는 것이다. 그것은 滿映의 配給 統制 以來 "헤이스올가니제의숀"의 滿映 "뽀이콧트"에 依한 米國 八社映畵의 輸入 不能에 原因이 있는 것이다.

그러나 本年度에 있어서 米國映畵의 輸入 可能하게 되리라고 傳해지고 있다.

一般으로 洋畵는 再昨年度에 있어서 爲替管理 影響에 依한 外國映畵 輸入制限 及 禁止 等으로 因하여 減少되였으나 同年에 滿獨通商協定의 成立에 際하야 協定 內에 映畵項目의 設定을 보게 되자 獨逸 各 映畵會社와의 사이에 獨逸映畵의 輸入 契約을 締結한 結果 昨年度「猫橋」,「南方의 誘惑」을 비롯한 優秀 映畵 四十九本을 輸入하였다. 이와 함께 盟邦 伊太利와는 "루一체"協會와는 滿伊文化뉴一스映畵의 相互交換協定에 依한 그 實現을 보게 되었다.

그런데 配給 活動에 있어서 가장 重要한 事實은 昨年 十月 一日을 期하야 實施된「理想配給制度」와 十六粍 映畵網의 擴充이다.

即 國策 使命 達成을 爲하여서는 從來와 같은 全滿 各 常設舘과 滿映 間의 "갸프"를 是正 革新하여 映畵 常設舘도 新聞이나 "라듸오" 等과 같이 確固한 國策的 公共機關이 되도록 할 必要가 絶對的으로 있는 것이다.

이런 意味에서 舘과 滿映을 密接히 하려는 方策으로 取한 것이 理想配給制度로서 系統 配給의 廢止와 아울러 步合配給制度를 採用한 것이다. 系統配給制의 廢止에 依하야 政府 及 滿映의 國策的 意思대로 潤達, 臨檄의 自由 "푸로"가 編成되는 同時에 지금까지 死藏되여 있든 優秀한 文化映畵의 一般 公開 等이 容易하게 實行되게 되였으며 또한 步合配給制 採用에 依하여 常設舘側의 經營이 保證되여 舘側의 經營上 危險이 조곰도 없게 되였다. 어쨋든 이 新配給 "씨스템"은 滿映 配給部의 飛躍的 發展을 말하는 것이다.

이러한 映畵 統制의 諸 經驗은 얼마 前에 實施하게 된 日本과 또는 앞으로 오는 二月 十一日 頃부터 施行될 朝鮮의 映畵 統制에 對하여서도 산 敎材가 될 것이며 많은 示唆을 줄 것을 믿는다.

다음 十六粍 映畵網의 擴充에 있어서는 小型 常設館을 于先 三個年 計劃으로 百六十個所에 新設하기로 한 後 昨年度에 벌서 六十餘個所에 新設하는 한편 全滿에 十六粍 映畵의 『滿映巡回映寫網』을 擴充하여 國民의 啓蒙 敎化 믿 文化의 促進을 圖謀하고 있는데 이것에 本格的 活動을 하게 된 것은 再昨年 即 昭和 十三年 六月부터로서 昨年 四月부터는 配給部 內에 따로히 開發課까지를 新設하고 全滿의 文化啓蒙 敎化宣傳을 爲하야 映畵館의 設備가 없는 群小의 都市와 邊境의 地方에 對하여 敎會, 協和會 其他 關係 機關과 聯絡하야 敎育 믿 娛樂映畵의 巡回 興行하고 있다. 이와 아울러 鐵道 沿線 巡回 映畵班, 在滿 日本人 小學校 巡回 映畵班도 이미 實行하고 있다.

이와 같이 巡回 映寫 活動은 民衆과 映畵를 接近시키는 意味에서 가장 重要性을 띈 것인 만큼 滿映에서는 今年 二月 頃부터 開發課를 配給部에서 分離 獨立시킨 後 大大的 擴張을 하기로 되였다. 一般 配給과 開發 事業에 對하여 좀더 仔細히 紹介하 싶으나 벌서 指定 枚數를 超過하였음으로 다음 機會로 밀겠다. 그런데 現在 全滿 常設館 數는 日系舘 五十舘, 滿系 七十舘이다.

滿映의 機構와 首腦級의 幹部들

滿映의 社員 總數는 六百 五十餘名으로 總務部, 配給部, 製作部, 上海駐在, 大連, 東京의 出張所 等으로 나누어저 있으며 또한 北京에 新設을 보게 된 姉妹會社 華北電影公司 等에 若干 兼任 社員이 있다.

現 重役 및 幹部 諸氏는 다음과 같다.

常務理事長 甘粕正彥, ◇ 常務理事 林顯藏, ◇ 常務理事 根岸寬一, ◇ 理事 姚任, 神守源一郎, ◇ 監事 中川增藏, 恩麟, ◇ 總務部長 山梨稔, ◇ 配給部長 古川信吾, ◇ 同 次長 伊藤義, ◇ 製作部長 根岸寬一, ◇ 同 次長 牧野滿男.

朝鮮映畵의 大陸 進出狀

朝鮮映畵의 滿洲 輸入은 昭和 十三年度부터 滿映의 所謂 「朝鮮映畵一本 輸入封切方針」에 依하여 誠意있는 輸入 封切 實施를 보게 되었다.

即 昭和 十三年度에는 「旅路」, 「漁火」, 「漢江」, 「薔花紅蓮傳」(싸이렌트), 「圖生錄」 等 五本의 朝鮮 劇映畵가 輸入 封切되었고 昭和 十四年度 即 昨年度에는 「軍用列車」, 「沈淸」, 「國境」 等 三本이 輸入 封切되었다. 昨年度에 있어서는 朝鮮側의 對外 映畵 配給의 不合理, 無統制에 依하여 豫想보다 量的으로 매우 貧弱한 輸入 封切을 보게 된 것이 遺憾이었다.

朝鮮에 映畵法이 施行되는 것을 契機로 하여 이 對外 映畵 配給의 圓滑을 期待한다.

그리고 昨年 以來 滿映 配給部에서는 京城 高麗映畵社를 滿映 配給所로 하고 맞춤내 滿映 作品(文化映畵, 劇映畵, 뉴―스映畵)의 本格的인 朝鮮 配給을 實現하게 되었다.

그 第一回의 進出은 劇映畵 「寃魂復仇」로서 昨年 十一月 三十一日에 京城에서 封切되었으며 次回 輸出 映畵로서는 「鐵血慧心」(警察 報國의 內容을 取扱한 映畵)이 朝鮮 封切을 待期하고 있는 中이다. 뿐만 아니라 昨年 여름에는 約 二個月에 亘하여 滿洲"로케"를 한 高麗映畵社 滿映의 提携作品 「福地萬

里」(監督: 全昌根) 製作 活動은 映畵滿洲와 映畵朝鮮의 첫 握手를 보혀주는 事實로서 이 作品의 成功如何에 따라서 滿鮮映畵 提携 關係는 漸次 密接해 갈 것이다. 映畵 製作 提携 및 配給 交驩은 勿論 將來에는 優秀 俳優의 交驩도 實現될 것이며 나아가서는 朝鮮人 俳優도 五族의 一員으로서 滿映에 採用되여 興亞 映畵報國 第一線에 堂堂히 登場하게 될 것이다.

어쨋든 朝鮮映畵로서는 日本市塲에 販路를 求하는 것보다 大陸에 販路를 開拓하여야 할 것이며 바야흐로 昂揚되여 있는 興亞精神의 把握을 爲하여서도 視野를 널리하여 可及的 大陸과 關聯하여 "크랑크"를 向하도록 할 必要性이 있다고 생각한다. 이 朝鮮映畵의 大陸 進出論에 對하여서는 具體的 理論을 展開하고 싶으나 紙數의 制限 關係上 이 다음 機會로 미루고 拙文을 끗마추고저 하는데 朝鮮映畵의 大陸 進出에 있어서 이 方面에 누구보다도 먼저 着眼하고 또한 滿映 幹部側의 絕對的 信賴를 밧고 있는 朝鮮映畵의 名"푸로쮸—서"인 高麗映畵社 社長 李創用氏와 및 昨年 여름에 崔承喜女史 歸朝 記念映畵 作品의 提携 製作을 滿映에 相談한 崔承喜女史의 實兄인 東亞映畵製作所 代表者 崔承一氏 等의 今後 活躍이 매우 期待되고 있다.

動亂 中의 中國 作家[01]

上海 金學俊

中國 文化界의 中心地가 四都 北京에서 國際 都邑 上海에 옮긴 것은 一九二八年이다. 當時 以來 中國의 社會主義者들은 單 政治上뿐만 아니라 全 文化界에 亘하여 一大 勢力을 가지고 中國의 所謂 社會 主務的인 諸般의 文化運動이 全省[02]의 文化界에 浸潤케 이르렀다. 特히 中國共産黨의 活躍은 一九二七年부터 三一年 頃에 걸처 굉장한 發展을 하여 上海에 폴시에우이키의 文化支部를 設立하여 共産主義의 文化運動을 續行하기 爲하여 必死 努力을 해왔다.

이런 狀況에 있어 上海의 文化界는 左翼作家의 活動 舞臺로 되여 一九二九年에는 「左翼作家聯盟」이 組織되고 이어서 同 系統의 「社會科學作家聯盟」이나 「劇作家聯盟」 等이 組織되었다.

그런데 一九三○年 以後가 되여 上海의 文化界뿐이 아니라 全 中國 文化界가 左翼文化運動의 優勢인 물결에 躍動되여 局面은 漸漸 左翼文化 橫行의

---

01 『三千里』 제12권 제4호, 1940.4.

02 당시 上海는 江蘇省 관할지였다.

風潮를 봄에 이르렀다. 그런데 이 上海 文化界 情勢에 一大 轉換을 齎來한 것은 一九三一年년의 第一次 上海事變이다. 國民政府는 新生活運動의 餘波라해서 이제보다 더 一層 이번 事變을 地境으로 하고 事變 後 「左翼作家聯盟」의 急進分子에 對하여 猛烈한 政治的 彈壓을 加함에 이르렀다. 漸次로 中國左翼作家가 上海에서 그림자를 감추게 된 것은 이때이었다. 此際 國民政府의文化 政策에 認耐하여 左翼 彈壓을 버텨낸 것은 겨우 魯迅과 茅盾뿐이었다.

이리하여 上海의 左翼系 文化團體는 魯迅과 茅盾으로서 組織이 밖귀여「中國左翼文化總同盟」이 成立된 것이었으나 그 後 魯迅이가 死沒케 됨에따라 漸次 分解 作用을 일으켜 甚히 不振케 되었다. 이러한 文化運動과 平行하여 中國 民族運動이 國民政府의 文化 政策에 依하여 拍車를 加하여 滿洲事變, 第一次 上海事變 以後 民族解放의 文化運動은 다시 反帝國主義運動과 合同하여 첫째로는 日本을 일러 侵略國이라 誤解하고 이를 目標로 드디여 一九三六年에 이르러서 抗戰主義의 文學도 낳게 되었다. 말하자면 抗日의 文學이 轉하여 抗戰文學이 되고 三轉하여 國防文學 樹立의 부르짖음이 부르짖음에까지 이르렀다. 一九三六年 六月에는 「中國文藝家協會」의 組織을 보게 되고 抗日國防文學 樹立이란 鮮明한 旗幟를 세워 가지고 大規模인 作家集團을 結成하였다. 茅盾, 郭沫若, 洪深, 夏丏尊 等이 相集하여 著名作家의 會員 數는 百二名의 多數에 밋쳤으나 文藝 作家란 自由主義的인 態度의 것에 決코 이러한 文化團體의 强固한 發展이 있을 理 없고 한번은 民族解放이란 中國人의 마음으로부터의 感激이 文化運動으로서 國防文學 樹立이란 態度에까지 濃厚히 나타났으나 이 一年을 通하여 作品에도 評論에도 國防文學 是否의 論이 盛하였던 것으로 보아선 그리 齎來한 수확은 없고一九三七年의 봄에 이르러 이 文藝團體도 解消돼 버렸다.

이러한 情勢 中에 있어 그해 七月에 日支事變이 일어나 上海 文化界에 한 새로운 展開가 되었다. 먼저 一部 知識階給에게 愛護되여 있던 日本 亡命 作家이었던 郭沫若이 이 事變을 契機로 하여 오래간만에 歸國하여 中國文壇에 있어 일찌기 王座이던 魯迅을 代身하여 一部 作家를 糾合하여 國民政府의 政治 宣傳 工作에 參加하여 活躍을 했다. 처음엔 上海에 있어 活躍한 모양이나 皇軍의 活躍이 進取됨에 따라 彼도 또한 後退를 할 수 없이 하여 一時는 南京에 있었다 들었고 또는 長沙에 있었다는 風說도 들었으나 只今은 어디 있는지 알 수도 없는 일이다. 近頃 英字 新聞을 읽은 즉 郭沫若은 奧地 遁入과 함께 不變히 中國 文化運動에 活躍하여 政府와 共同戰線을 펼처 抗日에 躍氣코 있으나 요사이는 젊은 支那의 映畵 俳優와 戀愛에 빠졌다고 報道돼 있으나 昔日 彼의 文學 作品을 보건대 그 純情性이라든가 熱情性이 있는 그로서는 或은 그럴런지 하고 고지 들릴 點도 있으나 그러나 그 反面에 日本人의 妻子를 버리고 祖國을 爲하여 文化活動의 戰線에 躍進하여 간 어느 意味로 生覺컨대 그러한 風說을 眞實이라고 고지 듣기는 어려운 일이다.

그 以上 郭沫若의 歸國은 當時 全 中國의 知識階級에 큰 感激을 준 일은 그 때 雜誌 紙上을 보아도 알 일이다.

然이나 그것은 戰爭 中에 있어서 僅少한 感激이여서 그 後 皇軍의 活躍은 日進하여 敗戰 中國은 後退를 할 수 없이 하고 作家는 漸次 奧地로 遁入하여 上海文壇의 活躍은 그여히 衰退를 보게 이르렀다. 上海文壇 衰滅과 함께 「上海文化協會」는 그 機能을 잃고 그 많은 幹部들은 時國의 重壓과 生活의 地盤을 잃어서 어찌하든지 早速히 奧地로 避하여 事變 以來 國民政府는 敗殘과 함께 그 勢力을 消失하여 政府의 左翼 文化人에 對한 彈壓은 戰前과는 反對로 急激히 緩和되어 온 것이나 時局에 對한 恐怖는 도리어 甚하여 彼等은 奧地로 逃避함을 單 하나의 安全道로 믿어 次次 上海를 脫出하여 或

은 香港, 廣東, 漢口, 延安, 桂寧[03] 等으로 隱身케 되었다. 이리하여 上海文壇
은 全혀 解體되어 一時는 그 活動을 停止하는 狀態에 이르렀었다.

그런데 그 後 戰火도 멀어지고 局部的이었으나 上海의 時局에도 爲先 安
定이 되었다고 볼 지음 租界에 남아 있던 一部의 左翼作家는 所謂 二三流의
作家를 動員시켜 活動케 하여 上海文壇은 一時 復興한 感이 있었다.

그러나 그것은 단지 文學活動의 復興이란 現實뿐이여서 이는 戰前과 같
은 一流作家의 活動은 볼 수도 없고 戰前엔 거의 이름조차 아지 못하든 無
名의 新進作家가 所見 없시 文學活動을 始作한 것에 不過하고 昨今 雜誌 新
聞 紙上의 作者名을 보건대 例로 들면 柯若鍾[04]이나 林淡和[05]라든지 谷斯範
이며 望陽 等에 全然 事變 前에는 어떠한 文學活動을 하였는지 아지도 못할
無名 作家의 □[06]行時代로 되여 있다. 말하자면 事變과 함께 멀리 奧地로 中
國 一流의 文化人은 遁入해 버리고 그들이 없는 틈을 타서 虛名을 팔고 있는
者들의 集合으로 되여 있다.

그 中 王任叔만은 이 無人의 天地에 있어 群衆을 指揮하여 마치 大家와
같은 風貌를 보이고 있으나 그렇다고 王任叔 그가 中國文壇 一流의 作家가
아니고 설상 「每日譯報」나 「嚼火」나 「前哨」나 「華美週刊」 等에 陣을 처 가
지고 活躍해 보드래도 決코 今後 中國文壇이 再生하리라고는 生覺지 못한
程度의 無才 無智의 作家 集合이다.

이 王任叔과 對抗할 程度의 勢力은 아니나 他에 自己의 系統을 가지고 左

---

03 '桂林'의 오기로 보인다.

04 확인되지 않는 이름이다.

05 '林淡秋'의 잘못으로 보인다.

06 원문에 공백으로 되어 있으며 '流'자가 누락된 것으로 짐작된다.

翼文壇에 相當한 勢力이 있는 阿英이 있다. 阿英은 今日 支那小說 研究者, 藏書家로서 著名하나 彼는 일즉 左翼文壇의 先鋒 評論家이었든 錢杏邨의 變名이다.

彼는 今日에는 昔日의 思想을 轉向했으나 今日에도 亦是 大衆을 끄을만한 力量을 가지고 있는 故로 戰後 上海文壇에서 再次 活躍을 하리라고. 彼는 今日 評論에 붓을 들지 않고 「抗戰建國兒女英雄傳」 等의 通俗小說과 短篇 等을 發表하고 있으나 다시 小說 研究家의 껍질을 벗어버리고 文藝 評論界로 乘出함도 不遠한 일이다. 그 外 支那 戲曲, 小說 研究의 第一人者 鄭振鐸, 傳東華, 趙景深도 左翼 陣營에 加入하여 抗戰의 文章을 많이 쓰고 있다. 그러나 一般 文化界는 戰爭과 함께 文化人을 四散해 버리게 된 今日엔 上海文壇도 그리 볼만한 活動도 적고 함부로 「文藝」, 「文藝新潮」, 「文華報」, 「申報」, 「文藝思潮」 等의 幾多의 新聞 雜誌의 發刊을 볼뿐이지 內容은 寥然한 것이 못 된다.

다시 中國 出版界의 中心地었던 上海가 皇軍에게 占領되고 最大의 商務印書館까지 爆碎된 故로 出版活動의 衰頹는 더욱 甚하고 開明書局, 良友雜誌局 等의 群小의 出版店은 各地 支店으로 避하여 겨우 書籍의 刊行을 繼續할 뿐이다. 그러나 무엇이 어떻다 하되 저 廣大國이니까 저와 같은 戰禍를 받으면서도 決코 出版이 停止된 것이 아니라 商務印書館 等은 戰後도 一年 동안은 或은 香港으로, 廣東으로 移轉하면서 豫約 出版을 續行하였으나 戰爭의 進展과 함께 書籍 出版에 停體를 일으키게 된 것은 學者 文人의 奧地 遁入이다. 이렇기 때문에 草稿를 手中에 할 수가 없는 故로 近來는 그리 新著의 發刊이 적고 옛 스돗크의 書籍으로 出版界는 餘命을 保全코 있다. 또는 飜譯物로서 出版界는 떠들고 있다. 팔박의 「愛國者」, 林語堂의 「새로운 中國의 誕生」, 스노 夫人의 「支那의 赤星」, 「支那의 赤軍」, 깐사의 「歐羅巴의

內幕」等은 此機 出現된 것으로 出版界의 現狀이다. 다시 外國語 飜譯書는 一進하여 外國의 書籍의 複刻이 盛해졌다는 出版 道德上 좋지 못한 情勢를 보게까지 이르었다.

如此히 學者, 作家의 奧地 遁入과 함께 國民政府의 版權이나 出版 檢閱 制度에 對한 對策이 루즈됨에 따라서 일직 政府 發禁의 書까지도 나타나게 이르고 例로 들면 茅盾의 「子夜」이든지 말크스·레-닌 等의 著書도 書店에 나타난 모양이다.

奧地로 遁入한 作家들은 戰前엔 國民政府와 反對의 立場에 있든 者까지도 民族運動이란 名目下에 今日 四川省 其他에 相集하여 抗日에 活躍코 있다.

茅盾, 丁玲, 郭沫若은 左翼的 立場에서 붓끝을 날리고 또 老舍 等은 作家 組合을 結成하고 抗日戰에 參與하고 있다. 이 組合은 最近 戰線에 會員을 보내여 그 從軍記를 編纂하여 十二券의 報告文學을 公刊한다고 말한다. 또 많은 作家는 自然 集團主義에 아니 들지 못하는 故로 一群의 作家가 모여서 隨筆, 戲曲, 小說을 모아서 「第一年」이란 作品集을 公刊하였다.

이것은 다시 續集도 刊行되었었다.

모두 다 戰爭 中에 있는 作家의 作品인 故로 讀後 興味일슬 것이다. 그러나 이것이래야 皇軍의 大勝과 함께 何如間 四散치 않으면 아니 될 現狀에 있는 今日에 中國文壇은 今次 事變을 契機로서 各 地方, 各 地方의 文化를 中心으로 하는 地域으로 文化運動의 發生을 보게 되고 四川文壇도 이 數年 中엔 消滅될 것이다. 도리어 喧騷와 混亂의 도가니化한 都市 中心의 中國 文化界가 이 事變 勃發과 함께 大地를 基礎로 한 眞 中國의 文化를 樹立할 諸 地方 發生의 文化를 낳게 될 것이다.

日支事變이 中國文化에 與케 된 意義는 여기에 휘황한 明日을 보게 됨에 이를 것이다.

엮은이
소 개

최창록(崔昌笏)

남경대학교 한국어문학과 교수로서 연변대학교 조선언어문학학부 및 동 대학원 석·박사과정을 졸업했으며, 한국 근현대문학 및 한중비교문학 전공자이다. 연구 저서로는 『리얼리즘과 한국근대문학』(남경대학출판사, 2011), 역서로는 『중국 문학 속의 한국』(소명출판, 2017), 논문으로는 「부나이푸 한국인 서사의 의미-『황야의 사나이』에서 보이는 극지상상과 문화융합을 중심으로」(2017) 등이 있다.

조영추(趙穎秋)

중국 남경대학교 한국어문학과 및 동 대학원 석사과정을 마치고 연세대학교 국어국문학과에서 박사학위를 받았다. 현재 해방기 문학과 한·중 근대문학의 비교연구에 관심을 가지고 공부하고 있다. 주요 논문으로 「언어의 미달과 사회주의 친선 감정의 자기 증식: 한설야의 소련 기행문과 소련인물 관련 소설을 중심으로」(2021), 「집단 언어와 실어 상태: 중국 문인들의 한국전쟁 참전 일기를 중심으로」(2018) 등이 있으며, 공동 역서로 『集體情感的譜系: 東亞的 集體情感和文化政治』(2018)가 있다.

'한국근대문학과 중국' 자료총서 ⑬

비평 Ⅳ (1935.4~1940.4)

초판 1쇄 인쇄 2021년 9월 17일
초판 1쇄 발행 2021년 9월 27일

지은이	김광주 외
엮은이	최창륵 · 조영추
기 획	『'한국근대문학과 중국' 자료총서』 편찬위원회
펴낸이	이대현
편 집	이태곤 문선희 권분옥 임애정 강윤경
디자인	안혜진 최선주 이경진
마케팅	박태훈 안현진
펴낸곳	도서출판 역락
주 소	서울시 서초구 동광로 46길 6-6 문창빌딩 2층
전 화	02-3409-2060(편집), 2058(마케팅)
팩 스	02-3409-2059
등 록	1999년 4월 19일 제303-2002-000014호
전자우편	youkrack@hanmail.net
홈페이지	www.youkrackbooks.com
字 數	301,713字

ISBN   979-11-6742-028-2   04810
        979-11-6742-015-2   04810(전16권)